Reigers vlucht

www.boekerij.nl

SOPHIE LUCAS

REIGERS VLUCHT

BOEKERIJ

ISBN 978-90-225-6022-8
ISBN 978-94-6023-205-3 (e-boek)
NUR 334

Omslagontwerp: Davy van der Elsken | DPS design & prepress services, Amsterdam
Omslagbeeld: Trevillion
Zetwerk: Text & Image, Gieten

가마귀 싸호는 골에 백뢰야 가지마라

셩낸 가마귀 흰빗츨 새올셰라

청강에 잇것 시슨 몸을 더러일가 하노라

Witte reiger, mijd het dal
waar de kraaien ruziën.
Afgunstig op je witte veren,
schoongewassen in de heldere stroom,
zullen die woedende kraaien
jouw zuiverheid bezoedelen.

Koreaanse sijo uit de veertiende eeuw
Vertaald door Boudewijn Walraven

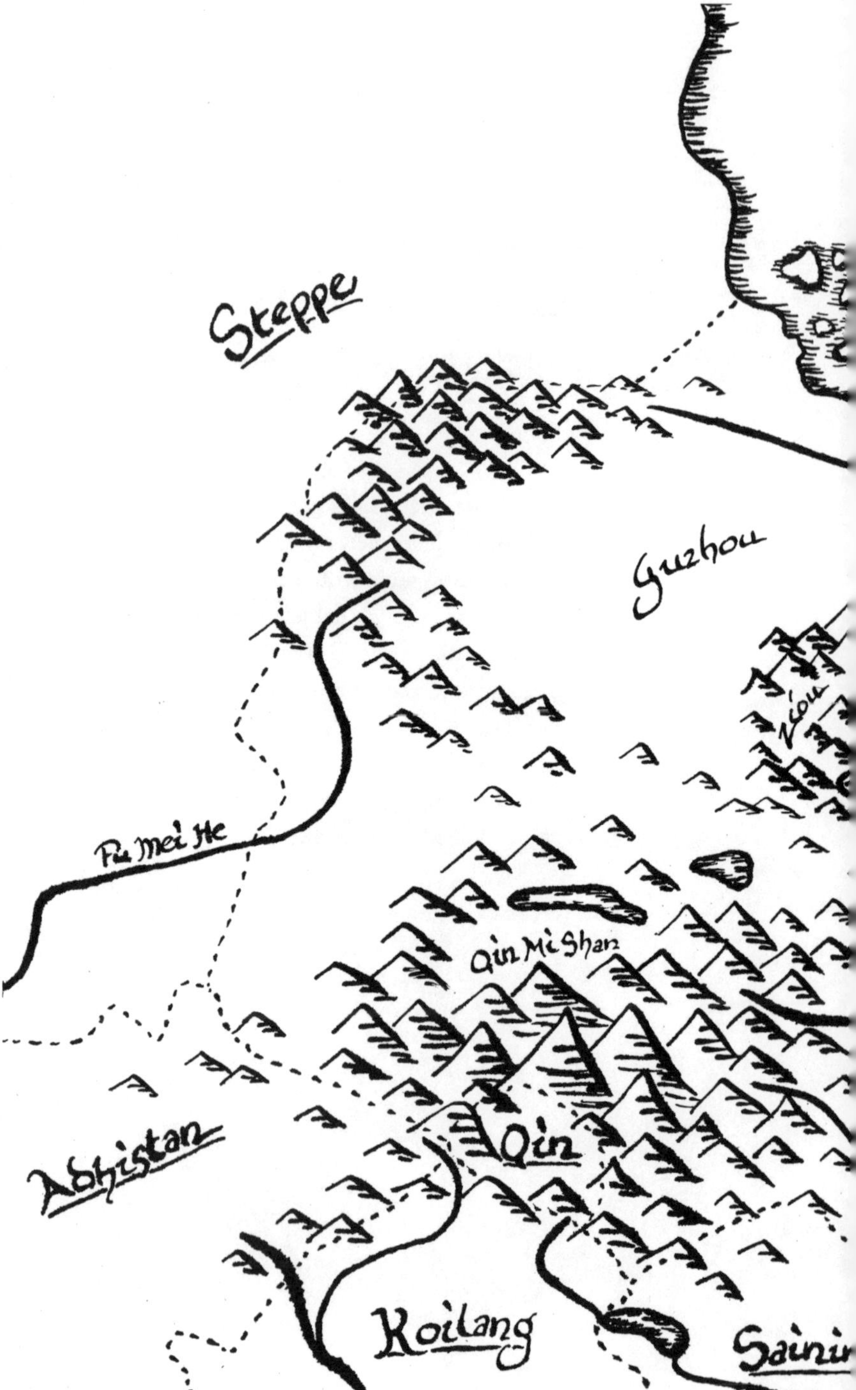

Steppe
Guzhou
Zeou
Fu Mei He
Qin Mi Shan
Adhistan
Qin
Koilang
Sainir

DEEL EEN

Eerder

De reiger was gekomen. Op de oever van het meer Si Tjin keek het meisje ademloos toe hoe hij over het water scheerde, de blauwe schemering weerspiegelend op zijn vleugels. Haar vinger volgde zijn vlucht.

'Kijk, Shula-tse!' riep ze.

Het water van Si Tjin rimpelde, alsof het zich na een lange slaap uitrekte.

'Een gunstig teken, vrouwe,' mompelde de man die achter het meisje op de weg stond en twee paarden bij de teugel hield. 'Waarachtig een gunstig teken.'

Het meisje keek over haar schouder. Toen zochten haar ogen de vogel weer, die het meer overstak en tussen de torens en daken van de paleisstad aan de overkant verdween.

'Denk je dat hij nu komt, Shula-tse? Mijn vader. Denk je dat hij komt?'

'De oorlog met Yamatan is voorbij, vrouwe. De strijders van Yuan zullen spoedig huiswaarts keren. U hebt het immers zelf gehoord?'

Hoog in de gulou kondigde de grote trom het elfde dubbeluur aan. In de stad werden de eerste lantaarns ontstoken. Maar het meisje maakte geen aanstalten om terug te keren. 'Denk je dat hij komt, Shula-tse?' vroeg ze nogmaals.

'Heb geduld, Mei Lin-sa,' antwoordde hij.

I

Geduld

Yuan Mei Lin blies in haar handen tegen de kou. Twee hele uren en nog altijd geen teken van de Yamata! Ze wenste dat ze te paard had kunnen gaan, zodat ze in beweging had kunnen blijven. De draagstoel, die haar als een kooi omgaf, hield maar weinig warmte vast.

Door een kier in de rode gordijnen tuurde ze naar buiten. Een grijs laken was over de kale toppen van het Ziougebergte neergedaald. De golven op het meer van Si Tjin droegen witte schuimkoppen. Zo laat in het jaar bloeide er geen watermunt meer; de oever was donker en kaal.

Soms hoorde ze het kraken van een van de leren zadels als ergens achter haar een ruiter bewoog. Ze ving flarden op van de gesprekken tussen de mannen die langs de weg naar Yuanjing stonden opgesteld. Maar zien kon ze hen niet. Daar hadden haar dragers wel voor gezorgd.

Het hoorde bij het protocol.

Deze zomer had het rijk het Feest der Vallende Bloesems gevierd, Mei Lins zeventiende naamdag. De Yuanprinses was nu een vrouw en kon zich niet langer zomaar in het openbaar vertonen. Sun Shula had haar op het hart gedrukt zich voortaan per draagstoel te verplaatsen om te voorkomen dat het volk haar verheven schoonheid zou aanschouwen.

Met die laatste opmerking had Shula natuurlijk niets bedoeld. Hij was haar persoonlijke lijfwacht en had geen oog voor uiterlijkheden. Mei Lin wist maar al te goed wat hij zag als hij naar haar keek: een meisje met donkere, spleetvormige ogen en met haren die haar dienaressen iedere morgen weer tot wanhoop dreven. De enige schoonheid die ze bezat was haar lichte huid, een zeldzaamheid in Yuan. Het was echter Shula's taak om haar op het protocol te wijzen en als hij dat met dergelijke loftuitingen wilde doen, liet Mei Lin hem begaan.

Ze blies opnieuw in haar handen en trok haar gevoerde mantel van rode zijde dichter om haar schouders. Helaas hield het protocol weinig rekening met winterse ongemakken.

Waar bleven die Yamata?

'Shula-tse!' riep ze. 'Komen ze al?'

Naast haar draagstoel slaakte Shula een diepe zucht. Mei Lin duwde het gordijn opzij om hem aan te kijken: een trotse arend in zijn zwarte gewaad, met hier en daar wat grijs in zijn lange haar. Hij had aan haar wieg gestaan en de eed gezworen zijn leven voor het hare te geven. Inmiddels droeg hij meerdere littekens die de ernst van die eed bewezen. 'Geduld, Mei Lin-sa,' sprak hij nu. De beleefdheidsvorm van haar naam klonk als een nieuwe zucht. 'Ze zullen weldra komen.'

Ze was nooit geduldig geweest. Ze kon zich nog herinneren hoe ze als klein meisje op deze plek had staan wachten, toen eindelijk het bericht van Yuans overwinning op het vijandige Yamatan was gekomen. Lang voordat het leger van Yuan het onderworpen buurland zelfs maar had verlaten, had ze hier gewacht op de terugkeer van haar vader en haar oudere broer Wen De.

Nu waren ze hier opnieuw om met alle mogelijke eerbetoon een delegatie uit datzelfde vijandige Yamatan te ontvangen. Een delegatie die al uren op zich liet wachten. Het was ronduit belachelijk.

Mei Lin leunde naar buiten, zodat ze de weg naar Yuanjing kon zien liggen. Officieren en soldaten vormden een erehaag naar de hoofdstad. Er waren hoogwaardigheidsbekleders in stemmig grijs en edelen met dienaren en lijfwachten die als stille schaduwen achter hun meesters aan bewogen. Er waren vrouwen die met kleurige linten zwaaiden en mannen die op bamboefluiten speelden of met koperen belletjes aan hun voeten dansten, gewoon volk, dat waarschijnlijk geen zier gaf om een politieke delegatie uit welk land dan ook. Zij hadden zich verzameld voor het Feest van de Langste Nacht, dat vanavond plaats zou vinden. Rondom haar draagstoel wachtten de machtige edelen, verscholen achter de gordijnen van hun eigen rijkversierde stoelen, alleen herkenbaar aan de familiewapens op de tunieken van hun dragers. Een enkeling was te paard gekomen. Ze zag Wen De, vlak bij de keizerlijke draagstoel, en onderdrukte de neiging naar hem te zwaaien.

'Ga alstublieft weer zitten, Mei Lin-sa.'

Ze keek op, zodat de gouden sieraden in haar opgestoken haar zacht tinkelden.

Shula keek haar vermanend aan. 'Het is ongepast om naar buiten te hangen,' zei hij. 'Straks wordt u gezien!'

Mei Lin lachte, maar ze liet zich terugzakken op de zitting van haar stoel. 'Waarom ben ik hier eigenlijk? Je had de dragers net zo goed met een lege stoel naar Si Tjin kunnen sturen als ik tijdens de hele ontvangst achter mijn gordijntjes moet blijven zitten.'

'De edele prinses weet wel beter,' antwoordde Shula met een buiging van zijn hoofd. Hij maakte aanstalten om het gordijn weer dicht te trekken, maar op dat moment klonk er een schreeuw uit de menigte, en Mei Lin hield hem tegen.

Ten zuiden van het meer was een groep ruiters verschenen. Eindelijk. Mei Lin leunde naar voren om hen beter te kunnen zien. Tien Yamata onder de blauwe vlag met de Wassende Maan, vergezeld door vijf gardisten in het zwarte harnas van de Yuan. De Yamata, stuk voor stuk een hoofd groter dan de Yuan, reden alsof ze helemaal geen lange reis achter de rug hadden. Weldra bereikten ze de erehaag. Dienaren snelden naar voren om hun rijdieren over te nemen en de reizigers kommen met geurend water voor te houden, opdat zij hun handen konden wassen.

De Yamata waren gekleed in donkere kimono's. In een band om hun middel staken hun Yamatanese kromzwaarden. Met een aan arrogantie grenzende zelfverzekerdheid keken de vreemdelingen om zich heen, alsof het hele keizerrijk voor hun komst stil zou blijven staan! Mei Lin vroeg zich af wat ze zich verbeeldden. Yamatan was slechts een onderworpen natie.

Het was heel bevredigend om te zien hoe de vreemdelingen voor de keizerlijke draagstoel neerknielden, hun voorhoofden tegen de grond gedrukt. Op het bevel van een keizerlijke hoogwaardigheidsbekleder knielden ook de verzamelde Yuan. Mei Lin boog haar hoofd.

Tussen haar wimpers door zag ze dat een dienaar gele zijde over de grond uitrolde terwijl een ander de gordijnen van de keizerlijke draagstoel openschoof. Een hand verscheen in die opening – een gerimpelde hand – en toen een wijde mouw met een zoom vol ingewikkelde patronen in rood en zwart borduursel.

De hoogwaardigheidsbekleder naast de draagstoel klapte zesmaal in zijn handen. Shula en de andere dienaren deden hem na, waarop de hoogwaardigheidsbekleder zijn stem verhief: 'Kom in ons midden, Yuan-tse, en vereer ons met uw aanwezigheid!'

De dienaren antwoordden: 'Eer aan de Yuan-tse!'

'Kom in ons midden, Yuan-tse, en laat ons eer brengen aan uw naam!'

'Eer aan de Yuan-tse!' riepen de dienaren en ze klapten weer in hun handen.

De aanwezigen strekten hun armen voor zich uit, de handpalmen omhoog.

De keizer verhief zich uit zijn draagstoel. Hij was geen lange man. De dood van zijn tweede vrouw in het kraambed, nog voor Mei Lins eerste herinneringen, had hem te vroeg doen verouderen; hij had grijze haren en de huid van een oude man. Maar zelfs krijgers keken met ontzag naar hem op. Hij was de keizer, de Heer van Yuan, de Gebieder van het Middenland. Hij was de Yuan-tse.

'U mag opstaan.'

Kleding ritselde. Mei Lin hief haar gezicht op. De keizer stond voor de Yamata, zijn hoogwaardigheidsbekleder en persoonlijke lijfwachten stonden links van hem. De tien reizigers knielden nog altijd op de grond.

'Wees welkom in Yuan, vreemdelingen,' sprak de keizer.

De hoogwaardigheidsbekleder klapte tweemaal in zijn handen en een dienares in een rode tuniek kwam naar voren. In iedere hand van de geknielde Yamata legde zij een ronde, koperen munt, als symbool voor de gastgeschenken die zij later zouden ontvangen.

De Yamata richtten zich op. Oog in oog met de keizer van Yuan leek hun arrogantie danig getemperd. Een van hen, een oudere man met een lange, grijze snor, maakte een strakke buiging in de Yamatanese stijl en sprak: 'Wij danken u, Yuan-tse. Mogen de goden uw naam eren.'

'Uw dank verwarmt mijn hart, Yamata-tse,' zei de keizer. 'Het Feest van de Langste Nacht zal vanavond door uw komst extra luister krijgen. Ik vraag u mij naar Yuanjing te vergezellen, zodat we ons kunnen opmaken voor de festiviteiten.'

De hoogwaardigheidsbekleder klapte in zijn handen. Als uit één mond klonk het: 'Eer aan de Yuan-tse.' Terwijl de keizer terugliep naar zijn draagstoel, boog de menigte zich naar de grond.

Toen Mei Lin haar hoofd weer ophief, waren de gordijnen van de keizerlijke stoel gesloten en maakten de dragers zich gereed voor de tocht naar de paleisstad.

De Yamata stonden nog steeds op dezelfde plaats. De man met de grijze snor sprak met een van zijn metgezellen, terwijl de anderen op Yuandienaren wachtten die hun verse paarden brachten. Een van de Yamata trok Mei Lins aandacht. Ogenschijnlijk verschilde hij niet van zijn metgezellen. Hij droeg een eenvoudige wapenrusting: een boog op zijn rug en het kromzwaard op zijn heup. Zijn haar hing in een lange vlecht op zijn rug. Toch viel hij op. Als enige leek hij onaangedaan door de aanwezigheid van de keizer van Yuan. Hij was jonger dan de anderen – misschien zeven of acht jaar ouder dan zijzelf – en had een bepaalde charme. Hij was natuurlijk te zelfingenomen en te Yamatanees om aantrekkelijk genoemd te kunnen worden. Maar hij was niet onknap.

En hij staarde terug. Beschaamd sloeg Mei Lin haar ogen neer. Maar de vreemde uitdrukking op zijn gezicht, alsof hij haar uitlachte, ontging haar niet.

'Wat is er?' vroeg Shula, die haar blik had gezien.

'Niets,' zei Mei Lin terwijl ze in haar stoel terugzakte. 'Sluit de gordijnen. We zullen snel vertrekken.'

Hij deed zwijgend wat ze hem opdroeg, maar liet een kier open, zodat ze hem nog net kon aankijken als ze hem wilde aanspreken. Hij leek in niets op de Yamatanees. Shula was sterk, maar nooit zelfingenomen. Hij was niet jong meer, maar volwassen. Ze kon zich niet voorstellen dat hij haar ooit zou uitlachen. Ze hield ervan om naar hem te kijken, maar nu kon ze zijn aanblik niet velen. Mei Lin wist niet waarom zijn zwijgen haar stak. Wat kon het haar schelen dat haar lijfwacht zag dat ze zich te schande maakte? Hij was slechts een dienaar.

'Je mag gaan,' zei ze koel. 'Ik roep je wel als ik je nodig heb.'

Shula boog diep, zijn armen strak tegen zijn lichaam en zijn ogen op de grond gericht. Dat deed hij alleen als ze in gemengd gezelschap waren of als hij vond dat ze zich hooghartig gedroeg.

De stoet zette zich in beweging met een traag schommelende gang op de monotone dreun van de trom. Paardenhoeven klikklakten op de keien. De fluitjes en belletjes van het volk van Yuanjing klonken nog altijd in de verte.

Verveeld keek Mei Lin door de kier tussen de gordijntjes.

Boven het meer Si Tjin cirkelde de reiger. Ze wist zeker dat het dezelfde was die ze daar tien jaar eerder ook al had gezien. Er was nooit een andere geweest. Soms vloog hij naar Yuanjing. Dan zat hij bij de paleisvijver, waar Mei Lin hem vanuit haar vertrekken kon zien. Een gunstig teken, had Shula hem genoemd. Ze had nooit gevraagd wat hij daarmee bedoelde.

Langzaam droomde ze weg op de schommelende beweging van de draagstoel en ze vergat de reiger, Shula en de Yamata. Die avond was de Langste Nacht. Er zou een banket zijn met muziek en dansers, en alle edelen van Yuanjing zouden aanwezig zijn. De vorige jaren had ze enkel onder Shula's wakende oog vanaf het balkon mogen toekijken. Maar nu zou ze het feest echt meemaken, als een volwassen vrouw.

Boven in de gulou kondigde de trom het Uur van de Haan aan. Het zou nog ruim een dubbeluur duren voor de feestelijkheden begonnen.

Geduld.

Mei Lin zuchtte.

2

Akechi Sadayasu

Met een steek van jaloezie sloeg Mei Lin de jonge fluitspeler gade die op een verhoging aan de rand van de feestzaal zat. Hij speelde met gesloten ogen. Acrobaten met belletjes aan handen en voeten sprongen in een duizelingwekkende dans van salto's en radslagen rakelings langs zijn platformpje, maar hij leek het niet te merken.

De edelen aan de gedekte tafels hadden geen oog voor de springende mannen, noch voor de jongeling met zijn fluit. Zoals het beschaafde gasten betaamde, hadden ze zich te goed gedaan aan de vele gangen die hun waren voorgezet; ze hadden de schoonheid van het serviesgoed bewonderd en hun gastheer geloofd om het feestelijke banket.

Terwijl dienaressen de kommetjes rijst van tafel haalden, trachtte Mei Lin de vrouwenstemmen om haar heen te negeren. Onwillekeurig gleed haar blik weer naar de fluitspeler. In het rumoer verdronken zijn noten als broze vlinders lang voordat ze haar oor konden bereiken. Och, kon ze maar net als hij haar ogen sluiten! Kon ze maar wegdrijven van deze plaats, al was het slechts voor even. Kon ze maar iets anders zien dan deze feestzaal: de hoge, stenen muren die koud bleven ondanks de vele lampionnen; de schaduwen boven haar hoofd, waar zich het balkon uit haar kindertijd bevond, de plek vanwaar ze jarenlang de feestelijkheden van de Langste Nacht had gadegeslagen. Had ze werkelijk gedacht dat alles anders zou zijn als ze volwassen was? Nog altijd sloeg ze de gebeurtenissen van buitenaf gade, als een toeschouwer van haar eigen leven.

Na de ontvangst van de Yamata had ze haar dienaressen ontboden om haar te kleden voor het banket. De naaisters hadden een strak, hemelsblauw gewaad in de Yamatanese stijl vervaardigd, waarin ze slechts voort kon schuifelen. En dat was pas het begin van alle ellende geweest. Nadat Xiao Ning, haar favoriete dienares, haar gezicht had beschilderd, was Shula gekomen om haar naar de feestzaal te begeleiden. Tijdens het banket zat ze aan het hoofd van de vrouwentafel, ver weg van iedereen die ertoe deed, met een hofdame aan haar linkerhand die haar bij iedere gang de juiste etiquettevormen toefluisterde. Tussen die momenten door kon ze niets anders doen dan haar mond houden en luisteren naar het loze geklets van de paleisvrouwen.

Verlangend dwaalde haar blik af naar de andere kant van de zaal, waar op een verhoging de keizer met zijn belangrijkste gasten was gezeten. Ongetwijfeld werden daar heel wat interessantere zaken besproken.

Haar broer Wen De zat links van de keizer, gekleed in een mantel van groene zijde. Hij was de zoon van haar vaders eerste vrouw; te oud om voor haar als speelkameraadje te dienen, al een volwassene voor zij behoorlijk kon lezen en schrijven. Maar hij was haar broer, haar enige broer. Ze had geen enkele reden om een hekel aan hem te hebben. En toch vond ze het vreselijk dat hij daar zat, waar hij slechts opzij hoefde te kijken om hun vader aan te spreken. Ze haatte het feit dat hij kon gaan en staan waar hij wilde, zonder hofdames of draagstoel.

Haar blik gleed weg van haar broer naar zijn gesprekspartner. Hij was een Yamatanees. De man zat recht tegenover haar; hun blikken kruisten elkaar over de andere tafels en een blos verspreidde zich over haar wangen. Het was de man van die middag. Snel sloeg ze haar ogen neer.

Gelukkig kwamen juist op dat moment dienaressen met geurende doekjes de zaal binnen, opdat de gasten zich na de maaltijd konden verfrissen. De Yamatanees werd afgeleid.

Terwijl Mei Lin haar handen reinigde, viel haar blik op de vrouw aan haar rechterzijde. Teishi had haar handen in de wijde mouwen van haar groene gewaad gestoken en raakte het doekje dat voor haar klaarlag niet aan. Ze was de enige die niet aan het geroddel van de paleisvrouwen deelnam. Wen De's echtgenote had haar gezicht laten beschilderen alsof ze een geboren Yuan was. Alleen haar lengte verried haar afkomst – haar lengte in combinatie met de sombere blik die in haar ogen sloop als iemand over de oorlog met Yamatan sprak. Eens had ze Mei Lin verteld dat Wen De haar uit die oorlog had gered. Het was het meest romantische verhaal dat Mei Lin ooit gehoord had. Nu viel het haar op dat Teishi's blik voortdurend naar de andere kant van de zaal gleed. Naar Wen De en de jonge Yamatanees.

'Ken je die man, Teishi-sa?' vroeg Mei Lin.

Teishi frommelde peinzend aan haar mouwen. 'Ik weet wie deze man is, vrouwe,' zei ze. Haar Yuan droeg nog altijd een zweem van haar moedertaal: van een verkeerd uitgesproken woord tot vreemde zegswijzen, die Mei Lin wel charmant vond. 'Hij heet Akechi no Jirō Sadayasu en hij is de broer van keizer Akechi van Yamatan.'

Mei Lin staarde haar aan en keek toen opnieuw naar de Yamatanees. Hij luisterde aandachtig naar een verhaal van Wen De, lachte en hief toen zijn beker om op Wen De's gezondheid te proosten. Zijn krijgervlecht hing over een schouder. Hij had zijn haar voor het feest niet losgekamd zoals de andere Yamata. 'Waarom is híj naar Yuanjing gekomen?' vroeg ze.

'De vrede tussen Yuan en Yamatan zal officieel worden bezegeld, zoals de Yuan-sa vanzelfsprekend weet.'

'Vanzelfsprekend,' zei Mei Lin. Ze had helemaal van niets geweten. Natuurlijk was er al tijden geen strijd meer met Yamatan geleverd. De krijgsgevangenen waren jaren geleden naar hun vaderland teruggestuurd. Maar een bezegelde vrede... Teishi veronderstelde terecht dat de Yuan-sa van dergelijk nieuws op de hoogte moest zijn. Shula had haar hierover moeten inlichten.

Meisjes in rode livreien kwamen de geurende doekjes opruimen. Daarmee was het officiële banket ten einde en begon het Feest van de Langste Nacht pas echt. Mensen stonden op en liepen rond om met elkaar te praten. Dienaren zetten de speltafels op. De hofdame aan Mei Lins linkerhand fluisterde haar toe dat zij nu ook werd geacht van tafel te gaan, zodat de paleisvrouwen zich onder de feestvierders konden mengen.

Voor de Yuan-sa lag het uiteraard niet zo simpel. Zodra Mei Lin opstond – wat in haar strakke gewaad geen koud kunstje was – verscheen Shula aan haar zijde om haar naar een nieuwe zitplaats te begeleiden, nog altijd ver verwijderd van de verhoging van de keizer. Er waren lage stoelen neergezet voor de Yuan-sa en haar gevolg en dienaressen wachtten hen op met verkoelende dranken. Teishi nam als altijd plaats aan haar rechterhand, de hofdame zat links.

Tegenover haar boog de jonge fluitspeler ten afscheid. De acrobaten waren al verdwenen. Een driekoppig orkestje nam plaats op de verhoging.

Terwijl de feestvierders zich over de zaal verspreidden, liet Mei Lin haar blik langs de tafels glijden. Aan één zijde van de zaal waren de borden voor de kansspelen opgezet. Paleisdienaren schudden de stenen, terwijl aan de overzijde van de zaal de hofdames zich giechelend verzamelden rond vrouwen in paarse tunieken die naar oud gebruik de gebeurtenissen van het komende jaar voorspelden. Mei Lin had zich bij hen kunnen voegen, maar ze voelde er niets voor om haar hand te laten lezen.

Haar blik gleed weer naar de tafel van de keizer. Haar vader keek tevreden de feestzaal in, terwijl de Yamatanees met de grijze snor met hem sprak. Wen De zat er niet meer. Ook de jonge Yamatanees – Akechi – was verdwenen. Het protocol stond toe dat ze naar het gezelschap toe ging nu het banket voorbij was, maar ze wist dat de mannen enkel nietszeggende beleefdheden met haar zouden uitwisselen.

Op de verhoging speelde het orkestje de eerste noten. Nieuwe acrobaten sprongen uit de schaduwen naar voren: meisjes met zilveren linten, die ze in een schitterende dans om hun slanke lichamen wentelden.

'Mei Lin-sa?'

Verwonderd keek ze op. Slechts weinigen mochten haar met die naam aanspreken. Haar broer stond naast haar. Zijn zwarte haar was opgestoken in een knot, zoals de krijgers het droegen, en hij rook vaag naar buitenlucht en paarden. 'Wen De-tse!' glimlachte ze. 'Wat brengt jou hier?' Maar toen gleed haar blik naar de man die naast haar broer stond. 'Akechi-tse,' zei ze verbaasd.

Van dichtbij leek de Yamatanese prins nog langer. Glimlachend boog hij zijn hoofd. 'U kent mijn naam! Ik voel mij zeer vereerd, vrouwe.' Hij had een diepe stem en sprak verrassend goed Yuan. Beter dan Teishi.

'U vereert ons, Akechi-tse,' zei ze beleefd. 'Mijn vaders paleis licht op door uw komst.'

Akechi keek op. 'Hoe is dat mogelijk, vrouwe, als uw schoonheid het hof al zo doet stralen?'

'Dank u, heer.' Mei Lin probeerde de pretlichtjes in zijn ogen te negeren. Het was opnieuw alsof hij haar uitlachte. Stak hij de draak met haar?

'Ik wilde u aan mijn zuster voorstellen,' merkte Wen De naast haar op, 'maar ik geloof dat uw faam u al vooruit is gesneld, Akechi-tse.' Er lag een scherpte in zijn toon die Mei Lin niet begreep.

Aan haar rechterhand verslikte Teishi zich in haar drank. Kuchend sloeg ze een hand voor haar mond.

'Nee maar!' Akechi keerde zich naar haar om. 'Ik had nauwelijks verwacht in Yuanjing een zuivere Yamatanese aan te treffen.' Zijn blik gleed naar de hand die Teishi voor haar mond had geslagen. 'Vergeving, vrouwe... Uw naam is mij nog niet bekend.'

Mei Lin zag dat Wen De zijn mond opende, maar zijn echtgenote was sneller. 'Mijn naam is Teishi, heer,' sprak ze in afgemeten Yamatanees, de ogen discreet neergeslagen, terwijl ze haar handen weer in de mouwen van haar gewaad stak. 'Het is een eer om u te mogen ontmoeten, heer.'

'U komt inderdaad uit Yamatan,' concludeerde Akechi. 'Uit Nashido, naar uw accent te oordelen.'

Teishi schudde haar hoofd. 'Ik woon al zo lang in Yuanjing, heer, ik durf mijzelf geen Yamatanese meer te noemen.'

'Teishi is mijn echtgenote, Akechi-tse,' zei Wen De in het Yuan. 'Voor de wet is zij Yuan.'

Een uitdrukking van verbazing gleed over Akechi's gezicht, maar hij herstelde zich snel. 'Mijn excuses,' zei hij tegen Teishi. 'Ik wilde u niet beledigen, vrouwe.' Mei Lin vroeg zich af waarom Teishi zijn opmerking als een belediging zou opvatten, het was immers de waarheid. Ze hield echter haar mond. Teishi leek opgelucht dat het onderwerp was afgesloten.

Wen De boog zijn hoofd. 'Vergeef me, ik moet nog iemand spreken.' Hij keek zijn vrouw aan. 'Maak het niet te laat, Teishi-sa. En dat geldt ook voor jou, zuster.'

Mei Lin keek verbaasd naar hem op. Als ze niet beter had geweten, zou ze hebben gedacht dat hij haar weg wilde hebben. 'Dank je voor je zorgen, Wen De-tse,' zei ze, al was ze geenszins van plan om te vertrekken. Shula zou haar wel waarschuwen als het te laat werd.

Wen De knikte, maakte nogmaals zijn excuses en verdween tussen de feestvierders.

Aan de overzijde van de zaal leken de dansmeisjes met hun zilveren linten te wedijveren wie op het ritme van de muziek de meeste sprongen kon maken. Twee mannen met kaalgeschoren hoofden en grote trommels hadden aan weerszijden van het orkestje plaatsgenomen. Onverschillig keken ze de zaal in, hun handen onbeweeglijk op het vel van hun trom.

'Vergeef me, Yuan-sa...' Akechi. Ze had gehoopt dat hij weg zou gaan. Hij moest toch begrijpen dat het ongepast was om nog langer in haar buurt te blijven. Ze begon haast te geloven dat hij er plezier in schepte om haar uit haar evenwicht te brengen.

Mei Lin glimlachte minzaam. De gasten bij de speeltafels en de dansmeisjes gingen helemaal in hun bezigheden op. Misschien kon ze de Yamatanees wegsturen voordat iemand hem bij haar opmerkte en er een schandaal ontstond. 'U wilde iets vragen, Akechi-tse?'

Akechi's ogen bleven glimlachen, alsof hij zich van geen kwaad bewust was. 'Ik heb een geschenk voor u meegebracht. Als dank voor uw gastvrijheid.' Uit de band van zijn jas haalde hij een gelakt houten doosje tevoorschijn, niet veel groter dan de palm van zijn hand.

Mei Lin kon met moeite haar gezicht in de plooi houden. 'Dank u, Akechi-tse,' zei ze, terwijl ze haar hoofd boog. 'Maar ik kan het niet aannemen. U moet het mijn vader aanbieden.'

Akechi klapte het deksel omhoog. Het doosje was aan de binnenkant met rood fluweel bekleed. Daarop lag een haarkam van zwartgelakt hout, versierd met gouden bloemen. Mei Lin hield haar adem in. Aan weerszijden slaakten Teishi en de hofdame tegelijkertijd een zucht van bewondering. 'Vergeef me, vrouwe, maar ik denk dat deze kam u beter zal staan,' sprak Akechi.

Onzeker keek Mei Lin naar hem op. Begreep hij niet dat zo'n geschenk aan een ongehuwde vrouw volstrekt ongepast was? Maar ze zag de glinstering in zijn ogen en besefte dat hij nog steeds uitprobeerde hoe ver hij kon gaan. Ze boog opnieuw haar hoofd. 'Dat oordeel laat ik graag aan mijn vader over, heer.'

'Yuan-sa, als u mij toestaat,' sprak Teishi aarzelend. 'Misschien is de heer Akechi te beschroomd om zelf zijn geschenk aan de keizer aan te bieden. U kunt het voor hem doen, nietwaar? Het is heel vriendelijk van hem om zo'n mooie kam mee te brengen.'

'Heer Akechi is bijzonder attent,' antwoordde Mei Lin. Ze begreep dat Teishi de Yamatanees gezichtsverlies wilde besparen, maar ze was niet bereid haar eer daarvoor op het spel te zetten. 'Ik kan zijn geschenk echt niet accepteren.' Dat zou nog schandaliger zijn dan het onderonsje waartoe Akechi haar nu dwong. 'Ik weet zeker dat hij dat begrijpt.' Ze hief haar gezicht op naar de Yamatanees, die inderdaad knikte, hoewel de pretlichtjes onverminderd in zijn ogen schitterden. Wat dacht hij te bereiken door haar zo te kijk te zetten? Ze gebaarde naar Wen De's echtgenote. 'Teishi-sa, jij kunt heer Akechi's geschenk aan de keizer aanbieden, als je wilt.' Daar zou niemand iets van denken.

Wen De's echtgenote sprong verschrikt op. 'Zoals de Yuan-sa beveelt.'

Een glimlach gleed over Akechi's gezicht, alsof hij begreep dat hij was verslagen maar ook niets anders had verwacht. 'Vrouwe,' sprak hij, met een buiging voor Teishi, 'als u zo goed wilt zijn?' Hij hield het gelakte doosje met beide handen voor haar uitgestoken. Teishi reikte naar het doosje, maar vlak voor ze het kon aannemen, liet hij het zakken en greep met een hand haar rechterpols. 'Zei u dat u uit Nashido kwam, vrouwe?' vroeg hij met een strakke blik op haar handpalm.

Teishi verschoot van kleur. 'Nee, heer.'

Zijn blik bleef op haar hand gericht. Mei Lin keek op en zag dat in Teishi's handpalm twee karakters waren getatoeëerd. De betekenis ontging haar. Het moest iets Yamatanees zijn. De tatoeage was Mei Lin nooit eerder opgevallen, maar nu ze erover nadacht besefte ze dat haar schoonzuster haar handen meestal in haar kleding verborg.

'Woonde u in Saitō?' vroeg Akechi. 'Of in Nakiyo?' Die namen zeiden Mei Lin niets, maar Teishi's ogen werden groot van schrik.

'Nee, heer!' herhaalde ze schor. 'Ik ben Wen De's echtgenote.'

Eindelijk liet de Yamatanees haar hand los. 'Natuurlijk bent u dat,' zei hij. 'Vergeving.' Hij boog zijn hoofd en stapte achteruit. 'Yuan-sa, excuseer mij.' Hij liep weg, zonder blijkbaar te beseffen dat hij het doosje met de haarkam nog steeds in zijn hand hield.

Verbijsterd staarde Mei Lin hem na. Toen draaide ze zich om naar Teishi. 'Is alles goed met je, Teishi-sa?'

Wen De's echtgenote had haar vingers weer onder haar kleed verborgen. 'Ik dank u, Yuan-sa,' mompelde ze. Haar stem klonk nog steeds schor. Ze schudde haar hoofd, als om een spookbeeld te verjagen. 'Tijdens de oorlog... In Yamatan...'

Mei Lin knikte. 'Ik begrijp het.' Maar in werkelijkheid begreep ze er niets van.

Onwillekeurig gleed haar blik naar het balkon boven in de zaal en even dacht ze in de schaduw twee gestalten te zien, een volwassene en een kind, maar het moest haar verbeelding zijn geweest, een kinderachtig verlangen naar de tijd dat haar leven nog simpel was.

'Ik geloof dat de heer Akechi mijn keuze om met de kroonprins van Yuan te trouwen afkeurt,' zei Teishi langzaam. 'Hij begrijpt niet dat Yamatan voor de macht van Yuan moet buigen.'

Mei Lin dacht aan de ontvangst van die middag en aan de andere Yamata die zo zelfverzekerd hadden geleken tot ze voor de keizer van Yuan moesten verschijnen. 'Dat zal hij dan nog wel leren.'

Plotseling was er beroering aan de andere kant van de zaal. De dansmeisjes hadden de strijd blijkbaar beslecht. Als een veelkoppige zilveren slang gleden ze over de vloer om plaats te maken voor een nieuwe groep danseressen. Toen dreunde het geluid van de drums van de kale trommelaars laag en vibrerend door de zaal. Mannen stonden van de speeltafels op om te kijken. Mei Lin vroeg zich af wat er aan de hand was, tot ze de suggestieve bewegingen van de danseressen opmerkte. Beschaamd sloeg ze haar ogen neer.

Als uit het niets stond Shula opeens voor haar. 'Mei Lin-sa,' zei hij met een buiging, 'ik denk dat het tijd is om te vertrekken.'

Omdat ze nog steeds kwaad was dat hij informatie voor haar had achtergehouden, snauwde ze: 'Dat bepaal ik zelf wel!' Maar toen Shula zacht haar arm vastpakte, liet ze zich gedwee meetrekken.

Xiao Ning wachtte haar in haar vertrekken op om de verf van haar gezicht te wassen, haar uit te kleden en haar haren te kammen. Het duurde nog lange tijd voor Mei Lin de slaap kon vatten.

Toen ze eindelijk wegdreef, droomde ze dat ze opnieuw in de feestzaal was. Ze zat in een draagstoel en probeerde tevergeefs de gordijnen te openen. 'Laat mij u helpen, Yuan-sa,' klonk een stem in het Yamatanees. Een man duwde de gordijnen open en bood haar zijn arm aan. 'Dank u, Akechi-tse,' mompelde Mei Lin. Maar toen ze opkeek, was het Shula.

Cang Lu haastte zich om Natsuko's snelle passen bij te kunnen houden. Zijn voeten dreunden op het balkon, maar hij betwijfelde of iemand het boven het feestgedruis uit kon horen. Zijn ledematen waren nog stijf van het lange hurken. Natsuko had erop gestaan dat ze zich zo veel mogelijk achter de balustrade verscholen.

'Natsuko, wacht!' hijgde hij.

De vrouw draaide zich om. Zelfs voor een Yamatanese was ze erg lang en Cang Lu was klein voor zijn dertien jaar, zodat ze dreigend boven hem uittorende.

Onwillekeurig deed hij een stap achteruit.

Er gleed een glimlach over haar gezicht. 'Je hoeft niet te schrikken, Sagi.'

Sagi. Cang Lu zuchtte. Na tien jaar noemde Natsuko hem nog altijd bij die Yamatanese bijnaam, terwijl hij een nieuwe naam had. Alsof de oorlog tussen Yuan en Yamatan nog steeds woedde en zij beiden nog altijd krijgsgevangenen waren die krampachtig aan de gebruiken van hun thuisland probeerden vast te houden.

Zelf had Cang Lu aan zijn geboorteland enkel een vage herinnering. Hier in Yuan was zijn leven begonnen, hier hadden ze hem Cang Lu genoemd, 'reiger'. Wat deed een voorbije oorlog ertoe? Het was beter het verleden te vergeten, te dienen zoals dat van hem werd gevraagd en daarna in de schaduwen te verdwijnen.

Hij haalde zijn schouders op. 'Ik schrok heus niet. En noem me geen Sagi.'

Natsuko pakte een streng van zijn lange haar tussen haar vingers. 'Ik kan het niet helpen,' zei ze, terwijl ze naar zijn haar keek. In de schaduwen boven in de feestzaal leek het bijna grijs, maar als hij in het volle licht kwam, zag zijn haar er anders uit.

Cang Lu stapte achteruit, zodat Natsuko de streng haar los moest laten. Hij gebaarde naar de deur. 'Kom! Als onze meesteres merkt dat we weg zijn geweest, zwaait er wat.' Terwijl Natsuko zich omdraaide, veegde hij haastig zijn haar achter zijn oren.

Je kon niet altijd in de schaduw blijven, dat wist hij best.

Het verleden was naar hen toe gekomen in de vorm van een Yamatanese delegatie. Er was zelfs een prins bij. Ze hadden hun nieuwsgierigheid niet kunnen bedwingen. Cang Lu had voorgesteld om naar het balkon te gaan, want wanneer zouden ze weer de kans krijgen om een Yamatanese prins te zien? Hun meester en meesteres waren beiden op het feest; niemand zou het merken als Cang Lu en Natsuko even hun vertrekken verlieten.

Nog nooit had hij Natsuko zo breed zien glimlachen.

Natsuko's glimlach verdween echter als sneeuw voor de zon toen ze hun vertrekken binnenstapten en hun meesteres hen daar stond op te wachten. Cang Lu voelde zijn ingewanden samentrekken. Het leek alsof er een klomp ijs in zijn maag lag.

Natsuko's lippen bewogen zonder geluid te maken: 'Teishi-sa!'

Teishi kruiste haar armen voor haar lichaam.

Cang Lu kon zich niet bewegen.

'Vergeef ons, Teishi-sa,' smeekte Natsuko. 'We waren... We waren alleen maar...'

Met een kort gebaar legde Teishi haar het zwijgen op. 'Ik heb geen interesse in wat jullie hebben gedaan. Ik heb hoofdpijn. Ik wil slapen. Maak mijn bed voor mij klaar!' Als ze moe was, kon je haar Yamatanese accent nog duidelijker horen.

Cang Lu zag dat iets van Natsuko's gebruikelijke minachting in haar houding terugkeerde. 'Jawel, Teishi-sa,' zei de lange Yamatanese spottend. Háár Yuan was vreemd genoeg altijd foutloos geweest.

Teishi deed alsof ze de verandering in Natsuko's toon niet opmerkte. 'Snel een beetje!'

Cang Lu stond nog steeds verstijfd in de deuropening.

Natsuko liep naar het slaapvertrek. Ze was al bijna om de hoek verdwenen...

Cang Lu wilde opgelucht adem halen.

'Natsuko?' Teishi's stem klonk onverschillig, alsof ze een gedachte verwoordde die nu pas bij haar opkwam. 'Als Wen De terug is, zal hij een passende straf bedenken voor dit stiekeme uitstapje.'

Cang Lu voelde hoe het bloed in zijn aderen bevroor.

3

Winter

Een beroemde dichter had Yuanjing ooit de Trap naar de Hemel genoemd. De stad verrees in het dal van het Ziougebergte, aan de westelijke oever van het meer Si Tjin en was een bonte verzameling van paleizen en tempels die tegen de bergen op klommen, zodat het inderdaad leek alsof de stad tot in de eindeloze hemel reikte. Yuanjing, de kern van het rijk, waar de honderd torens van het keizerlijk paleis over de wereld uitkeken, waar men kon rusten onder eeuwenoude esdoorns en eendenvoetbomen in tuinen waar in de warmere maanden de rododendrons bloeiden. Yuanjing, waar de adel in marmeren huizen woonde en de tempels met goud waren bekleed. Het was geen wonder dat de schoonheid van de stad tot in de verste uithoeken van het rijk werd geroemd.

In de dagen die op de Langste Nacht volgden sloop de winter Yuanjing binnen en legde zijn stille kleed over daken en parken, een witte heer voor wie de bomen nog eerbiedig bogen. Si Tjin was bevroren en de vissers bleven morrend thuis. Iedere morgen liet Mei Lin haar dienstmeid het haardvuur opstoken voor ze onder haar dekens vandaan wilde komen.

De Yuan-tse en zijn gevolg van raadgevers en hoogwaardigheidsbekleders belegden lange vergaderingen met de Yamatanese afgezanten. Wat daar besproken werd, bleef binnenskamers. Zelfs Shula kon niets over de vorderingen van de onderhandelingen te weten komen.

De situatie met Yamatan had Mei Lin nooit eerder beziggehouden; ze was nog maar een kind geweest toen haar vader en broer vertrokken om Yuans eer te verdedigen. Drie lange jaren waren ze weggebleven. Het Yuanleger was tot aan de hoofdstad van Yamatan opgetrokken en toen een paar maanden na haar zevende naamdag eindelijk het bericht kwam dat Jitsuma was gevallen, vierde Yuanjing feest. Er was echter ook onbegrip geweest voor het feit dat de keizer slechts een jaarlijkse toeslag in geld en goederen van de Yamata had geëist. Alsof de keizer niet drie jaar lang voor zijn eer en macht had gestreden. Alsof de overwinning hem niet werkelijk toebehoorde. Waarom had hij zich Yamatan niet toegeëigend? Zelfs in de ogen van haar broer had Mei Lin die teleurstelling gelezen, verborgen onder de overwinningsroes en zijn jeugdige enthousiasme.

Bij zijn terugkeer had de keizer haar ontboden. Hij was een oude man geworden en was niet meer de vader die ze zich herinnerde. 'Ah, Mei Lin-sa!' had hij gezegd. Enkel haar naam, alsof zij een zeldzame bloem was wier schoonheid het niet verdroeg door te veel zaken te worden omringd. Ze had naar hem geglimlacht, plotseling verlegen en niet wetend wat te doen. Toen had de keizer zijn hand op haar schouder gelegd. 'Dit is waarom ik naar huis ben gekomen,' had hij gezegd. 'Ik wilde de schoonheid van Yuan weer zien, voor de oorlog ook mij zou breken. Heb je enig idee, dochter, hoe een oorlog mensen kapot kan maken? Hoe hij levens knakt als jonge twijgen bamboe, ze vermorzelt als graankorrels tussen de stenen?'

Mei Lin had haar hoofd geschud. 'Nee, Yuan-tse.'

Haar vaders blik was glazig. 'Ik zag het in de ogen van keizer Akechi en ik dacht: waarom zou ik kapotmaken wat al is gebroken? Wat moet ik met nog een provincie? Waarom al die rompslomp, als Akechi al zo goed als onderworpen is? Nee, leg hem belastingen op. Neem de rijkdommen die hij je wegens zijn nederlaag verschuldigd is en laat hem zijn land. Dat is genoeg.'

Op dat moment had Mei Lin niet begrepen wat hij bedoelde, maar later had ze ingezien dat wat iedereen een onterechte genade voor Yamatan noemde, in feite het tegendeel was. Een wrang mededogen had haar vader doen besluiten Yamatan niet als provincie in te lijven, maar er bestond geen twijfel over wie er de macht had. De keizer van Yamatan was gedwongen een leeg ambt te vervullen en de schaamte daarvan te dragen. Wie dat genade noemde, was blind.

De genade voor Yamatan had echter slechts voortgeduurd tot de oude Akechi stierf en zijn zoon de troon besteeg. De belastingen waaraan Yamatan was onderworpen, waren de nieuwe keizer – de oudere broer van heer Sadayasu – een doorn in het oog. Sinds zijn kroning waren er geregeld schermutselingen langs de grens geweest en eenmaal had zelfs een nieuwe oorlog gedreigd, toen de Yuan-tse maandenlang had geweigerd de Yamatanese krijgsgevangenen in Yuanjing vrij te laten. Mei Lin twijfelde er niet aan dat Yuan Yamatan opnieuw op de knieën kon dwingen als dat nodig was. Maar de gevangenen waren vrijgelaten. En nu koos haar vader ervoor de Yamata in zijn paleis uit te nodigen om vrede te sluiten.

Het waarom was Mei Lin een raadsel. Zolang ze niet bij de vergaderingen aanwezig kon zijn, of zelfs maar tijdens een maaltijd aan de hoofdtafel werd uitgenodigd, kon ze haar vaders bedoeling niet doorgronden.

En dan was er nog Akechi Sadayasu met zijn glimlach en zijn buiginkjes, zijn glanzend zwarte vlecht en zijn doorzichtige vleierij. Op een avond dook hij op met een witte roos, die hem naar eigen zeggen aan haar schoonheid herinnerde. Van schaamte had ze nauwelijks kunnen eten. Hoe ver wilde de man gaan om haar te bespotten?

Een tiendag na het Feest van de Langste Nacht was Mei Lin het binnenzitten zo zat, dat ze met Teishi en haar zoontje Dian Wu een bezoek aan de binnentuin van het paleis bracht. Dik ingepakt tegen de kou gingen ze op weg. Haar neefje maakte grote stappen om zo snel mogelijk bij de eenden op de paleisvijver te komen. De sneeuw knarste onder zijn laarsjes.

Mei Lin schrok van een beweging aan de rand van haar blikveld. Het was de reiger van Si Tjin. Hij kwam over het dak van het paleis aangevlogen. Even cirkelde hij boven haar hoofd, voor hij neerstreek in de dikke sneeuwlaag aan de rand van de vijver. Mei Lin had het bizarre idee dat hij haar in de gaten hield.

Teishi volgde haar blik. 'Ik houd niet van die reiger,' mompelde ze. 'Hij heeft van die vreselijke ogen, alsof hij alles ziet.'

'Hij doet ons niets, zolang we hem met rust laten,' zei Mei Lin.

Teishi boog haar hoofd, maar riep toen haar zoontje bij zich en nam afscheid. Mei Lin zocht haar dienares Xiao Ning op, die bij de toegangspoort tot de binnentuin op haar had staan wachten. Het meisje was nog niet zo lang bij haar in dienst. Terwijl ze samen terugliepen naar Mei Lins vertrekken, lag er een verbeten trek om Xiao Nings mond, alsof het meisje bang was in nabijheid van de Yuan-sa een fout te maken. Het deed Mei Lin glimlachen.

Ze sloegen een hoek om, op weg naar de trappen.

Daar stond Akechi Sadayasu. Hij was in gesprek met een of andere hoogwaardigheidsbekleder, en ze kon zijn gezicht niet zien. Maar elk moment kon hij opkijken en haar aanspreken. Er was geen uitweg. Mei Lin kreunde.

'Yuan-sa?' vroeg Xiao Ning bezorgd.

'Snel!' siste ze. Voor ze wist wat ze deed, trok ze de dienares aan haar mouw mee de gang in waar ze vandaan kwamen. Haar gedachten spurtten vooruit. Akechi had haar nog niet gezien, maar zou vast deze kant op komen. Dit was immers de snelste weg naar de vertrekken van de Yamata.

Wat deed hij trouwens in de westvleugel? De gastenverblijven en ontvangstzalen lagen helemaal aan de andere kant van het paleis.

Het geluid van voetstappen kwam naderbij. Mei Lin begon sneller te lopen.

'Yuan-sa,' hijgde Xiao Ning naast haar. 'Yuan-sa, is alles in orde?'

Achter hen echode Akechi's stem tegen de muren. Ieder moment kon hij de hoek om komen. Hij zou haar roepen. Ze zou zich moeten omdraaien en opnieuw zijn vernederingen moeten ondergaan. Of erger: hij zou zien dat ze van hem wegvluchtte en wat een schik zou hij dan hebben! Mei Lin zag zijn gezicht al voor zich. Zijn ogen donker, om zijn lippen een lach die net niet helemaal wilde doorbreken.

Ze gooide elk gevoel voor fatsoen overboord en begon te rennen. 'Snel,' maande ze haar dienares. 'Ik wil niet dat hij me ziet.'

Xiao Ning wierp haar een verbijsterde blik toe. Toen leek het meisje zich te bedenken en greep zonder een woord te spreken Mei Lin bij de arm.

'Xiao Ning!' riep de prinses ontsteld uit.

Het meisje slaagde erin te buigen terwijl ze rende. 'Vergeef me, Yuan-sa.'

Voor Mei Lin besefte wat er gebeurde, had de dienares een wandtapijt opzijgetrokken en een schemerige doorgang onthuld. Er was geen tijd om vragen te stellen. Mei Lin schoot de gang in. Haastig trok Xiao Ning het tapijt recht en de gang werd in duister gehuld.

Mei Lin hield haar adem in. Ze hoorde de stemmen van Akechi en de lijfwacht naderen. De mannen stonden nu voor het tapijt. In gedachten begon Mei Lin te tellen. Een. Twee. Haar blikken boorden zich in het tapijt. Drie. Vier. Goden, laat ze doorlopen! Vijf. Zes. Akechi's stem weefde zich laag en geamuseerd door het tapijt. Ze kon zijn glimlach vóélen, alsof hij wist dat zij zich daarachter had verstopt. Wanhopig bleef ze tellen. Zeven. Acht. De stemmen verwijderden zich. Negen. Tien...

Xiao Ning zuchtte. Mei Lin keek om. De ogen van het meisje schitterden in het weinige licht dat onder het tapijt door sijpelde.

Ze tuurde verder de gang in. Vaag kon ze de contouren van een deur onderscheiden. Het rook er naar steen en vocht. Ze wist zeker dat ze hier nooit eerder was geweest. 'Waar leidt deze gang naartoe?' vroeg ze.

'Het is een ingang voor de bedienden, Yuan-sa, zodat ze de edelen niet storen.' Het verbaasde Mei Lin dat Xiao Nings stem, nu zo aarzelend, aan het meisje toebehoorde dat haar zojuist bij de arm een geheime gang in had gesleurd.

Ze vroeg zich af of het erg ongepast zou zijn als ze deze gang gebruikte om het paleis te verlaten. Alles in haar verlangde ernaar die vrijheid te proeven, zonder gevolg, zonder draagstoel, zonder lijfwacht die haar voortdurend in de gaten hield. Maar toen bedacht ze dat er waarschijnlijk een wachter aan het einde van de gang zou staan om insluipers tegen te houden. Ze kon het zich niet veroorloven dat de roddel dat de Yuan-sa gebruikmaakte van een gang voor dienaren zich door het paleis zou verspreiden. Bovendien waren er nieuwe sneeuwstormen op komst.

'Laten we maar teruggaan,' zei ze. 'Ze zijn nu wel weg.'

In haar vertrekken liet Mei Lin zich met een zucht op een stoel ploffen. Haar kamers lagen op de eerste verdieping, aan de westkant van het paleis. Ze waren in Yuanstijl ingericht: simpel, met enkele meubels op donkere tegels en panelen van walnotenhout tegen de muren.

Haar dienares hing haar mantel weg en bereidde cha in een porseleinen drinkkom. Haar zwarte haar viel los over haar rode dienstgewaad met de Witte Lelie toen ze boog om Mei Lin de kom aan te reiken.

Vlak nadat Mei Lin het meisje had weggezonden, stormde Shula het vertrek binnen. Mei Lin probeerde haar ergernis te verbijten. Ze boog zich voorover en pakte haar chakom, alsof ze zijn binnenkomst niet had opgemerkt. Langzaam tilde ze de kom naar haar lippen, terwijl ze de chabladeren met het deksel opzij roerde. De warme damp brandde tegen haar huid. 'Shula-tse,' zei ze uiteindelijk, 'wat een verrassing. Kom binnen.'

Shula begreep de hint, maar gunde zich nauwelijks de tijd voor een behoorlijke buiging. 'Mei Lin-sa...'

'Is er iets?' vroeg ze. Zo beheerst mogelijk nam ze een slok van haar cha, alsof het antwoord haar niet interesseerde.

'De Yuan-tse heeft u op audiëntie ontboden. Vanmiddag.'

Bijna spuugde Mei Lin haar cha weer uit. 'Wat?' Ze had het gevoel alsof ze met haar hoofd in een emmer ijskoud water werd gedompeld. Dagenlang was ze genegeerd en nu, zonder enige waarschuwing, werd ze plotseling ontboden? 'Nee!' zei ze. 'Ik ben niet voorbereid op een bezoek aan de Yuan-tse. Ik... mijn kleding! Ik moet...'

'Ik vind dat u er prachtig uitziet, Mei Lin-sa.'

Ze was niet gereed. Shula wist best dat ze zich moest omkleden; niemand verscheen voor de keizer in de kleding die hij toevallig die ochtend had aangetrokken. Ze moest andere haarsieraden dragen, haar gezicht opnieuw laten beschilderen...

Verbijsterd staarde ze Shula aan. 'Wat?'

Shula keek verbaasd, alsof het heel normaal was dat hij haar een compliment had gemaakt. Mei Lin voelde zich vreemd helder worden, alsof Shula dwars door haar heen kon kijken. Het kostte moeite om hem aan te blijven kijken. Haar hart klopte in haar keel.

'Is er iets?' vroeg hij.

Ze sloot haar ogen. 'Wat wil de Yuan-tse van me?' vroeg ze. 'En zeg niet dat je het niet weet.' Ze opende haar ogen weer om hem aan te kijken.

Shula hurkte neer, zodat hun gezichten op gelijke hoogte kwamen. 'Het spijt me, Mei Lin-sa, maar ik weet het werkelijk niet. Misschien wil hij u inlichten over het verloop van de besprekingen met de Yamata? Ik heb begrepen dat de besluiten van de vergadering morgenavond bekend zullen worden gemaakt.'

Mei Lin staarde over zijn hoofd in de verte. Om de een of andere reden was dat makkelijker dan hem aankijken. 'Zijn de besprekingen afgelopen? Waarom heb je me dat niet verteld?'

Hij maakte een verontschuldigend gebaar. 'Ik hoorde het zojuist pas, toen ik het bevel kreeg u naar de Yuan-tse te begeleiden.'

Met een angstig voorgevoel staarde Mei Lin naar het deksel van haar chakom. Haar mond voelde kurkdroog. 'Ga je mee naar de keizer?'

vroeg ze. Ze keerde zich naar Shula toe en keek hem aan.

'Natuurlijk,' zei hij. Zelden was hij zo dichtbij geweest.

Haar adem stokte. Ze voelde zich licht in het hoofd. 'Shula-tse...'

'Ik ben uw lijfwacht. Het is mijn taak om u te vergezellen.' Abrupt stond hij op. 'Ik zal uw dienares roepen, zodat u zich gereed kunt maken.'

4

Een jongen met blauw haar

Cang Lu haastte zich door de paleisgangen. Lantaarntjes die dag en nacht brandden wierpen poelen licht over de marmeren tegels. Wachters in zwarte wapenrusting die op iedere hoek stonden opgesteld, keken hem na met een donkere blik in hun ogen. Cang Lu deed net alsof hij hen niet zag.

In gedachten herhaalde hij de boodschap die hij moest overbrengen. Het was geen ingewikkeld bericht: 'Vrouwe Teishi laat tot haar grote spijt weten dat zij niet aanwezig kan zijn bij het avondmaal.' Hij had het de afgelopen tiendag, sinds het Feest van de Langste Nacht, steeds weer moeten meedelen. Maar de Tweede Kamerheer, bij wie hij zijn bericht moest afgeven, keek altijd zo streng dat hij begon te stotteren en er van de hele boodschap niets meer terechtkwam.

Het kwam door zijn uiterlijk. Niemand vertrouwde een jongen met blauw haar als de veren van een vogel, en ogen van goud. 'Reiger' noemden de Yuan hem. Hij wenste dat hij werkelijk een vogel was, zodat hij weg kon vliegen van hun wantrouwende blikken.

Hij bewoog zijn schouders zodat zijn rode livrei over zijn rug schuurde. De striemen die hij aan de straf voor zijn ongeoorloofde uitje tijdens de Langste Nacht had overgehouden, waren nog niet helemaal genezen. De pijn was een welkome afleiding van zijn gedachten.

Hij liep voorbij de trappen die naar de bovenste verdieping van het paleis leidden, waar de privévertrekken van de keizer lagen. Daar was hij nog nooit geweest. De klerken en de kamerheer aan wie hij zijn bericht moest doorgeven, werkten beneden. Nogmaals herhaalde hij de boodschap: 'Vrouwe Teishi laat tot haar grote spijt weten...'

Hij sloeg een hoek om en knalde in volle vaart tegen iemand op.

Alle lucht werd uit zijn longen geperst en hij viel op de tegels. Voor hem hoorde hij de verschrikte kreten van een paar vrouwen, terwijl een man in het zwart naar voren stapte om de persoon die door Cang Lu omver was gelopen, overeind te helpen. Hij zag een paar geborduurde muiltjes onder een gewaad van rode zijde en verderop in de gang nog meer voeten. Het was een hele optocht. Goden!

Hij probeerde overeind te krabbelen.

'Yuan-sa!' riep een van de vrouwen. 'Bent u in orde?'

Cang Lu bevroor.

De stem van een jonge vrouw weerklonk door de hal: 'Je kunt me nu wel loslaten, Shula-tse, er is niets aan de hand.' Hij had die stem eerder gehoord, toen de Yuanprinses een bezoek aflegde bij zijn meesteres. De Yuan-sa... Hij had zojuist de Yuan-sa aangeraakt.

Met een gesmoorde kreet wierp Cang Lu zich voorover. 'Vergeef me, Yuan-sa! Vergeef me!'

Hij hoorde haar muiltjes over de tegels glijden. 'Is dat... een jongen?' zei ze verbaasd, terwijl ze voor hem kwam staan. 'Hij heeft blauw haar!'

De schaduw van een zwarte mantel viel over hem heen. Een van haar lijfwachten stond over hem heen gebogen.

'Sta op,' zei de prinses.

Cang Lu dacht dat hij haar verkeerd verstond. Wie de eer en verhevenheid van de Yuan-sa schond, riskeerde zijn leven. De lijfwacht zou dadelijk zijn zwaard grijpen om hem te bestraffen. Hij durfde het er niet op te wagen overeind te komen. Dat zou haar woede zeker aanwakkeren.

'Sta op!' zei ze nogmaals. Er klonk ongeduld door in haar stem.

Hij kwam een stukje overeind, zodat hij geknield voor haar zat, zijn blik strak op de tegels voor haar voeten gericht. 'Vergeef me, Yuan-sa,' herhaalde hij. 'Ik wilde niet...'

'Wie ben jij?' onderbrak ze hem.

Hij probeerde antwoord te geven, maar de woorden bleven in zijn keel steken.

'Hij is vrouwe Teishi's loopjongen,' zei de lijfwacht boven hem. 'Ik heb hem wel eens eerder gezien.'

'Heeft Teishi's loopjongen ook een naam?' De Yuan-sa leek oprecht geïnteresseerd.

Cang Lu keek haar aan. Zijn hart sloeg als een trommel in zijn borst.

De prinses slikte.

Toen sloeg hij zijn ogen weer neer. 'Vergeef me, Yuan-sa,' mompelde hij. 'Ik ben uw interesse niet waard.'

Haar tweede lijfwacht stapte op hem af. Cang Lu hoorde een zwaard uit de schede glijden en zag vanuit zijn ooghoek het staal glimmen. Dit was wat hij had gevreesd. Waarom hij op een andere uitkomst had gehoopt, wist hij niet. Er was slechts één straf voor zijn vergrijp mogelijk. 'Vrouwe?' zei de man.

De Yuan-sa tikte met haar voet op de tegels, alsof ze in gedachten was verzonken. Cang Lu durfde niet opnieuw naar haar op te kijken. Trillend duwde hij zijn voorhoofd tegen de tegels.

Abrupt keerde de Yuan-sa zich van hem af. 'Ik kan de dienaar van een ander niet straffen voor mijn eigen onoplettendheid. Teishi's loopjongen moet echter wel leren om voorzichtiger te zijn. Mijn schoonzuster kan hem straffen zoals het haar goeddunkt.'

Cang Lu hield zijn adem in.

'Jawel, Mei Lin-sa,' sprak de oudste van de twee lijfwachten. 'Het zal gebeuren zoals u wenst.' De jongste lijfwacht schoof zijn zwaard terug in de schede.

'Kom, Shula-tse,' zei de Yuan-sa, 'de keizer wacht.'

Cang Lu bleef geknield zitten tot de prinses en haar gevolg om de hoek waren verdwenen. Trillend blies hij zijn adem uit.

Een wee gevoel verspreidde zich door zijn lichaam. Teishi zou hem laten afranselen als ze van deze nieuwe misstap hoorde. Om van haar echtgenoot nog maar te zwijgen. Maar hij mocht zich gelukkig prijzen, Teishi en Wen De zouden hem in ieder geval in leven laten. En hij had niet echt gedacht er ongeschonden van af te komen. Niemand begaf zich ongestraft in de nabijheid van de Yuan-sa.

Toch had het weeë gevoel niets te maken met de straffen die hem boven het hoofd hingen.

Haar ogen...

Hij schudde zijn hoofd, maar het beeld wilde niet verdwijnen. Waarom had hij opgekeken? Waarom had hij de ogen van de Yuan-sa willen zien? Zo koud en eenzaam. Zo verloren. Hij kon zich niet herinneren ooit zulke ogen te hebben gezien.

Een hand sleurde hem terug naar de werkelijkheid; een hand die hem in zijn nek greep en overeind trok. Het duurde even voor Cang Lu besefte dat het de jongste lijfwacht was, die hem naar Teishi's vertrekken bracht.

De ontvangstruimte was in Yamatanese stijl ingericht, met kamerschermen en lage tafeltjes waarop beschilderd porselein en beeldjes van goud en jade stonden uitgestald. Ook had Teishi enkele stoelen met houtsnijwerk uit West-Yuan neergezet, zodat de ruimte een vreemde indruk maakte op bezoekers die de kale indeling van de Yuan gewend waren.

Natsuko stond midden in de ruimte en stofte met een grijze poetsdoek het porselein af. Bij hun verschijnen toonde haar gezicht geen enkele emotie. Slechts wie haar goed kende, zag de schrik in de manier waarop ze de stofdoek verfrommelde, gladstreek en vervolgens weghing. Ze keerde zich naar hen toe. 'Heer?'

De lijfwacht beantwoordde haar buiging met een licht knikje van zijn hoofd. 'Ik wens een onderhoud met je meester, in naam van de Yuan-sa.'

Natsuko boog opnieuw. Als ze verbaasd was, liet ze dat niet merken. 'Mijn meester en meesteres zijn afwezig, heer. Ik weet niet wanneer zij terugkeren.'

Een vlinder van hoop ontvouwde zijn vleugels in Cang Lu's buik. Misschien zou de lijfwacht de zaak zelf afhandelen. Misschien zouden Wen De en Teishi niets te horen krijgen.

Het gezicht van de lijfwacht stond echter onverbiddelijk. 'Ik zal op hen wachten,' zei de man. Hij duwde Cang Lu over de drempel. 'Misschien kun je deze jongen zolang iets te doen geven, zodat hij zich niet verder in de nesten werkt.'

Natsuko boog haar hoofd. 'Zoals u wilt.' Ze greep Cang Lu bij de hand en trok hem mee, weg uit de ontvangstkamer, naar Teishi's slaapvertrek. 'De Yuan-sa!' kermde ze, zodra ze buiten het gehoor van de lijfwacht waren. 'Sagi, heb je je verstand verloren?' Haar lippen waren tot een dunne streep vertrokken. 'Wat heb je gedaan?'

Cang Lu durfde haar niet aan te kijken. Hij liep langs haar heen naar het bed en begon de kussens op te kloppen, al had hij dat die ochtend nog gedaan toen Teishi naar de paleistuin was. Om de een of andere reden bleven de ogen van de Yuan-sa door zijn hoofd spoken. 'Het was een ongeluk,' zei hij.

'Ik zou...' Natsuko aarzelde. 'Ik bedoel... misschien kan ik die wachter weg krijgen.'

Cang Lu's hoofd vloog omhoog. 'Wie heeft er nu zijn verstand verloren?'

Natsuko glimlachte onzeker. Natsuko was nooit onzeker. 'Niemand hoeft het te weten, Sagi,' zei ze. 'Het was een ongeluk, zei je net zelf. Je verdient geen straf. Niet...' Opnieuw aarzelde ze. 'Niet op die manier.'

Het kussen viel uit zijn handen, maar Cang Lu deed geen moeite om het op te rapen. Zijn vingers waren koud.

Niet op die manier.

Hij wist wat ze bedoelde en hij wist dat haar hulp niets uit zou maken. Ze kon de lijfwacht wegsturen – hem uit de weg ruimen, voor zijn part – maar het zou niets veranderen.

'Ik ben niet bang, Natsuko!'

'Ik zeg helemaal niet...'

'Ik héb de verhevenheid van de Yuan-sa toch zeker geschonden! Denk je dat ik mijn straf wil ontlopen? Denk je dat ik een lafaard ben?' Hij boog voorover om Teishi's kussen op te pakken. Verwoed begon hij de dekens in te stoppen. Zijn vingers trilden en hij moest de lakens twee keer weer losmaken, voor het dek goed zat. Hij wist niet waarom hij zo boos was. Het was per slot van rekening lief van haar dat ze hem wilde helpen.

Toen hij weer opkeek, zat Natsuko hem vanaf de vensterbank aan te kijken.

'Wat?' vroeg hij.

Ze schudde haar hoofd. 'Niets.' Maar toen hij zich omdraaide, op zoek naar een nieuw klusje, zei ze: 'Ik wist niet dat jij zo'n belang aan de verhevenheid van de Yuan-sa hechtte.'

Cang Lu keek over zijn schouder, maar ze had ondertussen haar aandacht alweer op het uitzicht gericht. 'Heb je haar wel eens gezien?' vroeg hij.

Natsuko keek op met een scherpe blik in haar ogen. 'Ja,' zei ze. 'Maar toen was ze nog een kind. Jonger dan jij nu.'

'Ze is mooi,' mompelde Cang Lu en hij voelde hoe het bloed naar zijn wangen steeg.

Natsuko snoof geringschattend. 'Mooi? Ik zou ook mooi zijn als ik niet de hele dag hoefde te werken. Dan zou je stapelverliefd op mij worden, Sagi.'

'Ik ben helemaal niet verliefd!' sputterde hij tegen. 'Er zijn zát meisjes die ik mooi vind.'

Natsuko lachte. Het was hopeloos om haar te overtuigen als ze zich iets in het hoofd had gehaald.

'Heb je haar ogen wel eens gezien, Natsuko?' vroeg hij. Hij wist niet waarom, maar het leek plotseling heel belangrijk om met iemand te delen wat hij gezien had. Misschien kon hij het dan van zich af zetten. 'Ze heeft heel opmerkelijke ogen. Alsof ze alleen op de wereld is.'

'Zo zal ze het ook wel zien. Prinsessen zijn vreemde wezens, Sagi. Ze houden geen rekening met anderen en zijn nooit tevreden. Kijk maar naar Teishi.'

Cang Lu vroeg zich af of Natsuko het hem kwalijk zou nemen als hij de kamer uit liep en haar achterliet. Teishi was een gevaarlijk gespreksonderwerp. Hij wilde geen ruzie meer maken.

'Teishi heeft alles wat ze zich kan wensen,' ging Natsuko verder, 'maar heb je haar ooit zien lachen?'

Cang Lu slikte. 'Als je je ziel verkoopt, kun je geen geluk verwachten.'

Hij wachtte op een reactie van Natsuko, maar die kwam niet. Hij keek op en zag dat ze stijf op de vensterbank zat, haar blik strak op zijn gezicht gericht. 'Waar heb je het over, Sagi?' vroeg ze en ze klonk helemaal niet als de Natsuko die hij kende. 'Wat weet je over Teishi?'

Hij haalde zijn schouders op. Hij had niets willen zeggen en dát al helemaal niet. Hij wist niet eens wat hij ermee bedoelde. Soms leek het alsof hij geen controle had over de dingen die hij zei. Alsof de woorden niet uit zíjn mond kwamen. Hij liep naar de ontvangstkamer, weg uit de benauwende stilte in Teishi's slaapvertrek. Natsuko zei niets, maar hij voelde haar ogen in zijn rug.

Bij de deur draaide hij zich om. Hij voelde hoe de haartjes in zijn nek rechtovereind gingen staan en even had hij het bizarre gevoel dat hij door de lucht viel. Hij wist dat de hemel boven hem hing. De wereld lag ver, ver onder zijn lichaam en kwam steeds dichterbij, alsof hij een vogel was die aan een duikvlucht was begonnen. Maar hij had geen vleugels en wist niet hoe hij weer moest opstijgen. Een netwerk van witte draden, als spinrag, omgaf hem, spon zich uit vanaf zijn vingertoppen naar de wereld onder hem. Hij dacht dat hij zou begrijpen waar die draden naartoe leidden, als hij maar zijn best deed om hun patronen te lezen. Maar hij had geen tijd. De wereld kwam steeds dichterbij. Hij viel en viel en kon zich slechts op het nippertje aan een draad vastklampen.

Toen hij sprak, was zijn stem niet de zijne: 'Ik weet niets van Teishi. In het huis van de heer van Saitō spreken ze niet over haar soort.'

Met een klap keerde hij terug in zijn lichaam. Versuft raakte hij zijn borst aan. De wereld lag weer stevig onder zijn voeten. De witte draden waren verdwenen. Was hij eigenlijk wel gevallen?

Hij keek op en zag dat Natsuko zijn woorden had begrepen, ook al had hij dat zelf niet. Ze was van de vensterbank gesprongen en stond als aan de grond genageld. Haar gezicht was lijkbleek. 'Natsuko?' zei hij.

Ze wankelde achteruit, zocht steun bij de vensterbank. Trillend bracht ze een hand naar haar gezicht en wreef langs haar ogen, alsof ze een schrikbeeld wilde verjagen. 'Laat me nooit meer zo schrikken, Sagi!' bracht ze uit.

Cang Lu knipperde met zijn ogen. Wat had hij gedaan? Wat was er zojuist voorgevallen? Had hij zich alles verbeeld? Maar die naam... 'Saitō,' herhaalde hij. 'Wat is Saitō?'

Natsuko stapte op hem af en zei: 'Ik heb die naam nog nooit gehoord.' Hij hoorde dat ze loog. 'Maak je werk af, Sagi. Je wilt niet nog een straf verdienen.'

Hij boog zijn hoofd, zoals hij op een bevel van een edelvrouw zou hebben gedaan. Het was een grap, maar de spot waarmee hij dat normaal gesproken deed, kon hij nu niet opbrengen. Wat was er met hem aan de hand? Hij probeerde terug te halen wat er zojuist was voorgevallen, maar om de een of andere reden bleven zijn gedachten steeds bij dat ene beeld haken: de ogen van de Yuan-sa.

Voor zulke ogen zou hij iedere straf bereidwillig ondergaan.

5

Bij de Yuan-tse

Terwijl Mei Lin de trappen naar de bovenste verdieping van het paleis beklom, probeerde ze het voorval met Teishi's loopjongen uit haar hoofd te zetten. Dat was niet gemakkelijk. Een jongen met blauw haar. Zoiets had ze nog nooit gezien. Waar had haar schoonzuster hem vandaan? Ze hoopte maar dat Teishi hem niet al te zwaar zou straffen. Natuurlijk verdiende hij een berisping voor zijn onbesuisde gedrag, maar hij was zo'n angstig hoopje aan haar voeten geweest. Ze had het niet over haar hart kunnen verkrijgen de gebruikelijke straf te eisen. Het was per slot van rekening een ongeluk geweest, waaraan zijzelf net zo goed schuld had. Ze was met haar gedachten al bij de audiëntie geweest en had niet uitgekeken toen ze de hoek omsloeg.

Met een zucht liet ze de laatste traptrede achter zich. Haar gevolg – Shula, Xiao Ning en een tweede dienares die Xi Wei heette – waaierde naast haar uit, zodat ze de volledige breedte van de hal in beslag namen. Haar tweede lijfwacht, Li Jin, zou volgens het protocol aan haar linkerhand hebben moeten lopen, maar hij had zich over Teishi's loopjongen ontfermd.

Ze maakte zich niet bepaald zorgen om haar veiligheid. Van de trappen tot aan de ingang van de privévertrekken van de keizer stond om de paar passen een wachter in volle wapenrusting. In de loop der tijd hadden verschillende groeperingen aanslagen op het leven van de Yuan-tse willen plegen, maar niemand was ooit verder gekomen dan de laatste traptrede. Over de gehele lengte van de hal hing een ingenieus netwerk van draden en koperen klokken, dat diende als alarminstallatie.

In de ontvangstruimte trad een jongeman in het zwarte gewaad van de keizerlijke lijfwachten hun tegemoet. Mei Lins dienaressen bleven achter. Shula en zij werden verder geleid naar een kamer met een Adhistaans tapijt en donkerblauwe kamerschermen, waar vazen met chrysanten stonden en waar zelfs, op een walnotenhouten tafel in het midden van de kamer, een kom stond waarin een goudvis zwom. De lijfwacht maakte een buiging. 'Als u zo goed zou willen zijn om hier te wachten, dan zal ik de Yuan-tse van uw komst op de hoogte stellen.'

Mei Lin knikte. Ze liet een vinger over de gouden vogels op een van de kamerschermen glijden.

Shula kuchte. 'Mei Lin-sa, u weet dat ik nooit...'

Mei Lins vinger pauzeerde even bij het puntje van een vleugel. 'Ja?'

Shula zweeg.

Ze draaide zich om. Hij stond naast de deur, het hoofd gebogen, zijn blik op het Adhistaanse tapijt gericht. Ze had het gevoel dat hij aarzelde, alsof hij niet goed wist hoe hij zijn bedoelingen moest verwoorden. Ze moest de neiging onderdrukken om naar hem toe te gaan en hem gerust te stellen.

Het kamerscherm waarachter de lijfwacht was verdwenen, schoof opzij en de man keerde terug. Hij maakte een haastige buiging. 'Vergeef me, vrouwe. Nog een moment geduld, alstublieft.' Vervolgens verdween hij achter een ander kamerscherm en keerde niet meer terug.

Mei Lin trok vragend een wenkbrauw op, maar Shula zag het niet.

Plotseling drongen vanuit het aangrenzende vertrek stemmen tot hen door. 'Dit is waanzin! Wilt u Yuan ten overstaan van de hele wereld vernederen, vader?' Het antwoord op Wen De's uitbarsting was onverstaanbaar, maar zijn reactie was luid en duidelijk: 'Toen u na de oorlog de Yamata vrijliet, heb ik niets gezegd, al wist ik dat heel Yuan mijn mening deelde. Maar dit sta ik niet toe! En ik laat háár zeker niet de prijs voor uw waanzin betalen!'

Mei Lin hield haar adem in. Ze had het onheilspellende gevoel dat ze precies wist waar hij het over had. Het kon geen toeval zijn dat de keizer haar had ontboden op de dag dat de onderhandelingen met de Yamata waren afgerond. Ze keek om naar Shula, die nog altijd aandachtig het tapijt bestudeerde. Wat had hij willen zeggen?

Op dat moment schoof het kamerscherm opnieuw opzij en kwam Wen De naar buiten gestormd. Het duurde even voor hij haar zag staan en nog enkele tellen voor hij voldoende gekalmeerd was om zijn hoofd te buigen en een enigszins geforceerd 'Mei Lin-sa' te mompelen.

Mei Lin popelde om hem te vragen naar zijn gesprek met de keizer, maar een blik op zijn gezicht deed haar besluiten dat ze beter kon doen alsof ze niets had gehoord. Ze boog haar hoofd.

'Ach, Mei Lin-sa...' De woede in zijn stem had plaatsgemaakt voor iets wat klonk als spijt. Hij strekte een hand naar haar uit, streelde haar wang. Zijn vingers voelden ruw aan, meer geschikt voor paardenteugels dan voor een zachte meisjeswang. 'Herinner je je de triomftocht na de zege op Yamatan nog? Ik tilde je achter op mijn paard. Zo'n meisje was je nog...' Wen De zuchtte. 'Een mooie dag was dat.'

Mei Lin fronste. De triomftocht?

Wen De stapte opzij. 'Vooruit, vader wacht op je.'

Mei Lin had geen keus, ze moest naar binnen. Ze liet Shula achter in het voorvertrek; het zou als een belediging worden gezien als hij met haar meekwam, omdat dat impliceerde dat ze zich in het bijzijn van de keizer niet veilig voelde. Ze liep langs het kamerscherm met de gouden vogels en betrad de privévertrekken van de Yuan-tse.

Het was alsof ze door een spiegel stapte waarachter de tijd had stilgestaan. Hier waarden haar voorouders nog rond. Ze fluisterden tegen haar van achter het kamerscherm met een afbeelding van de legendarische overwinning op het bergrijk Qin, ze keken tussen het Tweelingporselein op de ebbenhouten kast uit de Zeven Oorlogen door, ze bewogen rond Koilangs houtsnijwerk dat was vervaardigd tijdens de Heerschappij van de Zilveren Tijgers, een broederschap waarover in oude geschiedenisboeken werd verteld. Het waren haar voorouders die deze meubelstukken hadden verzameld, deze symbolen van hun almacht. En dit – meer nog dan de familietempel waar hun gedenkstenen hingen – was de plek waar zij op hun nazaten neerkeken.

Tegenover haar, aan de wand van houten panelen, hing een doek van witte zijde. Dat was nieuw. Het toonde een schildering in zwarte inkt: een jonge vrouw, geknield aan de waterkant. Boven haar hoofd vloog een vogel de zonsondergang tegemoet. Langs de rand was een Yamatanese tekst gekalligrafeerd.

'Een prachtig doek. Het hing in de familietempel van het keizerlijk paleis in Jitsuma. Akechi zag dat ik het mooi vond, en gaf het als geschenk. Waarschijnlijk dacht hij dat hij beter zijn overheerser tevreden kon stemmen dan de goden die zijn land hadden verzaakt.'

Mei Lin draaide zich om. Haar vader zat in een stoel voor een smal raam dat uitkeek op de paleistuin. Hij droeg een geel gewaad met wijde mouwen, afgezet met zwarte banden en gouden borduursels. Mei Lin had hem in zijn privévertrekken nooit eerder in zulke officiële kleding gezien. Hij had zijn handen in zijn schoot gevouwen en zijn blik was ver weg, in het verleden. Misschien zag ook hij de schimmen van de voorouders in dit vertrek rondwaren. Misschien wist hij wat ze fluisterden.

Mei Lin knielde voor hem neer. 'Yuan-tse, ik ben zeer vereerd dat u...'

De keizer onderbrak haar met een lach: 'Mei Lin-sa, mijn enige dochter...' Zijn haar, meer grijs dan zwart, ving licht, waardoor het zilver leek. De rimpels in zijn gezicht leken minder diep nu hij hier zat, in zijn privévertrekken, en niet door ministers en andere hoogwaardigheidsbekleders was omgeven. Een glimlach verzachtte zijn strenge gelaatstrekken. 'Waar is het meisje dat ons na de Mars op Jitsuma bij Si Tjin opwachtte? Ik zie nu een mooie, jonge vrouw. Ah, de goden hebben mij gezegend met zo'n dochter.'

Mei Lin staarde blozend naar de vloer. 'Yuan-tse,' zei ze, 'ik...'

'Ah! Je vindt dat ik je te veel prijs. Maar dat is het voorrecht van een vader, moet je weten.'

Mei Lin schudde haar hoofd. Dat was helemaal niet wat ze had willen zeggen.

Haar vader begreep haar opnieuw verkeerd. 'Je nederigheid siert je, Mei Lin-sa. Maar ik zal erover zwijgen, als je dat liever hebt. Wij hebben belangrijker zaken te bespreken.' Hij wenkte en ze kwam naast hem zitten.

Hij zweeg afwachtend. Mei Lin vroeg zich af of ze geacht werd naar die belangrijke zaken te raden. Ze herschikte haar jurk van rode Nang Shi-zijde. 'Gaat dit over de Yamata, heer?' vroeg ze uiteindelijk.

'De Yamata?' Haar vader was even stil en wreef met een hand over zijn knie. 'In zekere zin.'

'Wen De zei dat u een vergissing begaat.' Mei Lin keek haar vader behoedzaam aan. Misschien was het onverstandig haar broer ter sprake te brengen, maar ze moest weten of haar voorgevoel klopte. 'Vergeef me, heer. Ik ving een deel van uw gesprek op toen ik stond te wachten om tot uw vertrekken toegelaten te worden.'

Haar vaders gezicht verstrakte. Hij bewoog niet, maar ze zag het trillen van zijn handen, die tot vuisten gebald in zijn schoot lagen. 'Wen De is nog jong, Mei Lin-sa. Hij ziet de dingen niet helder.'

'U wilt vrede met Yamatan sluiten.' Het was niet echt een vraag, maar ze hoopte dat hij antwoord zou geven.

De Yuan-tse stond op. Zijn gele gewaad ruiste over de vloer. Hij liep naar de Yamatanese schildering en bestudeerde het tafereel alsof hij het nooit eerder had gezien.

'Is het waar, heer?' vroeg Mei Lin.

De keizer boog zijn hoofd licht opzij. 'Ja,' zei hij zacht. Hij draaide zich om en in zijn blik zag Mei Lin iets wat ze nooit eerder had gezien. Onzeker verschoof ze op haar stoel.

De Yuan-tse bleef haar aankijken.

Mei Lin fluisterde: 'Ik begrijp het niet.'

Ze staarde langs haar vader naar het beschilderde doek aan de wand. Voor zover ze de tekst kon begrijpen, verbeeldde het tafereel een vrouw die op haar geliefde wachtte. Een sprookje. Waarom schilderden de Yamata sprookjes op hun altaardoeken?

'U sluit vrede terwijl u Yamatan zou kunnen overheersen,' zei ze.

De Yuan-tse stootte een korte lach uit. 'Jonge mensen! Altijd bezeten van macht en strijd! Mei Lin-sa, jij moet weten hoe hoog de prijs van oorlog is. Toen Yuan ten strijde trok, bleef jij achter. Jij zag de gezinnen die uiteen werden gerukt, de jongens – kinderen nog – die ten strijde trokken. Jij zag de tranen van de mensen wier verwanten niet heelhuids terugkeerden. Waarom vraag je dan naar een reden om vrede te sluiten?'

Mei Lin slikte. Haar vader had gelijk. En toch kon ze het gevoel niet onderdrukken dat dit niet alles was, dat hij haar slechts één kant van het verhaal toonde.

'Hebt u die gezichten gezien, Yuan-tse?' Ze keek naar hem op en was verbaasd weer die blik in zijn ogen te zien. Berusting. 'Is dat uw reden om vrede te sluiten?' Ze schrok zelf van haar snijdende toon. 'Vergeef me, heer. Ik begrijp het niet. U bent nooit teruggeschrokken als er voor het welzijn van Yuan een prijs diende te worden betaald.'

'Ik was vergeten wat een scherpe geest je hebt, Mei Lin-sa. En wat een scherpe tong, als je de gelegenheid krijgt vrijuit te spreken.' Mei Lin bloosde, maar de Yuan-tse kneep zachtjes in haar hand. 'Je hebt gelijk. Er dient altijd een prijs te worden betaald. Maar als je geluk hebt, betaal je een prijs die niets kost, omdat hij beide partijen slechts goeds brengt.'

Mei Lin fronste. 'Hoe is dat mogelijk?'

Tot haar verbazing glimlachte de Yuan-tse naar haar. 'Een bloem voor een bloem, Mei Lin-sa.'

Ze schudde niet-begrijpend haar hoofd.

De Yuan-tse keek weg. 'Vergeet maar wat ik heb gezegd. Het zal morgen allemaal bekend worden gemaakt. Ik heb je tenslotte niet hiernaartoe geroepen om over de vrede met Yamatan te spreken.'

Een deur aan de andere zijde van het vertrek, verborgen achter een effen rood kamerscherm, ging open en een dienares stapte stilletjes naar binnen. Ze droeg een dienblad waarop drie chakommen stonden, naast een koperen ketel met een hengsel van gevlochten riet. Het meisje zette het dienblad op een tafeltje, boog en verdween even geruisloos als ze was gekomen. Mei Lin wilde juist vragen voor wie de derde kom bestemd was, toen haar vaders lijfwacht door een andere deur het vertrek binnenkwam en de komst van Akechi no Jirō Sadayasu aankondigde.

'Als de goden het willen,' sprak de Yuan-tse, 'zullen de herauten morgen nog een bericht verkondigen.'

Mei Lin had het gevoel dat de grond onder haar voeten wegzakte. Sprakeloos staarde ze haar vader aan.

Liefdevol kneep hij in haar hand. 'Ik heb je hier geroepen, Mei Lin-sa, omdat Akechi Sadayasu mij om je hand heeft gevraagd. En ik heb zijn verzoek ingewilligd.'

'Nee!' Mei Lin sprong op en stootte bijna haar stoel omver. Natuurlijk had ze altijd geweten dat ze op een dag uitgehuwelijkt zou worden. Maar aan een Yamatanees, alsof ze een gastgeschenk was! 'Nee!' zei ze nogmaals.

De Yuan-tse wendde zich glimlachend tot zijn lijfwacht. 'Vraag heer Akechi om nog wat geduld, Ming Li-tse. Mijn dochter en ik hebben wat meer tijd nodig.' Vervolgens draaide hij zich weer om naar Mei Lin en gebaarde naar haar stoel. Mei Lin liet zich zakken. De Yuan-tse keek haar doordringend aan. 'Akechi is een eerzaam en machtig man.'

'Vergeef me, heer,' zei ze. 'Als u me toestaat?'

De Yuan-tse maakte een uitnodigend gebaar. 'Spreek.'

Mei Lin boog haar hoofd. 'Heer Akechi is de broer van de een of andere heerser van een land dat nauwelijks de naam "keizerrijk" verdient.' Ze zweeg even, schudde haar hoofd. 'Nee, niet de een of andere heerser. Een Yamatanees en een Akechi. Onze gezworen vijand. Vergeef me, heer, maar ik kan mij niet vereerd voelen met een dergelijke verbintenis.'

Haar vader boog zich naar haar toe. 'Wanneer de vrede is getekend, doet dat er niet meer toe. Yamatan is niet langer onze vijand, dochter.'

Ze keek naar hem op. 'Niet openlijk, misschien.' Ze wist dat ze haar mond moest houden, maar de woorden leken uit haar te stromen. Ze kon haar verontwaardiging niet verbergen. 'Vergeef me mijn brutaliteit, heer, maar ziet u niet dat u de Yamata gouden bergen biedt zonder er iets voor terug te vragen? Waarom zouden ze een dergelijke vrede niet ondertekenen?'

'Deze vrede schenkt Yuan meer dan jij kunt vermoeden,' zei haar vader met een verstoorde blik in zijn ogen. 'Vorm je geen oordeel, dochter, voordat je de details kent!'

Mei Lin fronste verward. 'Wat...?' Toen schoot haar een gedachte te binnen die veel belangrijker was: 'Ik ben de prijs die betaald wordt. Míjn huwelijk zal uw vrede bezegelen.' Ze keek op in de hoop dat haar vader het zou ontkennen.

De Yuan-tse keek haar zwijgend aan.

Haar adem stokte in haar keel.

Haar vader pakte haar hand vast en tikte sussend op haar vingers. 'Akechi stelde mij de vraag, niet andersom. Dit huwelijk dient inderdaad als een bezegeling van onze vrede, maar die vraag zou hij hoe dan ook hebben gesteld. Ik heb jullie samen gezien, dochter. Ik stond hem toe je aan te spreken om jullie reacties te kunnen beoordelen. Zijn bewondering voor jou was overduidelijk en jij leek ook van hem onder de indruk. Ik weet zeker dat jullie erg gelukkig met elkaar zullen worden.'

Mei Lin lachte bitter. Als ze niet beter had geweten, zou ze hebben gedacht dat haar vader over een andere man sprak. Het enige wat Akechi had gedaan, was haar bespotten. Hoe kon haar vader denken dat hij haar het hof had gemaakt? 'Vergeef me, heer, maar u vergist zich,' zei ze. 'Akechi Sadayasu geeft slechts om zichzelf en zijn eigen vermaak.'

De keizer liet haar hand los. 'Als vader heb ik de taak een geschikte echtgenoot voor je te vinden. Dit is de man die ik heb gekozen. Je kunt zo boos zijn als je wilt, maar uiteindelijk zul je mij moeten gehoorzamen.' De Yuan-tse stond op. 'Ming Li-tse, roep heer Akechi binnen voor de cha.'

6

Een kom cha

Op de drum van de gulou, die door de stad galmde om het Uur van de Haan aan te geven, dreunden Wen De's voetstappen Teishi's vertrekken binnen.

Cang Lu, die op zijn komst had gewacht, drukte zich tegen de wand, zodat hij de randen van de houten panelen in zijn rug voelde. Hij hoorde Teishi's muiltjes over de tegels schuifelen toen zijn meesteres op haar echtgenoot afsnelde om hem te begroeten.

'Het is een schande!' bulderde Wen De nog voor zij een woord had kunnen uiten. 'Een absolute schande!'

In de hoek waar hij gebogen stond – een houding die hij in een reflex had aangenomen – probeerde Cang Lu nog verder ineen te duiken. Onopvallend als een reiger in het riet. Zijn meester beende langs hem heen de kamer in. Even was hij zo dichtbij dat Cang Lu zijn adem moest inhouden omdat hij bang was dat Wen De hem zou horen, maar de man leek niet eens in de gaten te hebben dat hij er stond. Goed.

Cang Lu wist dat het slechts uitstel van executie was. Zodra Teishi haar echtgenoot vertelde over zijn aanvaring met de Yuan-sa, zou Wen De's woede gewekt zijn.

Vanuit zijn ooghoek zag hij dat Wen De zich in een lage stoel in het midden van de kamer liet zakken. Teishi ging tegenover hem zitten. 'Cang Lu!' riep ze op een toon die geen moment uitstel duldde. 'Breng cha!'

Cang Lu voelde Wen De's ogen in zijn rug priemen, terwijl hij zich haastte om Teishi's bevel op te volgen. Stom! Stom! Hij had de cha natuurlijk al voor haar klaar moeten zetten. Hij wenste dat Natsuko niet om een boodschap was gestuurd, zodat zij hem eraan had kunnen herinneren.

Hij knielde voor zijn meester neer en tilde met beide handen een chakom omhoog. Even hing de kom tussen hen in, hun vingertoppen raakten elkaar. Cang Lu keek op.

Zijn adem stokte in zijn keel. Hij had het gevoel dat hij viel, zoals eerder die dag. Maar ditmaal waren er geen witte draden, er was niets waaraan hij zich kon vastklampen. Hij had geen vleugels om uit te slaan. Hij zou te pletter vallen. En tegelijkertijd zat hij nog steeds op die plaats, aan Wen De's voeten. Op dat moment wist hij zeker dat Wen De al had gehoord dat zijn dienaar tegen de Yuan-sa op was gelopen, zoals hij altijd alles hoorde wat er in het paleis gebeurde.

Met een schok verdween het vallende gevoel. Hij trok zijn handen terug, alsof hij zich had gebrand, en bijna kieperde de chakom met inhoud en al over hem heen. Wen De kon hem nog net op tijd vastgrijpen. Buiten adem duwde Cang Lu zich achteruit, weg van Wen De. Wat was er mis met hem? Wat gebeurde er toch steeds?

'Cang Lu!' riep Teishi achter hem, die niets had gezien, of had verkozen niets te zien. 'Mijn cha!'

Cang Lu dwong zichzelf tot kalmte. Hij schoof Teishi's chakom naar haar toe. Terwijl hij op haar goedkeuring wachtte, voelde hij Wen De's blik op zijn achterhoofd.

Teishi hief de chakom naar haar lippen, dronk en knikte.

Cang Lu stond op en trok zich in een hoek van de kamer terug. Zijn handen trilden alsof hij Wen De's vingertoppen nog tegen de zijne voelde. Woedend balde hij ze tot vuisten. Hoe kon hij zo stom zijn! Te verstijven, hem recht in het gezicht aan te kijken! Maar er was ook een andere gedachte die om aandacht vocht, hoezeer hij haar ook trachtte weg te drukken: Wen De's ogen leken verbijsterend veel op die van de Yuan-sa.

Weer ervoer Cang Lu dat weeë gevoel.

'Wen De-tse?' zei Teishi. 'Je meende toch niet wat je zei over Yamatan?' Het was niet zozeer haar vraag, als wel de toon waarop ze het zei, die maakte dat Cang Lu zijn oren spitste. Hij had geen idee wat Wen De had gezegd, of waarom Teishi zich daar druk om maakte. Toen het stil bleef, vroeg ze: 'Wat heeft de Yuan-tse gezegd?'

Voor het eerst keek Wen De op. 'Vader is laf,' mompelde hij. 'Hij handelt als een bejaarde man: door weg te duiken voor datgene wat kracht en moed vergt en iedere hand te schudden die hem wordt voorgehouden, opdat men hem maar niet als vijand zal zien. Hij is een dwaas, Teishi-sa. O, in zijn tijd was hij een groot bevelhebber. Maar die tijd is voorbij. Verwacht van hem geen heldendaden meer.'

Teishi boog het hoofd, alsof ze eerbied wilde tonen voor Wen De's woorden, maar Cang Lu vermoedde dat de beweging evenzeer bedoeld was om de schok die op haar gezicht zichtbaar was, te verbergen. Waar haalde Wen De het lef vandaan om zo over de Yuan-tse te spreken? Natuurlijk wist Cang Lu als geen ander dat Wen De een hekel aan de Yamata had. Wen De vond dat de Yamata zich aan Yuan hadden moeten onderwerpen. Hij kon het zijn vader niet vergeven dat hij keizer Akechi daar niet toe had gedwongen. Net als ieder ander was hij gedwongen geweest zijn Yamatanese bedienden een vrijbrief te geven toen de krijgsgevangenen werden vrijgelaten, maar die brief had hij hun nooit aangeboden. Hij had zijn vaders heerschappij echter nog nooit zo openlijk in twijfel getrokken.

Cang Lu zag hoe Teishi haar chakom ronddraaide en naar de bladeren staarde. De donkere tatoeage op haar rechterhand weerspiegelde in het witte porselein. 'De Yuan-tse is voorzichtig,' zei ze uiteindelijk. 'Maar laten wij tenminste dankbaar zijn dat de vrede op onze voorwaarden wordt gesloten.'

'Dankbaar?' snauwde Wen De. 'Moet ik dankbaar zijn dat een hond terugkomt als ik roep, terwijl hij in de eerste plaats niet had moeten weglopen?'

Cang Lu dook ineen tegen de wand. Hij hoopte dat Teishi het onderwerp zou laten rusten voordat Wen De buiten zichzelf van woede raakte.

'De Akechi zijn niet ongevaarlijk,' zei Wen De op een iets kalmere toon.

Teishi zuchtte. Cang Lu vermoedde dat dit onderwerp al eerder ter sprake was geweest. 'De Akechi leven al jaren in de schaduw van Yuan,' zei ze. 'Zij weten heus wel dat ze moeten buigen.'

Wen De schoof opgewonden heen en weer op zijn stoel. 'Maar wie weet wat er broeit, juist op donkere plaatsen waar niemand ooit kijkt? Wie weet welke ambities de Akechi hebben? De vrede die mijn vader hun schenkt, is meer dan hun toekomt. Wie weet wat voor ideeën dat in hen losmaakt? Zullen ze straks denken dat er in Yuan nog meer te halen valt? De trots van de Akechi is nog te groot voor de keizerrijken van Yuan en Yamatan tezamen! Nu buigen ze, omdat ze niet anders kunnen. Maar zodra ze de kans krijgen, zullen ze die grijpen. De Akechi buigen geen dag langer dan nodig is.'

Cang Lu vermoedde dat Wen De gelijk had. Hij had de Akechi nooit ontmoet, maar hij kende Natsuko, het toonbeeld van Yamatanese trots. Zij had hem geleerd voor de Yuan te buigen en ondertussen een mes gereed te houden voor als ze hun rug naar hem toekeerden. Niet dat hij ooit in de gelegenheid was geweest een mes te gebruiken. Niet in Wen De's nabijheid.

Vanuit zijn ooghoek zag hij Teishi driftig gebaren. 'Laat de Akechi hun kans grijpen!' zei ze. 'Laat de Akechi aan Yuan de oorlog verklaren! Wij weten dat Yuan hen zal verpletteren!'

'Nee.' Wen De's toon was zo definitief dat Cang Lu verbaasd opkeek. 'De Yamata zijn gekomen om vrede te sluiten en de Akechi zijn te trots om hun woord te breken.'

Cang Lu pakte de ketel met heet water en knielde voor Teishi neer. Achteloos stak ze haar chakom uit, zodat hij kon inschenken. De zoete bloemengeur vulde het vertrek. Hij hoopte dat het zijn meesteres zou kalmeren. Misschien moest hij Wen De's kom ook bijvullen...

'Er zijn andere manieren om Yuans eer door het slijk te halen,' vervolgde Wen De, nog altijd op die zware, dreigende toon. 'Andere manieren om de machtsverhoudingen te verschuiven.'

Teishi hield haar adem in. 'Wat bedoel je?' Ze merkte niet eens dat Cang Lu de chakom weer voor haar ophief.

Met het hoofd nog altijd gebogen kon de jongen Wen De's blik niet zien. Maar hij voelde zijn frons, voelde de woede in golven van hem af stromen. 'Mijn vader wil Mei Lin aan Akechi Sadayasu uithuwelijken.'

Teishi's chakom spatte aan diggelen op de tegels.

'Cang Lu!' Druppeltjes cha rolden van Teishi's rokken. Haar gezicht was krijtwit.

Cang Lu had het gevoel dat dit wel eens een goed moment kon zijn om in paniek te raken, maar zijn hoofd was leeg.

De Yuan-sa...

Haar koude, eenzame ogen die hem van mijlenver riepen.

'Onhandig jong!' Wen De dook voor hem op en het volgende moment veranderde de wereld van richting. Pas toen hij de cha van Teishi's gewaad in zijn gezicht voelde regenen, besefte hij dat zijn meester hem omver had geslagen. Hij proefde bloed.

'Wen De-tse, nee!' Teishi's stem klonk vreemd ver weg.

'Ik bepaal zelf...'

Haar stem sloeg over: 'Niet hier!'

Even was het volkomen stil. Cang Lu keek naar boven. Het was alsof er een waas over zijn ogen was getrokken. Net buiten zijn blikveld smeekten de ogen van de Yuan-sa nog altijd om hulp, maar hij kon zichzelf niet eens redden.

Het licht boven hem veranderde en voetstappen verwijderden zich. Cang Lu waagde het een paar keer bibberend adem te halen. Het waas trok langzaam weg.

Hij hoorde het geruis van Teishi's rokken. 'Wen De-tse, vergeef mij,' vleide ze. 'Je kunt hem straffen zoals je wilt. Hij verdient het, want vanmiddag heeft hij de Yuan-sa ook lastiggevallen met zijn gestuntel. Maar doe het ergens anders. Ik houd er niet van om te zien...'

Cang Lu richtte zich op. Voor zijn ogen begonnen witte sterretjes te dansen.

Tegenover hem zat Wen De in zijn stoel star naar hem te kijken. Terwijl Cang Lu neerknielde, tilde de prins zijn chakom op en nam een slok. Toen, bijna in een reflex, wierp hij het porselein naar Cang Lu's hoofd.

Cang Lu dook opzij. De sterretjes voor zijn ogen strekten zich uit, vormden een wijde leegte om hem heen.

De kom spatte op de tegels kapot en Wen De lachte. 'Teishi-sa,' zei hij, 'ga een stukje wandelen.'

7

Felicitaties

Yuan vierde feest. Na de bekendmaking van de ophanden zijnde vrede en het aanstaande huwelijk tussen de Yuan-sa en een Yamatanese prins, werden overal in het rijk festiviteiten georganiseerd. Er ging geen dag voorbij of Mei Lins hofdames brachten haar berichten over een bijzonder geslaagd evenement dat hier of daar in de stad had plaatsgevonden. Mei Lin werd ziek van hun vrolijke praatjes.

Ze probeerde zo veel mogelijk over andere zaken te spreken. Het nadeel van een leven binnen de paleismuren was dat ze voor haar informatie afhankelijk was van haar hofdames. En die interesseerden zich zelden voor dezelfde zaken als zij. Als ze de nieuwste mode in Nang Shi of de laatste roddels uit de provincie te weten wilde komen, was dat geen probleem. Maar over politiek of de wereld konden de vrouwen haar niets vertellen.

Toch ving ze zo nu en dan iets op. De Adhistaanse zijdehandelaren die iedere winter langs Yuanjing trokken op weg naar Nang Shi, vertelden verhalen waarin iedereen geïnteresseerd was. Ze spraken over lichtharige barbaren die in het verre westen een stad hadden gebouwd om met de schoonheid van Yuanjing te wedijveren. Alsof zoiets mogelijk was! Volgens de hofdame wier mans neef met de handelaren had gesproken, noemden ze die plek Neba bat Arda'hara – 'droomstad', in het Adhistani – wat maar weer bewees dat je nooit in hun sprookjes moest geloven. Ze zeiden ook dat er eeuwen geleden magiërs hadden geleefd met draken in hun bloed, en dat er ten noorden van die magische stad een land van ijs lag, dat ze Valhendir noemden. Klinkklare onzin! Iedereen wist dat de priesteres Si Tjin een einde aan de Dagen van de Eeuwige Sneeuw had gemaakt toen ze de goddelijke draak Yuan Tian

Bao met haar spiegelbeeld een meer in had gelokt waaruit hij niet kon ontsnappen. Uit liefde voor haar had hij een menselijke gedaante aangenomen en toen pas had ze hem vrijgelaten. Maar Tian Bao had voor haar een paleis gebouwd en samen hadden zij de dynastie gesticht die nu nog over Yuan heerste. Er was geen andere stad waar draken heersten en zeker geen stad die aan de schoonheid van Yuanjing kon tippen.

Zulke valse berichten konden Mei Lins gedachten nauwelijks van haar aanstaande huwelijk afleiden. En dus pijnigde ze haar hersens over de vraag hoe ze haar vader opnieuw te spreken kon krijgen. Ze had werkelijk geprobeerd zich met het idee van een Yamatanese echtgenoot te verzoenen, zoals de keizer haar had opgedragen. Ze wist zeker dat ze die schande op den duur wel had kunnen verdragen, als de man in kwestie een ander was geweest. Maar Akechi... Ze haatte Akechi. Telkens als ze hem had gezien, had hij de spot met haar gedreven; zijn onbeschaamde blikken haalden het bloed onder haar nagels vandaan. Hoe kwam hij erbij om haar hand te vragen? Hoe kon haar vader denken dat zij hem als echtgenoot wilde? Ze moest hem op andere gedachten brengen. Maar een vrouw kon geen audiëntie bij de Yuan-tse aanvragen; ze moest wachten tot de keizer háár ontbood.

De dagen gingen voorbij zonder dat er een uitnodiging kwam.

En dus was Shula de enige die haar tirades aanhoorde. Ze schreeuwde en vloekte en gooide uiteindelijk zelfs met porselein, tot grote consternatie van Xiao Ning, die bijna door een vaas werd geraakt. Shula zei niets. Niet eenmaal probeerde hij haar te onderbreken. Niet eenmaal probeerde hij haar uit te leggen dat de dingen nu eenmaal zo gingen, dat ze niet anders kon dan haar vader gehoorzamen; dat ze dankbaar moest zijn dat hij een echtgenoot voor haar had gevonden. Nee. Shula zweeg. En dat was zó vreemd, dat ze op een gegeven ogenblik midden in een zin ophield en hem aanstaarde. 'Wat is er met jou?'

Shula antwoordde niet.

'Shula-tse! Luister je eigenlijk wel?'

Hij wreef in zijn handen, alsof hij het koud had. 'Vergeef me, Mei Lin-sa. Ik was met mijn gedachten... ergens anders.'

Mei Lin kon haar oren niet geloven. 'Ergens anders? Ik word uitgehuwelijkt aan een of andere Yamatanees en jij bent met je gedachten ergens ánders?'

Shula boog zijn hoofd. 'Vergeef me, Mei Lin-sa.'

Mei Lin nam hem aandachtig op. Op de een of andere manier leek hij kleiner, alsof hij onder een zware last gebukt ging. En toch was hij ook Shula, haar lijfwacht, die haar altijd had beschermd en nergens voor terugdeinsde. Diep in haar binnenste bloeide iets op. 'Waar was je dan met je gedachten?' vroeg ze.

Shula aarzelde. 'Wanneer u met heer Akechi getrouwd bent...'

Mei Lin zuchtte. Wat er zojuist ook in haar was opgebloeid, bij deze woorden verdorde het en schrompelde ineen alsof het nooit had bestaan. 'Ja?' zei ze ongeduldig.

'Dan zult u mij niet meer nodig hebben. Akechi zal geen Yuanlijfwacht in dienst willen nemen, vermoed ik.'

Mei Lin staarde hem zo lang aan dat hij zich onder haar blik duidelijk onbehaaglijk begon te voelen. 'Doe niet zo belachelijk,' zei ze.

Op de vierde dag van hun verloving kwam Akechi Sadayasu op bezoek. Hij bracht een roodgelakt chakistje mee, twee kommen van teer Yamatanees porselein, beschilderd in de Mirushimastijl met schildpadden en vissen, en de haarkam met de gouden bloemen. Uit Jitsuma waren meer geschenken verstuurd, zei hij, maar die zouden niet aankomen voor de sneeuw smolt en de wegen weer begaanbaar waren.

Mei Lins huid jeukte onder de traditionele okerkleurige verf en haar hoofd was zwaar van de haarsieraden die haar dienares Xi Wei had uitgekozen. Haar handen speelden met de haarkam die Akechi haar had geschonken. Het was geen onderdeel van de traditionele verlovingsgeschenken, zoals de cha en de kommen.

Buiten was het opnieuw gaan sneeuwen. Het zou waarschijnlijk nog enkele tiendagen duren voor de geschenken uit Yamatan Yuanjing bereikten. Enkele tiendagen nog, voor ze kon zien of Akechi haar naar haar waarde had weten te schatten. Enkele tiendagen nog tot de prijs definitief werd betaald.

Xi Wei reikte de prins een nieuwe kom cha aan. Akechi had lange vingers, die op dezelfde wijze om de kom gleden als Mei Lin sommige mannen hun zwaard had zien grijpen: zeker, maar met de sierlijkheid van een dans. Shula's handen waren anders. Hard en doelgericht.

De kam brak in haar krampachtige greep. Schaapachtig staarde ze naar de twee stukken in haar handen. 'O!'

Akechi zette zijn chakom neer. Hij droeg een zwarte kimono, die zijn houding een zekere strengheid verleende. Zijn ogen waren donker en onleesbaar.

'Vergeef me!' stamelde ze. 'Het was niet mijn bedoeling...'

Akechi stond op en instinctief deinsde Mei Lin achteruit in haar stoel. Die lach – die verfoeilijke glimlach! – verscheen weer op zijn gezicht. 'Yuan-sa,' zei hij, terwijl hij zich over haar heen boog. Mei Lin kon geen woord uitbrengen. Ze voelde zijn adem op haar voorhoofd. Akechi reikte naar haar hand. Mei Lin had het gevoel dat haar hart stopte. Toen pakte hij de kapotte haarkam en stapte achteruit. 'Een kam die zo snel breekt, is van een gebrekkige kwaliteit en u niet waard,' zei hij. 'Mijn excuses, Yuan-sa. Ik zal een nieuwe brengen voor de bruiloft.'

Hij ging zitten en pakte zijn chakom weer op.

Mei Lin boog haar hoofd om de blos op haar wangen te verbergen. Natúúrlijk wilde hij alleen de kam van haar aanpakken! Wat haalde ze zich in het hoofd? 'Dank u, Akechi-tse,' mompelde ze.

'Alstublieft!' riep hij uit. 'Noem me bij mijn echte naam: Sadayasu. In ieder geval als we alleen zijn.'

Mei Lin keek geschokt op. 'Dat kan ik niet! Het is ongepast!'

Akechi schudde geamuseerd zijn hoofd. Hij leegde zijn chakom en zette die met een heldere tik op tafel. 'Integendeel, Yuan-sa. We zijn nu immers verloofd. Ik zal u niet vragen me Jirō te noemen als u dat niet wilt, maar het gebruik van mijn echte naam is niet onfatsoenlijk.'

'In Yamatan misschien niet,' antwoordde zij. 'Maar ik ben Yuan, Akechi-tse.'

Akechi lachte zijn spottende glimlachje. 'Zoals u wilt, Yuan-sa.'

Na afloop verwijderde Xiao Ning Mei Lins gezichtsverf met olie en een zachte doek. De dienares neuriede zachtjes. Ze was in een opperbest humeur van een bezoek aan haar ouders teruggekomen. Blijkbaar had de familie van een jonge visser een huwelijksaanzoek gedaan. Vanochtend waren de geboortedata van Xiao Ning en haar toekomstige bruidegom vergeleken en hadden haar ouders toestemming voor het huwelijk verleend.

Mei Lin grimaste. Xiao Ning zette de fles olie weg en haalde een schone doek om het gezicht van haar meesteres droog te wrijven.

Er kon natuurlijk geen sprake van zijn dat het huwelijk voltrokken zou worden. Mei Lin had haar nodig, als ze naar Yamatan vertrok. Áls ze naar Yamatan vertrok. En dan nog... Een visser! Alsof een dienares van de Yuan-sa niets beters kon krijgen!

Toen het meisje de doeken had opgeborgen en voorzichtig haar haren in een losse vlecht had geknoopt, stuurde Mei Lin haar weg. 'Roep Shula voor mij.' Ze wist niet waarom ze dat zei, alleen dat ze hem moest zien.

Hij kwam, lang en breed in zijn zwarte gewaad. Het was nooit tot haar doorgedrongen hoe knap hij eigenlijk was. Hij leek geen dag ouder dan toen zij zeven was en hij haar had meegenomen het paleis uit, naar Si Tjin, waar ze voor het eerst de reiger had gezien.

Ze was aan het staren, besefte ze. Ze sloeg haar ogen neer. 'Shula-tse, kom zitten.' Ze gebaarde, een beetje hulpeloos, naar de stoel tegenover haar.

Shula ontweek haar blik. 'Vergeef me, Mei Lin-sa. Ik denk niet dat dat zo'n goed idee is. Volgens het protocol hoort op de vierde dag alleen de aanstaande bruidegom...'

'Alsjeblieft!' Ze slikte en trachtte de urgentie uit haar stem te bannen. 'Je kunt eigenlijk niet weigeren, weet je. Je hebt me nog steeds niet gefeliciteerd met mijn verloving. Voor iemand die staat op het protocol...'

Shula boog zijn hoofd, maar Mei Lin zag het begin van een glimlachje om zijn lippen spelen. 'Als u het zo stelt...' Hij ging tegenover haar zitten, stak een hand naar haar uit en pakte haar vingers voorzichtig vast. 'Mei Lin-sa?'

Betoverd staarde ze naar hun verstrengelde handen. Hij raakte haar zelden aan. Nooit op deze manier. Ze wilde dit moment in haar geheugen prenten. Het gevoel van zijn vingers rond de hare, zijn warmte als een veilige cocon om haar heen gevouwen.

Hij glimlachte, ze hoorde het in zijn stem: 'Mijn felicitaties.'

Ze keek op. In zijn ogen was geen glimlach te bekennen.

En op dat moment verloor Mei Lin haar verstand. Ze boog naar voren tot Shula's gezicht zo dichtbij was dat ze zijn warme adem op haar huid kon voelen. Haar vingers gleden over zijn wangen, onder zijn oren, tot precies op de plek waar zijn haar begon; de zilveren lokken die zijn lange, zwarte haar doorregen.

'Mei Lin-sa!' Shula legde een hand onder haar kin, dwong haar op te kijken. Zijn ogen verdreven elke gedachte. Er was iets in die blik, iets wat zo donker en ondoorgrondelijk was dat ze al haar zelfbeheersing verloor. Op het moment dat hun lippen elkaar raakten, veranderde haar wereld. Het was alsof alles waarin ze tot dan toe had geloofd, versplinterde. Shula benevelde haar geest en wanhopig smeekte ze om meer. Ze kreunde tegen zijn lippen en op hetzelfde moment deinsde hij achteruit.

Het duurde enkele ogenblikken voor Mei Lin besefte wat er was gebeurd.

Shula gleed van zijn stoel, op zijn knieën. 'Yuan-sa,' mompelde hij zonder haar aan te kijken. 'Goden! Vergeef me.'

Verbijsterd staarde Mei Lin hem aan. Ze opende haar mond, maar er kwam alleen wat woordloos gestotter uit. Ze kon maar één ding doen: maken dat ze wegkwam.

8

De wil van de Yuan-sa

De paleistuin was verlaten. Buiten adem viel Mei Lin in de sneeuw neer. Verbaasd keek ze naar haar handen, die trillend in haar schoot lagen. Ze bracht ze naar haar lippen in een poging het beven op te laten houden.

Shula's lippen.

O, goden van hemel en aarde! Wat had ze gedaan?

Hij was haar lijfwacht, haar dienaar. 'Hij is oud genoeg om je vader te kunnen zijn!' zei ze tegen zichzelf. 'Hij behandelt je als een kind! Wat moet je met zo'n man? Wat moet hij met jou?'

Maar de woorden klonken koud in de stilte van de tuin.

Tranen sprongen haar in de ogen. Het kon niet. Het mocht niet en ze wist het. Hij was haar dienaar.

En hij was Shula, die aan haar en haar alleen trouw had gezworen. De man die haar na de oorlog met Yamatan iedere avond had meegenomen naar Si Tjin om haar vader op te wachten, de man die op haar veertiende naamdag twee pijlen had opgevangen om haar te behoeden voor een aanslag, de man die drie sluipmoordenaars bij haar wieg had weggehouden en dat bijna met de dood had bekocht. Hij was het die op warme lentedagen cha met haar dronk in de paviljoens van de paleistuin, terwijl hij haar de namen van de filosofen overhoorde. Hij fluisterde de voorgeschreven zinsneden voor een audiëntie met de Yuan-tse in haar oor en zorgde ervoor dat ze zich niet te schande maakte, hoeveel moeite hem dat soms ook kostte. Hij maakte haar tot de Yuan-sa. En tegelijkertijd was hij de enige die haar niet louter als de Yuan-sa zag. Hij was Shula. Hoe kon ze niet van hem houden?

'Waar is je verstand gebleven?' siste ze zichzelf toe. Ze was verloofd!

Vier dagen lang was dat feit geen moment uit haar gedachten geweest. Hoe kon ze het nu, op dit cruciale moment, vergeten zijn? Wat zou haar vader zeggen als hij erachter kwam? Wat zou Wen De zeggen? Akechi?

Akechi...

Mei Lins adem stokte in haar keel. Ze móést een manier vinden om de verloving te verbreken. Ze kon Yuanjing niet verlaten. Ze kon Shula niet achterlaten.

'Goden,' prevelde ze. 'Voorouders, geef me kracht.'

Het was duidelijk wat haar te doen stond. Ze richtte zich op en haastte zich terug naar het paleis.

'Wen De-tse! Ben je daar? Ik moet je spreken!'

Teishi's vertrekken stonden zo vol met meubels en kamerschermen, sierlijke beeldjes en porseleinen vazen, dat Mei Lin er in haar haast bijna over struikelde. Ze liep verder de kamer in, maar er was niemand te bekennen, al hadden de bedienden in Wen De's eigen vertrekken haar verzekerd dat hij hier was.

'Wen De-tse! Ben je hier ergens?'

Een kamerscherm werd opzijgeschoven. Mei Lin draaide zich om en zag de jongen met het blauwe haar, Teishi's dienaar. Hij boog zijn hoofd. Hij hield zijn handen voor zijn lichaam opgeheven in een uitnodigend gebaar. Over zijn handpalmen liepen tientallen oude wondjes, alsof hij in glas was gevallen. De rode krassen verdwenen onder de mouwen van zijn livrei.

Mei Lin keek opzij. 'Ik zoek je meester.'

De jongen boog opnieuw. 'Ik zal hem voor u halen, Yuan-sa.' Zijn stem was nog hoog en kinderlijk. Hij reikte nauwelijks tot haar schouder. Wat moest Teishi met zo'n joch?

'Mei Lin-sa?' In de deuropening van het aangrenzende vertrek stond Wen De. Hij droeg een lichtgroene kamerjas en zijn haar hing los over zijn schouders, alsof hij zojuist uit bed was gekomen. 'Waaraan dank ik deze eer?' vroeg hij.

Mei Lin trachtte te glimlachen. 'Vergeef me dat ik zo kom binnenvallen, broer. Ik wilde je spreken. Ik... ik bedoel...'

'Kom,' zei hij, 'laten we gaan zitten.' Hij pakte haar handen vast. 'Goden, je bent ijskoud!' Hij leidde haar naar een paar lage stoelen in het midden van de kamer. Toen ze was gaan zitten, draaide hij zich om en riep naar zijn dienaar: 'Een warme deken, snel! En laat Natsuko cha maken!' Pas toen de jongen een omslagdoek had gebracht en Mei Lin een paar aarzelende slokken van de cha had genomen die een lange Yamatanese haar aanreikte, ging haar broer ook zitten.

Mei Lin keek hem beschaamd aan. 'Vergeef me, Wen De-tse! Ik heb je laten schrikken.'

Hij schudde zijn hoofd. 'Maak je daar maar geen zorgen over.'

Ze knikte en stak haar chakom naar voren, zodat de dienaar haar kon bijschenken.

De jongen staarde haar vol ontzag aan en bijna vergat ze de vreemde kleur van zijn haar. Zijn ogen waren gouden schalen. Ze keken dwars door haar heen. Mei Lin voelde hoe de haren in haar nek overeind gingen staan. Ze had zulke ogen eerder op zich gericht gevoeld... De reiger van Si Tjin. Wat was dit voor een jongen?

'Sagi!' siste de lange Yamatanese, die zich in een hoek van de kamer had teruggetrokken. De jongen sprong op en voegde zich met een buiging bij de dienares.

'Waar komt hij vandaan?' vroeg Mei Lin aan haar broer.

'Interesseert de jongen je?'

Mei Lin knikte. 'Ik heb nog nooit zo iemand als hij gezien.'

Er lag een vreemde blik in Wen De's ogen. 'Een speling van de natuur. Teishi heeft hem graag om zich heen.'

Mei Lin knikte begrijpend. Iets waar zij interesse in toonde, behoorde haar broer haar cadeau te doen. Maar de favoriete dienaar van zijn vrouw kon hij onmogelijk weggeven. 'Ze boft maar met jou als echtgenoot.'

Wen De glimlachte. 'Vertel, wat was er zo belangrijk?'

Mei Lin nam nog een slok om moed te verzamelen. In de tuin had het een goed idee geleken haar broer om hulp te vragen. Maar hoe bracht ze haar probleem ter sprake?

'Ik heb begrepen dat ik je moet feliciteren met je verloving,' sprak Wen De, toen ze niets zei.

De tranen sprongen Mei Lin in de ogen. 'Vergeef me,' mompelde ze.

Wen De pakte haar hand liefdevol vast. 'Je kwam altijd naar me toe als er iets was waarmee die oude lijfwacht je niet kon helpen. Vertel nu maar wat er aan de hand is.'

Mei Lin trok haar hand terug en keek naar de dienaren langs de wand.

Wen De begreep haar hint. 'Weg!' riep hij.

'Je moet met de Yuan-tse gaan praten, Wen De-tse!' zei ze toen ze alleen waren. 'Alsjeblieft, vraag hem mij te ontbieden!' Ze kon niet zeggen waarom ze de keizer wilde spreken, maar dat was ook niet nodig.

'Mei Lin-sa...' Wen De's blik werd somber. 'Ik heb zelf met de Yuan-tse gesproken. Ik heb geprobeerd hem te laten inzien... De schande van dit huwelijk...' Hij maakte een hulpeloos gebaar. 'Hij luistert niet naar mij en hij zal niet naar jou luisteren. Het spijt me.'

Teleurgesteld sloot Mei Lin haar ogen.

'Maar er is een andere manier. Misschien verandert Akechi wel van gedachten.'

Mei Lin keek op. 'Waarom zou Akechi...?'

'Wacht maar, zuster,' zei Wen De. 'Ik heb een plan.'

Voorzichtig trok Mei Lin de omslagdoek die Wen De haar had gegeven omhoog over haar schouders. Ze durfde haar broer nauwelijks aan te kijken, durfde nauwelijks te hopen. 'Een plan?'

Haar broer knikte. 'Ik kan er nu niets over zeggen. Maar vertrouw me, ik laat je niet in de steek.'

Haar opluchting was zo groot, dat ze haar ogen dicht moest knijpen om niet weer te gaan huilen. 'Dank je, Wen De-tse,' zei ze. 'Ik weet niet wat ik zonder jouw hulp zou moeten.'

Na haar bezoek aan Wen De wenste Mei Lin slechts één ding: naar bed te gaan en niet meer wakker te worden tot Wen De haar kwam vertellen dat zijn plan – wat dat ook mocht inhouden – was geslaagd, dat haar verloving was verbroken en Akechi uit haar leven was verdwenen.

Het mocht niet zo zijn.

Ze werd gewekt door het geschreeuw van een van haar dienaressen in het aangrenzende vertrek. Slaapdronken kwam ze overeind. Zonlicht sijpelde door de kieren in de luiken haar slaapvertrek binnen. Als er een indringer was, dan had die wel een vreemd tijdstip uitgekozen.

'Houd op met gillen en haal Shula,' riep ze, terwijl ze tussen haar spullen naar een overjas zocht. Goden! Waarom moest ze hier alles zelf doen?

Pas toen ze haar zitkamer binnenging, herinnerde ze zich wat zich daar gisteren had afgespeeld – en begreep ze het geschreeuw.

Shula was het niet vergeten.

Hij zat zoals ze hem had achtergelaten: geknield op de grond, zijn ogen strak op de tegels gericht, zijn armen opgeheven met zijn zwaard dwars over zijn handen.

Xiao Ning stond met een verward gezicht naast hem. 'Yuan-sa!' riep ze uit. 'Vergeef me! Hij wil niet opstaan. Ik heb alles geprobeerd...'

Een steen viel in Mei Lins maag neer. Ze wilde zich omdraaien, weglopen, maar er was geen ontkomen aan. 'Weg!' zei ze.

Xiao Ning boog en haastte zich naar buiten.

Mei Lins eerste impuls was om simpelweg op Shula af te stappen, hem overeind te trekken en te zoenen tot hij niet meer wist waarom hij daar eigenlijk had gezeten. Maar daar kon natuurlijk geen sprake van zijn. Ze liep langs hem heen en nestelde zich in haar stoel.

'Ik wist niet dat het al zo laat was,' zei ze.

Shula strekte zijn armen naar haar uit; het zwaard trilde op zijn handen. 'Yuan-sa...'

Het Mirushimaporselein dat Akechi haar had geschonken, stond nog op het tafeltje naast haar stoel. Mei Lin pakte een van de kommetjes op en draaide het rond in haar handen. 'De zon schijnt,' zei ze. 'Het is mooi weer om uit rijden te gaan.'

'Yuan-sa, alstublieft!'

Ze keek op en zette het kommetje terug op de tafel. 'Leg dat zwaard weg, Shula-tse.'

Shula bewoog niet.

'Nu! Dat was een bevel, geen verzoek. Ik weet dat je graag het protocol volgt, maar dit is belachelijk, zelfs voor jou!'

Hij trilde een beetje. Hij moest de hele nacht zo hebben gezeten, wachtend op haar komst. Een ongelooflijke inspanning. Ze was ondanks de situatie onder de indruk. 'Ik heb uw eer geschonden, Yuan-sa,' zei hij. Zijn stem klonk getergd. 'Ik heb mijn eed verbroken. Neem mijn leven, alstublieft. Verlos me van deze schande.'

'Schande?' Mei Lin bewoog voor ze er erg in had. Ze greep zijn arm en trok hem overeind. Het zwaard kletterde op de tegels. 'Is het een schande mij te kussen, Shula-tse?'

Even sloeg hij zijn ogen neer. 'Yuan-sa...'

Ze liet zijn arm los. 'Mijn naam is Mei Lin,' siste ze.

Shula schudde zijn hoofd. 'Het gaat er niet om wat ik denk of voel, Yuan-sa. Het gaat er niet om hoe ik u noem. U bent de Yuan-sa en ik heb uw eer en verhevenheid geschonden door u te kussen. Daarop staat slechts één straf. U weet welke.'

Goden! Hoe moest ze deze vergissing goedmaken, niet alleen in haar eigen ogen, maar vooral in de zijne? Ze dwong zichzelf tot kalmte. 'Volgens mij was ík het die jou kuste, Shula-tse, niet andersom.'

Voor het eerst keek hij op. Mei Lin las de verbijstering in zijn ogen.

Ze wist niet waar ze het lef vandaan haalde, maar ze ging verder: 'Vraag je me jou te straffen voor iets wat ik heb gedaan? Geloof je soms dat jij – een dienaar – beter weet wat gepast is dan de Yuan-sa zelf? Dát zou pas een schande zijn!'

Hij keek langs haar heen, zijn gezicht eens te meer serieus en gesloten. Toen boog hij zijn hoofd. 'Zoals u zegt. Als dat uw wil is, Yuan-sa...'

'Mei Lin.'

Hij boog dieper en schoof zijn zwaard terug in de schede. 'Zoals u wilt, Mei Lin-sa.'

9

Schaduwen

Cang Lu's kaars flakkerde. Grimmige schaduwen gleden over de wanden, als zielloze figuren die langzaam hun klauwen naar hem uitstrekten.

De slaapmat waarop hij zat, kraakte toen hij wegschoof van de muur. Even was het doodstil. De wollen dekens kriebelden tegen zijn huid. Aan de andere kant van het hok – hun slaapvertrek – kreunde Natsuko in haar slaap.

Hij liet een vinger door de kaarsvlam glijden, zo snel dat hij de hitte niet voelde. Hij deed het nog eens, langzamer. En nog eens. Zijn vinger werd doof, maar de warmte en de pijn gingen aan hem voorbij. Dat was de kunst: de tijd zo te vertragen dat elk gevoel werd uitgeschakeld.

Het hok rook muf, naar steen, en heel licht naar het stro in de matras waarop hij zat. Er was geen raam, alleen een deur die naar het woonvertrek van zijn meesters leidde. Tegen de wand stonden twee kisten, waarin Natsuko en hij hun rode livreien bewaarden. Die kaars was de enige luxe die Teishi hun hier toestond – een kaars die net niet lang genoeg brandde om de nacht door te komen – omdat Cang Lu altijd zei dat hij niet kon slapen in het donker.

De waarheid was dat hij helemaal niet kon slapen. Zodra zijn kaars doofde, zouden de schaduwen op de muur hem bereiken. Zo ging het iedere nacht.

Natsuko bewoog onrustig op haar mat. In het schemerige licht zag Cang Lu het zweet op haar voorhoofd glanzen. Hij boog zich voorover en zette de kaars op de grond. 'Natsuko?' Hij hurkte naast haar matras en pakte zacht haar schouders vast. 'Natsuko?'

Ze schoot zo plotseling overeind dat hij achteroverviel, en schreeuwde: 'Nishida!'

Cang Lu krabbelde overeind. 'Natsuko...'

Ze staarde voor zich uit, hijgend en rillend. Hij pakte de deken van zijn mat en sloeg hem om haar schouders. Toen pas keek ze op. Haar blik werd langzaam helder.

'Een nieuwe droom?' vroeg hij.

Ze schudde haar hoofd. 'Dezelfde.'

Hij had het niet hoeven vragen. Dromen veranderden niet in dit hok, zoals de schaduwen op de muren ook nooit veranderden. Natsuko sprak er niet over. Praten was zinloos, dat hadden ze allang geleerd.

'Zal ik water voor je halen?' vroeg hij.

Ze schudde haar hoofd. 'Ga maar weer slapen.'

Haar blik viel op de kaars en ze zuchtte. Cang Lu wist wat ze dacht, ook al zei ze niets. Eens had ze geprobeerd hem een kruidendrank tegen slapeloosheid toe te dienen, maar daarvan was hij slechts misselijk geworden.

Aan de andere kant van de deur klonk gestommel. Teishi. Natsuko kwam al overeind, maar Cang Lu hield haar tegen. 'Nee, ik ga wel.' Hij pakte een schone livrei uit zijn kist en trok hem over zijn hoofd aan. Gehaast knoopte hij de lusjes dicht.

Natsuko zuchtte. Ze boog zich voorover en pakte een handvol van zijn haar. 'Ik zou het allemaal moeten afscheren,' zei ze, 'maar dat helpt toch niet meer.'

Cang Lu schudde slechts zijn hoofd. 'Wat? En buigen voor Wen De's wil? Me conformeren aan zijn beeld van hoe een jongen eruit hoort te zien in de hoop dat hij me dan laat gaan? Ik zou nog liever sterven!'

Natsuko glimlachte, maar in haar ogen was geen warmte zichtbaar. Ze pakte zijn gezicht tussen haar handen en kuste zijn voorhoofd. 'Ah, Sagi! Ik heb je te goed geleerd wat verzet is,' mompelde ze. 'Ga nu maar.'

Hij stond op. De deur kraakte, maar het geluid werd overstemd door Teishi's stem vanuit het woonvertrek. 'Waar blijf je toch?' Een kamerscherm met zilver geschubde vissen hield hem nog verborgen. Hij pakte de rand van het scherm en schoof het opzij. Midden in die beweging bevroor hij.

'Ik heb je toch gezegd naar bed te gaan, Teishi-sa!'

Wen De!

Cang Lu keek langs de zijkant van het scherm de kamer in. Voor hem, nog geen drie passen van hem verwijderd, stond Teishi. Ze hield haar hoofd gebogen, zodat Cang Lu slechts de zijkant van haar gezicht kon zien. Haar lange haar was in de Yamatanese stijl met twee houten pennen opgestoken. Een pluk haar hing los over haar rug. Wen De zat aan de andere kant van het scherm, waar Cang Lu hem niet kon zien. Teishi had helemaal niet om haar bediende geroepen. Ze zocht haar echtgenoot.

Cang Lu wilde opstaan om naar zijn slaapmat terug te keren, maar hij was bang dat Teishi of haar echtgenoot de deur zou horen. Hij kon beter wachten tot zijn meester het vertrek had verlaten. Alles beter dan Wen De's aandacht te trekken. De wondjes op zijn handpalmen, armen en borst jeukten nog steeds na zijn laatste straf.

Er was nooit veel voor nodig om Wen De's woede te wekken. Het feit dat Cang Lu bestond, was al reden genoeg: een jongen met blauw haar, een vergissing van de natuur die omgevormd moest worden tot iets wat wel acceptabel was. Maar Cang Lu weigerde te breken. En dus was Wen De gedwongen zijn eigendom telkens opnieuw te straffen, net zo lang tot dat boog naar zijn wil.

Natsuko was niet de eerste die had voorgesteld zijn haar af te scheren, ook Teishi had het mes al meer dan eens in haar hand gehad. Maar ze had het nooit gebruikt, de goden zij dank. Ze had geen idee wat het voor hem zou betekenen als ze hem op die manier dwong te breken. Of misschien wist ze het wel. Misschien wist Teishi beter dan wie ook wat ze van hem vroeg.

Hij schudde zijn hoofd om die gedachte te verdrijven. Hij begreep niet waar die vandaan was gekomen. Even had hij het bizarre idee dat er witte draden door zijn gezichtsveld liepen, die zich vanuit zijn vingertoppen uitstrekten naar de rest van de kamer.

Eerst had hij gedacht dat het de leegte was; het vallende gevoel en de witte draden moesten ergens vandaan komen. Maar dat kon het niet zijn, want wanneer hij in de leegte was, verdween elk besef, alsof hij niet langer bestond. Wanneer hij zo viel, was het omgekeerd. Dan had hij het gevoel dat hij álles zou kunnen weten.

'Vergeef mij, Wen De-tse,' mompelde Teishi in de kamer, en Cang Lu vergat waaraan hij had gedacht. 'Ik wilde...'

'Ga naar bed, Teishi-sa,' sprak Wen De ongeduldig. 'Ik kom dadelijk.'

Teishi boog en draaide zich om. Op dat moment kruiste Cang Lu's blik de hare. Hij zat als versteend. Ze gebaarde voor haar lichaam, onzichtbaar voor Wen De achter haar: wegwezen, je bent niet nodig.

Hij draaide zich om, sloop terug achter het scherm... en bleef stokstijf staan.

Een stem doorboorde de stilte. Een stem die hij eerder had gehoord. 'Heer Yuan.'

'Jin-tse... Je bent laat.'

'Vergeef me, heer. Ik kon niet eerder weg.' De man klonk kort en zakelijk. Cang Lu zocht verwoed in zijn geheugen. Waar had hij die stem eerder gehoord?

'Vertel me wat je hebt gehoord.'

Er viel een korte stilte. Cang Lu boog naar de grond en probeerde onder de rand van het kamerscherm door te kijken. Hij zag Wen De's voeten en daarnaast, een paar passen van de deur verwijderd, nog een paar voeten onder een lange, zwarte mantel. Een lijfwacht?

De man schraapte zijn keel. 'Het huwelijk zal pas na de jaarwisseling plaatsvinden, heer. Tot die tijd blijft de Yamatanese delegatie in het paleis. Dat zou me ruim de tijd moeten geven.'

'En de Yuan-sa?'

Cang Lu snakte naar adem. De Yuan-sa! Natuurlijk! De man was haar jonge lijfwacht. Cang Lu probeerde een uitleg te verzinnen voor zijn aanwezigheid in Teishi's vertrekken, midden in de nacht, maar elke verklaring die hij bedacht was te riskant om lang bij stil te staan.

'Als de Yuan-sa een vermoeden heeft van uw plannen, dan laat ze niets merken, heer,' sprak de lijfwacht. 'Misschien tegenover Sun Shula, maar niet tegenover mij.'

'Nee!' Wen De's stem nam een ongeduldige toon aan. 'Ik heb je al gezegd dat je hem hier niet bij moet betrekken. Je weet hoe hij is als het op Mei Lin aankomt. Als hij ontdekt dat je voor mij spioneert...'

Cang Lu sloot zijn ogen. Spionage.

Hij wist dat hij de zaak moest laten rusten. Hij was een dienaar. Wat kon hij tegen Wen De uitrichten? Maar opnieuw had hij het gevoel dat hij viel, als een vogel in een duikvlucht. Witte draden vormden een netwerk rond zijn armen. Geen vleugels, maar iets wat erop leek. Hij probeerde ze tot een patroon te weven, maar hij viel en viel, de wereld kwam angstwekkend dichtbij en de draden werkten niet mee. Ze raakten in de knoop, zodat hij hun patroon niet langer kon lezen. Maar één beeld kwam hem duidelijk voor ogen, terwijl hij voelde dat hij te pletter viel. De eenzame ogen van de Yuan-sa.

Zijn val brak af, zo abrupt als hij begonnen was. Hij was niet te pletter geslagen. Hij zat nog altijd voorovergebogen achter het kamerscherm, terwijl de lijfwacht in de kamer, aan het ritselen van zijn kleding te horen, neerknielde. 'Heer?'

Wen De's stem was weer zakelijk: 'Ga zo door, Jin-tse. Ik zie je over een tiendag. Zorg ervoor dat je me dan ook iets over Akechi kunt vertellen.'

'Jawel, heer.' Opnieuw geritsel van kleding en toen stapten de voeten van de lijfwacht uit Cang Lu's zicht. Wen De stond op en liep naar Teishi's slaapvertrek.

Toen Cang Lu terugkeerde in het hok, was Natsuko diep in slaap. De kaars was niet veel meer dan een stompje. Over de muren gleden de schaduwen opnieuw naar hem toe. Cang Lu kneep zijn ogen stijf dicht en probeerde zich te concentreren op de vraag hoe hij de Yuan-sa te spreken kon krijgen.

De tempel van de keizerlijke familie bevond zich in een hoek van de paleistuin, voor nieuwsgierige blikken verscholen achter een haag die het hele tempelplein omgaf. Het gebouw zelf was opgetrokken uit donker basalt en het had een houten dak, waarvan de uiteinden licht omhoogkrulden. Aan de voorzijde leidden een paar treden omhoog naar een zuilenrij, door keizersbomen en wilde liguster omgeven.

Terwijl Mei Lin die treden beklom voor haar wekelijkse offer, verstopte ze haar handen diep in de mouwen van haar nieuwe, donkerblauwe gewaad. De stof was een geschenk van haar vader geweest. Hij had haar een brief gezonden, waarin hij haar meedeelde dat haar huwelijk op de eerste hele dag na de wisseling van het jaar voltrokken zou worden.

Shula had de brief voorgelezen met een koele afstandelijkheid die niets van zijn gedachten over het nieuws prijsgaf. Zijn toon had een laag ijs rond haar hart gelegd. Ze wenste de blik terug te zien die vlak voor hij haar kuste in zijn ogen had gelegen. Ze wenste dat hij opnieuw haar hand zou vastpakken. Dat verlangen was zo sterk dat het haar bijna verteerde. Maar sinds de ochtend na hun kus, nu bijna een tiendag geleden, had ze hem nauwelijks meer gezien. Hij meed haar niet openlijk, maar de laatste dagen werd ze opeens wel opvallend vaak door haar tweede lijfwacht vergezeld. Li Jin keek altijd alsof hij het gewicht van de wereld op zijn schouders torste. Hem had ze die ochtend gelukkig kunnen ontlopen. Alleen Xiao Ning vergezelde haar naar de tempel.

Het duurde even voor Mei Lins ogen aan het halfduister van het tempelgebouw gewend waren. Toen begon ze de gedenkstenen te ontwaren, de platen van donker marmer die de namen en belangrijkste daden van haar voorouders droegen. Tegen de verre wand stond een altaar ter ere van de goden van hemel en aarde, waarop Xiao Ning wierook brandde. Mei Lin klapte in haar handen en knielde neer.

Ze wilde aan haar gebed beginnen, toen ze iets hoorde. Riep iemand haar naam? Ze keek om, maar behalve haar dienares was er niemand te zien. 'Hoorde jij ook iets?' vroeg ze.

Xiao Ning schudde haar hoofd.

Daar hoorde ze het opnieuw. Heel zachtjes, als een kinderstem.

Ze sprong op, rende terug naar de zuilenrij en slaakte een gil van schrik. Midden op het plein, dat zo-even nog leeg was geweest, stond de reiger van Si Tjin. Hij keek haar met goudoplichtende ogen aan en iets in die blik maakte dat de haren in haar nek rechtovereind gingen staan. Voor het eerst begreep ze waarom de vogel Teishi nerveus maakte. Hij kijkt niet zomaar, dacht ze. Hij ziet me. Hij wil iets van me.

Iemand slaakte een kreet – niet Xiao Ning – en de vogel vloog op. 'Raar beest,' mompelde haar dienares gedempt.

Maar Mei Lin schoot langs haar heen de trappen af, want op het moment dat de reiger wegvloog, was haar oog op iets anders gevallen. Iets blauws wat zich tussen de ligusterstruiken had verborgen. 'Hé!' riep ze. 'Jij, daar!'

Teishi's jongen kroop uit de struiken tevoorschijn en boog trillend naar de grond.

'Wat doe jij hier?' vroeg ze. 'Het is verboden om hier te komen zonder toestemming, wist je dat?'

De jongen richtte zich een stukje op; de sneeuw maakte natte plekken op zijn broek. 'Vergeef me, Yuan-sa,' piepte hij.

'Heb ik je al niet eens laten straffen wegens onbesuisd gedrag?'

De jongen kwam nog iets verder omhoog, zodat hij nu ongeveer haar knieën moest kunnen zien. 'Yuan-sa,' zei hij slechts.

Ze zuchtte. Op deze manier kwam ze niets verder. 'Kijk me aan!' zei ze. 'Wat doe je hier?'

De jongen keek op. Zijn gouden ogen fonkelden. En dat was het moment waarop alles veranderde. Mei Lin proefde het op haar tong, zo duidelijk als smeltend ijs: een scherpe smaak die alle gedachten uit haar hoofd verdreef. De lucht om haar heen leek te barsten.

'Ik kom u een boodschap brengen,' zei de jongen.

Mei Lin staarde hem aan en toen, heel langzaam, keerde ze zich om naar haar dienares, die halverwege de trappen van de tempel was blijven staan. 'Xiao Ning,' zei ze, 'ga terug naar binnen.' Ze wist niet waarom ze het meisje wegzond, de woorden kwamen als vanzelf.

'Morgennacht,' zei de jongen, toen Xiao Ning goed en wel was verdwenen, 'moet u in uw eentje naar de vertrekken van vrouwe Teishi komen als het Uur van de Tijger wordt geslagen. U mag uzelf aan niemand laten zien.'

Mei Lins mond viel bijna open van verbazing. De woorden van de jongen klonken verdacht veel als een bevel. 'Heeft dit met Wen De's plan te maken?' vroeg ze. 'Heeft hij je gezonden?'

Nauwelijks merkbaar schudde de jongen zijn hoofd. 'Ik ben door niemand gezonden, Yuan-sa. Vergeef me, meer kan ik niet zeggen. U zult het vanzelf zien. Morgennacht.'

Mei Lin fronste haar wenkbrauwen. Ze had zo veel vragen, dat ze niet wist waar te beginnen. Moest ze deze dienaar, een jongen met blauw haar, op zijn woord geloven? 'Ik ken je naam niet eens.'

'Cang Lu,' zei hij nauwelijks verstaanbaar.

'Reiger?' herhaalde ze. 'Zoals de vogel?'

De jongen knikte, zodat zijn haar over zijn schouders golfde. Het weerkaatste het licht op een vreemde manier, waardoor de kleur leek te veranderen van lichtgrijs naar diepblauw. Inderdaad als de veren van een reiger.

De jongen kon wel een verrader zijn die een aanslag op haar leven wilde plegen. Of hij leed aan waanvoorstellingen. Een speling van de natuur, had Wen De hem genoemd. Haar broer had hem niet weg willen schenken. Zogenaamd vanwege Teishi, maar Mei Lin had in zijn ogen heel duidelijk gezien dat híj de jongen ook niet kwijt wilde.

Ze proefde nog de smaak van zijn angst op haar tong. Die fonkelende ogen. Ze wist dat ze geen ander antwoord kon geven. 'Morgennacht,' zei ze. Hopelijk zou ze geen spijt van haar beslissing krijgen. 'Ik zal er zijn.'

10

Wen De's plan

De uren verstreken de volgende dag zo traag dat Mei Lin zeker wist dat de tromslagers in de gulou zich moesten hebben verrekend. Om de tijd te doden – en ook om Shula dwars te zitten, die haar opnieuw probeerde te ontlopen – besloot ze een bezoek te brengen aan de tempel op het grote plein van Yuanjing. Dan moesten immers haar beide lijf-wachten mee.

Zodra de priesters van haar komst hoorden, werden alle bezoekers het tempelgebouw uit gestuurd. Knielend op de traptreden vormden de gelovigen een erehaag waarlangs Mei Lin de tempel kon betreden. Het waren simpele vissers, in grove, blauwe tunieken, vrouwen met ver-weerde gezichten, die hun handen in de mouwen van hun wollen over-jurken verborgen, maar ook dames in zijden gewaden met beschaafde gezichtsschilderingen in wit en oranje. Een enkele edelman bleef ook op de trap staan, zijn hoofd diep voor haar gebogen. Bij de zware, met goudbeslag versierde deuren van het tempelgebouw wachtten de pries-ters haar op. Ze droegen de blauwe gewaden van hun ambt en hielden gedroogde bloemen voor haar klaar, die ze bij het altaar kon offeren.

De tempel was een van de weinige houten gebouwen van Yuanjing, ouder dan de meeste huizen, ouder zelfs dan het keizerlijk paleis. Men zei dat de goddelijke voorouder Tian Bao, de draak die mens was ge-worden, op deze plek de stad had gesticht. Het altaar was met goud bekleed en de koperen bel die voor de offerschaal hing, droeg het teken van de Rijzende Zon.

Terwijl Mei Lin haar gebed reciteerde, knielde de hogepriester naast haar neer.

'Is er nieuws?' vroeg ze, toen ze klaar was. Dat was een van de redenen dat ze hier graag kwam: omdat gelovigen uit het hele rijk deze tempel bezochten, konden de priesters haar altijd de laatste nieuwtjes vertellen.

Maar ditmaal schudde de priester zijn hoofd. 'Het is een strenge winter, vrouwe. We krijgen weinig bezoekers van buiten de stad en het enige nieuws in Yuanjing dat het waard is om te vertellen, komt uit het paleis. Tenzij u wilt horen over vissersgezinnen die verhongeren, omdat ze door de vorst geen werk hebben, of over zwervers die in de kou omkomen...'

Mei Lin knikte begrijpend. Uit de zak van haar mantel haalde ze een buideltje met munten, dat ze de hogepriester voorhield. 'Een gift voor de tempel. Ik hoop dat u de armen hiermee van dienst kunt zijn.'

De hogepriester boog diep, op zijn knieën en met zijn voorhoofd tegen de vloerplanken. 'U bent te goed, vrouwe. Mogen de goden u een gelukkig en vruchtbaar huwelijk met heer Akechi gunnen.'

Mei Lin glimlachte bitter. 'Ziet u zo'n gelukkig huwelijk voor mij in de toekomst?' vroeg ze, door een plotselinge nieuwsgierigheid gegrepen.

De hogepriester boog opnieuw. 'Als u mij toestaat, Yuan-sa?' Hij pakte haar hand en trok met twee vingers een lijn over haar handpalm. Hij fronste en zei: 'Vergeef me. Ik kan het niet zien. Het lijkt alsof de goden niet zeker weten of het huwelijk wel zal plaatsvinden.' Hij liet haar hand los en boog nog een laatste keer. 'Ik weet zeker dat ik mij vergis, Yuan-sa. Vergeef deze eenvoudige priester, alstublieft.'

Met een brede glimlach stond Mei Lin op. 'Er valt niets te vergeven. Dank u voor uw tijd.' Toen ze naar buiten liep, had ze het gevoel dat ze zweefde. De goden wisten niet of haar huwelijk zou plaatsvinden? Dat moest betekenen dat Wen De's plan kans van slagen had.

Bij haar draagstoel stonden Shula en Li Jin, tegenover elkaar. Mei Lin bleef even op de tempeltrap staan om de twee mannen te bestuderen. Shula, een hoofd groter dan Jin, had zijn armen over elkaar geslagen en fronste. Hij zag er adembenemend uit in zijn zwarte mantel. Haar tweede lijfwacht sprak driftig tegen hem. Het leek wel alsof ze in een discussie waren verwikkeld. Zodra de mannen haar in het oog kregen, hielden ze echter hun mond. Ze bogen het hoofd en Shula zei met een glimlach die Mei Lin vreemd overdreven voorkwam: 'Bent u klaar om te vertrekken, Mei Lin-sa?'

Mei Lin besloot er geen aandacht aan te schenken. Mannen vonden altijd wel iets om ruzie over te maken. Waarschijnlijk hadden ze onenigheid over het feit dat Shula zijn taken de laatste tijd zo vaak aan Jin overliet. In dat geval hoopte ze dat Jin de discussie had gewonnen. Het zou prettig zijn als Shula zijn kinderachtige spelletjes opgaf. Ze had al genoeg aan haar hoofd. Om te beginnen haar vermomming voor de komende nacht. Hoe moest ze in naam der goden ongezien bij Teishi's vertrekken komen?

Na het avondmaal stuurde ze al haar bedienden weg, behalve Xiao Ning. Het meisje kamde haar haar, terwijl ze babbelde over de stof voor het gewaad waarin ze met haar visser zou trouwen. Xiao Ning wilde zijde – rode zijde – maar ze wist niet of haar vader het zou kunnen betalen. Toen het meisje uiteindelijk de kam weglegde, vielen Mei Lins haren los over haar schouders, zoals die van haar dienares. Mei Lin kreeg een lumineus idee. Ze was misschien geen Yamatanese kraai – huurmoordenaars uit Jitsuma die vanaf hun vroegste jeugd worden afgericht om kamers binnen te sluipen zonder gezien te worden – maar ook zij kon onopgemerkt blijven.

Toen Mei Lin door de schemerige paleisgangen liep, verbaasde het haar hoeveel mensen er nog op waren: bedienden, lijfwachten die nog een late opdracht voor hun meester moesten vervullen, dienaressen die zich stilletjes voorthaastten. De meeste vrouwen knikten haar in het voorbijgaan even toe, maar slechts weinig mannen – en geen van de lijfwachten – keurden haar een blik waardig.

Niemand herkende Mei Lin: ze zag eruit als een gewoon meisje met los haar, in de rode livrei van een dienares, zonder haar gebruikelijke sieraden of gezichtsbeschilderingen. Voor de zekerheid had ze haar hoofd gebogen en haar schouders opgetrokken.

De hal voor Wen De's vertrekken was verlaten.

Mei Lin bleef in de schaduwen. Haar hart bonkte in haar keel. Ze had geen idee wat Teishi's loopjongen van haar wilde, maar de geheimzinnigheid van dit alles prikkelde haar. Ze voelde zich bijna als die fameuze kraaien uit Jitsuma: onopvallend als een vogel in het donker, snel als de bliksem, geruisloos als...

'Hé, jij daar!'

Verstijfd bleef ze staan.

'Ja!' riep de stem. 'Ik heb het tegen jou!'

Voorzichtig waagde Mei Lin een blik over haar schouder. Een vrouw in een rode livrei, met grijs haar in een knotje boven op haar hoofd, kwam op haar af. Mei Lin boog haar hoofd, zoals ze Xiao Ning altijd zag doen als die werd aangesproken.

'Wat moet je hier?' zei de vrouw. 'Heb je niets beters te doen dan hier rond te hangen?'

Mei Lin kromp ineen. De kans was klein dat haar broer of zijn echtgenote nog op was, maar als ze dit rumoer hoorden, was het niet ondenkbaar dat ze zouden komen kijken. Wen De zou haar zeker herkennen.

'Wel?' drong de vrouw aan. 'In naam der goden, kind, til je hoofd op! Je bent niet op audiëntie bij de keizer!'

'Ik was...' stotterde Mei Lin, zoekend naar een excuus. 'Ik was alleen maar...'

De vrouw wierp een blik op de Witte Lelie op haar livrei. 'In dienst van de Yuan-sa, hè?' De vrouw bestudeerde haar gezicht. 'Ik heb je nog niet eerder gezien. Hoe heet je?'

Mei Lin opende haar mond, sloot hem weer en hakkelde: 'Ik... eh...'

'Ben je daar eindelijk?' Mei Lin en de vrouw draaiden zich tegelijk om. Aan de andere kant van de hal, verborgen in de schaduwen, stond Cang Lu. 'Kom je nog?' riep hij. 'Mijn meester zit te wachten! Schiet op!'

Mei Lins mond viel open van verontwaardiging, tot ze besefte dat hij gewoon het spelletje meespeelde. 'Ik kom!' zei ze. Ze boog haar hoofd naar de vrouw. 'Vergeef me.'

Cang Lu keek langs haar heen, tot de grijze vrouw aan de andere kant van de hal was verdwenen, en boog toen snel zijn hoofd. 'Yuan-sa.'

'Hoe wist je dat ik het was?' vroeg Mei Lin teleurgesteld. 'Is mijn vermomming niet goed?'

'Uw vermomming is prima, Yuan-sa,' zei de jongen, maar hij bleef naar de grond kijken terwijl hij het zei. 'Wilt u mij volgen?'

Hij leidde haar een smal, donker gangetje in dat Teishi's bedienden gebruikten om geruisloos haar vertrekken binnen te kunnen gaan. Aan het einde brandde licht. Er stond een beschilderd kamerscherm dat het halletje afschermde van het vertrek daarachter. Ze herkende het bloemenpatroon in Yamatanese stijl; dit was Teishi's woonvertrek.

Cang Lu hurkte voor het scherm neer en gebaarde haar hetzelfde te doen. Aan de andere kant van het scherm werd een stoel verschoven. Mei Lin wilde haar mond openen om te vragen waar ze op wachtten – waarom gingen ze niet naar binnen? – maar de jongen schudde waarschuwend zijn hoofd. Hij luisterde aandachtig. Mei Lin kon geen opvallend geluid ontwaren, maar plotseling veerde Cang Lu op. Hij tuurde door een kier tussen twee schermdelen, net boven een houten scharnier.

'Wat is er?' vroeg ze zachtjes.

Hij wenkte haar. Ze schoof naar de kier toe, terwijl haar knieën over de grond schuurden. Toen ze de kamer in gluurde, verwachtte ze minstens een half leger Yamatanese samenzweerders te zien – hoewel ze geen idee had wat Teishi daarmee zou moeten, laat staan waarom de jongen háár daarover zou inlichten. Maar ze zag enkel Wen De, die onderuitgezakt in een stoel zat en een beker op zijn hand balanceerde.

Op dat moment weerklonken er voetstappen. 'Heer Yuan,' zei een stem.

Jin! Wat deed haar lijfwacht in Wen De's vertrekken? En midden in de nacht!

Door de kier zag ze dat Wen De lui zijn benen strekte. 'Je bent wéér te laat,' merkte hij op.

'Ik moest wachten. De dienares van de Yuan-sa was nog op, heer.'

'Voor smoesjes heb ik je niet ontboden. Vertel op!'

Jin kuchte. 'Sinds het verlovingsbezoek heeft de Yuan-sa Akechi niet meer gezien. Ze volgt haar dagelijkse routine. Ik geloof niet dat ze iets doorheeft.'

Mei Lins mond viel open van verontwaardiging. Liet Wen De haar bespioneren? En door haar eigen lijfwacht nog wel. Wat bezielde hem? Bijna sprong ze overeind om de twee te confronteren, maar Cang Lu greep haar hand. De jongen schudde zijn hoofd, langzaam en nadrukkelijk. Ze knikte en liet zich weer op de grond zakken, maar haar hand liet hij niet los.

'En Akechi?' vroeg haar broer aan de andere kant van het scherm.

'Hij weet van niets, heer,' zei Jin.

Wen De lachte, kort en vreugdeloos. 'Natuurlijk weet hij van niets! Maar wat kun je me over zijn gewoontes vertellen? Wie ziet hij en wanneer? Waar? Komen er meisjes naar zijn vertrekken? Houdt hij van gokken? Drinkt hij? Kortom: wat zijn zijn zwakke plekken? Als je hem wilt doden, Jin-tse, zoals je mij hebt gezworen, moet je dat soort dingen weten!'

Mei Lin snakte naar adem. Dus dit was Wen De's plan. Ze begreep nu waarom hij haar niets had willen zeggen. Een moord.

'Stil eens!' Ze hoorde hoe een van beide mannen – waarschijnlijk Jin – zich omdraaide. Verschrikt sloeg ze een hand voor haar mond. 'Vergeef me, heer, ik dacht dat ik iets hoorde.' Mei Lin durfde nauwelijks adem te halen. Ze hoorde haar lijfwacht langs het kamerscherm lopen. Even bleef hij vlak voor de kier stilstaan en blokkeerde het licht in de kamer. Hij was zo dichtbij dat ze haar vinger maar hoefde uit te steken om hem aan te kunnen raken. Ze duwde haar hand dichter tegen haar mond, alsof ze zo haar ademhaling kon stoppen. Als hij haar hoorde... Als hij door de kier keek en haar opmerkte...

Wen De snoof. 'Ik hoor niets. Je verbeeldt je dingen, Jin-tse! Geef antwoord op mijn vraag.'

Jin stapte weer weg van het kamerscherm. 'Akechi heeft geen zwakke plekken, heer.'

Opgelucht sloot Mei Lin haar ogen. Cang Lu kneep in de hand die hij nog steeds vasthield.

Haar broer lachte opnieuw. 'Iedere man heeft zwakke plekken, als je maar weet waar je ze moet zoeken.'

'Vergeef me, heer. Ik heb de Yamatanees nog niet uitgebreid kunnen bestuderen. Sun Shula laat me constant achter de Yuan-sa aan lopen. Om de een of andere reden weigert hij zijn eigen diensten te vervullen. En ik ben maar tweede lijfwacht, ik kan hem niets weigeren.'

Door de kier zag Mei Lin Wen De in zijn stoel naar voren buigen. Zijn gezichtsuitdrukking was zo streng en koud dat ze hem bijna niet herkende. 'Onzin! Waarom zou Sun dat doen?' zei hij. 'Toen ik je inhuurde, Jin-tse, beloofde je me waar voor mijn geld. Alles hangt van jou af. Yuans eer en de goede naam van mijn zuster staan op het spel! Akechi Sadayasu moet sterven vóór hij de kans heeft de vrede te bezegelen. Is dat zo lastig te begrijpen?'

'Nee, heer, zeker niet...'

'Je hebt een tiendag de tijd gehad. Ik had verwacht dat je me inmiddels wel wat meer zou kunnen vertellen dan dat Akechi niets van onze plannen weet.'

'Heer, vergeef me! Ik...'

Wen De sprak onbewogen verder: 'Gelukkig heb ik meer ogen en oren... Ik weet al hoe je Akechi zult doden, en wanneer.'

Jins stem sloeg over. 'Heer!'

'Op de dag van het huwelijk, als hij zich in zijn vertrekken gereedmaakt.' Wen De stond op alsof hij plotseling alle interesse in het gesprek had verloren. 'Je kunt gaan, Jin-tse. Je volgende opdracht krijg je weer op de gebruikelijke manier.'

Mei Lins hoofd tolde. Wen De wilde Akechi ombrengen.

Is dat niet wat je wenst? vroeg een stemmetje in haar hoofd. De eer van Yuan gered en jij verlost van Akechi. Heb je Wen De er niet zelf om gevraagd?

Dit is niet wat ik bedoelde! snauwde ze terug. Ik wens Akechi niet dood!

Het stemmetje lachte: O nee?

Cang Lu trok aan haar arm. Zijn gouden ogen glansden in het donker. 'Yuan-sa!' fluisterde hij op dringende toon. Ze keek om en hij gebaarde naar het gangetje waardoor ze naar binnen waren gekomen. Ze volgde hem de kamer uit.

'Hoe...?' stamelde ze, zodra ze buiten gehoorsafstand waren. 'Hoe wist je...?'

Cang Lu staarde naar de grond. 'Uw lijfwacht was hier een tiendag geleden ook om verslag uit te brengen,' zei hij. 'Vergeef me, Yuan-sa. Ik had het u moeten uitleggen, maar ik was bang dat u me niet zou geloven en naar uw broer zou stappen.' De jongen schoof onzeker met zijn voeten over de vloertegels. 'Ik wilde u waarschuwen, Yuan-sa, ook al is het niet mijn plaats. Ik dacht... als ik u kon laten zien wat er aan de hand was... misschien...'

Mei Lin bestudeerde zijn gezicht. 'Je deed er goed aan.' Ze zou hem inderdaad nooit hebben geloofd. Haar broer die háár liet bespieden? De situatie was te bizar voor woorden. Ze schudde haar hoofd. 'Ik zal niets tegen Wen De zeggen. Over jou.'

Maar ze moest wel een goed gesprek met haar broer voeren. Ze zou hem zeggen dat Jin alles had opgebiecht. Haar lijfwacht zou ze natuurlijk moeten ontslaan. En juist nu Shula haar voortdurend ontweek. Zou hun ruzie van die middag hier iets mee te maken hebben gehad?

Ze keek over haar schouder door het gangetje. In de kamer was het licht gedoofd.

'Ik moet terug naar mijn vertrekken,' mompelde ze. 'Dag, Cang Lu.'

Hij boog zijn hoofd. Even leek hij heel jong, tot hij opkeek en ze zijn ogen zag. Hij kon niet ouder zijn dan een jaar of twaalf, dertien, maar die ogen hadden al een heel leven achter zich.

Ze draaide zich om en sloop terug naar haar vertrekken.

'Waar ben je geweest?'

Natsuko zat rechtop op haar slaapmat en keek Cang Lu aan alsof ze dacht dat ze het antwoord uit zijn mond zou kunnen staren.

Cang Lu haalde zijn schouders op. 'Nergens.' Hij wenste dat ze het erbij zou laten – hij wilde niet praten over de Yuan-sa of over wat ze hadden ontdekt – maar Natsuko kennende zat dat er niet in.

'Nergens?' zei ze. 'Je verdwijnt midden in de nacht en dan moet ik geloven...' Ze zweeg en staarde hem aan. 'Je hebt toch geen meisje, hè?' Hij keek weg, wat Natsuko blijkbaar als een bevestiging opvatte. Ze slaakte een opgewonden gilletje. 'Wat? Jij stiekemerd! Kijk maar uit dat Teishi en Wen De daar niet achter komen.'

'Ze komen er niet achter.'

Natsuko keek hem lang aan en Cang Lu vroeg zich af wat ze zag. 'Goed,' zei ze ten slotte. 'Als je maar voorzichtig bent.' Plotseling verscheen er een glimlach op haar gezicht. 'Wie is het?'

Hij schudde zijn hoofd. 'Ik denk niet dat je haar kent.'

'O...' Even leek ze door zijn antwoord uit het veld geslagen, maar toen keerde haar glimlach terug. 'Nou ja, dat komt nog wel. Hoe ziet ze eruit?'

Cang Lu merkte dat hij begon te grijnzen. Met kleren en al liet hij zich op zijn slaapmat vallen. 'Ze heeft heel lang haar, tot aan haar middel, en het ruist als ze beweegt,' zei hij. Vreemd genoeg kostte het hem geen moeite zich in zijn rol in te leven; hij stond maar niet stil bij de vraag wat dat betekende. 'Ze draagt rood.'

'Wie dient ze?'

'De Yuan-sa, geloof ik.' Cang Lu keek op. Natsuko was gaan liggen. In het flakkerende licht van hun eenzame kaars kon hij slechts de contouren van haar lichaam zien. 'Ze ruikt naar jasmijnbloesem,' fluisterde hij.

'Hmm,' mompelde Natsuko, half in slaap. 'Dat is leuk.'

'Ze was vermomd,' zei hij. Inmiddels wist hij niet meer of hij tegen Natsuko sprak of alleen tegen zichzelf. Het kon hem niet schelen. 'Ik zag haar ogen en ik wist dat zij het was. Ik heb nooit eerder zulke ogen gezien.'

Natsuko draaide zich om op haar mat. 'Mmm... Natuurlijk, Sagi.'

Cang Lu ging weer liggen en probeerde zijn ogen te sluiten. Hij had zojuist gehoord dat zijn meester de Yuan-sa en heer Akechi liet schaduwen, dat Wen De van plan was een moord te plegen. Hij zou doodsbang moeten zijn, maar toch zat die verdomde grijns nog altijd op zijn gezicht geplakt.

11

Een goed gesprek

Geërgerd wuifde Mei Lin de kom weg die een jongen in een rode livrei met de Groene Draak op de borst haar voorhield. 'Nee, ik hoef geen cha!'

Ze zat in een van Wen De's werkvertrekken op de begane grond van het paleis, een ruime kamer met bloemen en kraanvogels op de muur en meubels van gelakt sandelhout. Normaal gesproken werden vrouwen in deze vleugel niet toegelaten, maar ze had niet bepaald afgewacht tot de wachters haar toestemming hadden verleend om door te lopen.

Haar broer zat achter zijn tafel met paperassen, waar hij net zomin thuishoorde als zij: hij was een man van het buitenleven, van tenten, paarden en rijstwijn, niet van de stille monotonie van papierwerk. Hij staarde naar zijn handen, die hij in elkaar had gevouwen. Zijn ellebogen steunden op de rand van de tafel, zijn duimen tikten bedachtzaam tegen elkaar. 'Weg!' siste hij plotseling, zonder opkijken, tegen zijn dienaar. Het jongetje mompelde al buigend een verontschuldiging en verliet achteruitlopend het vertrek. De deur sloot met een zachte klik.

Mei Lin wachtte tot ze zeker wist dat het kind uit de buurt was, voor ze uit haar stoel opsprong en op haar broer afliep. 'Een moord!' zei ze. Ze zorgde ervoor dat haar stem gedempt bleef, ook al was de jongen met de cha de enige dienaar die ze in Wen De's vertrekken had gezien. Er waren nergens lijfwachten of klerken; op een ander moment zou ze zich daar misschien over hebben verbaasd, maar niet nu. Ze liet haar handen op Wen De's werktafel vallen en leunde naar voren, zodat hij haar goed zou verstaan. 'Hoe haal je het in je hoofd?'

Wen De keek niet op. 'Hoe weet jij van mijn plannen?' vroeg hij kalm.

Mei Lin slikte. Ze had Cang Lu beloofd hem niet te verraden. 'Li Jin heeft alles opgebiecht,' loog ze. 'Mijn dienares zag hem weggaan en vertrouwde het niet. Ze heeft me wakker gemaakt, zodat ik hem kon opwachten. Toen hij besefte dat ik hem doorhad, bekende hij: dat hij Akechi zou schaduwen en vermoorden, alles.'

'Alles!' herhaalde Wen De, alsof hij het niet kon bevatten. En toen: 'Goden, de zwakkeling!'

Mei Lin schonk hem een nijdige blik. 'Ik heb hem weggestuurd. Hij mag van geluk spreken dat ik hem heb betrapt voor hij iets onherroepelijks kon doen. En dat geldt ook voor jou. Een moord, Wen De-tse! Wat bezielt je?'

Wen De bleef naar zijn handen kijken. 'Je wilde toch onder je verloving uit? Wat kan het jou schelen of Akechi leeft of sterft?'

Met open mond staarde Mei Lin haar broer aan. 'Hoe kun je zoiets zeggen?'

Wen De haalde zijn schouders op. Hij liet zijn ellebogen van tafel glijden, leunde achterover en staarde door het raam naar buiten. 'Ben je tevreden met vaders keuze?'

Onzeker volgde Mei Lin zijn blik. Op het dak van het chapaviljoen in de paleistuin lag nog altijd een deken van sneeuw. Ze kon de sporen van vogels in het wit ontwaren. Kraaien, waarschijnlijk, van de soort die niet uit Yamatan afkomstig was.

'Kun je leven met de schande van dat huwelijk?' vervolgde haar broer op dezelfde, beheerste toon. 'Een Yamatanees, Mei Lin-sa. Een Akechi!'

Met een zucht trok ze haar handen van Wen De's werktafel af en vouwde ze voor haar lichaam samen. 'Het is vaders wil,' zei ze.

'Vaders wil?' Wen De lachte verbijsterd. 'Als je zo vastbesloten bent vaders wil te gehoorzamen, waarom vroeg je me dan om hulp?' Hij draaide weg van het raam. Eindelijk keek hij op en zijn ogen waren donker en diep als het water van Si Tjin. Mei Lin zag zich erin weerspiegeld. 'Speelde je een spelletje met me? Wilde je zien hoe ver ik voor je zou gaan?'

'Nee!' Mei Lin deinsde achteruit. 'Doe niet zo belachelijk! Ik hoopte dat jij de Yuan-tse zou kunnen overtuigen. Ik dacht dat...'

'Wat?' Wen De's toon werd scherper. 'Wat had je gewild dat ik deed, Mei Lin-sa? Je wist dat ik al met de Yuan-tse had gesproken en toch vroeg je me om hulp. Wat kon ik anders dan Akechi's dood bevelen?'

Mei Lin aarzelde. Ze liep terug naar haar stoel. 'Ik weet het niet,' gaf ze uiteindelijk toe. 'Wen De-tse, je begrijpt toch zeker wel dat ik geen moordenaar van je wil maken?'

'Het zou niet de eerste keer zijn geweest, zuster,' sprak hij. 'In Yamatan...'

Mei Lin onderbrak hem voor hij iets kon bekennen wat ze niet wilde horen. 'Dat was tijdens de oorlog.'

'Het is nog steeds oorlog,' zei hij kalm. 'Er is nooit een vrede getekend, of wel soms?'

Nijdig greep Mei Lin met beide handen de armleuningen van haar stoel vast. Hoe kon haar broer zo koppig zijn? 'Als jij Akechi laat ombrengen, zal er ook geen vrede komen! Yamatan zal ons opnieuw de oorlog verklaren. Wil je dat soms?'

Abrupt stond Wen De op uit zijn stoel en liep om de werktafel heen. 'Kijk uit wat je zegt, zuster!' siste hij. In zijn ogen flakkerden waarschuwende lichtjes. 'Een nieuwe oorlog zou tegen de wil van de Yuan-tse in gaan. Wil je mij beschuldigen van hoogverraad? Is dat de dank die ik krijg nadat ik je te hulp ben gekomen?'

Mei Lin dwong zichzelf hem aan te kijken. 'Ik zou naar de Yuan-tse moeten gaan om hem over jouw plan te vertellen. Laat vader maar beslissen of moord op Akechi onder hoogverraad valt.'

De lichtjes in zijn ogen veranderden in een vernietigende vlammenzee.

Mei Lin duwde haar nagels in het hout van haar armleuningen. Met moeite wist ze haar stem koel te laten klinken. 'Maar dat doe ik niet, omdat je mijn broer bent. Vergeet je idiote plan, Wen De-tse, dan spreken we er nooit meer over.'

Hij hield zijn hoofd schuin, alsof hij haar voorstel in overweging nam. Maar de vlammen in zijn ogen doofden niet. 'Ik zou je in je vertrekken moeten opsluiten,' zei hij zacht. 'Ik zou je moeten laten verbannen naar een klooster in de Qin Mi Shan of je met een karavaan de woestijn van Guzhou in moeten sturen, waarvandaan je nooit meer terugkeert en waar niemand naar je wilde verhalen luistert.'

Mei Lin schudde haar hoofd. 'Dat staat vader nooit toe,' zei ze fel.

'Ik zeg hem dat ik je heb betrapt met een van je lijfwachten.' Wen De trok een wenkbrauw op. 'Met Jin. Hij is er knap genoeg voor.' Een wreed glimlachje speelde om zijn lippen. 'Of misschien wel met Shula. Misschien heeft Jin jullie samen gezien. Geen wonder dat je Jin hebt weggestuurd. Jammer alleen dat hij bij mij zijn verhaal kwam doen.'

Mei Lin snakte naar adem. Wat had Jin hem gezegd, wat had haar tweede lijfwacht gezien? Hij kon niet weten wat er met Shula was voorgevallen. Niemand wist daarvan. Haar broer speculeerde maar wat. Hij probeerde haar op de kast te jagen. 'Waag het eens!' zei ze.

De glimlach op Wen De's gezicht werd breder, alsof hij schik had in haar verontwaardiging. Hij boog naar haar toe. 'Ik zeg vader dat je de eer van onze familie hebt beschaamd,' fluisterde hij. 'Een dochter die het met een dienaar aanlegt... Ik denk niet dat de keizer rouwig zal zijn als een dergelijke schande uit zijn bloedlijn wordt gewist, jij wel?'

'Hij zal weten dat je liegt!' riep Mei Lin.

Wen De trok een wenkbrauw op. 'Laten we naar hem toe gaan, als je daar zo zeker van bent. Laten we naar hem toe gaan en zien wie hij gelooft. Jou, een dochter die hem blijkbaar zo na aan het hart ligt dat hij je aan de eerste de beste Yamatanees uithuwelijkt, of mij, zijn eerstgeborene, de kroonprins en toekomstig keizer van Yuan.' Hij glimlachte meedogenloos.

Mei Lin duwde haar rug tegen de leuning van haar stoel. Ze had kippenvel op haar armen. Die blik... Ze was er bijna van overtuigd dat hij meende wat hij zei. Haar stem trilde: 'Vader zal heus wel naar mij luisteren. Ik ben de derde in lijn...'

'Je bent een meisje,' zei Wen De. Hij haalde zijn schouders op zonder zich van haar te verwijderen. 'Wees maar niet bang. Ik doe niets, omdat je mijn zuster bent, mijn enige zuster, en ik ben niet zo harteloos als je denkt. Ik laat je met rust, zodat je je dagen kunt slijten als de echtgenote van een eerloze Yamatanese hond. Dat is immers wat je wilt?'

'Wen De-tse,' zei Mei Lin, 'alsjeblieft!'

Ze hield nog altijd de armleuningen omklemd. Hij pakte haar polsen vast, zodat ze in haar stoel gevangenzat. 'Luister naar me, Mei Lin-sa,' zei hij. 'Luister heel goed. Als jij er ook maar aan denkt om je mond open te doen – tegen vader, tegen een van je lijfwachten, tegen wie dan ook – dan vertel ik de Yuan-tse precies wat ik zojuist zei. Je lijfwachten zullen mijn verhaal beamen. Allebei. Geloof je me?'

Sprakeloos van afschuw keek Mei Lin naar hem op. Was dit haar broer? Zijn gezicht was een masker. Wreedheid, woede, vermaak... Elke emotie leek uit hem verdwenen. Zelfs de vlammen in zijn ogen waren gedoofd. In plaats daarvan scheen er een ijzige kalmte uit zijn ogen, die haar de adem benam. 'Ja,' fluisterde ze, terwijl ze haar ogen neersloeg. 'Ik geloof je.'

Tot haar verbazing schoot hij in de lach. Hij liet haar polsen los en stapte naar achteren. 'Ah, Mei Lin-sa! Kijk niet zo verschrikt! Ik maakte een grapje. Dat zou ik je toch niet aandoen, mijn enige zuster!'

Verward wreef ze haar handen tegen elkaar.

Wen De liep terug naar zijn werktafel en leunde op het tafelblad, terwijl hij haar hoofdschuddend aankeek. 'Je was zo serieus... "Ik zou naar de Yuan-tse moeten gaan. Laat vader maar beslissen of je een verrader bent." Goden, Mei Lin-sa! Ik wilde je alleen maar helpen.'

Ze wist niet wat ze moest denken. Zijn lach kon de ijzige kalmte van zijn ogen niet uit haar gedachten bannen. 'Zweer je het?' vroeg ze, terwijl ze opstond. Ze wilde vertrekken voordat haar broer opnieuw van gedaante kon wisselen.

Hij hield op met lachen. Met een ernstig gezicht nam hij plaats in zijn stoel, zijn handen opnieuw samengevouwen op het tafelblad. 'Wat denk je nou, zuster? Dat ik een oorlog riskeer terwijl vader erop tegen is? Als ik Akechi laat vermoorden om jou te helpen, zal ik ervoor zorgen dat het op een aanslag vanuit Jitsuma lijkt. Onze voorouders weten dat het niet de eerste keer zou zijn dat een stel Yamatanese kraaien in Yuanjing toeslaat.'

Mei Lin bleef staan, haar hand op de deurklink. 'Maar dat doe je niet, Wen De-tse,' zei ze scherp. 'Ik trouw liever met Akechi dan dat ik zijn bloed aan jouw handen zie. Je laat hem met rust.'

Hij boog zijn hoofd. 'Zoals je wilt, Mei Lin-sa. Ik probeerde je alleen maar te helpen.'

'Zweer het!' Ze liet de deurklink los en stapte, ondanks haar angst, op hem af. 'Zweer het op de naam van onze vader, de keizer van Yuan!'

Haar broer keek op. Er was geen vuur te zien in zijn ogen, geen ijs, enkel kalmte. 'Mei Lin-sa,' glimlachte hij, en in zijn stem hoorde ze zijn liefde voor haar. Misschien was zijn dreigement echt een grap geweest. 'Ik zweer je op de naam van onze vader, die keizer van Yuan is, dat ik Akechi Sadayasu niet zal ombrengen.' Hij duwde twee vingers tegen zijn borst, op de plek waar zijn hart zat en toen tegen zijn voorhoofd, in het aloude gebaar waarmee soldaten trouw zweren aan hun heerser. 'Geloof je me nu?'

12

Een wandeling in de tuin

Akechi...

In de vensterbank van haar slaapvertrek staarde Mei Lin naar bene-den. De muur waar ze tegenaan leunde, voelde ruw aan tegen haar schouders. Het was koud en dat beviel haar. Onder haar lag de paleistuin er verlaten bij. De sneeuw begon te smelten en vormde grijze plassen op de paden langs de paviljoenen. Er waren geen vogels. Zelfs de eenden die altijd bij de vijver zaten, waren naar betere oorden vertrokken.

Met een zucht wierp ze haar hoofd naar achteren, tegen de muur.

Akechi... Goden, wat een ellende! Nu moest ze wel met hem trou-wen. Ze rilde bij de herinnering aan haar broers dreigementen. Het was een grap geweest, had hij gezegd, maar ze kon er niet om lachen. De leugens die hij de keizer zou vertellen als zij hem verraadde, lagen veel te dicht bij de waarheid. Ze hád overwogen om haar verloving met Akechi te negeren en haar hart te volgen. Ze had erover gedacht Shula opnieuw te kussen, vaker dan ze aan zichzelf wilde toegeven. Maar dat was onmogelijk. Ze was de Yuan-sa en ze diende de wil van de keizer te gehoorzamen omdat haar ontrouw meer mensen zou kwetsen dan alleen Akechi.

Ze kon het niet helpen dat haar verlangen desondanks door haar hart bleef spoken. Het leek alsof haar ongenoegen over de situatie ver-hit een weg naar buiten zocht en alleen de frisse avondlucht haar kon afkoelen.

'Mei Lin-sa?'

Mei Lin hield haar adem in. 'Shula-tse,' zei ze luchtig. Ze keek over haar schouder. Hij stond vlak achter haar. Het avondlicht tekende zijn contouren scherp af, de grijze haren bij zijn slapen schitterden. Hij keek haar glimlachend aan en ze vroeg zich af of hij haar gedachten kon lezen. Hij had zo'n scherpe blik.

'U moet zich omkleden voor het avondmaal,' zei hij. 'Uw dienares wilde u roepen, maar om de een of andere reden verkeerde ze in de veronderstelling dat u haar zou laten geselen als ze nog eenmaal uw slaapvertrek betrad...'

Mei Lin keek weer naar de paleistuin. Wat een onzin! Xiao Ning had best geweten dat Mei Lin niets van dat dreigement meende, ook al had ze met haar muiltjes gesmeten terwijl ze het zei. 'Ik ga niet,' zei ze tegen Shula.

Ze kon zijn glimlach voelen. 'Natuurlijk wel,' zei hij.

'Nee, ik ga niet.'

'De keizer verwacht u. Het is te laat om een verontschuldiging te sturen.'

Mei Lin verschoof wat langs de muur.

Shula slaakte een zucht. Ze hoorde zijn zachte laarzen op de tegels. 'Mei Lin-sa,' sprak hij naast haar oor. De woorden streken langs haar wang. Ze sloot haar ogen om het gevoel vast te kunnen houden. 'Wat is er toch? Heeft dit te maken met Li Jin?'

Ze opende haar ogen, staarde voor zich uit de tuin in. 'Li Jin?' lachte ze.

'Als u me toestaat... Waarom hebt u hem weggestuurd?'

'Dat heb ik je al gezegd. Hij beviel me niet.'

Het was even stil. Mei Lin kon zich voorstellen hoe Shula haar nu gadesloeg, met een hand op het gevest van zijn zwaard. Dat zwaard stelde hem gerust, zei hij, zelfs in situaties waarin het hem niet kon helpen. 'Mei Lin-sa,' zei hij, terwijl hij een hand op haar schouder legde. 'Vertel me wat er aan de hand is.'

Ze draaide zich om en keek hem aan. Hij stapte achteruit, maar ze greep zijn hand voor hij verder weg kon gaan. 'Houd je van mij?' vroeg ze. Ze wist niet waarom ze het vroeg. Ze wist immers dat het niet kon.

Zijn ogen werden donker. Een koortsige rilling gleed langs haar ruggengraat. 'Daar moet u geen grapjes over maken, Mei Lin-sa, alstublieft. U bent verloofd. Heer Akechi...'

Mei Lin slaakte een kreet van misnoegen. 'Akechi!' Ze wierp Shula's hand van zich af en sprong van de vensterbank. 'Ik word zo ziek van Akechi! Als ik mocht kiezen...' Shula liep hoofdschuddend van haar weg, alsof hij niet wilde luisteren. Woede en verdriet om zijn afwijzing sloegen hun brandende klauwen om haar hart. 'Als ik mocht kiezen,' riep ze om hem te tarten, 'dan zouden jij en ik samen...'

Met een ruk draaide Shula zich om, nog voor ze haar zin kon afmaken. 'Dat soort dingen mag u niet zeggen, Mei Lin-sa!'

Ze richtte zich in haar volle lengte op. 'Waarom niet? Het is de waarheid.'

'De waarheid!' Hij lachte vertwijfeld. 'In Yuan geeft niemand om de waarheid, Mei Lin-sa. Eer en een goede naam, dat is wat telt! Ik zal uw goede naam niet schaden, Mei Lin-sa. Niet láten schaden. Dat is de eed die ik heb gezworen. Wat volgens u de waarheid is, is slechts een droom.' Shula kwam naar haar toe en streelde haar wang. Ze schrok van de plotselinge aanraking. 'Vergeet het, Mei Lin-sa.'

Heel even liet Mei Lin het gevoel toe van zijn vingers, de warme gloed van zijn aanraking op haar huid. Toen opende ze haar ogen en keek hem aan. 'Laat Xiao Ning binnenkomen. Ik moet me verkleden voor het avondmaal.'

Misschien had ze de dienares moeten verbieden om steeds haar beker bij te schenken. Misschien had ze Wen De's uitnodiging om aan de tafel van de keizer te komen zitten moeten afslaan. Eenmaal aan die tafel had ze Akechi's attenties wellicht moeten afpoeieren. En misschien, heel misschien, had ze Shula's woorden moeten negeren en hem moeten zoenen zoals ze had willen doen toen hij haar wang streelde. Misschien had ze hem moeten zoenen tot ze zich geen van beiden meer konden herinneren waarom ze nooit samen konden zijn. In ieder geval zou dat haar een excuus hebben gegeven om deze maaltijd te missen.

Nu zat ze zo vol drank dat ze niet helder meer kon nadenken. Ze had gedacht dat het zou helpen. Dronken mensen leken altijd zo uitgelaten. Maar de vier – of vijf? – bekers rijstwijn hadden haar slechts misselijk gemaakt. De Yuan-sa geeft niet over, hield ze zichzelf voor. Tenminste niet in het openbaar.

Akechi, aan haar linkerhand, boog zich naar haar toe. Hij droeg een kimono van grijze zijde, waarop lichtblauwe manen waren geborduurd. Zijn haar was als altijd in een krijgervlecht samengebonden en glom gitzwart in het licht van de lantaarns. 'Zei u iets, Yuan-sa?' vroeg hij.

Ze probeerde te glimlachen. 'U moet het zich verbeeld hebben, Akechi-tse.'

Hij knipperde met zijn ogen. 'Ah... vergeef me. Ik wilde u trouwens laten weten dat het gezelschap met mijn verlovingsgeschenken vanochtend bericht heeft gestuurd. Ze hebben Xian Men inmiddels achter zich gelaten en komen nu per schip over de rivier Qing Jiang naar Yuanjing.'

Mei Lin dwong haar lippen opnieuw in een glimlach. 'Dat is... goed nieuws, Akechi-tse.'

Akechi boog zijn hoofd.

'Natuurlijk,' merkte ze op, 'zouden ze Yuanjing nog vóór de sneeuw bereikt hebben als ze via de Guan Baipas waren gekomen.' Dat was een valse opmerking, wist ze. Zelfs in de zomer nam niemand die gevaarlijke weg door de kloven van het Hirosangebergte. Maar ze was nog steeds boos vanwege Shula's harteloze afwijzing en de wijn verleende haar het soort lef dat ze op een ander moment misschien als brutaliteit zou hebben gezien.

Ze bestudeerde Akechi's profiel, maar kon niet zeggen of het haar beviel. Telkens zag ze Shula's gezicht voor zich. Shula's ogen, die donker werden toen ze zijn hand had gegrepen en had gevraagd of hij...

'Door de pas te nemen had u uw echtgenote eerder kunnen zekerstellen, toch?' zei ze. 'Ik zou bijna geloven dat u niet echt naar ons huwelijk uitziet.'

Akechi schoot in de lach. 'Ik wilde mijn toekomstige echtgenote de zekerheid bieden dat haar geschenken zullen arriveren. Ik hoop dat u dat kunt waarderen, Yuan-sa.'

Ze voelde hoe het bloed naar haar wangen steeg. Om haar blos te verbergen, greep ze haar beker, maar ze ontdekte dat die leeg was.

'U houdt van rijstwijn, Yuan-sa?' vroeg Akechi.

'Natuurlijk.'

'Jammer dat ik dat niet eerder wist. In Yamatan is het de gewoonte een fles sake als verlovingsgeschenk te sturen, maar ik hield me bij het uitkiezen van mijn geschenken aan de gebruiken van Yuan.'

Mei Lin wierp hem een sceptische blik toe. 'Hoezo?'

Akechi boog zijn hoofd. 'Ik ben toch in Yuan? Ik houd me aan de gebruiken van mijn gastheren. Dat is niet meer dan beleefd.'

Ze knikte, al vermoedde ze dat hij de draak met haar stak. Als er iemand was die zich niet aan de regels der beleefdheid hield, dan was het Akechi wel. Kon hij niet gewoon zijn mond houden, zoals iedere fatsoenlijke man dat in het gezelschap van zijn verloofde zou doen?

Er waren genoeg mensen met wie hij een praatje kon maken.

Ze probeerde zich van hem weg te draaien, maar de Yamatanees begreep haar hint niet. 'Yuanbruiden dragen rood, geloof ik?' vroeg hij.

'Inderdaad,' zei ze en ze draaide zich weer terug.

'Ah... In Yamatan is het wit, weet u.' Akechi glimlachte, zijn bijzondere glimlachje, dat hij speciaal voor haar bewaarde. 'Ik heb begrepen dat u vaak naar de tempel in de paleistuin gaat, Yuan-sa?'

'Dat klopt,' zei ze, terwijl ze haar handen onder de tafel tot vuisten balde om te voorkomen dat ze die zelfvoldane grijns van zijn gezicht zou slaan.

Hij boog nog wat dichter naar haar toe, alsof hij werkelijk geïnteresseerd was. 'Bidt u daar tot uw voorouders?'

Mei Lin sloot haar ogen. Goden! De man was volhardend! 'Het is een tempel, Akechi-tse,' verzuchtte ze. 'Wat zou ik er anders doen?' Ze zag dat hij zijn mond opende, maar ze onderbrak hem voor hij een nieuwe vraag kon stellen: 'Werkelijk, Akechi-tse, uw nieuwsgierigheid kent geen grenzen! Of schept u er plezier in mij vragen te stellen waarop u het antwoord zelf wel kunt raden? Vertel me eens, hebt u een bepaalde bedoeling met uw verhoor of wilt u mij gewoon dood vervelen? Of bent u misschien op zoek naar iets nieuws om mij mee te bespotten? In dat geval moet ik u teleurstellen. Ik ben niet van plan u daar vanavond op te trakteren.'

Akechi staarde haar verbijsterd aan.

Teishi, die tegenover hen zat, schonk Akechi een aarzelend glimlachje. Wen De had ook haar aan tafel uitgenodigd – hij kon haar niet overslaan – maar Mei Lin dacht dat ze waarschijnlijk gelukkiger was geweest als ze aan de vrouwentafel had mogen blijven zitten. 'Heer Akechi heeft vast niet de bedoeling u te beledigen, Yuan-sa,' fluisterde ze. 'In Yamatan is het gebruikelijk dat een man interesse toont in zijn verloofde voor zij in het huwelijk treden.'

Mei Lin staarde haar schoonzuster aan. Dacht Teishi werkelijk dat dit een poging van Akechi was om haar beter te leren kennen? Was zijn spottende glimlach haar niet opgevallen? Of de manier waarop hij zijn vragen telkens zo formuleerde dat haar antwoorden wel belachelijk moesten klinken? 'Je vergist je, Teishi-sa,' zei ze met een schamper lachje. 'Heer Akechi toont geen enkele interesse in mij, tenzij hij mij uit kan lachen. Nietwaar, Akechi-tse?'

Akechi ontweek haar blik. Van zijn gebruikelijke glimlachje was nu geen spoor meer. 'Vergeef me, Yuan-sa,' mompelde hij. Hij stond op van tafel, boog naar de keizer en verliet de zaal.

Verbouwereerd staarde Mei Lin hem na. Toen hij weg was, keek ze zwijgend de tafel rond. De meeste edelen leken het gesprek niet te hebben gevolgd. Ze praatten door alsof er niets was gebeurd. Maar Teishi staarde strak voor zich uit. 'Je denkt toch niet dat hij beledigd was, Teishi-sa?' vroeg Mei Lin.

Teishi kromp ineen, alsof ze ervan schrok dat ze werd aangesproken. 'Yuan-sa, vergeef mij. Het is niet aan mij om deze vraag te beantwoorden.'

Mei Lin knikte. Peinzend beet ze op haar lip. 'Denk je dat ik hem mijn excuses moet aanbieden?'

Teishi boog haar hoofd. 'Het zou wijs zijn, als de Yuan-sa gelooft dat dat nodig is.'

Geërgerd trok Mei Lin een wenkbrauw op. Plotseling miste ze haar hofdame, die haar aan de vrouwentafel voortdurend alle vereiste zinsneden had ingefluisterd en die tenminste duidelijk antwoord gaf op haar vragen. Het was niet eerlijk om zoiets van Teishi te verlangen, maar er was niemand anders die ze om raad kon vragen.

Ze duwde zich uit haar stoel omhoog en maakte een buiging naar de keizer. Vervolgens stapte ze van de verhoging, op weg naar de uitgang van de zaal.

Ze had nauwelijks drie stappen gezet of Shula, die langs de wand op haar had staan wachten, dook naast haar op. 'Wilde u terugkeren naar uw vertrekken, Mei Lin-sa?'

Ze haalde diep adem. Ze wist dat haar antwoord hem niet zou bevallen. 'Nee.' Buiten de zaal keerde ze de gang naar de westvleugel de rug toe en begon in de richting van de gastenverblijven te lopen. 'Ik moet heer Akechi spreken.' Ze mocht niet het risico lopen dat hij zo beledigd was dat hij de verloving verbrak. Ze wilde wel van haar verloving af, maar niet ten koste van haar goede naam. De Yuan-tse zou het haar nooit vergeven.

Shula versnelde zijn pas om haar bij te houden. 'Vergeef me, Mei Lin-sa, is het niet beter om tot morgenochtend te wachten, zodat ik een formeel verzoek tot een bezoek bij heer Akechi kan indienen?'

Mei Lin schudde vastberaden haar hoofd. 'Vanavond.'

Ze zag een schaduw over zijn gezicht glijden. 'Wat is er zo belangrijk dat het niet tot morgen kan wachten, vrouwe? Is er tijdens de maaltijd iets voorgevallen?' Hij had het recht niet haar zo te ondervragen, maar ze wist dat hij beter zou meewerken als ze hem vertelde wat er was gebeurd. Goden, hij zou er waarschijnlijk op staan dat ze terstond haar verontschuldigingen aanbood.

'Ik heb iets tegen hem gezegd wat ik niet had moeten zeggen,' zei ze. 'Hij vatte het verkeerd op.'

Shula sperde zijn ogen open. Toen greep hij haar arm en duwde haar zonder pardon een nabijgelegen poort door, de donkere nacht in. Dat was wel het laatste wat ze had verwacht.

'Shula-tse!'

De kou sloeg haar ijzige nagels in Mei Lins huid. Shula duwde haar voort, weg van de lantaarntjes van het paleis. Hij had haar een tuin in geleid; niet de grote paleistuin met de paviljoenen en de tempel, maar een kleinere binnentuin, waar bomen en struiken groeiden rond een pad van afgesleten keien, toegedekt met sneeuw. Toen ze een eind van de poort stonden, op een plateau waarvan alle sneeuw was weggeveegd, liet Shula haar los.

Woedend wreef Mei Lin over haar arm. 'Wat bezielt je?'

'Wat hebt u tegen Akechi gezegd?' Shula boog zich naar haar toe. Hij balde zijn hand naast zijn lichaam tot een vuist, alsof hij zich slechts met moeite kon bedwingen om haar opnieuw vast te pakken. 'Mei Lin-sa!'

Ze keek naar hem op en plotseling begreep ze wat hij vreesde. Haar woede verdween en ze schoot in de lach. 'Nee, Shula-tse! Dát niet.' Alsof ze ooit zo dronken zou kunnen worden dat ze haar liefde voor hem verraadde. Ze wist wat de consequenties daarvan zouden zijn!

Ze zag de spanning van zijn gezicht verdwijnen, alsof een plotselinge windvlaag zijn trekken gladstreek. 'Ah, Mei Lin-sa... Vergeef me.' Ze glimlachte en strekte haar hand naar hem uit om zijn haar naar achteren te vegen. Hij greep haar vingers voor ze zijn gezicht konden raken. 'Niet doen, alstublieft.'

Met een ruk trok ze haar hand terug. 'Laten we naar binnen gaan.'

Hij schudde zijn hoofd, maar ze dacht niet dat hij het als weigering bedoelde. Toch bleef hij staan, het hoofd gebogen, terwijl zij zich omdraaide naar de poort. 'Het spijt me, Mei Lin-sa. Ik wil u niet kwetsen.' Zijn stem was niet meer dan een fluistering, maar ze kon hem duidelijk verstaan in de stilte van de tuin. 'Ik houd wel van u, maar het kan niet... Nooit...'

Roerloos bleef ze staan. Haar hart bonkte in haar keel als de trommel van de gulou. Ze wist dat ze Shula's woorden moest negeren en moest weglopen, maar het was als de wetenschap dat haar wijn vergiftigd was terwijl ze stierf van de dorst. Ze was misschien niet dronken genoeg om haar liefde te verraden, maar ook niet meer zo nuchter dat ze haar gevoel kon negeren. Ze draaide zich om. 'Zeg dat nog eens.'

Hij keek op. 'Het kan niet, Mei Lin-sa.'

'Nee.' Ze liep naar hem toe en liet haar handen door zijn zijden haar glijden. 'Wat je daarvoor zei.'

Shula zei niets. Hij boog zich voorover en drukte zijn lippen op de hare. Goden! Het was beter dan ze zich herinnerde, beter dan alles wat ze ooit gevoeld had. Ze klampte zich aan hem vast, wankel op haar benen, probeerde hem nog dichter naar zich toe te trekken. De sneeuw knisperde onder zijn laarzen toen hij eindelijk de laatste handbreedte tussen hun lichamen overbrugde. Ze sloot haar ogen en zuchtte. Als hij haar maar bleef kussen, kon ze alles vergeten: het paleis en de Yuantse, Wen De, de Yamata, Akechi...

'Yuan-sa?'

Te laat besefte ze dat het plateau waarop ze stonden was schoongeveegd en dat er helemaal geen sneeuw lag die onder Shula's laarzen kon knisperen. Ze rukte zich los uit zijn greep, deinsde half struikelend achteruit, hervond haar evenwicht en draaide zich om.

Even werd het zwart voor haar ogen.

In de duisternis van de tuin, maar scherp afgetekend tegen de lichtjes van het paleis achter hem, stond Akechi no Jirō Sadayasu. Zijn gezicht stond strak als een dodenmasker, zijn ogen waren groot en donker. 'Yuan-sa!' stamelde hij. 'Ik wist niet dat u hier... Ik dacht...'

'Heer,' zei ze, terwijl ze voor hem op haar knieën zonk.

Hij zweeg abrupt en draaide zich om. Met grote passen beende hij terug naar het paleis. De poort viel met een klap achter hem dicht.

Instinctief tastte Mei Lin achter zich, naar Shula's hand, maar ze vond hem niet.

Ze keek om. Hij stond achter haar, zijn gezicht bleek en strak, en Mei Lin had het gevoel dat er zojuist nog een deur voor haar was dichtgevallen.

13

De prijs van vrede

De volgende morgen hing er een grijze regensluier in de straten. Wie naar buiten moest, haastte zich, diep weggedoken in zijn mantel. De markt op het grote plein van Yuanjing was een treurige aangelegenheid. Mannen schepten restjes modderige sneeuw in emmers. Een groep ruiters in dikke mantels maakte zich bij de paleispoort gereed voor vertrek. Hun paarden stampten mistroostig met hun hoeven, druppeltjes parelden op hun vacht.

Mei Lin verwelkomde de grijze lucht als ieder ander de eerste zomerzon. Ze stond op met de ergste hoofdpijn die ze ooit had gehad, en dat had niets te maken met de hoeveelheid rijstwijn die ze de avond tevoren had gedronken.

Shula.

Shula en Akechi. Goden, hoe had ze het zo uit de hand kunnen laten lopen? Ze had nog beter Wen De zijn waanzinnige plan kunnen laten uitvoeren; ze had nog beter zélf het zwaard kunnen opnemen om Akechi uit de weg te ruimen. Dat zou minder narigheid hebben opgeleverd. Als Akechi haar vader op de hoogte stelde van wat hij had gezien... Als Wen De het nu in zijn hoofd haalde om haar te beschuldigen... Ze rilde en nam zich voor dezelfde ochtend nog Akechi haar excuses aan te bieden. Ze moest hem duidelijk maken dat wat hij had gezien, niets te betekenen had. Ze zou hem beloven dat ze hun verloving vanaf nu heel serieus nam. Als Wen De zag dat ze zich bij haar vaders beslissing had neergelegd en dat zijn hulp niet langer nodig was, zou hij zijn plan en hun ruzie op den duur wel vergeten. De vrede en haar goede naam zouden zijn gered.

En Shula...

Dat probleem zou ze later wel oplossen.

Xi Wei bracht haar ontbijt en kleedde haar aan. Ze stak Mei Lins haar op met een paar donkerblauwe kammen met zilveren belletjes, die rinkelden als ze haar hoofd bewoog. Daarna liep de dienares weg om de gezichtsverf te halen. Krampachtig probeerde Mei Lin haar hoofd stil te houden.

Ze zou iemand naar Akechi's vertrekken moeten sturen om hem om een onderhoud te verzoeken. Shula kon niet gaan en ze had na Jins ontslag nog geen nieuwe lijfwacht aangenomen.

Haar gedachten werden onderbroken toen de deur naar haar ontvangstruimte openvloog. Xiao Ning stormde haar slaapvertrek binnen. 'Yuan-sa!' Buiten adem knielde het meisje voor haar neer.

Verbaasd stond Mei Lin op. 'Wat is er aan de hand?'

Het meisje slikte een paar keer en veegde met een hand de regendruppels van haar gezicht, alsof ze niet goed wist waar ze moest beginnen.

Xi Wei keerde terug. Langzaam, zorgvuldig, zette ze het potje blauwe gezichtsverf op het tafeltje voor de spiegel. De fijne lijntjes in haar gezicht spraken van moederlijke zorgzaamheid, maar haar stem was fel: 'Spreek, kind! Geef de Yuan-sa antwoord op haar vraag.'

Xiao Ning keek angstig op. 'Het gaat om heer Akechi, vrouwe. Hij is weg.'

Mei Lins hart sloeg over. 'Weg?' herhaalde ze. 'Hoe bedoel je, "weg"?'

'Heer Akechi is vanochtend vertrokken, samen met de andere Yamata. De meisjes uit de keukens zeiden dat hij teruggaat naar Jitsuma.'

Er bestond geen twijfel over de reden voor Akechi's plotselinge vertrek.

Mei Lin slikte. 'Zeiden ze ook... Is de Yuan-tse op de hoogte van heer Akechi's vertrek?'

Xiao Ning keek verbaasd naar haar op. 'Ik weet het niet, Yuan-sa. Maar dat moet toch wel?'

Xi Wei glimlachte. 'De Yuan-sa hoeft zich geen zorgen te maken. Jonge mannen vertonen wel vaker vreemde grillen; dan moeten ze eruit. Heer Akechi keert vast snel terug. Hij kan de keizer van Yuan toch niet beledigen door zomaar uw verloving te verbreken, vrouwe?'

Mei Lin verbleekte. 'Nee... nee, natuurlijk niet.'

Xi Wei pakte een kwastje en wilde het potje blauwe verf opendraaien, maar Mei Lin hield haar tegen. 'Nee, pak de witte verf.'

Haar dienares boog het hoofd. 'Wit, Yuan-sa? Zo formeel?'

'Ja.' Mei Lin zweeg even en staarde in de spiegel. Koude rillingen liepen over haar rug bij de aanblik van haar eigen gezicht, zo bleek dat witte verf bijna overbodig was. 'Ik heb het gevoel dat ik vandaag wel eens ontboden zou kunnen worden.'

Mei Lin wachtte op haar stoel bij het raam in haar gewaad van grijze zijde, de rode verf op haar lippen als enige kleur in haar krijtwitte gezicht. Ze had haar handen in haar schoot gevouwen, vastberaden niet te bewegen, niet te ijsberen en vooral niet op haar nagels te bijten. Als het mogelijk was geweest, had ze zelfs haar gedachten vastgepind.

Ongetwijfeld had Akechi voor zijn vertrek alles aan haar vader verteld. Die schande alleen al was ondraaglijk! En in Jitsuma zou hij beslist zijn broer, de keizer van Yamatan, op de hoogte stellen. Van een vrede tussen Yuan en Yamatan zou geen sprake meer kunnen zijn. En dus zou haar vader, die al de schande van een flirtende dochter moest verdragen, ook nog eens worden geconfronteerd met de oorlog die hij juist had willen voorkomen. Wen De en zijn verachtelijke moordplan waren hierbij vergeleken niets! Híj had tenminste nog de bedoeling gehad haar eer te beschermen.

Maar dat alles viel allemaal in het niet bij de straffen die Shula boven het hoofd hingen.

Nog voor het Uur van de Slang sloeg, kwam een jongeman haar vertrekken binnengemarcheerd. Hij droeg zijn haar als een krijger in een stijve knot op zijn hoofd, maar was in het zwart van de keizerlijke lijfwachten gekleed. Hij maakte een strakke buiging en sprak: 'Yuan-sa. Ik ben gezonden om u naar de keizer te begeleiden.'

'Jij?' Mei Lin nam hem van top tot teen op. Zijn mantel toonde niet de Gele Draak van de Yuan-tse, noch enig ander teken. 'Wie ben jij?'

De man boog opnieuw en legde een hand op het gevest van zijn zwaard. 'Mijn naam is Zhou Ren. Ik ben uw lijfwacht, Yuan-sa, de vervanger van Li Jin. Heer Sun heeft me gestuurd. Hij laat zich verontschuldigen wegens een dringende familiekwestie die zijn aandacht behoeft. Hij zei dat het wel eens langere tijd kon duren en dat het daarom wijs was als u naast mij nog een andere lijfwacht aanstelde.'

Ze begreep de geheime boodschap die in die woorden verborgen lag. Zelfs toen zijn moeder was overleden – het enige familielid over wie ze Shula ooit had horen vertellen – had hij niet meer dan een dag vrij gevraagd om haar de offers te brengen. Maar na wat er gebeurd was, kon hij niet meer in haar buurt komen. Ze moest hem ontslaan. Alsof alleen hij de misstap had begaan. Het was de enige manier om haar aanzien te redden.

'Juist,' zei ze. 'Ik begrijp het.'

De tranen prikten in haar ogen, maar ze weigerde te huilen in het bijzijn van deze man – deze jongen – die geen snars van zijn eigen boodschap begreep.

Er moest een andere oplossing zijn. Maar eerst de keizer. Met een zucht stond Mei Lin op. De tweede audiëntie binnen een maand, ze verbrak een record.

Het eerste wat Mei Lin opviel toen ze de vertrekken van de Yuan-tse betrad, was dat er slechts één stoel stond. Ze was ditmaal naar de audiëntiezaal gebracht, niet naar de privéruimte met de Adhistaanse tapijten en het sprookjesdoek uit Yamatan. Deze zaal was volkomen leeg – de Yuanstijl tot het uiterste geperfectioneerd – op die ene stoel na, waarop de keizer van Yuan was gezeten.

Zhou Ren bleef achter in het voorvertrek. De persoonlijke lijfwacht van de Yuan-tse schoof de deur geluidloos achter Mei Lin dicht.

Mei Lin knielde neer en boog, zo diep als ze anderen altijd had zien doen. Nooit eerder had ze geweten hoe dat voelde; haar adem die neer-sloeg op de tegels, het bloed dat naar haar hoofd zakte.

De stem van de Yuan-tse viel als een zweep op haar neer. 'Sta op.'

Mei Lin kwam omhoog. 'Vergeef me, Yuan-tse,' mompelde ze en ze boog opnieuw naar de grond.

Haar vaders stem klonk verstoord: 'Ik zei: sta op!'

Ze kwam overeind.

De Yuan-tse steunde met één arm op de leuning van zijn troon. Hij had zijn kin in zijn hand gelegd en bekeek haar alsof hij niet wist wat hij met haar aan moest. 'Waarom heb ik je laten roepen, denk je?' vroeg hij.

Mei Lin onderdrukte de neiging opnieuw te knielen. In plaats daar-van boog ze slechts haar hoofd. 'Ik wil niet pretenderen dat ik uw be-weegredenen kan doorgronden, heer.'

'Je hebt ongetwijfeld een idee.'

Ze haalde diep adem. 'Ik heb gehoord dat heer Akechi vanochtend is vertrokken.' Ze waagde een tersluikse blik omhoog. 'Naar Yamatan.'

De Yuan-tse knikte. 'Zoiets heb ik ook gehoord. En ik vraag me af waarom.' Zijn blik was ijskoud.

Mei Lin slikte. Het was nu of nooit. Ze kon de keizer alles opbiechten, in de hoop dat hij haar eerlijkheid zou waarderen en haar zou vergeven. Of ze kon zwijgen. Wat er tussen haar en Shula gebeurd was, had niet alleen gevolgen voor haar goede naam.

'Wel?' drong hij aan.

'Ik eh...' stotterde ze.

De Yuan-tse zuchtte. 'Je stelt me teleur, dochter! Maar misschien zou dat me niet moeten verbazen, aangezien jij je blijkbaar toch niets van enig fatsoen aantrekt. Zal ik jou dan maar vertellen welk bericht mij vanochtend bereikte? Waarom heer Akechi op dit moment onderweg is naar Jitsuma?'

Smekend hief Mei Lin haar handen op. 'Heer! Ik...'

De Yuan-tse richtte zich op. 'Gisteravond heeft heer Akechi jou met een van je lijfwachten in de tuin gezien. Moet ik herhalen wat hij me verteld heeft? Moet ik beschrijven wat hij daar zag?'

'Nee, heer!' Huilend van schaamte viel Mei Lin op haar knieën. 'Vergeef me, het spijt me!'

'Het spijt je! Begrijp je wel wat je op het spel hebt gezet met je onfatsoenlijke gedrag? Akechi voelt zich terecht beledigd! Als jij – als Yuan – deze verloving al niet serieus neemt, hoe moet het dan met de vrede die jullie huwelijk zou bezegelen?'

'Heer!' smeekte Mei Lin.

Haar vaders stem onderbrak haar als een nieuwe zweepslag: 'Wie was het?'

Verward keek ze op. 'Heer?'

'Wie van je lijfwachten was het?' herhaalde de keizer ongeduldig. Hij had zijn kin opgeheven. Zijn hand omklemde de armleuning van zijn troon alsof hij het hout wilde breken. De woede schonk hem kracht. Hij leek niet langer een oude man.

Verstomd staarde Mei Lin hem aan. Het was alsof een zwak licht opeens door de duisternis van haar wanhoop schemerde; een besef dat nog zo onscherp was dat ze er nauwelijks over durfde na te denken. Haar vader wist niet dat het Shula was geweest. Misschien had Akechi hem in het donker niet herkend.

Ze sprak zonder na te denken, alsof de woorden haar werden ingefluisterd: 'Het was Li Jin, heer. Hij heeft een misplaatste liefde voor mij opgevat. Daarom heb ik hem gisterochtend uit mijn dienst ontslagen.' Ze zweeg even, verschoof iets op de tegels en vervolgde: 'Toen ik gisteravond in de tuin ging wandelen, vond hij mij. Hij drong zich aan me op. Als heer Akechi niet was verschenen, zou hij zich aan me hebben vergrepen. Vergeef me, Yuan-tse! Het was dom van mij om zonder bescherming in die tuin te gaan wandelen. Ik...'

Met een kort handgebaar legde de keizer haar het zwijgen op. 'Ik heb genoeg gehoord. Kom hier, dochter.'

Ze stond op en knielde neer aan zijn voeten, terwijl hij haar hand vastpakte. Op dat moment voelde ze voor het eerst echt berouw. Niet vanwege haar valse beschuldiging van Li Jin, want die man verdiende de woede van de Yuan-tse, na het schenden van zijn eed. Het had ook niets te maken met Akechi, noch met de gevolgen van de kus voor Shula of Yuan of haarzelf. Geknield voor de keizer van Yuan, besefte ze dat ze had gelogen om haar eigen verlangens te vervullen. Ze was geen haar beter dan Jin en Wen De en alle andere leden van de hofhouding met hun roddels en geheimen, hun duistere intriges en verraad. 'Vergeef me, vader,' fluisterde ze.

De Yuan-tse maakte een sussend geluid. 'Li Jin zal worden opgepakt en gestraft voor wat hij je heeft aangedaan. We zullen hem ophangen als de eerste de beste verkrachter. Wie de eer van mijn dochter denkt te kunnen schenden, verdient de genade van het zwaard niet.'

Mei Lin moest op haar tong bijten om niets te zeggen. Liever Jin dan Shula, hield ze zichzelf voor. Maar het schuldgevoel knaagde. Was dit niet net zo verwerpelijk als wat Wen De had willen doen?

De Yuan-tse vatte haar stilte blijkbaar op als twijfel. 'Vrees niet, dochter. Tegen de tijd dat je in Jitsuma aankomt, zul je dit voorval allang zijn vergeten.'

'Jitsuma?' Mei Lin staarde haar vader aan. 'Vergeef me, Yuan-tse, ik geloof niet dat ik u begrijp.'

De Yuan-tse lachte. Hij klopte zachtjes op haar hand. 'Je dacht toch niet dat ik dit alles zomaar op zijn beloop zal laten, dochter? Ik heb ruiters achter Akechi aan gezonden. Ze zullen hem inhalen en hem tegenhouden tot ik nader bericht stuur. Mijn bode zal uitleggen dat de hele situatie op een misverstand berust.'

Mei Lins mond viel open. 'U wilt het huwelijk alsnog laten voltrekken, heer?' stamelde ze.

Haar vader leek lichtelijk verbaasd door die vraag. 'Natuurlijk!' zei hij. 'Ach, Mei Lin-sa, Akechi heeft je al vergeven voor je persoonlijk je excuses aan kunt bieden; hij aanbidt je. Zijn vertrek is puur politiek, geloof me. Wij hebben hem een kans geboden en hij hoopt nu nog wat meer winst voor Yamatan te behalen. Uiteindelijk is dit slechts een spel. Gevaarlijk, ja, maar toch een spel.'

Mei Lin vond dat wel een heel optimistische kijk op de situatie, maar ze zei niets. Ze trok haar hand uit haar vaders greep en vouwde haar vingers samen in haar schoot. 'Zelfs vrede kent een prijs, nietwaar?' vroeg ze ten slotte.

Ze voelde dat haar vader glimlachte. 'Jouw huwelijk met Akechi Sadayasu zal een vrede bezegelen tussen twee landen die al generaties lang met elkaar in oorlog zijn. Je zou trots moeten zijn dat je zo veel voor Yuan kunt betekenen.'

Mei Lin knikte, hoewel de woorden niet volledig tot haar wilden doordringen. Haar knieën begonnen pijn te doen van het lange knielen. 'Heer, waarom is deze vrede zo belangrijk?' vroeg ze.

De keizer verschoof op zijn troon. 'Dat heb ik je toch al eens uitgelegd?'

'Het verdriet, geliefden die niet terugkeerden uit de strijd...' Mei Lin schudde haar hoofd. 'Vergeef me, Yuan-tse... maar ik geloof niet dat dát de reden is.'

Tot haar verbazing barstte de Yuan-tse in lachen uit.

Ze ging verzitten, zodat haar lichaam niet langer op haar knieën rustte. 'Als u mij toestaat, heer?'

Hij gebaarde, nog steeds lachend. 'Spreek.'

'Tien jaar geleden schrok u niet terug voor een paar doden om Yamatan – en de wereld – Yuans macht te tonen. Ik kan niet geloven dat u dat nu wel doet. En vergeef me mijn brutaliteit, maar ik denk ook niet dat een heerser dat zou moeten doen. U zou Yamatan met één vinger kunnen vermorzelen, als u dat wilde. In plaats daarvan sluit u vrede. Wat heeft u van gedachten doen veranderen, heer?'

Ze keek omhoog in haar vaders ogen. 'Een paar doden,' mompelde hij, alsof het een raadsel was. 'Ik vrees dat een oorlog nu meer dan een paar doden zou eisen. Ik betwijfel zelfs of we de Yamata kunnen overmeesteren.'

'Maar ons leger is veel...'

'Groter, o ja.' De keizer richtte zich op. 'Waarom denk je dat keizer

Akechi zo graag een vredesverdrag wil ondertekenen? Wij kunnen de Yamata niet verslaan, maar zij kunnen óns net zomin verslaan. Een oorlog zou slechts doden vergen – vele doden, aan beide zijden – en ons beider landen verzwakken. We zouden gevoelig zijn voor aanvallen vanuit het noorden of het westen. Vanuit zee. Dat wil niemand.'

'De Yuan-tse heeft natuurlijk gelijk,' zei Mei Lin, toen haar vader haar in de gelegenheid stelde om te reageren. 'Maar waarom zou een oorlog nu meer doden vergen dan tien jaar geleden? Waarom...' Ze zweeg en keek op. 'Wat hebben de Yamata nu dat zij eerder niet hadden?' De Yuan-tse keek haar afwachtend aan. Ze wist het antwoord voor hij het kon zeggen: 'Een wapen.'

'Een wapen, inderdaad.' De Yuan-tse stond op. Hij liep langs haar heen naar het midden van de audiëntiezaal en bleef daar staan. 'Je hebt het sneller door dan ik. Mijn spionnen hadden me natuurlijk op de hoogte gebracht van een nieuwe ontdekking in Jitsuma. Iets wonderbaarlijks, zeiden ze, magie van de goden. Maar toen keizer Akechi mij een brief schreef waarin hij een vredesverdrag voorstelde, vroeg ik me net als jij af wat hem bezielde.'

Mei Lin staarde haar vader verbluft aan. 'Keizer Akechi heeft ú benaderd, heer?' vroeg ze. Waar haalde die man het lef vandaan?

'O ja,' zei de Yuan-tse glimlachend. 'Een ambitieuze man, deze jonge Akechi...' Hij bewoog zijn voet over de vloer, in cirkels die steeds kleiner werden. Hij ging verder alsof ze hem niet had onderbroken: 'Ten slotte begreep ik dat deze magische ontdekking van de Yamata een wapen is. Een wapen dat met niets te vergelijken valt. Als de Yamata dit wapen inzetten, zouden ze Yuans macht kunnen breken. Vrede is de enige optie. Die is zelfs van levensbelang.'

Mei Lin sidderde. 'En dat is de reden dat ik met heer Akechi moet trouwen.'

De Yuan-tse draaide zich om. Hij kwam op haar af, eens te meer de machtige Gebieder van het Middenland. Maar hij was ook oud, ouder dan ze hem ooit had gezien, nu de woede over haar vermeende misstap was weggeëbd. Hij stak een hand naar haar uit en liet een losgeraakte streng haar door zijn vingers glijden. 'Je ziet dingen waar een ander het allang had opgegeven om te zoeken, dochter,' mompelde hij. 'Zo anders dan je broer, die alleen aan veldslagen en eeuwige roem kan denken.'

'Hebt u hem dit uitgelegd?' vroeg ze. 'Ik weet zeker dat hij de noodzaak van deze vrede dan zou begrijpen...'

'Hij gelooft in de macht van zijn land, en dat siert hem. Na mijn dood zal hij ongetwijfeld een krachtig heerser zijn.'

'Dat is nog lang niet aan de orde, heer,' zei Mei Lin zacht.

Haar vader glimlachte. 'Dat de goden het mogen schenken! Een paar jaar meer, om jou in Jitsuma gelukkig te zien.' Hij liet haar haar los en trok haar omhoog. 'Wel,' zei hij, 'ik zal je niet langer vervelen. Het wordt hoog tijd dat ik mijn bode met een verklaring naar Yuchuan stuur. Het is het beste als we dit probleem zo snel mogelijk gladstrijken.'

'Waar is Shula?' vroeg Mei Lin terwijl haar jongste dienares na de audiëntie de witte verf met een zachte doek van haar gezicht haalde. Ze moest hem spreken over wat ze de keizer had verteld. Als iemand hem ernaar vroeg, moest hij haar beschuldiging aan Jins adres onderschrijven. Er was nog meer om te bespreken, maar daar kon ze op dit moment niet bij stilstaan. 'Xiao Ning?'

Zonder te antwoorden borg het meisje de doek op. Met trillende handen begon de dienares de kammen uit Mei Lins haar los te halen.

Mei Lin draaide zich naar haar om. 'Waar is hij?' vroeg ze scherp.

'Vergeef me, Yuan-sa.' Aarzelend legde het meisje de kammen met de zilveren belletjes weg. 'Hij heeft ons uitdrukkelijk verboden er met u over te spreken, Yuan-sa.'

Mei Lin trok een wenkbrauw op. 'Verboden?'

'Vergeef me, alstublieft!'

Mei Lin haalde diep adem. 'Xiao Ning,' zei ze, 'misschien kun je hem eraan herinneren dat hij nog altijd míjn dienaar is, zoals jij ook bij míj in dienst bent. Zeg hem maar dat ik niet van deze onzin gediend ben en dat ik verwacht hem vanavond te zien.'

Xiao Ning knikte, bijtend op haar lip. 'Jawel, Yuan-sa.' Ze kwam achter Mei Lin staan om met bekwame vingers haar haren in te vlechten en ze spraken geen van beiden meer.

Shula reageerde niet op haar boodschap. Hij keerde niet terug naar haar vertrekken en geen van haar bedienden wilde vertellen waar hij was.

Li Jin scheen net zo onvindbaar. Haar nieuwe lijfwacht, Zhou Ren, vertelde dat het hoofd van de keizerlijk garde vermoedde dat Jin de stad was ontvlucht. Stiekem was Mei Lin opgelucht. Ze gunde Jin de straf die hij voor zijn verraad verdiende, maar ophanging was wreed.

Bovendien vreesde ze Wen De's reactie. Ze was bang dat haar broer haar leugens zou doorzien en vragen zou stellen.

Twee dagen na Akechi's vertrek keerde de keizerlijke bode uit Yuchuan terug, waar hij de Yamatanese prins inderdaad had gesproken. Hoewel Akechi de verklaring van de keizer accepteerde en de verloving schijnbaar niet langer wilde verbreken, weigerde de Yamatanees terug te keren tot de dag van het huwelijk.

'Om zijn gezicht te redden,' zei Xi Wei, die erbij was toen Zhou Ren het bericht voorlas. 'Hij doet net of hij bewust op weg was naar Yuchuan. Zo denkt hij zijn malle bevlieging te kunnen maskeren. Ik zei u al dat u zich geen zorgen hoefde te maken, Yuan-sa. Alles komt op zijn pootjes terecht.'

De verlovingsgeschenken uit Jitsuma arriveerden vijf dagen later en waren naar alle maatstaven de Bloem van het Keizerrijk waardig. Elk geschenk stond opgetekend in een lange lijst, die met veel ceremonie aan de Yuan-tse werd overhandigd. Er was goud en zilver genoeg om een klein koninkrijk te kunnen kopen. Er waren geluksgebakjes, gedroogde vis en levende kippen. Er waren dienaressen met kortgeknipt haar in zilverkleurige tunieken. Er was zijde uit het noorden van Yamatan. Er waren zelfs enkele brokaten gewaden uit Nang Shi. En er was een fles rijstwijn 'voor de Yuan-sa', met een nieuwe gouden haarkam in een gelakt houten kistje.

14

Als een reiger in het riet

Cang Lu drukte zijn rug tegen de muur. Het zonlicht dat door de ramen van Wen De's werkvertrek viel, vormde een patroon van vierkantjes voor zijn voeten. Hij voelde zich een gevangene achter tralies, of misschien een vogel die in het struikgewas schuilde voor een naderende storm.

Zijn meester zat achter een stapel papier verborgen. Diens korte bewegingen en het schrapen van zijn inktstaaf over de inktsteen deden Cang Lu steeds weer ineenkrimpen. De jongen had aan de manier waarop zijn meester uit bed stapte al gezien dat het mis was, en het feit dat er zo'n stapel papierwerk op hem wachtte, had Wen De's stemming niet bepaald verbeterd. Cang Lu begreep niet waarom zijn meester erop stond dat allemaal zelf te doen. Daarvoor had het paleis toch klerken in dienst?

Hij verplaatste zijn gewicht van het ene naar het andere been. Hij hoopte dat zijn meester hem een opdracht zou geven, al vreesde hij diens bevelen. De rand van het beschilderde wandpaneel duwde pijnlijk tegen zijn ruggengraat.

Hij wist niet waarom Wen De hem had laten komen. Hij diende nooit in Wen De's werkvertrekken. Hier had zijn meester anderen die voor hem zorgden. Maar de jongen die vandaag dienst had, was uit het paleis verdwenen. Ze bleven nooit lang, die jongens. Ze braken een voor een als dorre rietstengels als Wen De hen naar zijn wil probeerde te buigen. Ze konden niet stilstaan als de reiger, zoals Cang Lu, en zich in zichzelf verborgen houden. Diep vanbinnen benijdde Cang Lu hen: zij konden er tenminste vandoor gaan. Weliswaar zonder stempel onder hun contract en met weinig hoop op een nieuwe betrekking, maar alles beter dan dit... wachten.

Wen De had de jongen kunnen vervangen: er was altijd wel een nieuwe om de plaats van de vorige in te nemen. Maar ditmaal had hij om Cang Lu gevraagd. Speciaal om Cang Lu. Waarom?

De stilte voor de storm.

De poten van Wen De's stoel schoven piepend over de vloer. 'Cang Lu?'

Cang Lu schrok op. 'Ja, heer Yuan?' zei hij in het Yamatanees. Wen De vond het prettig om in die taal te worden aangesproken. Misschien herinnerde het hem aan de Mars op Jitsuma en de macht die hij toen over de Yamata had gehad. Maar enkel als ze alleen waren. Teishi – met haar afkeer van haar vaderland – mocht er eens achter komen! Er was veel wat Teishi niet van haar echtgenoot wist, of weigerde te zien.

Wen De stond voor zijn tafel en hield een strookje papier in zijn hand.

Terwijl Cang Lu naar hem toe liep, werd hij weer door dat vreemde gevoel overvallen; alsof hij viel, dwars door lucht en licht. De wereld was ver onder hem, zo klein dat hij haar in de palm van zijn hand zou kunnen vasthouden.

Zijn adem stokte.

Hij viel en viel. Hij sloeg zijn armen uit en probeerde zijn val te breken, probeerde, tevergeefs, de lucht vast te grijpen om zichzelf hoog te houden. Ver beneden hem lag de wereld, zo klein dat ze er niet langer toe deed. De val zou hem doden als hij geen manier vond om weg te komen.

Vleugels, dacht hij, ik heb vleugels nodig! Maar hij was maar een jongen met handen en vingers en hij kon zich niet vasthouden aan lucht en licht. De wereld kwam steeds dichterbij. En nu zag hij de witte draden die van zijn vingertoppen hingen, de draden die hem naar beneden trokken, steeds krachtiger, in een duizelingwekkende val. Hij probeerde het patroon van die draden te lezen, maar hij viel zo snel, zo ontzettend snel.

Hij mocht de grond niet raken, dan zouden de draden breken. Het was een half gevormde gedachte, een besef dat meer een gevoel was dan een daadwerkelijk inzicht. De draden zouden breken en er zou geen enkel patroon meer zijn om te ontrafelen.

Nu zag hij dat er ook witte koorden naar boven hingen. Hij greep lukraak naar een van die koorden en bad dat het zijn gewicht zou houden.

Met een zucht vulden zijn longen zich opnieuw met lucht.

Wen De's stem trok hem, als aan een zijden draad, terug naar zijn werkkamer: '... Yuchuan...'

Cang Lu knipperde met zijn ogen. Hij was niet gevallen. Hij stond voor Wen De, zoals hij zo vaak had gestaan, met zijn hoofd gebogen en zijn handen licht opgeheven in een nederig eerbetoon. Uit alle macht probeerde hij te achterhalen wat er zojuist met hem was gebeurd, maar ook nu had hij enkel de herinnering aan een val.

'Heb je me gehoord, Cang Lu?'

Cang Lu kromp ineen, terwijl hij zich voor de geest probeerde te halen wat zijn meester precies had gezegd. Hij had er niets van verstaan, maar herinnerde zich wel een wit koord in zijn hand, alsof hij het patroon dat in het koord was geweven, met zijn vingertoppen kon lezen. Het vormde een naam. 'Li Jin,' zei hij zonder op te kijken. 'U wilt dat ik dit bericht opstuur naar een man genaamd Li Jin. In Yuchuan.'

Toen Wen De niet reageerde, keek Cang Lu op. Zijn meester staarde hem stomverbaasd aan. 'Waar heb je die naam gehoord? Ik zei: een man die de naam Wei Feng gebruikt.'

Plotseling duizelig pakte Cang Lu het strookje papier dat Wen De in zijn hand hield. 'Ik zal het direct versturen, heer,' zei hij en met een buiging verliet hij het vertrek. Zijn hart maakte een sprongetje toen hij de wachters bij de ingang naar Wen De's vertrekken passeerde.

In de grote hal waren de poorten geopend en hij kon de plassen op het plein voor het paleis zien. Daar, naast de stallen, bevonden zich de barakken van de paleisbodes. Cang Lu liep langs de massieve deuren, de hal door naar de trappen. Hij hield Wen De's briefje in zijn hand alsof het een koord was dat hem voor een diepe val behoedde.

Hij wist dat hij zich niet had vergist, ook al kon hij de boodschap zelf niet lezen. Dit bericht was voor Li Jin bestemd. De man was in Yuchuan – net als de Yamatanese prins – en Cang Lu kende iemand die dat nieuws zeer op prijs zou stellen.

'Bent u nerveus, Yuan-sa?' vroeg Xiao Ning. Ze boog zich voorover om de gouden haarkam op te pakken.

'Nerveus?' herhaalde Mei Lin verbaasd. Ze keek over haar schouder.

'Voor uw huwelijk, bedoel ik.' Het was nogal een brutale vraag, maar Xiao Ning keek haar zo oprecht geïnteresseerd aan dat Mei Lin het haar moeilijk kwalijk kon nemen.

'Nee,' zei ze. Het was niet echt een leugen. Ze was zeventien, het werd tijd om te trouwen. Maar om de vrouw van Akechi Sadayasu te zijn en haar huis, haar land achter te laten... Dat joeg haar angst aan. 'Nee,' zei ze nogmaals.

Xiao Ning zuchtte. 'Ik wilde dat ik uw moed had, Yuan-sa! Als Ushi en ik volgende maand trouwen, zal ik zeker doodsbang zijn! Stelt u zich eens voor dat ik iets verkeerd doe! Stel dat zijn ouders me niet mogen! We krijgen een eigen kamer in hun huis, weet u.'

Na alles wat er de laatste tijd gebeurd was – Shula en Akechi en natuurlijk Wen De's akelige plan, dat ze gelukkig had kunnen voorkomen – was Mei Lin de trouwplannen van haar dienares volkomen vergeten. Nu schoot ze overeind in haar stoel. 'Bij de ouders van die visser inwonen? Nee, onmogelijk!'

Xiao Ning stapte geschrokken achteruit. 'Het is wat krap,' gaf ze toe, 'maar over een paar jaar heeft Ushi genoeg gespaard om een eigen boot te kunnen kopen. Misschien zullen we dan genoeg verdienen om...'

Mei Lin schudde haar hoofd. 'Nee, nee! Dat bedoel ik niet!' Ze draaide zich om op haar stoel. 'Ik heb je nodig als ik naar Yamatan ga. De dienaressen daar hebben geen weet van onze gewoonten. Ze weten niet hoe ik mijn ontbijt graag heb, welke kleuren ik op mijn gezicht hoor te dragen... Ik kan je echt niet missen, hoor!'

Xiao Ning staarde haar aan. 'U kunt Xi Wei meenemen,' zei ze. 'Of een ander meisje.'

Mei Lin lachte. 'Xi Wei? Denk je dat ik voortdurend door zo'n oudje wil worden bediend? Nee, ik wil jou.'

'Maar, Yuan-sa,' stotterde Xiao Ning. Tranen blonken in haar ogen. 'Ik heb u een paar tiendagen geleden al over mijn verloving verteld! Mijn ouders hebben de stof voor mijn japon al besteld. De gebakjes zijn naar de gasten verstuurd! U was het met me eens dat één paar nieuwe schoenen meer dan genoeg is! Ik kan nu mijn huwelijk toch niet meer afzeggen?'

Mei Lin strekte een hand uit en legde die troostend tegen Xiao Nings wang. 'Dat was voordat ik wist... Ik bedoel... toen dacht ik nog dat ik misschien niet...'

'Mijn oom komt zelfs van buiten de stad!' snikte Xiao Ning wanhopig.

'Misschien is het maar beter zo,' troostte Mei Lin. 'Wat moet je nu met een visser? Weet je wel hoe je huis zal stinken? In Jitsuma vind je vast iemand die beter bij je past.'

Xiao Ning boog haar hoofd en friemelde vertwijfeld met haar handen. 'Maar ik wil graag met Ushi trouwen,' bracht ze uiteindelijk uit.

Mei Lins wenkbrauwen schoten omhoog. Dit was brutaal, en geen enkele onschuldige blik die daaraan hielp.

'Vergeef me, Yuan-sa,' fluisterde Xiao Ning. 'Ik kan mijn verloving niet verbreken. Het is niet juist! Mijn ouders en de goden zouden zich van me afkeren.'

Mei Lin liet Xiao Nings wang los. 'Zoals je wilt,' zei ze. 'Ik kan je je contract geven, als je daarom vraagt.'

'U bedoelt... zonder stempel...' Xiao Ning keek op en schudde haar hoofd. 'Nee, Yuan-sa, dat zou beschamend zijn. Ik wil u niet verraden.'

Mei Lin knikte. 'Zoals je wilt.' Ze draaide zich weer om, vastbesloten er verder geen woorden meer aan vuil te maken.

Op dat moment verscheen Zhou Ren, op de voet gevolgd door het dienaartje van Teishi. 'Yuan-sa, deze jongen...' Ren keek over zijn schouder. 'Hoe heet je eigenlijk?'

Mei Lin sloot met een zucht haar ogen. 'Cang Lu,' zei ze. 'Wat kom je doen?'

De jongen boog, zodat zijn vreemde blauwe haar over zijn schouders golfde. Toen hij weer opkeek, had hij dezelfde raadselachtige uitdrukking op zijn gezicht als die keer dat hij haar cha had aangeboden: half bewondering, half angst. 'Ik heb een bericht voor u,' zei hij. Hij stak haar een dun strookje papier toe.

Fronsend nam Mei Lin het aan. Had Teishi haar iets geschreven? Maar waarom...

De jongen bleef haar aankijken.

Mei Lin las het briefje en snakte naar adem. 'Xiao Ning, je mag gaan,' zei ze. 'Ren-tse, ik heb je nu niet nodig.' Haar dienares en haar lijfwacht bogen en verlieten het vertrek, al merkte ze het nauwelijks. Haar blik was nog steeds gericht op het briefje in haar handen.

Cang Lu kuchte. 'Als u mij toestaat, Yuan-sa?'

Ze knikte.

'Uw broer vroeg me deze boodschap naar Yuchuan te sturen. Naar een man die de naam Wei Feng gebruikt. Maar...' Hij zweeg even, terwijl hij behoedzaam naar haar opkeek. 'Kunt u mij voorlezen?' Hij leek op een angstige vogel die ieder moment kon opvliegen.

Ze hoefde natuurlijk niet aan zijn verzoek te voldoen. 'Jin-tse,' las ze desondanks. 'Het plan blijft ongewijzigd. Voer je opdracht uit en we zullen de Draak op het zomerpaleis zien wapperen.'

Ze las de tekst nogmaals, om er zeker van te zijn dat ze het goed had begrepen. 'Jin-tse'. Li Jin. Het kon niet anders. Welke andere Jin had reden om een schuilnaam te gebruiken? Haar broer had hem blijkbaar helpen ontsnappen. Geen wonder dat de keizerlijke garde hem niet had kunnen vinden. En nu was hij in Yuchuan, waar ook haar verloofde zich bevond. 'Het plan blijft ongewijzigd'. Ze sloeg een hand voor haar gezicht, plotseling misselijk.

Cang Lu slikte. 'De Yuan hebben geen zomerpaleis, is het wel, Yuansa?'

Mei Lin schudde haar hoofd. Ze voelde al het bloed uit haar gezicht wegtrekken.

Toen ze nog een meisje was, had Shula haar onderwezen in de geschiedenis van het keizerrijk en zijn buurlanden; van de eerste dynastie tot de Mars op Jitsuma, over de Zestigjarige Oorlog met Sainim en de zeven onderwerpingen van Qin, over de Heerschappij van de Zilveren Tijgers, de opkomst en ondergang van het Rijk van de Rode Ochtend. En over Yamatan.

Yamatan was altijd Yuans spiegel geweest. Toen Yuanjing nog gesticht moest worden, bouwden de Yamata reeds hun paleizen aan de Minamigawa. Ook al was Yuan uitgegroeid tot een rijk dat aan deze kant van de hemel geen gelijke kende, Yamatan bleef een land om rekening mee te houden. En dus wist Mei Lin uit die vele lessen hoe de Yamatanese hoofdstad, Jitsuma, was opgebouwd. Ze wist dat het hof van de Akechi aan de oostzijde van de rivier lag, op een heuvel met uitzicht over de stad en de baai. Ze wist ook dat er een zomerpaleis was, hoger in de bergen, buiten de stad, waar het hof zich tijdens de warmere maanden van het jaar naartoe verplaatste.

Ze twijfelde niet aan Wen De's bedoelingen. Niet meer. 'De Draak zal op het zomerpaleis wapperen'. Hij wilde Jitsuma veroveren, nog voor de winter. Dat was onmogelijk, maar de grootspraak maakte de implicaties van zijn woorden niet minder ernstig. Ze besefte dat haar broer haar nooit had willen helpen. Akechi Sadayasu moest dood om Jitsuma een oorlogsverklaring te ontlokken. De Yuan-tse zou anders nooit toestemming voor een militaire campagne geven. Dit was geen slecht doordacht plan om een ongewenst huwelijk te voorkomen, dit was hoogverraad.

'Wat weet je nog meer?' vroeg ze aan Cang Lu.

De jongen haalde ongemakkelijk zijn schouders op. 'Ik kreeg deze brief bij toeval in handen, Yuan-sa. Ik moet hem verzenden, begrijpt u, anders zal mijn meester erachter komen dat ik u...'

Mei Lin knikte. 'Natuurlijk, je hebt gelijk. Wen De mag niet weten dat we van zijn plan op de hoogte zijn.' Ze begon driftig heen en weer te lopen. 'Maar we moeten zien te voorkomen dat hij in zijn opzet slaagt.'

Ze zou naar de Yuan-tse kunnen gaan, maar behalve Cang Lu's briefje had ze geen enkel bewijs en Wen De zou natuurlijk ontkennen dat hij het had geschreven. Bovendien wist Wen De dat ze nooit met Jin in die tuin had gestaan. Als hij zijn dreigement uitvoerde... als hij haar vader vertelde dat ze met Shula was gezien... Ze geloofde niet langer dat hij zijn bedreigingen als grap had bedoeld. Hij zou haar naar een klooster in de Qin Mi Shan sturen, als hij de kans kreeg. En Shula...

'Wie de eer van mijn dochter denkt te kunnen schenden, verdient de genade van het zwaard niet,' had haar vader gezegd.

Mei Lin zuchtte. Ze bleef stilstaan. 'Er zit maar één ding op. We moeten Akechi waarschuwen. Als hij weet dat er een aanslag op zijn leven wordt beraamd, zal hij op zijn hoede zijn. Misschien dat dat genoeg is om Wen De's moordaanslag te laten mislukken. Op de dag van de bruiloft zei Wen De toch, toen we hem afluisterden? We moeten er maar van uitgaan dat dát deel van het plan ook ongewijzigd is gebleven.'

Ze keek Cang Lu aan. De jongen trok onbehaaglijk met zijn schouders. 'Hoe wilt u heer Akechi waarschuwen, Yuan-sa?'

Mei Lin beet op haar lip. Het liefst had ze een persoonlijke bode naar Yuchuan gestuurd. Maar aan wie kon ze zo'n bericht toevertrouwen? De enige die in haar gedachten opkwam, was natuurlijk uitgesloten. Shula mocht Akechi beslist nooit meer onder ogen komen.

'We zullen hem een boodschap sturen,' zei ze uiteindelijk. 'Kun je schrijven? Nou ja, dat maakt niet uit. Vraag mijn dienares om inkt en papier.'

De brief zelf was snel genoeg geschreven. Ze twijfelde even of ze zou ondertekenen, maar zette toen toch met een paar haastige streken haar naam onder het bericht. Misschien zou het Akechi overtuigen. Ze rolde de brief op en hield hem Cang Lu voor.

Die staarde naar het papier alsof het zou bijten. 'Ze zullen het doorhebben,' stotterde hij.

Mei Lin fronste haar voorhoofd.

'Als ik deze brief en het bericht aan meester Li op hetzelfde moment verstuur...'

Mei Lin zuchtte en sloot even haar ogen. 'Wacht dan tot je iets anders weg moet zenden,' zei ze.

Cang Lu knikte opgelucht en nam de brief aan.

'Maar wacht niet te lang.'

Hij boog en ze stuurde hem weg. Er was niets meer wat ze nu kon doen.

De dagen die volgden waren een langzame marteling. Ze wachtte met angst in het hart op een bericht: dat Akechi haar brief had ontvangen, dat haar vader op de een of andere manier lucht had gekregen van Wen De's plannen, dat haar broer van haar bemoeienis wist, of toch misschien dat ze zich had vergist, dat haar broer het tijdstip van de aanslag had veranderd en dat Akechi inmiddels al dood was. Vooral die laatste gedachte hield haar uit haar slaap en maakte dat ze zich overdag nergens op kon concentreren.

Ze vroeg zich af of ze de Yuan-tse moest waarschuwen. Maar hoe ze het ook wendde of keerde, wat Wen De van plan was, was hoogverraad. Daarop stond slechts één straf. Hij was haar broer en zelfs als zijn dreigementen niet als een donkere wolk boven haar hoofd hadden gehangen, zou ze het niet over haar hart hebben kunnen verkrijgen hem te verraden. Bovendien had ze nog steeds geen bewijs. Ze kon niets doen tot ze meer wist.

Tot overmaat van ramp negeerde Shula nog altijd haar bevelen om terug te keren. Mei Lin dreef haar dienares tot wanhoop met woedende boodschappen, die ze het meisje dagelijks aan hem liet overbrengen, maar het was allemaal tevergeefs.

Van ellende wist Mei Lin niet meer wat te doen. De muren leken op haar af te komen. En dus begon ze door het paleis te zwerven.

De voorbereidingen voor het Lentefeest waren in volle gang. Mannen op ladders van bamboe schilderden de kozijnen van het paleis. Dienaressen dweilden de gangen. Jongetjes in rode tunieken liepen rond met stenen bloempotten, waarin op de laatste dag van het jaar narcisjes zouden worden gezet. Ze hingen lantaarntjes van rood papier op. Langs de deuren werden stroken papier met gelukswensen en spreuken gehangen om het nieuwe jaar welkom te heten. Het scheen Mei Lin toe dat de voorbereidingen voor het Lentefeest dit jaar uitgebreider waren dan gebruikelijk, alsof er meer vaarwel werd gezegd dan alleen de laatste dagen van het jaar.

Ze hield haar ogen goed open op haar tochten, in de hoop Shula tegen te komen, maar tevergeefs. Wel zag ze de Yuan-tse, maar altijd op een afstand, als hij met zijn gevolg een hoek omsloeg of een deur door ging die zich voor haar sloot. Mei Lin was daar op een vreemde manier opgelucht over. Ze dacht niet dat ze na hun laatste gesprek nog eens tegen haar vader zou kunnen liegen.

Op een van haar omzwervingen kwam ze Wen De tegen. Ze was in de buurt van de werkvertrekken van de keizerlijke klerken omdat ze het idee had opgevat dat ze daar misschien nieuws over Akechi zou kunnen opvangen. Wen De kwam juist naar buiten, gevolgd door een dienaartje met neergeslagen ogen.

Ze keken elkaar aan en Mei Lins adem stokte.

Wen De boog zijn hoofd. 'Mei Lin-sa.' Toen liep hij door en verdween aan de andere kant van de gang.

Die tocht had haar niet het nieuws opgeleverd waar ze zo naar snakte, maar wat haar broer betrof was ze gerustgesteld. Wen De vermoedde niets.

15

Een bezoek aan de tempel

Twee dagen voor de jaarwisseling bracht Mei Lin een bezoek aan de tempel in de paleistuin. Een laatste bezoek, om afscheid te nemen. Met alle voorbereidingen voor het Lentefeest en haar huwelijk zou daar geen tijd meer voor zijn.

Xiao Ning liep achter haar met de offeranden. Haar ogen waren roodomrand, hoewel ze ontkende gehuild te hebben. Mei Lin had niet meer met haar over haar verloofde gesproken.

Toen ze de trap naar het tempelgebouw op liep, drong het tot haar door dat ze niet alleen waren. Er zat al iemand voor het altaar geknield, zijn hoofd gebogen in gebed. Haar hart sloeg een slag over. 'Shula-tse!'

Hij schrok. In een vloeiende beweging stond hij op, één hand op het gevest van zijn zwaard. Hij zag eruit alsof hij het liefst zou vluchten. Blijkbaar probeerde hij haar nog altijd te ontwijken. Nu ja, dat was zijn probleem.

'Het is goed dat ik je hier zie,' zei ze, terwijl ze de tempel binnenging. 'Ik moet je spreken.'

Shula boog zijn hoofd. 'Vergeef me, Mei Lin-sa. Ik moet echt gaan.'

'Onzin!' Ze legde een hand op zijn arm – het gebaar was zelfverzekerder dan ze zich voelde – en draaide zich om naar haar dienares, die tussen de zuilen bij de ingang wachtte. 'Xiao Ning, je mag de offers aan Shula geven, zodat hij me kan helpen.'

Xiao Ning sputterde: 'Vergeef me, Yuan-sa. Als heer Sun belangrijker dingen te doen heeft...'

Mei Lin trok een wenkbrauw op. Ze had het meisje te vrij gelaten als het kind dacht dat ze dit soort opmerkingen kon maken. 'Wat is er belangrijker dan het dienen van zijn meesteres, Xiao Ning?' zei ze waarschuwend.

Haar dienares boog instemmend het hoofd en Mei Lin stuurde haar weg.

Ze had Shula's arm niet losgelaten, uit angst dat hij er alsnog vandoor zou gaan. Nu toverde ze een glimlach op haar gezicht, terwijl ze voorzichtig haar vingers ontspande. 'Kom je?'

Een strenge blik verscheen in zijn ogen. 'Mei Lin-sa, ik ben hier niet om...'

Ze liep langs hem heen naar het altaar. 'Breng de offers mee, wil je?'

Ze knielde neer. Even was ze alleen en het schoot door haar hoofd dat hij ervandoor was gegaan. Toen viel zijn schaduw over haar schouder. Shula stak wierook aan. Vervolgens knielde hij naast haar neer. Mei Lin keek hem zijdelings aan. Zijn gezicht was strak en gesloten, zijn lippen bewogen geluidloos. Ze vroeg zich af waar hij voor bad.

'Waarom heb je mijn boodschappen genegeerd?' vroeg ze uiteindelijk. Het kostte moeite haar stem kalm te laten klinken.

Met een uitdrukkingloos gezicht keek hij opzij. 'Het leek me beter.'

Mei Lin trok een wenkbrauw op.

Shula zuchtte alsof hij iets aan een kind moest uitleggen. Een kind dat beter had moeten weten. 'Ik kan niet bij u in dienst blijven, Mei Lin-sa. Niet na wat heer Akechi heeft gezien. Als u mij ontslaat, ziet iedereen tenminste dat het míjn schuld was. Uw goede naam zal gespaard blijven.'

Mei Lin legde haar handen in haar schoot. 'Niemand weet dat jij het was,' zei ze. Enige ergernis sijpelde door in haar toon. 'Akechi heeft je niet herkend.'

Een uitdrukking van verbazing gleed over Shula's gezicht.

'Ik heb de Yuan-tse verteld dat hij me met Li Jin heeft gezien, dat Jin probeerde me lastig te vallen. De keizer heeft een bode naar Yuchuan gestuurd om alles uit te praten met heer Akechi. De prins heeft onze verloving niet verbroken, er is dus niets aan de hand. Alleen weiger jíj te verschijnen als ik je ontbied, terwijl je toch mijn dienaar bent. Wil je soms dat men argwaan krijgt?'

Shula gaf geen antwoord. Hij staarde naar de brandende wierook, de dunne sliertjes rook die naar het plafond kringelden. 'Jin?' vroeg hij ten slotte.

Mei Lin haalde haar schouders op. 'Die man heeft zo veel op zijn kerfstok dat een dergelijke beschuldiging voor zijn reputatie weinig meer uitmaakt, geloof me. Dat doet er ook niet toe. Geef antwoord op mijn vraag.'

'U moet me ontslaan,' herhaalde Shula, alsof hij niets van haar uitleg had gehoord. 'De Yuan-tse weet misschien van niets, maar dat geldt niet voor heer Akechi. Denkt u dat hij ermee instemt dat ik uw lijf- wacht blijf, al is het maar tot het huwelijk?'

'Wat niet weet, wat niet deert,' antwoordde ze. 'Hij heeft te horen gekregen dat de schuldige gestraft zal worden en wil pas naar Yuanjing terugkeren op de dag van het huwelijk, dus hij zal nooit achter de waar- heid komen.'

Shula schudde zijn hoofd. Voor het eerst zag ze enige ergernis in zijn blik. 'Als u gelooft dat de Yamata geen spionnen in het paleis heb- ben, dan bent u zo naïef als...'

'Ik ben niet naïef, Shula-tse!' Mei Lin wendde haar blik af, staarde naar het altaar. De zware lucht van de wierook bezorgde haar hoofdpijn. 'Ik weet waarschijnlijk beter dan jij wat er op het spel staat. En ik zeg je nogmaals dat je gehoor moet geven aan mijn bevelen, voor iemand argwaan krijgt en de Yuan-tse waarschuwt. Ik onderga liever de wraak van Akechi, mocht hij er onverhoopt achter komen dat je nog steeds bij mij in dienst bent, dan dat ik de strafmaatregelen van de keizer ver- duur als hij de waarheid over die avond in de tuin ontdekt.'

Shula bestudeerde haar gezicht. Ze wenste dat ze de gedachten kon lezen die zich achter zijn donkere ogen verborgen. 'Waarom hebt u voor mij gelogen, Mei Lin-sa?' vroeg hij.

De vraag kwam zo onverwacht dat ze in de lach schoot. 'Omdat ik van je houd, natuurlijk!' Ze zag dat hij ineenkromp bij die woorden, maar ze ging verder: 'En jij houdt van mij. Het maakt mij niet uit wat de Yuan-tse daarvan denkt, of Akechi. Ik weet dat ik me naar hun wil zal moeten schikken, maar ze kunnen ons dit moment niet afpakken. Hier, nu, jij en ik, dit is alles wat er is.' Ze nam zijn hand in de hare. 'Waag het niet dat naïef te noemen, Shula-tse, terwijl jij hetzelfde voelt. Pak me dit moment niet af.'

Hij wendde zijn blik af. 'Nee.'

'Shula-tse!'

Hij week achteruit, trok zijn hand terug. 'Nee.' Zijn blik was onver- biddelijk. 'Ik kan niet terugkeren. Het risico is te groot. Ik kan uw naam niet op zo'n manier bezoedelen.'

Mei Lin lachte; het was een onechte lach, waar meer tranen in gevangenzaten dan plezier. 'Goed dan!' Ze stond op en herschikte woedend haar gewaad.

Shula keek toe. Er was geen enkele emotie van zijn koele gelaat af te lezen.

Dat was de druppel. 'Weet je wat?' schreeuwde Mei Lin. 'Ik heb het gehad! Met jou! Met je eindeloze excuses! Met je gepreek! Met je eer en je voorzichtigheid! Je wilt dat ik je ontsla? Vooruit dan! Vraag de klerken maar om je contract en ik zal er mijn stempel onder zetten, zodat iedereen kan zien dat ik je heb ontslagen! De Yuan-tse, Akechi, de Yamata; allemaal zullen ze het weten! Dat is toch wat je wilt? Mijn stempel, zodat iedereen kan zien dat je in ieder geval niet bent weggelopen. Want dat zou verraad zijn, nietwaar, Shula-tse? Hoewel er eigenlijk geen verschil is, je verraadt me hoe dan ook! Maar jij zult jezelf altijd kunnen voorhouden dat je een nobele daad hebt verricht, dat je met je zelfopoffering mijn eer hebt gered, dat jij en jij alleen mij voor het noodlot hebt weten te behoeden!' Ze was even stil. 'Zie je dan niet dat ik... dat als ik jou verlies... dat dát mijn noodlot is?'

Shula zei niets. Hij keek haar slechts aan tijdens haar tirade. En toen ze klaar was, boog hij zijn hoofd.

'Ach, stik!' siste ze.

In een waas van tranen verliet ze de tempel. Gejaagd zocht ze haar weg over het plein naar de poorten van het paleis. Ze zag Cang Lu niet aankomen. De jongen stoof tegen haar op, zijn gezicht lijkbleek, zijn blauwe haar wapperend.

Geschrokken bleef Mei Lin staan.

Hijgend krabbelde Cang Lu overeind. 'Yuan-sa!' bracht hij uit. En toen, nauwelijks verstaanbaar: 'Vergeef me!'

Mei Lins hart sloeg een slag over. Was dit het moment, het bericht waar ze al die tijd op had gewacht? 'Wat is er?' vroeg ze. 'Is alles in orde? Is er iets met mijn broer? Spreek, jongen!'

Cang Lu zag eruit alsof hij ieder ogenblik in tranen kon uitbarsten. Hij trilde als een rietje. 'Ik ben hem kwijt,' fluisterde hij.

Mei Lin staarde hem aan. 'Kwijt?' bracht ze uiteindelijk uit.

Cang Lu knikte. 'Uw brief! Ik had hem in de zak van mijn livrei gestopt tot ik de kans kreeg om hem te verzenden. Vanmorgen was het zover; uw broer wilde een bericht sturen aan een vriend in Nang Shi. Maar toen ik in mijn zak keek, was uw brief verdwenen.' Hij slikte en wreef in zijn handen. 'Vergeef me, Yuan-sa. Ik...'

'Zwijg!'

Mei Lin hapte naar adem. Het idee dat – wat er verder ook mocht gebeuren – Cang Lu in ieder geval zijn best zou doen om haar brief aan Akechi te versturen, was het enige waaraan ze zich de afgelopen dagen had kunnen vastklampen. Het was een dwaas en onvoorzichtig plan geweest, zag ze nu in, om de dienaar van haar broers echtgenote zo'n brief mee te geven. Stel dat Wen De hem had gevonden!

'Eén ding vraag ik je! Eén simpel ding!'

De jongen keek smekend naar haar op. 'Ik zal het goedmaken, Yuan-sa. Alstublieft! Ik denk niet dat uw broer weet... ik kan het nog goedmaken, als u me de kans geeft.'

Mei Lin schudde haar hoofd. Ze wilde hem niet eens meer aankijken. 'Je hebt genoeg gedaan. Het is nu te laat. Uit mijn ogen!'

'Maar, Yuan-sa...'

'Uit mijn ogen, zei ik!'

Cang Lu wilde op haar afsnellen, vermoedelijk om de zoom van haar jurk vast te grijpen in een laatste smeekbede, maar een zware stem kwam tussenbeide: 'Je vergeet je plaats, dienaar.'

Mei Lin draaide zich om. Shula stond een paar passen achter haar. Hij hield zijn rechterhand bij het gevest van zijn zwaard.

Cang Lu maakte een haastige buiging. 'Vergeef me, Yuan-sa,' zei hij met verstikte stem en hij draaide zich eindelijk om.

Mei Lin wachtte tot hij was vertrokken, voor ze Shula aankeek. Zijn ogen waren donker en onpeilbaar. Hoeveel had hij gehoord?

Het deed er niet toe, besefte ze. Ze had geen keus meer. Er was nog tijd om een bericht naar Yuchuan te sturen, maar ditmaal mocht ze niet falen. Akechi en Shula zouden zich beiden over hun gekwetste eergevoel heen moeten zetten. 'Je moet nog één ding voor me doen, Shula-tse,' zei ze. 'Nog één ding en dan zal ik je uit mijn dienst ontslaan.'

Hij boog zijn hoofd. 'Zoals u wilt, Yuan-sa.'

'Je moet naar Yuchuan rijden,' begon ze. Ze vertelde hem alles. Shula's gezicht bleef uiterst kalm; intriges en moordplannen brachten hem niet van zijn stuk. Waar hij van schrok, was haar hand die de zijne greep. 'Shula-tse,' fluisterde ze, 'zeg alsjeblieft iets.'

Hij trok zijn hand terug, alsof hij hem gebrand had. 'Wat moet u met zo'n jongen, Mei Lin-sa?' vroeg hij. 'De dienaar van vrouwe Tei-shi...'

Mei Lin lachte verbijsterd. 'Shula-tse!' Ze schudde haar hoofd. 'Ik had die jongen nooit in de arm hoeven nemen als jij er voor me was geweest! Maar jij weigerde me te zien en Teishi's loopjongen was de enige die ik kon vertrouwen. Wat moest ik anders?'

Shula gaf geen antwoord. 'Hebt u de keizer hierover ingelicht?' vroeg hij.

'Nee!' riep Mei Lin uit. 'Dat kan ik niet doen! Wen De is mijn broer! Wat hij van plan is, is hoogverraad! Hij zou de doodstraf krijgen!'

Shula knikte bedachtzaam. 'Hij is de wettige troonopvolger,' mompelde hij. 'Denkt u werkelijk dat de keizer hem ter dood zou laten brengen?'

'Wie weet wat mijn vader zou doen? Het is de wet! Durf jij het te riskeren?' Mei Lin bracht een hand naar haar gezicht. Ze moest hem op de een of andere manier zien te overtuigen. 'Ik meen het, Shula-tse!' zei ze. 'De keizer mag hiervan niets te horen krijgen! We moeten voorkomen dat Wen De zijn plan ten uitvoer kan brengen, dat is de enige oplossing. Begrijp je me?'

Hij knikte en ze kon een zucht van verlichting niet onderdrukken. 'Wat bent u van plan, vrouwe?'

Mei Lin vouwde haar handen. 'Ik wil heer Akechi waarschuwen,' zei ze. 'Als hij weet dat Li een aanslag op zijn leven wil plegen, zal de moordenaar misschien geen kans krijgen. Jij moet het bericht persoonlijk aan hem overbrengen, Shula-tse. Als je vandaag nog vertrekt, kun je op de dag van mijn huwelijk weer terug zijn.'

'Mijn bezoek zal uw bedrog aan Akechi onthullen,' zei hij scherp. 'Als hij mij herkent en ziet dat ik nog steeds bij u in dienst ben...'

Ze beet op haar lip. 'Je zei zelf dat er Yamatanese spionnen in het paleis rondlopen. Waarschijnlijk weet hij het toch al.' Toen haar lijfwacht niet reageerde, vervolgde ze: 'Akechi zal moeten inzien dat dit belangrijker is dan gekibbel over wie er een kus van zijn verloofde heeft gestolen. Jij bent de enige die ik met dit bericht vertrouw, Shula-tse. Ga nu en ik zal je je contract geven wanneer je terugkeert.'

Tot haar opluchting boog hij, een hand op het gevest van zijn zwaard. 'Zoals u beveelt, Yuan-sa.'

'Nee,' zei ze, terwijl ze een hand onder zijn kin legde om hem op te laten kijken, 'niet omdat ik het beveel; je hebt mijn bevelen eerder genegeerd. Voor je contract.'

Voor het eerst sinds haar hele verhaal keek hij haar recht in de ogen.

'Mei Lin-sa,' sprak hij, met een stem die zo helder was als regendruppels op getrokken staal, 'beseft u wel waar u zich in mengt?'

'De boodschap, Shula-tse,' zei ze.

Zijn blik werd vastberaden. 'Maakt u zich daarover geen zorgen. Maar... wees alstublieft voorzichtig.' Hij hief zijn hand op van het gevest en heel even raakte hij met een vinger haar lippen aan. Mei Lin sidderde. 'Op de dag van uw huwelijk, Mei Lin-sa,' zei hij, 'zal ik voor mijn contract naar u toe komen.'

Hoe ze in haar vertrekken was teruggekomen, wist Mei Lin niet, maar uiteindelijk vond ze haar bed en verstopte ze haar gezicht in de kussens, die haar snikken gelukkig smoorden. Xiao Ning bracht haar jasmijncha en amandelkoekjes. Toen Mei Lin weigerde overeind te komen, ging het meisje op de rand van het bed zitten en streelde haar haren. Ze vroeg niet wat er was gebeurd en Mei Lin was haar dankbaar.

'Misschien, Xiao Ning,' zei ze uiteindelijk, toen de schemering reeds het daglicht had verdreven en Xi Wei binnenkwam om de lampen te ontsteken, 'misschien kan je verloofde wel met ons meegaan naar Yamatan. Jitsuma is een havenstad en er is daar genoeg werk voor een visser.'

Haar dienares keek weifelend op haar neer. 'Ik weet het niet, Yuansa. De zee is heel anders dan Si Tjin. Misschien zijn Ushi's netten niet groot genoeg voor zo veel water.'

Mei Lin schoot in de lach, wat raar voelde na zo'n huilbui. 'Denk er maar over na,' zei ze.

Xiao Ning glimlachte. 'Dank u, Yuan-sa. Dat zal ik doen.'

16

In de leegte

Cang Lu had nog eens overal gezocht: in de zakken van zijn livrei, tussen zijn nachthemden, zelfs in de blauwe tuniek die hem al negen jaar te klein was en die hij onder de stapel werkkleding in zijn kist bewaarde. Nog voor hij eraan begon, wist hij dat het zinloos was. De brief van de Yuan-sa was weg. Hij wilde in bed kruipen en zijn ogen sluiten, zelfs al zou hij niet slapen, om maar even geen deel uit te maken van de wereld.

Teishi's stem riep hem terug naar het woonvertrek: 'Waar ben jij vanmiddag geweest?' Hij kromp ineen. Van onder zijn wimpers kon hij net haar gezicht zien. Ze had kringen onder haar ogen.

'Ik was bij de keukens, Teishi-sa,' zei hij behoedzaam. 'Ik heb uw wensen voor het avondmaal doorgegeven, zoals u me had opgedragen.'

Als een slang schoot ze op hem af. 'Lieg niet!'

Perplex keek hij naar haar op. 'Vergeef me, Teishi-sa... Wat bedoelt u?'

'Geheimen is geen lang leven beschoren in dit paleis, Cang Lu! Mijn dienaar, die stiekem de Yuan-sa ontmoet... Dacht jij dat ik daar niet achter zou komen?' Ze siste bijna van woede. 'Nogmaals: waar ben jij geweest?'

Cang Lu's mond bewoog, maar hij kon geen ander geluid voortbrengen dan wat schor gepiep.

'Nou?'

'Ik weet niets van stiekeme ontmoetingen! Vergeef me, vrouwe! Ik was in de keukens om uw wensen door te geven. Ik zweer het! Toen ik terugkeerde, kwam ik toevallig de Yuan-sa tegen. Ze riep me bij zich. Wilde u dat ik haar negeerde, Teishi-sa?'

Teishi kneep haar ogen samen. 'Toevallig... Wat wilde zij?'

Cang Lu wrong zijn handen. 'Ze vroeg me hoe het haar broer verging. Ik heb haar verteld dat ze zich voor zover ik wist geen zorgen over hem hoefde te maken. Toen stuurde ze me weer weg.'

'Dat was alles?'

'Dat is wat ik heb gezegd, vrouwe. Met de goden als mijn getuigen.'

Hij keek naar haar op. Ze keek hem aan met die samengeknepen ogen van haar. Een slang.

Ooit had hij een reiger in een graanveld gezien. De lange snavel van de vogel was plotseling naar beneden gedoken en toen hij weer verscheen – oranje tussen het goud – had hij een klein slangetje verschalkt. Reigers waren niet bang voor slangen.

Teishi draaide zich om en liep naar haar stoel. 'Kom,' zei ze. Haar stem was kalm. Te kalm. Uit de wijde mouw van haar gewaad verscheen een bleke hand met magere vingers. Nog voor hij de rol papier tussen haar vingers zag, wist Cang Lu wat er mis was.

Hij had niet gelogen toen hij zei dat hij niets wist over stiekeme ontmoetingen met de Yuan-sa. Alle keren dat ze elkaar hadden gezien, was er iemand bij geweest. Toch wist hij dat niemand hen had verraden. De lijfwachten van de Yuan-sa zwoeren een eed van trouw, en haar dienstmeid was veel te toegewijd om zich te verspreken.

Er was maar één verklaring.

Teishi draaide de palm van haar hand omhoog en spreidde haar vingers, zodat hij de signatuur onder aan de brief kon herkennen. Het was niet nodig, maar hij keek toch. Het was de Witte Lelie. 'Ik houd niet van dienaren die roddelen, Cang Lu,' zei Teishi. 'Dat vind ik ongehoorzaam. Maar mijn echtgenoot... mijn echtgenoot ziet dat als verraad. Wil jij dat ik hem over jouw "toevallige" ontmoeting met de Yuan-sa vertel?'

Cang Lu kon niet antwoorden. Hij kon niet denken. Hij kon zelfs niet ademen.

Teishi verschoof in haar stoel. Ze borg de brief weer in haar mantel op. 'Nee, dat dacht ik al,' zei ze. 'Voor deze ene keer zal ik het door de vingers zien. Maar jij moet weten dat ik jou in de gaten houd en de muren van dit paleis hebben ogen en oren. Als ik merk dat jij nog steeds voor de Yuan-sa spioneert, vertel ik alles aan mijn echtgenoot. Heb jij mij begrepen?'

Cang Lu begreep er helemaal niets van. Waarom gaf ze hem deze kans? Waarom verzweeg ze voor Wen De wat hij had gedaan? Hij boog zo diep dat zijn neus bijna de vloertegels raakte. 'Jawel, Teishi-sa,' fluisterde hij. 'Ik heb u begrepen. Duizendmaal dank. Duizendmaal, duizendmaal dank.'

De laatste dag van het jaar vertrok Xiao Ning om de feestdagen bij haar ouders en haar verloofde door te brengen. In de stad – en in het hele rijk – zouden 's avonds vreugdevuren worden aangestoken, waarvoor de jongens al dagenlang hout hadden verzameld uit de omringende bergen. De vrouwen, die een tiendag lang bezig waren geweest om hun huis van drempel tot achterkamer schoon te boenen, brachten de dag door bij het haardvuur, waar ze de traditionele nieuwjaarssoep bereidden, terwijl de mannen lampionnetjes aan de poort bevestigden, die de hele nacht zouden branden om te voorkomen dat kwade geesten ongemerkt het nieuwe jaar zouden binnensluipen.

In het keizerlijk paleis begon de dag met de stilte van het gebed. De rode stroken langs de deuren wapperden in de wind, terwijl de reiger van Si Tjin bedachtzaam zijn rondjes vloog boven de honderd torens van het paleis.

Mei Lin wachtte op een teken uit Yuchuan.

Zoals verwacht kwam er een uitnodiging voor het banket van die avond. Er kwam een brief van Luo Fang Yin, de dochter van de gouverneur van Nan Men, die haar – een dag te vroeg – met haar huwelijk feliciteerde en daarna eindeloos uitweidde over de laatste roddels uit de provincie. Er kwam zelfs een dienares om Mei Lin nog eenmaal op te meten voor de laatste wijzigingen aan haar trouwgewaad.

Maar wat er ook kwam, geen teken van Akechi of Shula. Yuanjing verbleef in stille afwachting van het nieuwe jaar. En Yuchuan blijkbaar ook.

Eigenlijk had Cang Lu nooit werkelijk geloofd dat Teishi haar mond zou houden. Ze was misschien een slang, maar Wen De was een draak. Hoe kon iemand van haar verwachten dat ze dit nieuws voor hem zou verzwijgen? Ook als je dacht de slang te kunnen vertrouwen, was het onverstandig de draak te onderschatten.

Cang Lu had andere zaken aan zijn hoofd. Het was de laatste dag van het jaar, de laatste avond, de laatste nacht. De keizer gaf een banket waar Cang Lu's meester en zijn echtgenote voor waren uitgenodigd.

Als hij al over slangen en draken had willen nadenken, dan was er door alle voorbereidingen nauwelijks tijd voor geweest.

Maar hij kon zich ook niet op de feestelijkheden concentreren. Al wat hij zag was de Yuan-sa, en haar blik toen hij haar vertelde dat de brief aan heer Akechi was verdwenen. Als ze haar verloofde niet meer op tijd had kunnen waarschuwen, zou hij morgen sterven. Die gedachte veroorzaakte een wee gevoel in Cang Lu's maag, dat hij graag als wroeging had afgedaan. Hij zag echter maar al te goed dat het niets met berouw te maken had en alles met de ogen van de Yuan-sa, die zo eenzaam waren dat niemand erin kon doordringen. Zou ze eigenlijk wel willen dat Akechi de aanslag overleefde? Ze had gedaan wat ze jegens haar land en haar familie verplicht was. Maar zou ze niet liever hebben gezien, als ze heel eerlijk was, dat haar verloofde uit de weg was geruimd, zodat zij haar ogen kon richten op wie ze maar wilde? Misschien op iemand die wel tot haar kon doordringen? Was dat misschien waarom Cang Lu had gedraald met het versturen van de brief?

Hij slikte.

Het enige wat hij bereikt had, was dat Teishi nu van alles op de hoogte was en dat de Yuan-sa hem nooit meer wilde zien. En Akechi's lot was nog even onzeker als tevoren.

'Waar denk je aan, Sagi?' Iets in Natsuko's stem deed Cang Lu vermoeden dat het niet de eerste keer was dat ze hem die vraag stelde.

'De Yuan-sa,' antwoordde hij. Het was eruit voor hij er erg in had.

Natsuko's wenkbrauwen schoten omhoog. 'De Yuan-sa?'

Cang Lu probeerde weg te kijken. 'Hoe lang nog tot middernacht?' Hij liep naar de uitgang van het vertrek, naast de deur naar Teishi's slaapvertrek. 'Denk je dat ik Teishi's bed al open moet slaan? Misschien komt ze wel eerder terug.'

Natsuko's slippers klikklakten op de tegels. Ze kwam tegenover hem staan, lang en onverbiddelijk in haar rode livrei. 'Teishi zei dat je voor haar spioneert,' zei ze.

'Voor wie?'

'Houd je niet van den domme, Sagi! Voor de Yuan-sa, natuurlijk!'

Cang Lu zuchtte. 'O, dus dat heb je gehoord?'

Natsuko sputterde van verontwaardiging. 'Natuurlijk heb ik dat gehoord! Teishi schreeuwde als een mager speenvarken toen ze je beschuldigde. En terecht, als het waar is! Is het waar? Ik dacht dat je verliefd was op haar dienstmeid, maar nu... Wat voer je in je schild, Sagi?'

Cang Lu lachte verbaasd. 'In mijn schild? Niets!' Hij pakte haar hand. 'Teishi beweert zo veel.'

'Teishi is een slang,' mompelde Natsuko, terwijl ze peinzend op hun handen neerkeek. 'Ze slaat pas toe op het moment dat ze zeker is van haar overwinning. Waar ben je mee bezig, Sagi?'

Haar woorden leken te veel op Cang Lu's eigen gedachten. Hij kon geen uitvlucht verzinnen.

'De keizerlijke familie speelt spelletjes die mensen als jij en ik nooit kunnen winnen,' vervolgde ze. 'Dodelijke spelletjes. Wat de Yuan-sa je ook beloofd heeft, je moet haar maar niet meer zien. Het is het niet waard er je nek over te breken.'

'De Yuan-sa heeft me helemaal niets beloofd!' riep Cang Lu verontwaardigd. 'Zo is ze niet!'

Natsuko's wenkbrauwen schoten opnieuw omhoog. 'O?'

'Nee!' Cang Lu schudde zijn hoofd. 'Het is niet wat je denkt! Ik... Weet je, denk er maar niet meer over na. Er is niets, niets tussen mij en de Yuan-sa! Begrijp je?'

Natsuko lachte verbijsterd. 'Sagi!'

'En houd nu eens op met dat eeuwige "Sagi"! Mijn naam is Cang Lu.'

Ze zuchtte. 'Cang Lu-tse,' vleide ze in haar accentloze Yuan, terwijl ze voorzichtig over de rug van zijn hand streek, 'je kunt mij toch wel in vertrouwen nemen?'

Hij trok zijn hand terug en deed een stap achteruit. 'Nee!' riep hij. 'Je zou er niets van begrijpen! Waarom laat je me niet gewoon met rust? Er is niets, zeg ik je toch!'

Natsuko verstijfde.

'Het spijt me,' zei hij abrupt. 'Natsuko, ik bedoelde het niet zo.'

Pas toen ze hem aankeek met haar wanhopige blik, besefte hij dat het niet aan zijn woorden lag.

Nee. Zijn meester was binnengekomen.

Cang Lu wilde zich omdraaien, maar hij kon het niet.

IJs druppelde zijn ledematen in, bevroor langzaam al zijn spieren. Zijn adem schuurde door zijn keel. Hij kon niet meer denken, niet meer dan: hij weet het, hij wéét het. Teishi heeft het hem verteld. O goden, hij weet het!

Stil blijven, vooral niets doen waardoor hij de aandacht trok.

Hij kon de bewegingen van zijn meester in Natsuko's ogen volgen, ogen die groot en zwart waren geworden. Ze hield haar adem in alsof ze dacht dat ze op die manier de situatie veilig kon stellen. Haar handen trilden.

Wen De's schaduw viel over hem heen. Zijn vingers gleden om Cang Lu's schouder. Even dacht de jongen onder het gewicht ervan te zullen bezwijken, maar Natsuko's ogen gaven hem kracht. En sterk hoefde hij toch niet lang meer te zijn.

Na het ijs verspreidde zich een vreemde lichtheid door zijn lichaam. Ze maakte hem sloom en kalm; zo kalm dat iedere ademhaling zich tot een eeuwigheid uitstrekte. Zijn lichaam verankerde zich in de vloer, zijn hoofd vulde zich met leegte. Nog voor Natsuko boog en achteruitlopend het vertrek verliet, wist hij wat er zou volgen.

Wen De's stem klonk als een briesje voor de storm: 'Dacht je dat ik er niet achter zou komen?'

Cang Lu gaf geen antwoord. Hij was leeg en in de leegte konden Wen De's woorden hem niet bereiken.

De hand gleed van zijn schouder. Nu kon hij zich omdraaien en zijn meester aankijken. Dat was gevaarlijk, want Wen De had een hekel aan zijn gouden ogen. Maar niet omkijken, Wen De de rug blijven toekeren, was nog gevaarlijker.

'Heer,' zei hij voorzichtig, 'waarom bent u zo vroeg teruggekeerd? Bevielen de festiviteiten u niet?'

Even dacht hij dat Wen De niet zou reageren, alsof zijn meester in zijn eigen leegte gevangenzat. Toen sloot Wen De's hand zich opnieuw om zijn schouder. Zijn duimnagel duwde in de dunne huid onder Cang Lu's sleutelbeen. 'Wat hoopte je te bereiken?' zei hij. 'Dacht je dat jij iets tegen mij kon beginnen? Dat mijn zuster je zou belonen als je voor haar spioneerde? Hoopte je dat zij je zou helpen om terug te keren naar huis, naar die Yamatanese hoer van een moeder van je?'

Hij boog zich voorover, alsof hij het effect van zijn uitspraken beter wilde bekijken. Hij genoot er zichtbaar van Cang Lu te kleineren. Maar Cang Lu was in de leegte. De woorden deden hem niets.

'Luister, reigerjong, en luister goed!' vervolgde Wen De met een ijskoude kalmte. 'Mijn zuster buigt voor mij, zoals jij voor mij zult kruipen. Jullie beginnen niets tegen mijn macht! Jullie zijn wormen onder mijn laars, jij bent zelfs minder dan een worm. Als ik je vertrap, zal niémand om je rouwen.'

Cang Lu wist dat zijn meester hem net zomin zou doden als hij een unieke vaas waarvan de schildering hem niet aanstond, kapot zou gooien; hij zei het alleen om Cang Lu angst aan te jagen. Maar de dood zou een genade zijn. Wat Cang Lu vreesde was wat er zou gebeuren wanneer Wen De klaar was met het uiten van loze dreigementen.

Zijn meester boog zich nog dichter naar hem toe. De lucht van alcohol sloeg Cang Lu in het gezicht en maakte hem misselijk. In zijn meesters ogen kon hij de emoties achter dat masker van kalmte zien rondtollen, als een zandstorm in het duister. Woede, razernij, afkeer... en nog iets anders.

'Jij bent niets,' zei Wen De. 'Een mislukte speling van de natuur. Een gedrocht dat het niet verdient te leven.'

Cang Lu neigde het hoofd. 's Winters, onder een dik pak sneeuw, braken juist de dikke takken van de bomen, terwijl de dunne doorbogen en dan terugzwiepten om hun last van zich af te werpen. In de leegte vielen zijn meesters woorden van hem af als sneeuw van te zwaar beladen takken. Maar die blik kon hij niet zo gemakkelijk van zich afschudden. Zelfs in de leegte kon hij die laatste emotie zonder nadenken benoemen.

Verlangen.

'Ontken je mijn beschuldigingen?' vroeg Wen De. Zijn stem klonk als een zwaard dat uit de schede werd getrokken. Zijn vingers klauwden in Cang Lu's schouders en belemmerden de jongen de uitweg.

Cang Lu schudde zijn hoofd. Het had geen zin om te liegen, Teishi had alles al verteld. 'Vergeef me,' zei hij.

De eerste klap veegde zijn benen onder hem vandaan. De tegels kusten zijn wang, koud en troostend. Daarna regende het klappen, op zijn armen, zijn benen, zijn rug.

Cang Lu voelde ze niet. Hij was leeg.

Toch moest hij op zijn tong bijten om het niet uit te schreeuwen. Hij wilde het wel – schreeuwen tot zijn longen barstten en zijn stem brak, tot er weer iets van gevoel in zijn verstijfde ledematen terugkeerde, tot de stilte spleet. Maar hij mocht het niet, kon het niet. Dat was een triomf die hij Wen De niet gunde.

De klappen waren nog maar het begin. En uiteindelijk schreeuwde hij natuurlijk toch, omdat dat het enige protest was dat hem restte. Toen boog Wen De zich buiten adem over hem heen en hees hem overeind. 'Onthoud dit, jongen,' raspte hij, terwijl hij Cang Lu hardhandig met zijn buik tegen een muur duwde. 'Onthoud dit, als je nog eens denkt je meester ontrouw te kunnen zijn.'

De rode livrei met Teishi's Blauwe Lotus scheurde. Cang Lu drukte zich dichter tegen de muur aan, zijn ogen stijf dichtgeknepen. Hij voelde Wen De's handen over zijn rug glijden, omlaag. Hij beet op zijn wang, probeerde het gevoel van zijn meesters vingers uit te bannen.

Omlaag.

Hij stribbelde niet langer tegen. Er was niets om zich nog mee te verzetten. Er was alleen een witte leegte die zich om hem uitspreidde tot elk gevoel verdween.

Cang Lu snakte naar adem toen Wen De zijn broek naar beneden rukte. 'Wat betreft je moeder,' hijgde zijn meester, zijn mond tegen Cang Lu's hals gedrukt. Hij duwde zijn schouder tegen Cang Lu's rug om hem op zijn plaats te houden, terwijl hij zijn eigen broek losknoopte. 'Jouw moeder was maar wat blij om iets te kunnen verdienen aan een mismaakt schepsel als jij. Zij zou je niet terugnemen. Jij hebt helemaal niemand. Behalve mij.'

Het duurde niet lang, deze keer.

Lang genoeg.

Zijn meesters hand op zijn schouder, het gehijg in zijn nek en de muur als enige bondgenoot, tot Wen De zich kreunend naar voren stortte, met snelle en roekeloze bewegingen.

Achter Cang Lu's oogleden explodeerden duizenden witte sterren, die al zijn gedachten met hun schitterende pracht wegvaagden. Hij was niet langer in de leegte. De leegte was in hem en ze was overal en grenzeloos en dankbaar gaf hij zich aan haar over.

Hij zag een patroon van witte draden.

Even, heel even, wist hij alles.

Toen het over was, kwam Natsuko de kamer in, die een stekende zalf in de wonden smeerde en hem hielp zijn kleding weer aan te trekken. Cang Lu was haar dankbaar. Om de een of andere reden kon hij niet ophouden met trillen.

'Niet huilen, Sagi,' fluisterde ze. 'Niet huilen.' Hij had kunnen denken dat ze het als troost bedoelde, maar haar gezicht was strak en koud. Haar handen bewogen als vanzelf.

Ze had het niet hoeven zeggen; hij had het al geleerd. Niemand zou zijn tranen zien. Cang Lu kon niet worden gebroken, en al helemaal niet door de prins van Yuan.

Natsuko sloot de laatste knoop.

Hij boog zijn hoofd, alsof hij een edelvrouw aansprak – hun eeuwige grap. 'Dank u wel, Natsuko-sa,' fluisterde hij. Zijn stem, zo kalm, leek van een vreemde.

Natsuko slikte. 'Het is een eer u te dienen, Cang Lu-tse.' Ze verliet de kamer, achteruitlopend, haar ogen op de grond gericht, zoals ze zou doen bij Wen De of Teishi. Het maakte deel uit van hun grap, hun pact, de stille afspraak om alle gebruiken van hun meesters belachelijk te maken. Maar één ding liet hem niet los, die avond niet en die nacht niet, toen hij stilletjes op zijn slaapmat naar de terugkerende feestvierders luisterde, noch de volgende ochtend, toen hij Natsuko weer onder ogen kwam en nog steeds dezelfde uitdrukking op haar gezicht las: deze keer was het geen spot geweest.

17

Afscheid

Mei Lin zat in de vensterbank, haar enkels gekruist. Onder haar ontwaakte de paleistuin ritselend uit zijn slaap. Si Tjins reiger stond aan de rand van de vijver. De lucht rook scherp naar kou en de belofte van regen in de avond.

'Zeven?' vroeg Xi Wei aan de andere kant van het vertrek. Mei Lin knikte zonder om te kijken. Haar dienares legde de sieraden klaar die ze straks bij haar trouwgewaad zou dragen. Zeven armbanden, vier of vijf halskettingen, twee gouden haarkammen met pareltjes en rode veren. Geen ringen, alleen gekleurde lak over de nagels van de laatste drie vingers aan elke hand. Haar overige juwelen werden ingepakt, zodat dragers ze naar Jitsuma konden vervoeren.

Waarom zelfs in een protocol was vastgelegd welke sieraden ze moest dragen, was Mei Lin een raadsel. Niemand zou ze tijdens de ceremonie zien. Een ruime kap van rode zijde zou over haar hoofd worden getild, om pas na de voltrekking van het huwelijk weer te worden weggenomen.

De reiger in de tuin kwam in beweging, alsof hij iets zag. Ze zou hem missen als ze in Jitsuma was.

'Yuan-sa?' Xiao Ning dook naast haar op in haar gebruikelijke livrei met de Witte Lelie, maar met een ongebruikelijke glimlach op haar gezicht. Ze had wallen onder haar ogen. De komst van het nieuwe jaar werd kennelijk ook in visserskringen goed gevierd.

De reiger dook weer ineen aan de vijverrand. Loos alarm blijkbaar.

Mei Lin zuchtte. 'Is het al tijd?' Ze wist niet waar ze meer tegen opzag: de bruiloft zelf of alle voorbereidingen.

Xiao Ning boog het hoofd en gebaarde naar de kaptafel. Xi Wei stond ernaast, glimlachend als een moeder op de bruiloft van haar oudste dochter. Midden op tafel stond een doosje van rode keramiek. Het deksel was opzijgelegd, de inhoud schitterde in het licht van de kaarsen: gouden gezichtsverf.

'Is het naar uw wens, Yuan-sa?'

Mei Lin knikte sprakeloos. Haar blik leek vastgeklonken aan dat verfdoosje. Jonge meisjes – degenen die oud genoeg waren om gezichtsschilderingen te mogen dragen – verlangden naar dat goud. Er was maar één gelegenheid waarbij die verf werd gedragen.

Xi Wei schraapte haar keel. 'Als u me wilt excuseren, Yuan-sa.'

Mei Lin knikte en de oudere vrouw verliet het vertrek. Zo had ze het van tevoren afgesproken. Het laatste wat ze wilde was een stel kwebbelende dienstmeiden om zich heen terwijl ze zich gereedmaakte. Xiao Ning alleen was meer dan genoeg.

Nog eenmaal keek ze over haar schouder naar beneden. De reiger was verdwenen.

Ze duwde zich af van de vensterbank.

Eerst wreef Xiao Ning haar haar en lichaam in met oliën die naar jasmijn en lotusbloesem geurden. Vervolgens moest haar haar gekamd en opgestoken worden. De gezichtsschildering werd aangebracht met een fijn penseeltje. De sieraden die Xi Wei had klaargelegd, moesten worden omgehangen. En alles diende klaar zijn als het Uur van het Paard sloeg. Dan zou een escorte haar ophalen om haar naar haar bruidegom te brengen.

Xiao Ning werkte met een ingespannen trek om haar mond. Ze gunde zich – gelukkig – niet eens de tijd om veel te praten.

Ze was juist begonnen de eerste streng van Mei Lins haar strak te trekken om die op haar hoofd vast te zetten, toen zware voetstappen in de hal de komst van een bezoeker aankondigden. Een man met een krijgerknot kwam het vertrek binnen en boog. 'Yuan-sa.'

Mei Lin had hem nooit eerder gezien. Waarom had Zhou Ren hem zonder haar toestemming binnengelaten? Ze onderdrukte haar ergernis en zei: 'Ja?'

De man kwam overeind. 'Uw lijfwacht, heer Sun, heeft me gezonden. U zou hem vandaag zijn contract geven, maar hij is helaas verhinderd. Hij verzoekt u, met alle respect, zijn contract aan mij af te geven.'

Even staarde Mei Lin hem sprakeloos aan. Toen sprong ze op. De streng haar in Xiao Nings hand trok pijnlijk strak. Was Shula helemaal gek geworden? Met alle respect! Hij wist waarom ze hem had ontboden, waarom nu. Dit zou de laatste keer zijn dat ze elkaar zagen. Hoe haalde hij het in zijn hoofd een ander te sturen? Hoe waagde hij het haar dit afscheid te ontzeggen?

'Is hij in het paleis?' vroeg ze.

'Jazeker, Yuan-sa.'

Mei Lin haalde diep adem. Met de grootste moeite dwong ze zichzelf tot kalmte. 'Je kunt gaan,' zei ze tegen de krijger. 'Als heer Sun zich verwaardigt hier zelf te verschijnen, zal ik hem zijn contract geven. Anders niet. Zeg hem dat maar.'

'Zoals u beveelt, Yuan-sa.' De man boog opnieuw en verliet het vertrek.

Met een ruk draaide Mei Lin zich om.

Kalmte.

Goden!

Ze liep terug naar het raam en boog zich over de vensterbank. Buiten was het licht geworden.

Shula zou niet komen. Hij gaf blijkbaar alleen om dat verdomde protocol.

Nee, dat was niet waar. Hij gaf om haar. Ze had het steeds in zijn ogen gelezen, nog voor ze geweten had wat het betekende. Hij had haar slechts de pijn van een definitief afscheid willen besparen; bezorgd om haar, altijd om haar, zelfs als hij haar wilde verlaten.

Ze moest hem zien. Ze zou haar huwelijk met Akechi verduren, voor haar vader en Yuan, omdat híj dat van haar verlangde. Maar ze kon er niet aan beginnen voor ze waardig afscheid van hem had genomen. Hun laatste ontmoeting – hun ruzie – echode nog door haar hoofd. Dat kon niet haar laatste herinnering aan hem zijn.

'Yuan-sa?' Xiao Ning kwam aarzelend naderbij. 'Yuan-sa, wilt u dat ik verderga met uw schildering? Er is nog zo veel te doen en u hebt me uitdrukkelijk opgedragen dat alles gereed moet zijn – dat u onder de kap moet zitten – als het escorte u komt halen.'

Mei Lin draaide zich om. 'De kap!' Ze wurmde zich langs haar dienares en rende naar de rode kap. Er was een driekantige, zijden sluier aan bevestigd, die voor haar gezicht zou vallen. Geestdriftig wenkte ze haar dienares. 'Kom hier, Xiao Ning! Snel! Geef me je tuniek!'

Verbijsterd bleef Xiao Ning staan. 'Mijn tuniek? Vergeef me... Wat wilt u met mijn tuniek, Yuan-sa?'

'Me verkleden, natuurlijk!' riep Mei Lin ongeduldig. 'Ik moet Shu-la zien. Ik zal me als dienares verkleden, zoals we eerder hebben gedaan. Jij zult hier wachten, onder de kap, voor het geval er toevallig iemand binnenkomt. Niemand zal het verschil tussen ons beiden opmerken.'

Xiao Ning trok wit weg. Haar mond bewoog zonder geluid voort te brengen. 'Nee!' fluisterde ze ten slotte. Het was een teken van haar schok dat ze dit protest durfde te uiten.

'Wat?' vroeg Mei Lin, één wenkbrauw opgetrokken.

Het meisje knipperde verwoed met haar ogen om haar tranen tegen te houden. Tevergeefs. 'Alstublieft, Yuan-sa!' snikte ze. 'Vraag dit niet van me.'

Mei Lins mond viel open. 'Wát?'

Het meisje jammerde en zonk op haar knieën. 'Alstublieft, Yuan-sa! Ga niet! Heer Sun is slechts een ongehoorzame dienaar. Laat andere dienaren met hem afrekenen! Alstublieft, Yuan-sa, blijf hier!'

Mei Lin kon haar oren niet geloven. 'Je tuniek!' commandeerde ze. Had iedereen om haar heen plotseling besloten haar bevelen te negeren?

Kalmte.

Ze kleedden zich in stilte om, zo stil als het tenminste kon zijn met Xiao Nings constante gesnik op de achtergrond. Mei Lin trok de kammen uit haar haar en liet haar dienares het snel kammen, zodat het glanzend en steil over haar schouders viel. Ze was blij dat ze nog niet aan de gezichtsschildering toe waren gekomen. Als laatste wisselden ze van schoeisel. Mei Lin miste onmiddellijk haar zachte muiltjes, maar Xiao Nings rieten slippers waren in ieder geval minder vervelend dan de kriebelwol van het rode dienstgewaad.

Ze keek in de spiegel om haar vermomming te inspecteren. Mei Lin herinnerde zich hoe ze zich de vorige keer had voorgesteld dat ze een Yamatanese kraai was die ongezien door het paleis kon sluipen. Nu begreep ze waarom de vrouw met het knotje haar direct had opgemerkt: ze stond te recht. Ze had het air van een edelvrouw, zelfs in rode dienstkledij en op burgersandalen. Daar moest ze iets aan doen als ze ditmaal zonder problemen haar doel wilde bereiken.

'Rechtop staan,' zei ze tegen haar dienares. Xiao Ning schoot verschrikt overeind. 'Luister,' zei Mei Lin. 'Ik ben terug voor het escorte komt. Maar als er eerder iemand binnenkomt...'

'Yuan-sa!' kermde Xiao Ning. 'Zeg dat niet, alstublieft!'

Mei Lin greep haar bij de schouders. 'Luister! Ik heb geen keuze. Ik moet Shula zien! Als er iemand binnenkomt, vraag je – nee, beveel je – die persoon in het voorvertrek te wachten. Ga dan naar het dienstvertrek en trek een van je eigen tunieken aan. Daarna verlaat je het paleis via de dienstgang. Ga naar je visser. Ik zal ervoor zorgen dat je je contract opgestuurd krijgt, ondertekend en wel. Wat je ook doet, wacht niet tot ze je hier ontdekken en kom ook niet terug om mij te zoeken! Hoor je me, Xiao Ning?'

Het meisje knikte. 'Ja,' stamelde ze, haar stem verstikt door haar tranen. 'Jawel, Yuan-sa.'

'Zweer het.'

'Bij mijn voorouders en de goden, Yuan-sa, ik zweer het. Ik zal u niet zoeken.'

Mei Lin bleef haar even aankijken om er zeker van te zijn dat haar woorden waren doorgedrongen. 'Goed,' zei ze. Ze hielp Xiao Ning de rode kap opzetten. 'Maak je geen zorgen, ik ben terug voor je er erg in hebt.'

Xiao Ning knikte, maar Mei Lin vond dat niet erg overtuigend. Trillend nam het meisje plaats op de stoel voor de spiegel.

Mei Lin pakte Shula's contract en ging op weg.

Sun Shula was een onbereikbare man. Als de dochter van de machtigste man in het rijk had Mei Lin dat geweten. Een persoonlijke lijfwacht had bepaalde rechten, maar hij bleef een lijfwacht, een dienaar, met wie ze nooit meer dan dat kon delen. Nu ontdekte ze dat die onbereikbaarheid zich ook op andere manieren manifesteerde. De meisjes van het paleis waren druk met de voorbereidingen voor haar huwelijk, maar ook als ze tijd voor haar hadden, wisten ze niet waar ze Shula kon vinden. Mannelijke dienaren weigerden simpelweg antwoord te geven als ze naar hem vroeg. Een meisje mocht de Witte Lelie op haar tuniek dragen, maar dat betekende niet dat ze zomaar toegang had tot andere dienaren in het paleis, laat staan tot de keizerlijke lijfwachten.

Ze dwaalde door de paleisgangen, waar wachters in het zwart al haar bewegingen nauwlettend volgden. Ze zag dienaressen die druk bezig waren de vloer nog eens te vegen, alsof die alweer vies had kunnen worden in de paar uur die waren verstreken sinds de grote schoonmaak voor het nieuwjaarsfeest. Ze zag jongetjes die de lantaarns bij de ramen bijvulden, en mannen die houten kisten door de gangen droegen. Maar niemand kon haar zeggen waar Shula was.

Uiteindelijk besloot ze het enige voordeel te benutten dat ze binnen de muren van het paleis had: zichzelf. Ze ging naar de grote hal. Als Shula ergens aan het werk was, zou hij daar langs zijn gekomen. Keizerlijke lijfwachten vervulden soms wachtdiensten, als ze elders niet nodig waren.

'Vergeef me, heer,' zei ze tegen een van de wachters. 'Ik heb een boodschap van de Yuan-sa voor meester Sun Shula. Kunt u me zeggen waar ik hem kan vinden?' Ze probeerde beschroomd naar de grond te staren, zoals dienaressen deden, maar tussen haar wimpers door probeerde ze het effect van haar woorden in te schatten.

De man keek haar scheef aan. Zijn ogen bleven op de Witte Lelie op haar borst rusten. 'Wat voor boodschap?'

Mei Lin schoof met haar voet over de grond, alsof ze aarzelde. 'Dat is vertrouwelijk, heer. Alstublieft, als u me zegt waar ik meester Sun kan vinden...'

De man haalde zijn schouders op. 'Je kunt hem niet bezoeken, popje. Geef mij je boodschap maar, dan zal ik die aan hem doorgeven.'

Mei Lin stikte bijna van verontwaardiging. Pópje? 'Hebt u me niet gehoord?' zei ze, terwijl ze zich in haar volle lengte oprichtte. 'De boodschap is vertrouwelijk! Zeg me nu alstublieft waar meester Sun is!'

De wachter was niet in het minst onder de indruk. Smalend lachte hij zijn scheve tanden bloot. 'Het spijt me, popje. Je wordt daar niet zomaar toegelaten.'

'Waar niet toegelaten?'

De man rolde met zijn ogen. 'Je bent wel volhardend, hè? Vooruit dan! Een van de keizerlijke lijfwachten was ziek en meester Sun valt voor hem in. Hij staat op wacht in de privévertrekken van de keizer... Ho ho, wacht even!' riep hij, toen Mei Lin zich al omdraaide. 'Je kunt daar niet naartoe!'

Mei Lin zuchtte, haar vermomming vervloekend. 'Het is erg belangrijk, heer,' probeerde ze opnieuw. 'Het is een boodschap van de Yuan-sa zelf! Ze zal zeer ontstemd zijn als ik die niet netjes overbreng.' Dat moest toch enig effect hebben! Iedere dienaar vreesde de toorn van de keizerlijke familie.

De wachter haalde zijn schouders op. 'Als ik je daar toelaat, krijg ik problemen met mijn meerderen. Het spijt me, popje.'

'O,' zei Mei Lin, 'dus u trotseert liever de woede van de Yuan-sa? U bent een dapper man, heer! Wat is uw naam? De Yuan-sa zal willen weten wie er zo moedig is dat hij haar niet vreest.' Dat kwam er verkeerd uit. Helemaal niet zoals een dienstmeid het zeggen zou. Veel te autoritair. Nu zou hij haar wegsturen, of erger...

'Eh...' mompelde hij. 'Ik kan natuurlijk kijken of ik heer Sun niet even voor je kan halen. Dan kun je je boodschap hier aan hem geven en hoeven we de Yuan-sa niet te ontstemmen. Wacht, ik ga meteen.'

Haar dreigement moest de man werkelijk angst hebben aangejaagd, want hij was terug voor Mei Lin ongeduldig kon worden, met veel glimlachjes en het verzoek of ze de Yuan-sa toch vooral wilde zeggen hoe goed en snel hij haar geholpen had. Mei Lin besloot maar niet te zeggen dat ze zijn naam nog steeds niet kende.

De man die achter de wachter aan kwam, was niet zo snel onder de indruk van de Yuan-sa of haar woedeaanvallen. Shula, haar Shula. 'Mei...!' riep hij uit terwijl hij op haar af schoot. Toen zag hij haar kleding en bedacht zich: 'U... Jij... Wat doe jij hier, eh...?'

'Yulan,' zei Mei Lin. Het was de eerste naam die in haar hoofd opkwam. 'De Yuan-sa stuurt me. Ze heeft een boodschap voor u.'

Shula staarde haar slechts aan.

'Een vertrouwelijke boodschap, heer,' probeerde ze.

Shula zei niets. Wat ging er in hem om? Uit zijn blik kon Mei Lin niets opmaken.

'Heer?'

'Ah... Juist. Een boodschap,' mompelde hij eindelijk. 'Kom maar mee, eh... Yulan, was het?'

Mei Lin wilde hem voorgaan een zijgang in, maar hij greep haar arm en trok haar de trap op naar de eerste verdieping. Hij liep verder tot ze heel ver weg waren van de grote hal en de wachter die hen verbijsterd nastaarde, tot hij een zijgang vond die niet door wachters werd bewaakt en waar ze helemaal alleen waren. Toen pas draaide hij zich naar haar om.

'Bent u gek geworden, Mei Lin-sa?' riep hij. Zijn woede was blijkbaar zo hevig dat hij voor eenmaal het protocol vergat en precies zei wat er in hem opkwam. 'Hoe haalt u het in uw hoofd er zo bij te lopen? Stel dat de Yuan-tse u zo ziet! Of uw broer? Wat bezielt u, Mei Lin-sa?'

Mei Lin trok zich los uit zijn greep. Zijn vingers hadden blauwe plekken op haar arm achtergelaten, maar ze zei er niets van. Ze tastte in haar zak naar Shula's contract. Het gaf haar steun, op een vreemde manier. Alsof het papier haar verbond met de werkelijkheid. Een werkelijkheid die ze niet wenste, maar waaraan ze toch diende vast te houden. Omwille van de Yuan-tse, omwille van het rijk. Omwille van haarzelf. Maar een werkelijkheid die zo gemakkelijk wegglipte als Shula in haar buurt was.

'Ik wilde je zien,' zei ze.

Shula lachte, maar het was een verbijsterde lach, zonder een spoor van vreugde. 'U wilde mij zien?' herhaalde hij.

'Ja! Is dat zo gek?'

'En dus trok u het kleed van een dienstmeid aan om me te zoeken?'

'Ja!' riep Mei Lin uit. Hoe waagde hij het haar zo te kleineren! 'Wat moest ik anders, Shula-tse? Je verscheen niet op onze afspraak! Hoe haalde je het in je hoofd om een ander te sturen? Je weet toch dat ik vandaag vertrek?'

De man waagde het te zuchten. 'Ik kon niet komen, Mei Lin-sa. Ik had wachtdienst, er was iemand uitgevallen. Op een dag als vandaag zijn alle veiligheidsmaatregelen aangescherpt. Ik ben verbaasd dat u langs alle wachters hebt weten te komen.'

Mei Lin haalde haar schouders op. 'Zhou Ren heb ik de hele dag nog niet gezien en niemand anders herkent me in deze vermomming. Maar als je gewoon naar onze afspraak was gekomen... En bespaar me je praatjes dat je niet weg kon! Je bent nu toch hier?'

Shula zuchtte opnieuw. Hij duwde een hand op zijn zwaardgevest, alsof hij daar steun zocht. 'Ik ging ervan uit dat u druk zou zijn met de voorbereidingen van uw huwelijk. Ik nam aan dat ik mijn contract van een dienares zou krijgen. Ik wist niet dat het zo belangrijk was.'

'Dat had je moeten weten!' Mei Lin schrok van de woede in haar eigen stem. Shula zweeg abrupt. Even staarden ze elkaar aan. 'Dat had je moeten weten,' zei ze nogmaals.

Goden! Ze zou zichzelf ombrengen als ze nu begon te huilen. Xiao Ning moest haar gezichtsverf nog aanbrengen. Er zou niets mee te beginnen zijn als haar ogen rood en gezwollen waren.

Shula boog zijn hoofd. 'Ik wist het.'

Mei Lin knipperde met haar ogen. 'Wat?'

'Ik wist het,' zei Shula zacht. 'Daarom kwam ik niet.' Hij was bleek geworden van woede. 'Mei Lin-sa, u bent verloofd met heer Akechi Sadayasu van Yamatan. Uw huwelijk zal de vrede tussen zijn land en het onze bezegelen. Uw aanzien hangt af van wat er vandaag gebeurt, begrijpt u dat niet? Wilt u uw eer in de waagschaal stellen door mij in uw vertrekken uit te nodigen, of door in deze vermomming door het paleis te sluipen? En om wat? Een afscheid?' Hij spuwde het woord uit alsof het een vloek was.

Verbijsterd staarde Mei Lin hem aan. 'Shula-tse!'

'Ik heb uw goede naam altijd beschermd! Vertrouwt u niet op mijn oordeel? De gebeurtenissen van vandaag zullen de toekomst van Yuan voorgoed veranderen, en u mag hun beloop niet in gevaar brengen!'

'Shula-tse!'

Het kostte hem zichtbaar moeite zich te beheersen. Zijn handen trilden, hij balde ze tot vuisten naast zijn lichaam. Langzaam liet hij zijn adem ontsnappen. Mei Lin zag de woede uit zijn lichaam wegeb-ben, maar niet uit zijn ogen. Zijn ogen spoten vuur en ze kon het niet opbrengen ernaar te kijken.

'Shula-tse,' fluisterde ze. 'Shula-tse, alsjeblieft... vergeef me.'

Hij zuchtte en legde een hand op haar schouder. Voorzichtig waagde ze een blik omhoog. Op Shula's gezicht lag nu iets verscholen wat ze niet kon plaatsen, een emotie die te diep was verborgen om haar te kunnen herkennen. 'U moet gehoorzaam zijn,' zei hij. 'Voor Yuan.'

'Voor Yuan,' herhaalde ze. Tot haar schaamte was haar stem door-drenkt van de tranen, die ze niet langer kon tegenhouden. 'Voor Yuan! Geef je dan niets om mij, Shula-tse?'

Hij trok haar zo plotseling in zijn armen dat Mei Lin ervan schrok. Hij moest haar hebben willen troosten, maar zijn plotselinge nabijheid maakte alleen maar dat ze nog harder begon te huilen. 'Ik geef wel om u, Mei Lin-sa,' fluisterde hij in haar haar. 'Meer dan u ooit zult weten. Ik probeer u alleen maar te beschermen. Uw eer mag niet worden ge-schonden. Door niets en niemand, maar bovenal niet door uzelf.' Mei Lin wist niet zeker of het wel de bedoeling was dat ze hem verstond. Ze verborg haar gezicht nog dieper in zijn gewaad. Zijn geur omgaf haar als een nevel waarin niemand kon doordringen. Ze was veilig in die geur. Onzichtbaar.

Ze voelde hem bewegen en verschoof haar hoofd een beetje, zodat ze hem kon aankijken. Ze waren alleen in de gang, helemaal alleen.

Het zou zo gemakkelijk zijn om te vergeten...

Er veranderde iets in zijn blik. Zijn handen gleden van haar schouders, langs haar hals omhoog. Hij deed haar pijn, zijn greep was te strak, maar ze wilde niet dat hij los zou laten.

'Shula-tse...' begon ze.

Op dat moment begonnen de alarmklokken te luiden.

Shula liet haar los. Hij liep de gang door, naar waar het geluid vandaan kwam. In de richting van de trappen. Wachters met getrokken zwaarden, die uit de andere gang kwamen, renden langs hem heen. Een van hen bleef staan en keerde zich naar hem om. 'Meester Sun? Alle wachters worden bijeengeroepen. Komt u mee!'

Mei Lins hart bonkte in haar keel. 'Wat is er aan de hand? Akechi...? Je hebt mijn boodschap toch doorgegeven, Shula-tse?'

Shula schudde zijn hoofd, zijn hand al op het gevest van zijn zwaard. 'Dit heeft niets met Akechi te maken.' Hij draaide zich om naar de wachter. 'Ik kom eraan.' Toen liep hij terug naar Mei Lin. 'Ga naar het balkon van de feestzaal en wacht daar op mij,' fluisterde hij. 'Ik ga uitzoeken wat er aan de hand is.'

'Het balkon?' herhaalde Mei Lin verbaasd.

Shula knikte. 'Ik weet niet wat er gaande is, maar als er...' Hij zweeg.

Mei Lin fronste. Waarom aarzelde hij? 'Shula-tse?'

'Als er verraders in het paleis zijn – moordenaars – en ze hebben het op u gemunt, dan zullen ze eerst in uw vertrekken zoeken. Ze zullen nooit op het balkon kijken, daar bent u veilig.'

Mei Lin stond als aan de grond genageld. 'Shula-tse, ik kan je toch niet alleen laten? Stel dat je iets overkomt? Wat moet ik doen als jij...'

Hij glimlachte, ondanks de ernst in zijn ogen. 'Ik ben een lijfwacht, Mei Lin-sa, ik red me wel. Ga nu en vertrouw niemand! Ik kom zo snel als ik kan.'

Ze greep zijn hand. 'Shula-tse! Laat me niet alleen! Stel dat ik iemand tegenkom?'

'Hier.' Hij reikte onder zijn mantel en gaf haar een mes – bijna zo lang als een dolk – met een heft van rood leer en drie symbolen in het lemmet gegraveerd. 'Maar u zult het niet nodig hebben. Ik zal er zijn voordat...'

Zijn woorden stierven weg, maar Mei Lin knikte. 'Ik wacht op je,' zei ze.

Shula draaide zich om en rende de gang uit, gevolgd door meer wachters in dreigend zwart. Mei Lin staarde hem na tot hij om de hoek was verdwenen, haar hand wanhopig om zijn mes geklemd. Toen begon ze zelf te rennen.

18

Verdronken vlinders

Xiao Nings sandalen waren niet gemaakt om op te rennen, maar Mei Lin durfde niet stil te blijven staan om ze uit te trekken, bang dat ze de moed zou verliezen om weer in beweging te komen.

Dienaressen renden langs haar heen. Alle vrouwen hadden dezelfde verloren uitdrukking op hun gezicht, sommige bleven staan en riepen luidkeels om hulp, terwijl andere huilend in de richting renden waar zij vandaan kwam. Ze onderdrukte de neiging om een van hen aan te klampen om te vragen wat er aan de hand was.

Ze moest in beweging blijven!

Ze drong zich door de menigte, langs een lijfwacht die gespannen de gang afspeurde. Haar hart sloeg over, maar het was Shula niet. Deze man had ze niet eerder gezien. 'Vertrouw niemand', Shula's woorden. Ze rende verder, een zijgang in die haar sneller naar het balkon van de feestzaal zou brengen. Hier waren minder dienaressen, maar ze hoorde nog steeds het hoge gegil achter haar. Nu en dan rende een groepje wachters met dreunende voetstappen door de gang, de zwaarden getrokken om een onbekende vijand te verjagen.

En boven alles uit galmden de alarmklokken in een misselijkmakend samenspel. De enige keer dat Mei Lin die klokken had gehoord, was toen Wen De voor de grap aan het koord had getrokken, toen zij nog klein was en hij een jongeling. Ze hadden er de grootste lol om gehad, tot een wachter hen had ontdekt. Shula had een tiendag lang geen vriendelijk woord voor haar overgehad. Maar ditmaal was er niets grappigs aan.

Het balkon. Shula had gezegd dat ze daar veilig zou zijn. Shula zou haar daar komen halen.

Vóór haar bleven de paar dienaressen die ook door deze gang liepen, plotseling staan. Ze zag het zwart van een uniform en hoorde een lage stem: 'Waar dachten jullie naartoe te gaan?'

'Vertrouw niemand', had Shula gezegd. Zonder nadenken sloeg Mei Lin een nieuwe zijgang in.

'Hé, jij!'

Ze zette het op een lopen. Zijgang na zijgang, tot ze zelf niet meer wist waar ze zich bevond. De stem achter haar verstomde. Ze bleef staan en luisterde, maar er klonk geen gegil meer; ze hoorde geen voetstappen, enkel het galmen van de alarmklokken. Ze was helemaal alleen.

Ze bereikte het einde van de gang en besefte dat die uitkwam op de hal voor haar vertrekken; in haar paniek was ze naar de westvleugel teruggekeerd. De hal was vreemd genoeg verlaten. Ze zag geen dienaressen, geen wachters.

Ze kon niet terug. De wachter die haar had achtervolgd, zou haar tegenhouden. De enige andere weg naar het balkon van de feestzaal leidde langs haar vertrekken. Maar als iemand het op haar had gemunt, zouden ze haar daar zoeken.

Mei Lin bad tot de goden dat er een andere reden voor de klokken was. Misschien was het Wen De. Misschien haalde hij dezelfde grap uit als indertijd, ter ere van haar huwelijk. Misschien...

Ze bleef in de schaduwen en smeekte de goden dat niemand haar in deze vermomming zou herkennen. Ze hield haar blik op de grond gericht, haar gezicht verborgen achter haar haren. Ze was een dienstmeid, gewoon een dienstmeid. Haar sandalen klapten met iedere stap op de tegels en het geluid deed haar ineenkrimpen.

Ze passeerde de ingang naar haar vertrekken en durfde niet eens adem te halen.

De klokken sloegen zo luid, dat het haar duizelde.

Ze was een dienstmeid, gewoon een dienst...

Uit de doorgang naar haar vertrekken schoot iemand tevoorschijn. Voor ze kon reageren, werd er een hand voor haar mond geslagen en werd ze naar achteren getrokken, het gangetje in. Mei Lin slaakte een gil, die door de hand werd gesmoord. Ze probeerde uit te halen met Shula's mes, maar het lemmet gleed weg. De handen die haar vasthielden, verdwenen. Ze verloor haar evenwicht, haar hoofd klapte tegen een muur en ze viel op de grond. Ze grabbelde naar het mes, maar een geveterde laars schopte het van haar weg.

'Goden!' schold ze.

Haar belager stapte achteruit. 'Vergeef me, Yuan-sa.'

Verbijsterd keek Mei Lin op. Naast haar stond Cang Lu.

Ze greep haar mes terug en sprong overeind. 'Wat doe jij hier? Ben je niet goed bij je hoofd? Wat zal mijn broer denken als hij jou hier ziet? Wil je ons beiden verdacht maken?'

'Uw broer weet alles al,' zei hij met een gezicht dat angstwekkend kalm was. 'Vrouwe Teishi heeft uw brief gevonden en hem alles verteld. Ik kwam om u te waarschuwen, Yuan-sa. U moet hier weg.'

Mei Lin lachte verbijsterd. 'Weg? Ik moet naar Shula. Hij wacht op het balkon van de feestzaal. Als jij me niet had tegengehouden, was ik al bij hem geweest!'

Cang Lu schudde zijn hoofd. 'Toen ik deze kant op kwam, zag ik twee wachters bij de toegang tot het balkon staan. Als hij daar is, kunt u niet meer bij hem komen. Yuan-sa, u moet het paleis uit.'

Even dacht Mei Lin dat ze hem verkeerd had verstaan. 'Het paleis uit?'

Cang Lu gaf geen antwoord. Hij bleef in de doorgang naar haar ontvangstruimte staan, alsof hij haar de weg wilde versperren. Waarom stond hij zo?

Ze liep naar de doorgang.

De jongen kromp ineen. 'Ga daar niet naar binnen, alstublieft!' Hij stak zijn hand naar haar uit, maar toen ze langs hem heen liep, hield hij haar niet tegen.

Mei Lin wist niet wat ze verwacht had. Alles, waarschijnlijk. Yamatanese kraaien, die door Akechi Sadayasu waren ingehuurd uit wraak om haar ontrouw. Haar vader, die had ontdekt wat er in de tuin met haar lijfwacht was gebeurd. Wen De, die zijn dienaar in haar voorportaal had geplaatst om haar schrik aan te jagen en die haar nu voorgoed naar de Qin Mi Shan zou sturen. Of Shula... Het was een gedachte achter in haar hoofd, waaraan ze zich wanhopig vastklampte. Shula, die toch naar haar vertrekken was gekomen omdat hij wist dat ze nooit naar zijn waarschuwingen luisterde. Shula, die het alarm in scène had gezet om haar mee te kunnen nemen, weg van hier, naar een plek waar ze voor altijd samen konden zijn.

Alles had ze verwacht. Maar niet dit.

'Xiao Ning,' fluisterde ze.

Ze had niet geweten dat het zo koud was. Ze voelde het nu, als duizenden naalden die zich ijskoud in haar lichaam boorden.

Buiten bij de paleisvijver krijste de reiger.

Langzaam, heel langzaam strekte Mei Lin een hand uit naar het meisje op haar tegelvloer. Het rode trouwgewaad, als een lijkwade om haar lichaam gedrapeerd, leek op de doordrenkte vleugels van een vlinder die in zijn eigen bloed was verdronken. Mei Lin tilde de sluier op om Xiao Nings gezicht te onthullen. Haar keel was doorgesneden, zo ver dat haar hoofd bijna van haar romp was gescheiden.

Geschokt bracht Mei Lin een hand naar haar eigen keel en slikte. 'Dat had ik moeten zijn,' fluisterde ze. 'Shula had gelijk.'

'Yuan-sa,' bracht Cang Lu uit. 'Yuan-sa, alstublieft!' Zijn toon was zo dringend dat Mei Lin knikte, al hoorde ze hem maar half.

Om de een of andere reden kon ze haar blik maar niet losrukken van het tafereel voor zich. Wanneer zou Xiao Nings huwelijk ook alweer voltrokken worden? Mei Lin kon het zich niet meer herinneren. Nu zou de visser vergeefs op zijn bruid wachten. 'Ze was bang,' mompelde ze. 'Ze smeekte me niet weg te gaan, haar niet hier in mijn plaats achter te laten.'

'Yuan-sa, u moet hier weg!'

Eindelijk lukte het haar naar Cang Lu om te kijken. Er was iets in zijn blik – in die vreemde, gouden ogen, als een vogel in het nauw – waardoor haar hart leek te struikelen. 'Wen De,' zei ze. Haar geest leek in watten gewikkeld. Ze kon niet verder denken dan die naam. 'Het was Wen De.'

Het kon niet anders. Cang Lu wilde haar het paleis uit hebben, Shula had haar opgedragen zich schuil te houden. De moordenaar moest iemand zijn die na een mislukte aanslag een tweede poging kon wagen, iemand met macht in het paleis. Het was haar broer. Zíjn wraak.

Cang Lu bewoog niet. Hij stond daar slechts als de vogel wiens naam hij droeg, en keek haar aan alsof hij ergens op wachtte.

De alarmklokken zwegen eindelijk. En op dat moment overviel het besef haar met zo'n verpletterende vaart dat Mei Lin even vergat hoe ze moest ademen.

'Nee,' zei ze. Maar tegelijkertijd wist ze dat het waar was. Wen De had niet geprobeerd haar te vermoorden omdat zij hem had afgeluisterd, niet omdat ze wist dat hij Akechi Sadayasu wilde laten ombrengen om Yamatan de oorlog te verklaren. Hoe kon hij die plannen immers uitvoeren zolang zijn vader keizer was? De Yuan-tse zou nooit toestaan dat Wen De zijn nauwkeurig geconstrueerde vrede dwarsboomde. O nee... Wen De wilde haar uit de weg hebben omdat ze de Yuan-sa was, de dochter van de keizer, en na hun vaders dood de enige die zijn plannen nog in de weg zou staan. Hun vaders dood...

Cang Lu raakte haar hand aan. 'Het spijt me, Yuan-sa... Yuan-sa!'

Mei Lin had zich omgedraaid. Ze wist niet zeker wat ze van plan was, alleen dat ze met haar eigen ogen moest zien wat ze al wist.

De jongen bewoog als een pijl uit de boog. Hij greep haar bij de schouders en duwde haar tegen de wand. Voor zo'n tenger joch bezat Cang Lu verbazingwekkend veel kracht. 'Er is geen tijd meer!' Cang Lu stapte achteruit, maar zijn blik hield haar vastgepind. 'U moet het paleis uit en snel, voordat iemand u opmerkt. Het is al erg genoeg dat u door de grote hal moet gaan en over het plein, waar iedereen u zal zien. Maar als u nu naar de vertrekken van de Yuan-tse gaat, waar het wemelt van de wachters... en waar uw broer zich bevindt...'

Mei Lin wist dat hij gelijk had. Ze kon niet naar haar vaders vertrekken, zoals ze ook de tijd niet had om Shula te zoeken. De wachters waarschuwen was net zomin mogelijk, want hoe wist ze wie aan haar broer gehoorzaamde? Wen De had haar alles ontnomen, ze stond er helemaal alleen voor.

Nee, niet helemaal alleen... Ze had een jongen met reigerogen en blauw haar, die nauwelijks tot haar schouder reikte. Wen De's jongen.

Met moeite onderdrukte ze een bibberige lach.

Ze schopte Xiao Nings slippers weg, ging haar slaapvertrek binnen en trok haar eigen zachte muiltjes aan. Geen enkele dienstmeid droeg schoenen van Nang Shi-zijde, maar stilte was nu belangrijker dan haar vermomming.

'We hoeven niet over het plein,' zei ze, 'of door de grote hal. Ik weet een andere weg.' In gedachten dankte ze Xiao Nings geest, die haar die geheime gang achter een tapijt in had getrokken om Akechi te ontlopen.

19

De geheime gang

De hal voor haar vertrekken was nog steeds verlaten. Dat zinde Mei Lin maar niets. Waar waren de wachters die ze had zien rondrennen? Waar was Zhou Ren? Of zou Wen De haar lijfwacht ook hebben vermoord? Ze was bang dat zijn handlangers zich ergens schuilhielden tot zij tevoorschijn kwam.

Cang Lu bleek hetzelfde te denken. 'We nemen de dienstgangen,' zei hij en hij trok haar een nis in die helemaal geen nis bleek te zijn, maar de toegang tot een smalle doorgang die van haar vertrekken wegleidde. Het was er donker, omdat er geen lantaarns hingen, en er waren zo veel zijgangetjes dat Mei Lin al snel de kluts kwijt was. Ze had nooit geweten dat er zo'n doolhof in het paleis verstopt zat.

Nu de alarmklokken zwegen, was het doodstil. Ze wenste dat ze het rumoer van zo-even weer zou horen, het geschreeuw van de dienaressen, de rennende wachters. Als ze zich in zo'n chaotische menigte voortbewogen, waren ze twee van de velen. Hier klonk zelfs haar ingehouden adem luid. Plotseling vroeg ze zich af of het wel zo'n goed idee was geweest om deze smalle gangetjes in te slaan. Als ze Wen De's handlangers hier tegenkwamen, was er geen mogelijkheid om hen te ontwijken.

Ze balde haar handen tot vuisten en dwong zichzelf vooruit. Haar vingers klemden zich om het heft van Shula's mes, in de zak van haar livrei. Ze waren twee dienaren, gewoon twee dienaren, die altijd van deze gang gebruikmaakten. Niemand zou hen tegenhouden.

'Als we die geheime gang van u hebben bereikt,' fluisterde Cang Lu, terwijl ze een hoek omsloegen, 'blijf ik daar achter, Yuan-sa.'

Geschokt draaide ze zich om, maar voor ze kon spreken, greep hij haar hand en hief waarschuwend zijn vinger op. Aan het einde van de gang was een smalle trap, die naar beneden leidde. Ze hoorde stemmen. Twee mannen, op zijn minst.

'Wacht hier,' fluisterde Cang Lu. Voor ze hem kon tegenhouden, glipte hij langs haar heen, de trap af.

Met bonkend hart knielde Mei Lin bij het trapgat. Ze verbaasde zich erover hoe gemakkelijk ze de opdrachten van deze jonge dienaar opvolgde. Hij kon toch niet werkelijk bedoeld hebben dat ze zonder hem het paleis moest verlaten?

Van beneden hoorde ze een van de stemmen: 'Waar kom jij vandaan?'

'Deze gang is afgesloten,' sprak de andere, 'op last van heer Yuan.'

Mei Lin hield haar adem in.

'Ik ben zijn dienaar, heer,' zei Cang Lu. Ze kon zich voorstellen hoe hij zijn hoofd gebogen hield, terwijl hij door zijn wimpers de mannen in de gaten hield.

De eerste man antwoordde iets wat Mei Lin niet kon verstaan.

Cang Lu schraapte zijn keel. 'Vergeef me, heer, maar dat doet er niet meer toe. Heer Wen De roept iedereen op naar de grote hal te komen voor nieuwe orders.'

Mei Lin duwde haar nagels in haar handpalm en bad de goden dat de mannen Cang Lu zouden geloven. Een van de mannen lachte schamper. 'Waarom stuurt hij jou met zo'n mededeling en niet een gardist?'

'Dat zult u hem zelf moeten vragen als u in de grote hal bent, heer,' zei Cang Lu. Er klonk enige irritatie onder zijn beleefdheidsvormen. 'Tenzij u niet gelooft dat ik door hem ben gestuurd.' Het was knap gedaan, besefte Mei Lin. Zo zou een dienaar aan wiens trouw werd getwijfeld inderdaad klinken.

'Iedereen weet dat jij heer Yuan en zijn echtgenote dient, blauwe jongen,' zei de eerste man. De twee mannen mompelden nog wat, te zacht om het boven aan de trap te kunnen verstaan, en toen hoorde Mei Lin voetstappen die zich verwijderden.

Cang Lu's gezicht verscheen in het trapgat. 'Vlug!' zei hij. 'Voor ze ontdekken dat er helemaal geen bijeenkomst in de grote hal is.'

Ze haastte zich naar hem toe.

'Wat bedoelde je daarnet?' vroeg ze, terwijl ze verder door het netwerk van dienstgangen slopen. 'Waarom verlaat je niet samen met mij het paleis?'

Cang Lu had zijn gezicht van haar afgewend. Ze zag alleen zijn profiel en de schittering van een gouden oog. Hij zei: 'Ik heb geen contract. Uw broer heeft zijn Yamatanese krijgsgevangenen nooit een vrijbrief gegeven. Als ik probeer het paleis te verlaten, zal ik worden opgepakt. En als u op dat moment in mijn buurt bent...'

Ze hield haar adem in. 'Waarom...?' Maar de vraag bestierf op haar lippen toen ze opnieuw voetstappen hoorde. Veel voetstappen. Geschrokken keek Mei Lin Cang Lu aan.

'De dienstgangen reiken niet tot uw geheime uitgang,' fluisterde hij. 'We zullen een stuk door de hoofdgang moeten.' Hij wierp een blik om de hoek en wenkte haar. 'U gaat voor, Yuan-sa. Houd uw hoofd gebogen. Loop stevig door, maar ga niet rennen. Ik kom achter u aan. Als de goden ons gunstig gezind zijn, houdt niemand ons tegen.'

Mei Lin opende haar mond om te protesteren, maar Cang Lu gaf haar een duwtje, waardoor ze de hal in struikelde. Het eerste wat haar opviel was het licht van de lantaarns, dat haar bijna verblindde na de duisternis in de dienstgangen. Daarna zag ze de wachters. Ze stonden op hun gebruikelijke plekken, op de hoeken van de hal, maar ze leken oplettender dan gewoonlijk, alsof ze iemand zochten. Haar hartslag schoot omhoog. Er waren meer dienaressen in de hal. Ze telde er vijf. Ze liepen rustig, al zag Mei Lin een paar van hen schichtige blikken op de wachters werpen. Een zesde dienares kwam juist de hoek om en werd tegengehouden door een wachter. Het leek alsof hij haar ondervroeg. Mei Lins voeten leken aan de vloer genageld.

Ze merkte dat een van de andere wachters naar haar keek. Hij opende zijn mond...

Blijf in beweging.

Ze begon te lopen, haar hoofd gebogen zoals Cang Lu had gezegd. Ze voelde de ogen van de wachter op haar achterhoofd. De wachter op de hoek was nog in gesprek met de dienares en schonk geen aandacht aan haar. Ze sloeg de hoek om. Nog één hal voor ze de zijgang bereikte waar het tapijt hing. Er waren welgeteld vier wachters die deze hal in de gaten hielden. De vorige keer, met Xiao Ning, was er niemand geweest. Er waren geen andere dienaressen in de hal, niemand om de aandacht van haar af te leiden.

De eerste wachter kwam op haar af. Zijn grijze haar zat in een krijgerknot op zijn hoofd. 'Je naam?' vroeg hij.

Ze struikelde bijna over haar eigen tong. 'Wang Xiao Ning.'

Hij keek naar haar borst. 'De Witte Lelie. Je bent een eind verwijderd van de vertrekken van je meesteres, Wang-sa.' De beleefdheidsvorm klonk als een sneer. 'Heb je niet gehoord dat alle dienaren zich bij hun meester moeten melden?'

'Ik...' stamelde Mei Lin. 'Ik moet...'

De wachter trok een wenkbrauw op. 'O ja?' Hij gebaarde naar een van de andere wachters, een jongere man, die gedwee aan kwam lopen. 'Cai-tse, escorteer mevrouw Wang naar boven, wil je?'

Geschrokken deinsde Mei Lin achteruit. 'Nee!'

De jongere man greep haar bij de schouder en trok haar mee, in de richting van de zijgang, de snelste weg naar de grote hal en de trappen. Ze kon zich niet losrukken, de wachter was veel te sterk en zelfs als het haar lukte om weg te komen, waren er nog drie anderen die haar in de gaten hielden. Hij zou haar weer naar haar vertrekken brengen, waar Xiao Nings bebloede lichaam op ontdekking wachtte. En ze kon geen uitweg bedenken. Als Xiao Nings lijk was gevonden, zou ze naar Wen De worden gebracht.

Wen De.

De wachter liep op de zijgang af.

Op dat moment kwam Cang Lu achter haar de hoek om. 'De goden zij dank!' riep hij luidkeels. 'Wang-sa, ik heb je overal gezocht!'

De jonge wachter bleef staan.

Cang Lu kwam op hen af. 'Mijn meester wil je nu spreken!' zei hij, terwijl hij haar pols greep. 'Het heeft geen zin je voor hem te verstoppen! Hij weet alles al.'

Mei Lins mond viel open.

De oudere wachter keek Cang Lu onderzoekend aan. 'Jij bent de dienaar van heer Yuan en zijn echtgenote, nietwaar? Is er iets wat we voor hem kunnen doen?'

Cang Lu boog zijn hoofd. 'De dank van mijn meester is groot dat u deze meid hebt tegengehouden, heer. Hij verlangt niets meer van u. Ik zal haar wel mee naar boven nemen.'

De jongere wachter wierp hem een weifelende blik toe. 'Weet je zeker dat ik niet...?'

Cang Lu knikte. 'Mevrouw Wang zal nu kalm met mij meekomen, zoals het een dienares van de Yuan-sa betaamt. Of niet soms?' Hij gaf een ruk aan Mei Lins pols.

'Ja!' zei ze.

De wachter liet haar los. 'Zoals je wilt. Alle eer aan heer Yuan.'

Cang Lu kneep in Mei Lins pols, zo hard dat het pijn deed. 'Moge hij honderd jaren leven,' zei hij. Hij rechtte zijn rug en gaf opnieuw een ruk aan Mei Lins pols, zodat ze achter hem aan struikelde. 'Kom, Wang-sa. Mijn meester wacht!'

Ze liepen de zijgang in, alsof ze op weg waren naar de trappen. Hier stonden geen wachters, de goden zij dank. De wachters dachten blijkbaar dat het voldoende was om de gang aan beide zijden af te sluiten. Voor het tapijt bleven Mei Lin en Cang Lu staan, tot ze zeker wisten dat de wachters hen niet achternakwamen. Toen trok Cang Lu het tapijt opzij, zodat Mei Lin erlangs kon stappen.

De gang was nog steeds aardedonker, maar nu Mei Lin wist wat ze er kon verwachten, leken haar ogen sneller aan het duister te wennen. Ze begon te lopen. De gang maakte een flauwe bocht naar links. Alleen de luchtstroom die ze langs haar gezicht voelde strelen verzekerde Mei Lin ervan dat er een doorgang moest zijn. De muffe geur van steen werd steeds sterker. Eindelijk was er een bocht naar rechts en zag ze een dunne, flakkerende streep licht langs de rand van een deur. Ze haastte zich ernaartoe. Als hij maar niet op slot zat...

De deur kraakte, maar gaf mee. Ze kwamen in een klein portaaltje waar een toorts brandde. Aan de andere kant was weer een deur, met drie enorme sloten en een kijkgat. Het was de deur naar buiten, met slechts één wachter. Ze bad de goden dat hij nog niet op de hoogte was van de gebeurtenissen in het paleis. Wen De kon niet weten dat ze van het bestaan van deze gang op de hoogte was; hij zou niet verwachten dat ze langs deze weg probeerde te ontsnappen.

Ze draaide zich om naar Cang Lu, die in de opening van de eerste deur was blijven staan. 'Ik wil dat je meegaat. Te veel wachters hebben je samen met mij gezien. Als Wen De je in zijn handen krijgt...'

'Hij zal mij niet doden,' zei Cang Lu. Er lag zo'n overtuiging in zijn woorden dat het Mei Lin angst aanjoeg, al begreep ze niet waarom. 'Ik heb u al uitgelegd waarom ik het paleis niet kan verlaten, Yuan-sa. U hebt zelf gezien dat iedere wachter weet dat ik Wen De's dienaar ben. Ik zal worden opgepakt.'

'Het komt door je haar,' zei Mei Lin. Ze tastte in haar tuniek naar Shula's mes. 'Als we het eraf snijden, zal niemand weten wie je bent.'

Cang Lu's ogen werden groot van schrik. 'Mijn háár?'

Mei Lin zuchtte ongeduldig. 'Kom hier.'

Hij gehoorzaamde, al leek hij meer dan ooit op een reiger in het nauw; een reiger die dreigde zijn vleugels te verliezen. Mei Lin aarzelde even. Toen nam ze het mes ter hand.

In de gulou sloeg het Uur van het Paard.

Het escorte zou zijn gekomen. Vier keizerlijke lijfwachten onder aanvoering van Zhou Ren, twee dienaressen, een aantal hofdames en vrouwen die geacht werden de bruid geluk te brengen, en een afgevaardigde van Akechi.

Akechi's vertrouweling zou op haar deur hebben geklopt, terwijl de vrouwen joelden. Mei Lin had afgewacht. Ze zou in haar stoel hebben gezeten met de rode kap over haar hoofd, terwijl Xiao Ning opendeed.

Na de nodige plichtplegingen – het uitwisselen van beleefdheden, zoete hapjes en geschenken – zou Mei Lin zijn opgestaan. Het escorte zou haar naar de grote audiëntiezaal hebben begeleid, alwaar Akechi Sadayasu haar zou opwachten. De Yuan-tse zou hen in de echt hebben verbonden, waarna de feestelijkheden zouden zijn begonnen.

De volgende dag zou het hof hen beiden naar het plein hebben begeleid, alwaar de Yuan-tse hun vaarwel zou hebben gezegd. Mei Lin zou in een draagstoel met gordijnen van rood fluweel zijn gestapt. De bruidsstoet zou het paleis en de stad hebben verlaten.

En dan, als de stoet Si Tjin bereikte, zou Mei Lin het gordijn van haar draagstoel een stukje open hebben geschoven. Boven het meer zou ze de reiger hebben gezien, die zijn gebruikelijke cirkels vloog. En in het westen, scherp afgetekend tegen het Ziougebergte, zou hij hebben gestaan: haar Shula. Langzaam, heel langzaam zou hij zijn vervaagd, tot hij met het zwarte oppervlak van Si Tjin versmolt.

Ze zou het gordijn hebben dichtgeschoven. Het schudden van de stoel zou haar in slaap hebben gewiegd. En als ze wakker werd na een reis van vele tiendagen, zou haar in het verre Jitsuma een toekomst hebben gewacht als echtgenote van Akechi no Jirō Sadayasu.

En ze zou er heilig van overtuigd zijn geweest dat er geen erger lot bestond dan dat.

De gangen van het paleis waren zwaar van stilte, beweging verstomd tot een herinnering. Nu de alarmklokken zwegen, wachtte de wereld af. Yuanjing, de Trap naar de Hemel, stierf gedurende een moment samen met zijn keizer.

Kort daarna slaakte het paleis een zucht. In de vertrekken van heer Yuan, de zoon van de overleden heerser, werd de wereld omgedraaid. Een nieuwe telg uit de dynastie beklom de troon.

Ieders ogen waren op hem gericht. Niemand schonk veel aandacht aan de twee dienaren die door een achteruitgang het paleis verlieten; een jonge vrouw op veel te mooie muiltjes en een kale jongen die nauwelijks tot haar schouder reikte. Stilletjes slopen ze weg van het paleis, de stad in, in de richting van de Poort van het Noorden.

Maar de wachter die hen had doorgelaten, zou de eerste zijn die met de razernij van de nieuwe Yuan-tse kennismaakte.

DEEL TWEE

Eerder

'Zullen we gaan, Sadako? Ik denk niet dat ze nog terugkomt.'

Het meisje in de esdoorn haalde haar schouders op. Ze verschoof op haar tak, terwijl de schaduwen van de bladeren op haar huid dansten. Ze had één been opgetrokken, zodat ze haar kin op haar knie kon laten rusten. Haar andere been bungelde langs de stam omlaag.

Ze staarde naar beneden, waar het zonlicht op de witte keitjes van het tuinpad speelde. In de zorgvuldig gesnoeide rozenstruiken aan de overkant van de vijver ritselde een vogel.

Er viel niets meer te spioneren; de jonge vrouw met haar dienares en roze parasolletje, voor wie ze waren gekomen, was al lang tussen de bamboehagen verdwenen. Ver weg stond het huis op de heuvel, het huis van de heer van Saitō, met het terras dat je alleen vanaf de hoofdweg kon zien als je tussen de spijlen van het hek door keek. Maar daar stonden altijd wachters. Er was geen lol aan om daar te spioneren.

'Ik heb honger,' zei Takeshi. Hij zat iets onder haar, omdat hij groter was en niet zo goed kon klimmen. Zijn donkere haar stak af tegen het lichte bruin van zijn tuniek. Takeshi was ook al geen goede spion. Ze had hem alleen meegenomen omdat hij de vervelende jongens op afstand hield.

'Sst!' siste het meisje. 'Straks hoort ze ons!'

'Ze is alweer naar binnen,' zei Takeshi. 'Kom je nou?'

Het meisje gaf geen antwoord. Ze tuurde naar het landhuis. Als ze haar ogen tot spleetjes kneep, kon ze zich verbeelden dat ze de jonge vrouw achter de ramen zag bewegen. Ze zou zich nu wel aan het omkleden zijn. Haar dienares zou mooie jurken tevoorschijn halen waaruit zij mocht kiezen. Daarna zou ze naar de eetzaal gaan. Een jongen zou haar eten brengen in kommetjes van Mirushimaporselein; een jongen in livrei, die diep voor haar zou buigen. Maar dat zou de vrouw niet eens opmerken. Bedienden waren het niet waard om door haar aangekeken te worden.

Zo stelde ze het zich voor, het meisje in de boom. Ze had het huis nooit vanbinnen gezien, of zelfs maar gesproken met de jonge vrouw die er woonde. Maar een goede spion – een echte kraai, zoals in de verhalen die haar vader vertelde – kon dat soort zaken uit de kleinste details afleiden. Als zij groot was, zou ze ook een kraai worden. De eerste vrouwelijke kraai van Nashido.

'Ik ga, hoor!' Takeshi schoof over de takken. 'Kom je nou mee?'

Een laatste blik op het huis, in de laatste rode stralen van de middagzon. Het meisje zou er alles – zelfs haar vaardigheden als kraai – voor hebben gegeven om met de jonge vrouw van plaats te kunnen wisselen en vrouwe van Saitō te zijn.

Maar zulke wensen werden niet vervuld. Dus oefende ze haar vaardigheden als spionne. Een echte kraai kon elk huis binnengaan. Ze zou dat landhuis bezoeken als ze groot was, ook al zou het haar dan niet toebehoren.

Behendig liet het meisje zich langs de stam van de esdoorn omlaag glijden. Tussen het struikgewas stond Takeshi al te trappelen van ongeduld. Er zat een gat in zijn grove vissersbroek, waar hij aan een scherpe tak was blijven haken. Sadako wenkte hem en zwijgend kropen ze weg.

'Ik snap niet wat je zo interessant aan dit spelletje vindt,' zei hij, toen ze de tuin achter zich hadden gelaten en de grindweg in de richting van het stadscentrum in sloegen. 'Die edelvrouwen voeren niets uit.'

Sadako haalde haar schouders op. Ze had niet verwacht dat Takeshi het zou begrijpen. Dat juist die vrijheid om niets te doen als je dat wilde, haar aantrok. 'Het stinkt hier tenminste niet naar rook en vis,' zei ze.

Nu was het Takeshi's beurt om zijn schouders op te halen. Zijn ouders waren straatvegers die toevallig in het vissersdistrict woonden. Zij hadden geen rookhok in de achterkamer, zoals bij Sadako thuis. Misschien was die geur nog niet eens het ergste, daar raakte je aan gewend. Wat nooit wende was de prikkeling van je ogen en de kriebel in je keel die begon zodra je het huis binnenstapte.

Het stadscentrum gonsde van de bedrijvigheid; volwassenen op weg naar huis, wat marktkooplui die hun laatste waren probeerden te slijten. Niemand lette op hen. Ze waren lang niet de enige kinderen die uit de wijk Saitō kwamen. De meesten waren zakkenrollertjes en loopjongens die hoopten bij de landhuizen een extra zakcentje te kunnen verdienen. Schooiers.

Ze bereikten het vissersdistrict. Takeshi zwaaide naar bekenden, maar niemand zwaaide terug. De volwassenen waren vast te druk.

In eerste instantie dacht Sadako dat het de gebruikelijke lucht van de visrokers was die haar aan het hoesten maakte. Ze sloegen de steeg in die naar de haven leidde. Moeder Fujiko, die wel eens op de kinderen in de buurt paste als hun ouders op zee voeren, stond voor haar huisje. Met een diepe frons staarde ze naar het einde van de steeg, terwijl ze steeds weer haar handen aan haar gerafelde rokken afveegde.

'Dag, moedertje!' riep Takeshi en hij lachte al zijn tanden bloot.

Moeder Fujiko kreeg hen in het oog. Haar gezichtsuitdrukking verzachtte tot een grimas van meelij en ze stapte op hen af, haar armen wijd gespreid. 'Och, kind!' riep ze uit. 'Och, arme, arme Sadako!'

Op dat moment zag het meisje de rookwolken aan de andere kant van de steeg.

Ze wachtte niet op moeder Fujiko's omarming, maar rende de steeg uit, de heuvel af. Vissersvrouwen sprongen voor haar opzij, een mand viel om, rode appels rolden over de straat. Ze bleef rennen. Nog voor ze de vlammenzee zag, wist ze dat het te laat was, maar ze bleef rennen. Een goede kraai, een meesterkraai, liet zich door niets en niemand afleiden. Nooit.

Hitte sloeg haar in het gezicht, de lucht werd dik en donker. De grond was vloeibaar vuur en vlammen graaiden naar haar haren. Ze bleef rennen.

Toen waren er uit het niets armen die haar vastgrepen en meesleurden, weg van haar doel. Ze schreeuwde en gilde, maar het hielp niets. Ze was nog geen meesterkraai. En ze was niet snel genoeg.

Later, toen tante het roet van haar gezicht poetste met een ruwe spons, die over haar verschroeide wenkbrauwen schuurde, kon ze zich niet meer herinneren hoe het huis eruit had gezien; noch herinnerde ze zich haar moeders stem als ze hen 's avonds riep voor het eten; noch haar vaders ogen. In plaats daarvan was er een alles verterende hitte en rook die haar ogen verblindde en haar de adem benam, terwijl ze alleen nog maar kon schreeuwen, schreeuwen – en toen zelfs dat niet meer.

Het duurde enkele tiendagen voor de blaren op haar armen waren genezen. Haar haren deden er langer over om weer aan te groeien, maar daar wilde haar oom niet op wachten. Ze kreeg een verstelde jurk van tante en rieten sandalen, die vreemd onder haar eeltige voeten voelden. Tante had geurende olie gehaald om de vislucht te verbloemen.

'Je ouders wisten dat er bij ons geen plaats is,' zei haar oom, terwijl ze het vissersdistrict achter zich lieten. 'Als ze het anders hadden gewild, zouden ze je wel aan een ander hebben nagelaten.'

Sadako knikte ernstig, al begreep ze niet precies wat hij bedoelde. Hij wilde niet zeggen waar ze naartoe gingen. Maar zij was een goede spionne en ze had deze weg tenslotte al honderden keren gelopen, alleen of met Takeshi. Hij leidde naar de oostkant van de stad, waar de grote landhuizen stonden en waar de jonge vrouw met haar dienares en het parasolletje woonde – naar Saitō. Misschien wilde haar oom dat ze in een van die landhuizen ging werken. De gedachte vervulde haar met afschuw en verlangen. Ze zou geen vrouwe van Saitō zijn, maar toch... Om zo'n huis vanbinnen te zien...

'Ik kan er niets aan doen,' mompelde haar oom. 'Het geld groeit me niet op de rug, kind. En waar moet ik je laten als we op zee zitten?'

Sadako keek naar hem op. Hij had diepe rimpels in zijn gezicht en hij liep een beetje krom. Eigenlijk zag hij eruit alsof hij heel goed de hulp van een meesterkraai kon gebruiken. 'Maak u niet druk, oom,' zei ze, trots dat ze zijn bedoeling had geraden. 'Ik zal hard werken om mijn eigen kostje te verdienen.'

Hij lachte verbijsterd. 'Zul je dat?'

Ze kwamen bij een stenen poort en een wachter in het grijs liet hen zwijgend door. Achter de poort lag een tuin met paviljoenen, waarin vrouwen in groepjes van twee of drie zaten te praten. Een paar keken nieuwsgierig naar hen om en glimlachten.

Deze heer heeft flink wat dochters, dacht Sadako, geen wonder dat hij een extra dienstmeid nodig heeft. Maar ze zei niets, want oom had aangeklopt. Ze stonden voor een enorm grijs gebouw dat in niets op het landhuis op de heuvel leek. Hier waren geen ramen die op een vijver uitkeken.

Een dienaar deed open en leidde hen door een hal met rode wandtapijten en door een schuifdeur naar een binnenplaats vol bloemen. Een magere man in een kimono van zwarte zijde met goud geborduurde rozen wachtte hen op. Sadako had nog nooit zo'n prachtig gewaad gezien. Toch wist ze zeker dat hij geen landheer was. Niet zoals de heer van Saitō, die soms in de tuinen verscheen en dan naast de jonge vrouw liep.

'Meester Kansuke.' Haar oom boog. 'Dit is het meisje over wie ik u heb verteld.'

Hij gaf Sadako een zetje, zodat ze naar voren struikelde.

De magere man boog zich over haar heen. Hij rook naar bloemen en tabaksrook. 'Ze is klein,' zei hij. 'Hoe oud zei je dat ze was?'

'Zeven,' zei het meisje, terwijl ze langs hem heen naar de prachtige rozen keek. 'Ik ben zeven.'

De magere man maakte een afwijzend gebaar en draaide zich om naar zijn bloemen. 'Te jong. Neem haar maar weer mee.'

'Tien!' riep haar oom. Hij lachte zenuwachtig. 'Het kind is in de war, meester; ze heeft net haar ouders verloren. Maar ze is echt tien jaar, alleen wat klein voor haar leeftijd. Kreeg nooit genoeg te eten thuis. Wat extra rijst en u weet niet wat u ziet. Ik kan papieren halen, als u me niet gelooft.'

De magere man wierp een vorsende blik op haar oom en draaide zich naar Sadako terug. Ze wilde van hem weglopen, maar hij legde een hand op haar schouder. 'Extra rijst, hè?' mompelde hij. 'Dat gaat dan van de afgesproken prijs af.'

Vanuit haar ooghoek zag Sadako dat haar oom opnieuw boog. Ze wilde naar hem toe gaan. Ze wilde zich achter zijn rug verstoppen en hem toefluisteren dat ze naar tante terug wilde. Maar een meesterkraai kende geen angst, dus bleef ze staan.

'Zoals u zegt, meester Kansuke,' mompelde haar oom.

De magere man knikte. Met lange, dunne vingers tilde hij Sadako's kin omhoog. Hij had duistere ogen en een berekenende blik. 'Het meisje is niet zo knap als je me had beloofd,' zei hij na een tijdje. 'Ik neem haar van je over voor de helft van de prijs.'

Haar oom richtte zich op. 'We hadden een afspraak!' riep hij verontwaardigd.

'We hebben een afspraak als ik zeg dat we een afspraak hebben, visser.' De man had een ijskoude glimlach. 'Als je dit kind in Saitō aanbiedt, moet je accepteren dat Saitō de prijs bepaalt. Anders ga je maar naar Nakiyo, waar het niemand wat kan schelen hoe ze eruitziet, zolang ze haar benen maar kan spreiden.'

Nakiyo... Het meisje hield haar adem in. De verboden wijk, waar het uitschot van Nashido leefde. Haar moeder had haar laten beloven daar nooit in de buurt te komen.

Haar oom boog opnieuw. 'Meester, alstublieft! Behoed me voor die schande!'

De magere man duwde zijn vingers in Sadako's kin. Ze wist maar net een kreet van pijn te onderdrukken. 'De helft van de prijs,' herhaalde hij, 'en je hoeft je geen zorgen te maken over schande. Ik zal van haar een paradijsbloem maken die zelfs de keizer niet kan weerstaan.'

Sadako probeerde zich los te rukken.

Vermanend tikte de man haar op de wang. 'Niet zo tegenstribbelen, meisje, dan doet het enkel meer pijn. Maar dat leer je nog wel.' Hij keek naar haar oom. 'Nou?'

Tot haar afgrijzen zag Sadako haar oom knikken.

Abrupt liet de man Sadako los. Ze viel achteruit op de grond. Voor ze overeind kon krabbelen, klapte meester Kansuke in zijn handen. Vanuit een nis verscheen een jonge vrouw met gevlochten haren en een vriendelijke glimlach.

'Sakura, stop het kind in bad,' zei Kansuke. 'En haal daarna de inkt en mijn speciale pen. We zullen haar hand vandaag nog markeren, dan kunnen er later geen misverstanden ontstaan.' Hij wierp een blik op Sadako's oom, die hardnekkig naar de rozen aan de andere kant van de binnenplaats staarde.

'Oom!' riep het meisje, terwijl de jonge vrouw haar overeind hielp en over de binnenplaats naar een schuifdeur leidde. Maar haar oom reageerde niet. Hij leek nog ouder dan die ochtend.

'Kom,' zei Kansuke tegen hem, 'we handelen de zaak gelijk af, dan kun je weer naar huis.' Hij trok zijn neus op. 'Terug naar je vissen.'

20

Een herberg in Yuanjing

Mei Lins beeld van haar ontsnapping reikte niet verder dan de paleismuur. Daar voorbij lag de stad en het rijk en een hele wereld die de Yuan-sa nooit eerder had gezien. Ze volgde Cang Lu kriskras door de chaos van Yuanjing, steeds verder weg van het paleis, dat niet langer het hare was.

Het leek alsof alles wat er die ochtend was gebeurd zich in een droom had afgespeeld en ze nu pas wakker werd; alsof de werkelijkheid van die droom nu pas tot haar doordrong. Ze was alleen. Haar vader was dood. Shula was waarschijnlijk ook dood of op zijn minst gevangengenomen. En wat Akechi betrof, de man om wie het allemaal was begonnen... Naar zijn lot kon ze slechts gissen. Maar hij kon haar niet meer helpen. Ze was alleen en op de vlucht. Wen De's handlangers konden zich overal bevinden. Haar enige hoop was de stad te ontvluchten, maar hoe?

'Misschien kunnen we in het donker de stad uit glippen,' zei Mei Lin. 'Als we geluk hebben, zal niemand ons zien.'

Ze stonden in een verlaten steegje, met aan beide zijden muren van brokkelige steen. Er keken geen ramen op uit, ze waren al voorbij de wijken waar men een uitzicht kon betalen. In de goot stonden grijze plassen gesmolten sneeuw.

Cang Lu schudde zijn hoofd. Hij leunde tegen de muur, zijn handen in zijn zakken tegen de kou. 'Het valt te veel op als we 's nachts vertrekken, een jongen en een vrouw alleen. We kunnen beter wachten tot de ochtend en ons dan bij een groep aansluiten, Yuan-sa.'

Mei Lin zuchtte. Ze streek met een hand over haar gezicht. 'Ik denk dat het beter is dat je die naam voorlopig niet gebruikt. In ieder geval niet waar anderen het kunnen horen. Noem me Yulan.' Misschien zou Shula die naam herkennen. Als hij nog in leven was en op de een of andere manier uit het paleis had kunnen ontsnappen, zou die schuilnaam een teken zijn dat alleen hij begreep. Ze keek om zich heen, naar de modder en de sneeuw. 'En nu?'

De jongen duwde zich met zijn schouders van de muur af. 'In verhalen overnacht men in herbergen.'

'In de verhalen betaalt men voor die herbergen. En wij hebben geen geld.'

Cang Lu grijnsde. Het was de eerste keer dat Mei Lin een dergelijke uitdrukking op zijn gezicht zag. Ze staarde hem verbaasd aan. 'Ah,' mompelde hij, 'nee, maar we hebben iets wat geld kan opbrengen...' Hij haalde zijn handen uit zijn zakken en toverde zeven armbanden tevoorschijn. Uit verschillende andere zakken van zijn livrei volgden nog vijf halskettingen en ten slotte, uit een geheim zakje aan de binnenkant van zijn hemd, twee gouden kammen met pareltjes en rode veren. Het waren Mei Lins trouwsieraden.

'Hoe kom jij aan...?'

Cang Lu keek schuldbewust omhoog. 'Vergeef me, Yulan-sa. Het was niet mijn bedoeling van u te stelen. Ik wilde u in veiligheid brengen en ik bedacht dat het geen kwaad kon voor de zekerheid iets waardevols mee te nemen. Voor het geval dat... Ik wilde ze aan u teruggeven. Ik bedoel... Ik zal ze nú aan u teruggeven.'

Hij had natuurlijk gelijk. Ze had geld nodig. Ze was geen prinses meer die maar in haar handen hoefde te klappen om te worden verzorgd. Ze nam de sieraden van hem aan en borg ze weg in haar zakken. 'Dank je, Cang Lu-tse,' mompelde ze. Ze kon hem bij het uitspreken van die beleefdheidsvorm echter niet aankijken. De Yuan-sa in haar was nog niet helemaal gestorven. Ze liep de steeg uit.

Cang Lu haalde haar in en kwam naast haar lopen alsof er niets was voorgevallen. 'We moeten een geldwisselaar zoeken,' zei hij, 'maar dan een die we kunnen vertrouwen. Als uw broer slim is, houdt hij de geldwisselaars in de gaten.'

'Als hij weet dat we zijn ontsnapt...'

Cang Lu wierp haar een scherpe blik toe. 'Daar kunnen we maar beter van uitgaan.'

Opnieuw streek Mei Lin met een hand over haar gezicht. Goden! Hoe moest ze ontkomen als haar broer alle macht in handen had? Het leek zo zinloos om te vluchten. Vroeg of laat zou Wen De haar toch te pakken krijgen.

En dan zou zijn plan geslaagd zijn. Hij zou Yamatan de oorlog verklaren en Yuan én Yamatan in het verderf storten. Dat mocht niet gebeuren.

'Een betrouwbare geldwisselaar,' zei ze. 'Dat klinkt als een zwijgzame hofdame, maar als we zo iemand moeten vinden, dan doen we dat.'

De geldwisselaar bij wie ze even later binnenstapten, was een kale man die een hoofd boven Mei Lin uit stak en voortdurend zijn handen aan zijn donkere mantel afveegde. Mei Lin vond hem niet bepaald het toonbeeld van betrouwbaarheid.

Na een blik op haar armbanden werden ze naar een kleine ontvangstruimte gebracht, waar een meisje in een roze jurk hun cha aanbood. De geldwisselaar nam plaats achter zijn bureau en bestudeerde haar armbanden. Als het hem verwonderde dat twee paleisdienaren met dergelijke kostbare sieraden rondliepen, liet hij dat niet merken.

Terwijl ze op zijn oordeel wachtte, bekeek Mei Lin met verbazing het vertrek waarin ze zich bevonden. De vloer was betegeld, er lag een gevlochten tapijtje voor het bureau, de wanden hadden de gebruikelijke, donkere panelen. Maar alles was zo klein. Hoe kon iemand hier werken?

De geldwisselaar leek echter geen last te hebben van de krappe ruimte. Toen het meisje – Mei Lin vermoedde dat het zijn dochter was – terugkeerde om de chakommen op te halen, legde hij de laatste armband voor zich op het bureau en boog zijn hoofd. 'Ik denk dat we wel tot een overeenkomst zullen kunnen komen, Yulan-sa.'

Hij bood een mooi bedrag voor haar armbanden. Het was ongetwijfeld minder dan ze waard waren, maar ze bevond zich niet bepaald in een positie om te onderhandelen. Twee waardebriefjes verdwenen in de zakken van haar tuniek en een ketting van munten bond ze vast aan de zoom van haar hemd.

Glimlachend en buigend stonden ze nog geen uur later weer op straat. Grijze wolken pakten zich boven hun hoofden samen en ze haastten zich de stad in, op zoek naar een slaapplaats.

Dat was een stuk lastiger. Cang Lu meed de meeste herbergen, omdat hij meende dat ze misschien door het paleis in de gaten werden gehouden. De herbergen die hij wel binnen wilde gaan, waren simpele lokalen waar mannen in werkerstuniek aan ongelakte tafels zaten te drinken en de herbergiers ongeïnteresseerd langs hen heen keken. Als Cang Lu ten slotte toch hun aandacht wist te vangen, schudden ze het hoofd: voor kinderen en vrouwen was geen plaats.

Toen ze uiteindelijk toch ergens terechtkonden, had Mei Lin het gevoel dat haar voeten in brand stonden. Haar zachte muiltjes waren misschien beter dan de rieten sandalen van de paleismeisjes, maar ze waren niet gemaakt voor de harde wegen van de stad. De herberg stond in een nogal twijfelachtige buurt in het uiterste noorden van Yuanjing, maar binnen was het schoon genoeg. De waard begroette hen vriendelijk en op hun vraag of ze konden overnachten, beloofde hij hun twee kamers met een warme maaltijd op de koop toe. Opgelucht lieten ze zich op de houten banken in de eetzaal zakken.

Er waren weinig andere gasten; een gerimpelde man zonder tanden die luidruchtig van zijn soep slurpte, en een jongere man aan de tafel naast hen. De laatste was blijkbaar op reis, want hij droeg een gewatteerd vest en stevige, bruine laarzen; geen kledingstijl van stedelingen. Bovendien was hij te klein voor een oosterling, nauwelijks groter dan Mei Lin zelf.

Buiten begon het hard te regenen.

De waard bracht twee kommen soep en een beker wijn, die hij voor Cang Lu neerzette.

Mei Lin opende haar mond.

'Vergeef me, heer,' zei Cang Lu, terwijl hij de waard bij een mouw pakte. Hij wees naar zijn beker. 'Voor mijn zuster ook, alstublieft.'

De man boog het hoofd, alsof hij al van plan was geweest een tweede beker te halen, en verdween naar achteren.

In eerste instantie had Mei Lin enkel oog voor haar soep. Die smaakte alsof de kok te weinig zout had gebruikt en er zaten minder noedels in dan ze gewend was, maar het kon haar niet veel schelen. Ze had immers de hele dag nog niet gegeten. Toen haar kom bijna leeg was, merkte ze dat de man naast hen voortdurend naar haar zat te staren. Heel even was ze ervan overtuigd dat hij haar herkend had. Maar hij had geen alarm geslagen...

'Vindt u ze mooi, heer?' vroeg Cang Lu.

Verschrikt richtte de man zich op. 'Vergeef me, jonge meester. Ik bedoelde er niets mee.'

'De schoenen van mijn zuster,' zei Cang Lu snel. 'Ik bedoel de schoenen van mijn zuster. Daar keek u toch naar?'

Even staarde de man hem aan. 'Ah... Ja, zeker... Natuurlijk. Erg mooi. Hebt u ze hier gekocht? Mijn vrouw zou erg verheugd zijn met zo'n paar muiltjes. Als u me het adres van uw schoenmaker wilt geven...'

Cang Lu glimlachte. 'Dat zal niet gaan, heer, want ze waren een geschenk van onze meester. Maar ik weet het goed gemaakt, want ik wil uw vrouw niet teleurstellen. We ruilen: u mijn zusters muiltjes, ik uw laarzen.'

Mei Lins mond viel open. Wat haalde hij zich in zijn hoofd? Besefte hij wel dat haar schoenen van Nang Shi-zijde waren gemaakt, met bloemen van gouddraad?

Cang Lu wierp haar een waarschuwende blik toe. Toen drong tot haar door wat hij van plan was. Geen dienares liep op zulke muiltjes. Ze moest ze kwijtraken, wilde haar vermomming voor de poortwachters geloofwaardig zijn.

'Nou?' vroeg Cang Lu aan de reiziger.

De man streek met een hand over zijn kin. 'Mijn laarzen passen u niet.'

Cang Lu maakt een achteloos gebaar. 'Dat is mijn probleem. Kom, u vond ze toch zo mooi? Denk aan uw vrouw!'

'Ze zijn inderdaad erg mooi,' mompelde de man. 'Mijn vrouw... Ja, waarom niet? Kom, we proosten erop!'

Cang Lu lachte. 'Geweldig!'

De man en de jongen beklonken de ruil en al begreep Mei Lin dat het nodig was, het stak haar toch dat ze blijkbaar niets over haar eigen schoenen te zeggen had. Dat Cang Lu het na de eerste slok al uitproestte alsof hij nooit eerder alcohol had gedronken, maakte het er niet beter op.

'Vergeef me, jonge vriend,' zei de vreemdeling. 'Ik moet morgen vroeg vertrekken en zou graag mijn bed opzoeken.' Hij boog zich voorover om zijn laarzen uit te trekken.

'Natuurlijk!' riep Cang Lu gebiedend. 'Yulan-sa, je muiltjes!'

Mei Lin was blij dat de vreemdeling nog bezig was met zijn laarzen. Zo kon hij de blik niet zien die ze Cang Lu toewierp. De jongen verblikte of verbloosde niet eens!

Ze hield de vreemdeling de muiltjes voor. 'Alstublieft, heer, met de complimenten voor uw vrouw.' Alsof ze geloofde dat die vent ergens een vrouw had die op dergelijke schoenen zat te wachten!

De man boog. Op blote voeten verliet hij het lokaal. Hoe hij de volgende ochtend dacht te vertrekken, zo zonder schoeisel, was Mei Lin een raadsel.

'Ik hoop niet dat je verwacht dat ik je hiervoor bedank,' zei ze tegen Cang Lu.

Zijn glimlach verdween. 'Vergeef me, Yulan-sa,' fluisterde hij. 'Als ik hem ervan had beschuldigd dat hij u verlekkerd zat aan te gapen, had hij misschien stampij gemaakt. Dit leek me de enige manier. Bovendien kunt u op die muiltjes nog geen mijl lopen, zeker niet in deze tijd van het jaar. Zijn laarzen moeten ongeveer uw maat zijn.'

Mei Lin staarde hem slechts aan.

'Ze zijn tweedehands, ja,' gaf hij toe, 'maar hebt u gezien hoe warm en stevig ze zijn?'

Mei Lin lachte. 'Ik heb niet veel keus, nietwaar?' Warmer schoeisel zou ook niet bepaald onaangenaam zijn.

Eindelijk kwam de waard met haar beker. Mei Lin nam een slok en proestte. Cha! Wilde niemand haar dan meer serieus nemen? Ze zette de beker neer en trok de laarzen van de vreemdeling naar zich toe. Háár laarzen, nu.

In het lokaal was het stil geworden. De slurpende oude man was ook vertrokken en van de herbergier was geen spoor te bekennen.

Cang Lu roerde met een eetstokje in de resten van zijn soep. 'Wat doen we nu, Yulan-sa?'

Mei Lin boog zich over haar beker. Die vraag had haar ook al beziggehouden. Het antwoord was duidelijk, maar ze wist niet of ze het wel geven wilde. Zelfs als ze haar plan kon uitvoeren, was het niet zeker of ze in haar opzet zou slagen. Alles hing af van de vraag of Akechi Sadayasu haar boodschap op tijd had ontvangen.

'Yulan-sa?'

Mei Lin keek op. 'Ik moet naar Jitsuma.'

Ze zei het op gedempte toon, maar toch keek Cang Lu snel over zijn schouder, alsof hij bang was dat iemand hen zou horen. 'Jitsuma?' herhaalde hij.

Mei Lin spreidde haar handen. 'Ik moet keizer Akechi waarschuwen voor Wen De's plannen.'

Cang Lu knikte, met een vreemde blik in zijn gouden ogen. 'Dan hebben we nog een lange weg voor de boeg. Ik stel voor dat u zich terugtrekt voor de nacht. Als u mij wat geld geeft, zal ik de waard betalen en gelijk eens zien of ik wat voorraden bij hem kan kopen. Voedsel, dekens. Dat zullen we nodig hebben, als we zo'n lange reis gaan maken.'

'"We"?' herhaalde Mei Lin.

Cang Lu glimlachte slechts. 'Het geld, Yulan-sa, alstublieft? Mogen de goden uw dromen beschermen.'

Mei Lin had zich nooit eerder zelf hoeven ontkleden. Het was een vreemde bezigheid, in een stille kamer die nauwelijks breed genoeg was voor een bed. De muren hadden donkere panelen en er was geen raam, alleen een deur die naar de overloop leidde. Het enige licht kwam van een kaarsstomp op een gebarsten schoteltje op de grond. Mei Lin miste Xiao Nings vaardige handen die de bandjes van haar gewaad altijd zo vlot hadden losgeknoopt en haar een nachtgewaad hadden voorgehouden voor ze het koud kon krijgen. Hier had ze niet eens een nachtgewaad. Ze hield haar onderjurk aan.

Toen ze haar tuniek zo goed ze kon opvouwde, viel er een rol papier uit de zak. Even staarde ze ernaar, verstijfd van schrik. Het was Shula's contract.

Shula.

Ze had hem in de steek gelaten. Zonder zijn contract was hij nog altijd bij haar in dienst. Wen De zou hem niet lang in leven laten. Men zou het zien als een passend vonnis. Hij had zijn wachtpost bij de Yuan-tse verlaten en tegelijkertijd was er in de vertrekken van de Yuan-sa, die ook onder zijn wacht vielen, een moord gepleegd. Ze wist dat Wen De hem te pakken had gekregen, al bleef ze op het tegendeel hopen. Ze wist dat Shula er nooit zonder haar vandoor zou zijn gegaan. Ze had hem in de steek gelaten.

Ze had iedereen in de steek gelaten. Haar vader, Xiao Ning, de rest van haar dienaressen, Zhou Ren. Wie van hen inmiddels nog niet de dood had gevonden, zou boeten voor haar verdwijning. Terwijl zij had kunnen weten wat Wen De's plannen behelsden! Ze had de Yuan-tse moeten waarschuwen. Ze had haar broer niet de hand boven het hoofd moeten houden, met welke vreselijke maatregelen hij ook dreigde. Als zij haar plicht had gedaan, had iedereen nog geleefd.

En de enige die ze misschien had gered, was degene die ze het minst zou missen: Akechi Sadayasu.

Een lach welde op in haar keel. Dat was gek. Ze had het gevoel dat ze eigenlijk zou moeten huilen. Maar er kwamen geen tranen.

Ten slotte stopte ze het contract terug in de zak van haar tuniek en kroop in bed, al dacht ze niet dat ze zou kunnen slapen. Het stro van de matras prikte in haar armen en rug. Het was koud en ze bleef Xiao Nings gezicht voor zich zien, zo bleek, met spatten bloed als achteloos rondgestrooide tranen. Soms veranderde Xiao Nings gezicht in dat van haar vader, een enkele keer in dat van haarzelf. Toen het veranderde in Shula's vertrouwde trekken wist ze dat ze toch sliep en in een nachtmerrie was terechtgekomen. Maar wakker worden kon ze niet.

Toen ze uiteindelijk toch wakker schrok, was het van de klokken in de drumtoren. Mei Lin wist wat dat betekende. De laatste keer dat die klokken hadden geluid, was er een heraut verschenen om te vertellen dat de Mars op Jitsuma ten einde was. Maar vannacht viel er geen heugelijk nieuws te verkondigen.

Ze verstopte haar gezicht onder de deken en sprak een gebed tot haar voorouders en de goden.

De klokken bleven nog lange tijd luiden.

21

De poortwachter

In alle vroegte pakten ze hun spullen. De avond tevoren had Cang Lu een buideltje noedels, wat chabladeren in een tinnen blikje, een water-zak en een kookpot gekocht. Ook had hij een paar grove, wollen dekens weten te bemachtigen, die ze om de proviand rolden en op hun rug bonden. Mei Lin probeerde er maar niet over na te denken hoeveel mensen hij had moeten aanspreken om al die spullen te bemachtigen en hoeveel sporen ze achterlieten.

Ze deelden de straten met de honden. Niemand begaf zich op weg na de klokken van die nacht. Hun hoop ongemerkt in een groep de stad te kunnen verlaten, moesten ze laten varen.

Uit de huizen hingen stroken zijde en wit papier. Mei Lin probeerde er niet naar te kijken. Ze had zelf een stuk van haar onderjurk gescheurd om in haar haar te binden, ten teken van rouw. De goden en de voor-ouders zouden het haar onder deze omstandigheden wel vergeven dat de stof niet helemaal wit meer was.

De wachter bij de noordelijke stadspoort droeg rouwlinten om zijn krijgerknot, maar ook een sjerp met Wen De's Groene Draak. Hij keek hen onderzoekend aan. 'Naam?'

Mei Lin rechtte haar rug. 'Zhao Yulan,' loog ze. 'En dit is mijn broer, Xiao Lan.'

'Broer?' De wachter wierp een scheve blik op Cang Lu, die zijn ogen op de grond gericht hield. 'Hm... en waar dachten jullie naar op weg te zijn... broer en zus... paleisdienaren?'

'We keren terug naar huis,' zei Mei Lin. 'We zijn ontslagen.'

De man tikte met een vinger tegen zijn kin. 'Aha. En waar is dat "huis" dan wel, zus?'

Cang Lu kromp ineen.

'Tian Sha,' zei Mei Lin, 'in de Guzhouprovincie.'

De wenkbrauwen van de wachter schoten omhoog.

Mei Lin keek hem onbewogen aan. 'Gelooft u me soms niet? Ik heb hier ons contract, als u het wilt controleren.' Ze zwaaide met Shula's contract en hoopte dat de wachter daar genoegen mee zou nemen. De inkt waarmee ze hun valse namen had ingevuld, was nog nauwelijks droog. Bovendien was een contract van de Yuan-sa, op naam van twee valse dienaren, een teken aan de wand voor iedereen die haar zocht. Maar alles was beter dan opgepakt worden voor ze de stad zelfs maar hadden verlaten.

'Ik zou maar een beetje inbinden, zus!' De man stak zijn hand uit. Hij floot tussen zijn tanden terwijl hij de tekst bestudeerde. 'In dienst van de Yuan-sa zelf, toe maar,' mompelde hij. Hij gaf het contract terug, dat ze snel opborg voor hij zou zien dat zijn vingers vegen in de inkt hadden gemaakt. 'Het lijkt erop dat je de waarheid spreekt, Zhao Yulan. Maar ik kan je niet laten gaan.'

Mei Lin staarde hem aan. 'Hoe bedoelt u? Waarom niet? De Yuan-sa heeft ons deze papieren gegeven, ze heeft ons toestemming verleend om naar huis te gaan. Wilt u haar orders negeren, heer?'

De wachter streek bedaard over zijn kin. 'Heb je het nieuws niet gehoord?' zei hij. 'De Yuan-sa is dood.'

Even was Mei Lin met stomheid geslagen. 'Dood?' Ze wist zeker dat de schok van haar gezicht te lezen moest zijn.

'De Yuan-sa en de Yuan-tse zijn gisteren vermoord,' legde hij uit. 'De Yuan-tse – dat wil zeggen, de nieuwe Yuan-tse – heeft een onderzoek naar de dood van zijn vader en zuster ingesteld. Hij wil iedere dienaar die met een van beiden te maken heeft gehad, spreken. Jou dus ook.'

'Dat is belachelijk!' De woorden verlieten haar mond voor Mei Lin er erg in had.

Cang Lu's blik schoot omhoog. Gouden ogen flitsten.

De wachter keek alsof hij zijn zwaard wilde trekken.

'Wij waren al voor het nieuwe jaar ontslagen, heer,' zei ze snel. 'We hebben niets met die moorden te maken.'

De wachter staarde langs haar heen, terwijl hij wijdbeens in de doorgang bleef staan. 'Dat kan wel wezen, maar daar heb ik niets mee te maken.'

'Laat ons er alstublieft door!'

'Heb je me niet gehoord? Je kunt de stad niet verlaten! De Yuan-tse zal je willen spreken.'

Wanhopig probeerde Mei Lin zich langs de man te wurmen, maar hij greep haar arm.

Een stem schalde door de straat. 'Cheng!' Tegelijk draaiden Mei Lin en de wachter zich om. Uit het wachthuis naast de poort kwam een officier. 'Laat dat meisje los!' baste hij.

De wachter boog zijn hoofd. Zijn greep op Mei Lins arm verslapte, maar hij liet niet helemaal los. 'Thian-tse,' zei hij. 'Vergeef me. Ik heb orders van de Yuan-tse...'

De officier snoof. 'Orders van de Yuan-tse om een meisje te mishandelen? Ik zei: laat haar los!'

'Maar, Thian-tse... De moorden...'

De officier klakte geërgerd met zijn tong en de wachter stapte achteruit.

Mei Lin slaakte een zucht van verlichting. 'Heer, ik heb geen idee hoe ik u kan bedanken! Ik...'

'Wat is je naam?' onderbrak de officier. 'Waar ga je naartoe?'

Mei Lin herhaalde haar verhaal. Een frons kroop over het voorhoofd van de wachtkapitein. 'We weten echt niets van die moorden, heer!' besloot ze.

De man maakte een achteloos gebaar. 'Je zou wel heel dom moeten zijn om daags na de moord op de Yuan-sa, nog gekleed in een tuniek met haar teken, te proberen de stad te verlaten als je iets met haar dood te maken had.' Toen boog hij zich naar haar toe. 'Maar als dienaren zijn ontslagen, leveren ze meestal hun werktuniek in, Yulan-sa.'

Mei Lins mond viel open. 'Heer!'

'Zeg maar niets,' zei hij. 'Ik heb er meer gezien zoals jij; meisjes die naar de stad komen om rijkdom voor hun familie te vergaren. Maar het werk in het paleis is niet precies wat je ervan verwacht, hè? Lange dagen, veeleisende meesters die nooit rekening met je houden... Och ja, ik heb ze hier allemaal langs zien komen, de stakkers. Luister goed naar me, Yulan-sa, als dat tenminste je echte naam is... Het verbreken van je contract wordt niet licht bestraft. Je doet er beter aan naar het paleis terug te keren.'

'Maar, heer...'

Hij schudde zijn hoofd. 'Als iemand het me vraagt, heb ik je nooit gezien. Dat is alles wat ik voor je kan doen, Yulan-sa. Maak nu maar dat je wegkomt.' Hij gaf haar een zetje in de richting van de stad en toen, tot Mei Lins grote verbazing, knipoogde hij naar haar. Ze bleef staan, maar de kapitein draaide zich resoluut om naar zijn onderge- schikte. 'Cheng! Van Wu hoorde ik dat...'

Mei Lin balde haar handen tot vuisten. 'Heer!' onderbrak ze. 'U moet ons laten gaan! Het is van het grootste belang...'

Met een zucht draaide kapitein Thian zich weer naar haar om. 'Meisje...'

'Laat ons gaan, heer, alstublieft!' smeekte ze, terwijl ze zijn arm vast- greep.

Er flikkerde iets in zijn ogen. Geen herkenning, maar toch... een soort begrip. Toen schudde hij het hoofd en keek alsof hij zijn volgende woorden ten zeerste betreurde. 'Cheng, escorteer mevrouw Zhao en haar broer naar het wachthuis, wil je? Ik weet zeker dat de paleiswacht graag van hun vertrek op de hoogte wil worden gebracht. Ik zal iemand naar het paleis sturen om de wachters op te halen.'

Mei Lins mond viel open. 'Nee!'

Cheng greep haar schouder. Cang Lu volgde, zijn ogen nog altijd neergeslagen. Ze werden naar het wachthuis naast de poort gebracht. Binnen leidde Cheng hen door een gang naar een kamertje waar een tafel stond met enkele versleten stoelen eromheen. 'Zit!' snauwde hij. Mei Lin trok een wenkbrauw op, maar deed wat hij zei. Het was in ieder geval geen cel. Cang Lu nam met een bleek gezicht naast haar plaats.

Mei Lin wrong haar handen. Zouden de paleiswachters hen direct naar Wen De brengen? Het deed er niet toe, besefte ze. Uiteindelijk zouden ze toch achter de waarheid komen. Ze had niet moeten aan- dringen. Als ze de stad in waren gelopen toen de kapitein hen wegzond, hadden ze een andere poort kunnen proberen...

'Cheng-tse!' In de deuropening was een man verschenen. Hij droeg een grijze mantel met een gestreepte doek die hij zodanig rond zijn hals had geknoopt, dat de onderste helft van zijn gezicht niet zichtbaar was. Hij was geen wachter.

Mei Lin fronste.

Cheng liep naar hem toe en wierp een argwanende blik de gang in. Toen trok hij de man haastig de kamer in. 'Ben je niet goed wijs!' siste hij. 'Thian kan elk moment met een stel paleiswachters hier zijn! We hadden toch op het Uur van de Draak afgesproken?'

De man in de mantel haalde zijn schouders op. 'Ik werd opgehouden. Wil je het spul of niet?' Hij tikte met zijn voet tegen een stapel kistjes, die hij blijkbaar de kamer in had geschoven. Mei Lin hield haar adem in. Smokkelaars!

Cheng vloekte. Hij keek over zijn schouder en trok toen de kistjes verder de kamer in, weg van de deur en de tafel waaraan Mei Lin en Cang Lu zaten. De onbekende man volgde hem. In een hoekje bogen ze zich over de kistjes. 'Driehonderd?' vroeg Cheng, terwijl hij een deksel optilde.

'Zoals afgesproken.'

Mei Lin probeerde te zien wat er in de kistjes verborgen zat, maar Cang Lu's hand sloot zich om haar schouder. Hij duwde een vinger tegen zijn lippen. Stilletjes gleed hij van zijn stoel en hurkte naast de tafel, verborgen voor de wachter en de smokkelaar. Mei Lin volgde zijn voorbeeld. Langzaam, tergend langzaam, kropen ze over de vloer naar de deur. Op de achtergrond hoorde Mei Lin de smokkelaars onderhandelen. Haar bloed kookte van verontwaardiging over zulke misdaden, verkilde van angst. Als een van de mannen zich omdraaide en ontdekte dat ze niet meer op hun plaats zaten... Ze rilde toen ze eindelijk de gang bereikten. Haastig schuifelden ze weg van de kamer. Maar toen zagen ze dat de uitgang door twee mannen werd bewaakt.

Ze slopen een stukje terug en bleven in een nis staan. Mei Lin draaide zich om naar Cang Lu. 'Wat nu?'

Hij haalde zijn schouders op, keek langs haar heen en versteende. 'Zhao-sa.'

Snakkend naar adem draaide ze zich om.

De kapitein van de wacht stond over haar heen gebogen. Hij was alleen, de goden zij dank, maar zijn gezicht stond bars. 'Wat doen jullie hier? Waar is Cheng?'

Mei Lin opende haar mond om te antwoorden – ze wist niet eens wat ze zou zeggen – maar op dat moment drongen de verhitte stemmen van Cheng en zijn smokkelaar door de openstaande deur tot hen door. Blijkbaar konden ze het niet eens worden over de prijs voor de smokkelwaar.

'Bezig met zijn handeltjes, hè?' mompelde kapitein Thian.

Mei Lins ogen werden groot. 'U weet ervan?'

'Ik had nooit bewijs. Maar nu zal de paleiswacht hem op heterdaad betrappen.' Kapitein Thian pakte haar bij de schouder en duwde haar voor zich uit, langs de deur, naar de andere kant van de gang. 'Luister goed, Zhao-sa,' siste hij. 'Aan het einde van deze gang vind je een deur die naar de andere kant van de poort leidt. Buiten de stad, begrijp je? Die deur hoort op slot te zitten, maar Cheng laat hem open voor zijn smokkelvriendjes. Ga nu, voor de paleiswacht hier aankomt!'

Mei Lins mond viel open. 'Heer!'

Waarom hielp hij hen?

Thian liet haar schouder los. 'Maak dat je wegkomt! Als de wachters je alsnog grijpen, heb ik je hier nooit gezien. Begrijp je?' Met een ruk draaide hij zich om en liep de gang door, naar de kamer waar Cheng en de andere man zich bevonden.

Mei Lin staarde hem sprakeloos na. Toen duwde ze haar vragen opzij, greep Cang Lu's hand en trok de jongen mee. Aan het einde van de gang was inderdaad een smalle deur. Ze duwde tegen het hout en de deur gaf krakend mee. Buiten zagen ze de weg die om de muur liep, de wildernis en, in de verte, Si Tjin. 'De goden zij dank,' mompelde ze.

In de gang achter hen dreunden voetstappen.

'Snel!'

Ze begonnen te rennen. Mei Lin bad dat er geen wachters op de toren stonden die alarm zouden slaan. Ze bad dat de mannen in de gang hen niet hadden opgemerkt. Pas toen ze een heel eind buiten de stad waren en de deur niet meer was dan een donkere stip tegen de witte muren, durfden ze langzamer te gaan lopen.

22

Een oostelijke route

Mei Lin had de stad nooit eerder bij zonsopkomst gezien. Yuanjing lag gekroond in een gouden licht, met het keizerlijk paleis als een schitterende parel in zijn midden. De kern van het rijk. De aanblik sneed door haar ziel. De stad had keizers zien komen en gaan, maar was zelf standvastig gebleven, rotsvast aan de voet van het Ziougebergte, de Trap naar de Hemel. Slechts de witte banier aan de gulou weende om de overleden Yuan-tse, de drieëntwintigste keizer van de dynastie.

Ze wendde zich af.

De weg voor hen was leeg. Naar het zuidwesten strekte Si Tjin zich als een donkergrijze spiegel uit, verlaten nu de vissers in de stad om de Yuan-tse bleven rouwen. Alleen de reiger, die geen boodschap aan de verwikkelingen van mensen had, scheerde over het water.

Een vreemd gevoel van opwinding overviel Mei Lin en verdoofde even haar angst en verdriet. Ze waren de stad ontvlucht, voorbij de wachters en Wen De's blik. 'Het is ons gelukt, Cang Lu-tse!'

Cang Lu gaf geen antwoord. Ze draaide zich naar hem om. Hij stond als aan de grond genageld en staarde naar de reiger hoog boven Si Tjin, alsof zich voor zijn ogen een wonder voltrok.

'Cang Lu-tse?'

'Kijk, Yuan-sa,' zei hij met schorre stem. Zijn blik was glazig. 'Kijk!'

Mei Lin volgde zijn blik. 'Je hebt toch wel eerder een reiger gezien?'

Het duurde even voor hij antwoordde, alsof het een vraag was waarover hij moest nadenken. 'Ja,' zei hij ten slotte. 'Bij de paleisvijver. En eerder, in Nashido.'

Nashido? Dat was een stad in het zuiden van Yamatan, op de grens met Yuan. Kwam de jongen daarvandaan?

Hij bleef omhoogstaren. 'Hoe zou het zijn om zo door de lucht te kunnen scheren, Yuan-sa? Hoe zou het voelen om zo vrij te zijn?'

Mei Lin voelde haar hart samenknijpen en ze wilde antwoorden: dat weet ik niet. Maar de woorden die kwamen, leken om de een of andere reden veel dringender: 'Jij bént nu vrij, Cang Lu-tse. Je kunt gaan waarheen je wilt.'

Voor het eerst sinds hij de reiger in het oog had gekregen, keek Cang haar aan. Er was niets glazigs meer in zijn blik. 'Vergeef me, Yuan-sa,' zei hij. 'Ik zal nooit vrij zijn.'

Mei Lin slikte. Waarom zei hij zoiets?

Ze wendde haar blik af. 'Ben je vergeten wat ik je over die titel heb gezegd? Zo mag je me nooit meer noemen, zelfs niet als we alleen zijn. Ik heet Mei Lin.'

Ze liepen verder, af en toe achteromkijkend om te zien of ze werden gevolgd, maar de weg bleef leeg. De paleiswachters hadden hen blijkbaar niet zien vluchten. Kapitein Thian had hen niet verraden.

Ten noorden van Si Tjin keerde Mei Lin zich van het meer af en verliet de weg. Na enkele passen merkte ze dat Cang Lu haar niet langer volgde. Ze draaide zich naar hem om.

'Vergeef me, Mei Lin-sa,' zei hij. 'Moeten we de weg niet volgen, naar Yuchuan?'

Ze was verbaasd dat hij zo goed op de hoogte was van de geografie van het land. Maar hij kwam immers uit Yamatan, uit de stad Nashido. En de veiligste weg naar Yamatan liep via het zuiden, langs Yuchuan en Nan Men, naar Nashido. Dat was de plaats waar de Yuan tien jaar eerder het land waren binnengevallen. Daar moest Cang Lu tot krijgsgevangene zijn gemaakt. Een jochie van drie. Had Wen De hem zelf uitgekozen, of was het zijn kersverse bruid Teishi geweest?

Ze schudde haar hoofd om die gedachte te verdrijven en tikte bedachtzaam met een vinger tegen haar onderlip. 'Wat is de eerste plaats waar men zal gaan zoeken naar iemand die vanuit Yuanjing op weg is naar Jitsuma?'

Cang Lu's ogen lichtten op. 'Yuchuan.'

'Precies. Dan moet dat dus de laatste plaats zijn waar wij naartoe gaan.' Ze gebaarde naar de bergkam die voor hen verrees. 'We nemen een oostelijke route, door de bergen. Daar zal de keizerlijke garde ons niet snel vinden. Daarna trekken we naar het zuiden. We zullen hooguit zes, zeven dagen later in Nashido aankomen dan via de gebruikelijke weg.'

Hoog boven hen lag een bergpad dat herders gebruikten als ze met hun geiten naar de markt in Yuanjing kwamen. De weg ernaartoe was steil. Doornstruiken grepen naar hun tunieken en de dekens op hun rug. Herhaaldelijk struikelden ze door kuilen en over losliggende keien. Zwijgend zwoegden ze voort. Het zweet lag klam tussen Mei Lins schouderbladen, waardoor Xiao Nings rode dienstlivrei nog meer kriebelde dan eerder. Herhaaldelijk keek ze achterom. Ze wist dat het slechts een kwestie van tijd was voor Wen De de keizerlijke garde achter hen aan zou sturen. Telkens als ze keek, was de weg uit de stad leeg, maar ze zou pas gerust zijn als ze het bergpad bereikten en het Ziougebergte hen aan het zicht onttrok.

Toen ze eindelijk het pad bereikten, was de zon al over het hoogste punt heen. Yuanjing leek vanaf dat punt een poppenstad, klein genoeg om in je hand te houden.

'Wilt u rusten, Mei Lin-sa?' vroeg Cang Lu. Zweetdruppels parelden op zijn kaalgeschoren hoofd.

'Nee.' Mei Lin hoopte dat de jongen niet zou horen hoezeer ze buiten adem was. 'We gaan verder.'

Naar het noordoosten slingerde het pad tussen de rotsen omhoog. Het was al snel zo smal dat ze niet langer naast elkaar konden lopen. De wind floot snijdend om de rotspieken, die als grijze vingers naar de wolken reikten. De lucht rook scherp naar kou. Soms moesten ze over richels schuifelen, of hun bundels afnemen en achter zich aan door nauwe spleten tussen de rotsen slepen. Op die manier kwamen ze maar langzaam vooruit. Mei Lins enige troost was dat Wen De's garde langs deze weg niet veel sneller zou zijn.

Ze hielden pas halt toen het al donker begon te worden, en alleen omdat het te gevaarlijk was om verder te gaan. Cang Lu maakte een vuur van hout dat hij onderweg bij elkaar had gesprokkeld. Daarop kookte hij een nauwkeurig gerantsoeneerde hoeveelheid noedels. Van het kookwater zette hij cha, die een vreemde smaak had, maar tenminste warm was.

'Misschien krijgen we wel sneeuw,' zei de jongen, terwijl hij het kookgerei weer wegborg.

Mei Lin rilde. Ze had haar deken om zich heen geslagen en zat met haar rug tegen de rotswand, uit de wind. 'Ik hoop het niet.'

'We zouden onze watervoorraad kunnen aanvullen...'

Mei Lin ging liggen, al betwijfelde ze of ze op deze harde rotsgrond zou kunnen slapen. Ze vermoedde dat Cang Lu haar meer dan haar deel van de noedels had gegeven en toch rommelde haar maag nog steeds. Ze wist zeker dat er een blaar op haar rechtervoet zat, precies op haar hiel. Haar lichaam smeekte om een bad en vervolgens een massage door de kundige handen van Xiao Ning.

De kilte die haar plotseling deed rillen had niets met de kou te maken.

Geen bad. Geen massages. Xiao Ning was dood. Al haar dienaressen zouden door Wen De ter dood zijn gebracht. Net als haar vader en diens lijfwachten. Net als Zhou Ren, die slechts had geprobeerd zijn taak zo goed mogelijk uit te voeren. Net als Shula.

Ze sloot haar ogen en beet op haar lip. Maar tranen voelde ze niet.

Ze draaide zich op haar andere zij, keek op.

Cang Lu zat als een stille schim naast haar. Zijn ogen fonkelden als twee gouden manen.

Mei Lin wist niet waarom ze het deed, maar ze greep zijn hand. 'Woonde je in Nashido?' vroeg ze. 'Voordat je naar Yuanjing kwam, bedoel ik. Heette je toen ook al zo?'

De jongen glimlachte. 'Nee.'

Hij zei niets meer en Mei Lin vroeg niet verder.

Toen het licht werd, begon het te sneeuwen.

Het pad leidde verder oostwaarts, via smalle kloven en spleten die lang geleden in de rotsen waren uitgehakt, langs richels boven bodemloze dieptes en over brede vlaktes die met sneeuw waren bedekt. Hier en daar kwamen ze ander leven tegen: van sneeuwhazen en marmotten tot roofvogels waarvan ze de naam niet wisten.

Een enkele keer kwamen ze een kudde geiten tegen. Voordat de herders, die ongetwijfeld in de buurt moesten zijn, konden opdagen, maakten Mei Lin en Cang Lu zich uit de voeten. Zij zou er een groot deel van de muntstukken aan haar ketting voor over hebben gehad om de nacht in een warm huis te kunnen doorbrengen en een maaltijd te nuttigen die uit meer bestond dan noedels en cha. Maar het risico was te groot. Wen De's macht kon tot in deze afgelegen streken reiken, ze waren nog niet ver genoeg van Yuanjing verwijderd.

Laat in de middag van de eerste dag hield het op met sneeuwen. Mei Lin was er dankbaar om. Haar livrei was niet gemaakt op het winterweer, zelfs als ze haar deken als een mantel om haar schouders sloeg.

Ze kon zich niet herinneren dat ze het ooit zo kou had gehad. Haar vingers zagen blauw, hoe ze ook in haar handen blies om ze te warmen.

'Zodra we een behoorlijk dorp vinden, kopen we nieuwe kleding,' beloofde Cang Lu haar. 'Dikke mantels en kousen en gewatteerd ondergoed. We moeten alleen deze bergen nog maar over, Mei Lin-sa, en dan een behoorlijk dorp zoeken waar vaker reizigers komen, waar we niet opvallen. Daar kunnen we warme kleding kopen.'

'En paarden.' Ze zag dat Cang Lu haar een verbaasde blik toewierp. 'Als we het Ziougebergte over zijn, kunnen we paarden kopen,' legde ze uit. 'We hebben geld genoeg.'

'Paarden...' Cang Lu staarde voor zich uit. 'Twee vreemdelingen die beiden nieuwe kleding willen. Daar zullen ze misschien niet zo veel van denken in zo'n dorp. Maar twee vreemdelingen die ook nog eens paarden zoeken... Dat klinkt als twee mensen op de vlucht.'

'We zijn ook op de vlucht,' mompelde Mei Lin, maar toen hij haar opnieuw aankeek, knikte ze. 'Geen paarden.'

'Kleding is het belangrijkste, Mei Lin-sa. Als onze benen ons over het Ziougebergte kunnen dragen, kunnen ze dat ook nog wel een stukje verder. Als we bij een grote stad komen, kunnen we paarden kopen.'

'In de eerste grote stad,' herhaalde ze. Ze probeerde de pijn van haar blaren te vergeten.

Op de tweede dag passeerden ze een herdershut, een houten gebouwtje, nauwelijks bestand tegen de wind en de sneeuw. Mei Lin kon zich niet voorstellen dat het bewoond was. Waarschijnlijk werd het als schuilplaats gebruikt wanneer de herders de boerderijen op de lagergelegen hellingen niet meer voor het vallen van de nacht konden bereiken. Toch durfden ze niet verder te gaan voor ze zeker wisten dat er niemand aanwezig was. Ze verborgen zich achter wat armzalig struikgewas. Toen er na lang wachten nog niemand was verschenen, besloten ze dat het veilig was.

Achter de hut vonden ze een stapel brandhout, waar Cang Lu de mooiste stukken tussenuit haalde om zijn voorraadje aan te vullen. Welbeschouwd was dat pure diefstal, maar Mei Lin zei er niets van; tenslotte waren ze ook op weg om deze herder tegen Wen De's plannen te beschermen, en wat zou daarvan terechtkomen als ze na drie nachten doodvroren in het Ziougebergte?

's Avonds, bij het vuur van het gestolen brandhout, probeerde Mei

Lin Cang Lu opnieuw over zijn herkomst uit te horen, maar de jongen wilde niet veel kwijt. Toen hij uiteindelijk op zijn gebruikelijke kalme toon zei dat niemand werkelijk wist waar hij vandaan kwam, gaf ze het op. Ze haalde Shula's mes tevoorschijn en schoor het nieuwe laagje blauw van zijn hoofd.

Cang Lu was daarna minder ontwijkend, alsof hij het verlies van zijn haar met levendigheid wilde goedmaken. Zolang Mei Lin maar met geen woord over zijn verleden repte, wilde hij best honderduit praten. Dat vond ze best, want het leidde haar gedachten in ieder geval af van Wen De en vlinders die verdronken in hun eigen bloed.

'Wat doen we als we eenmaal in Jitsuma zijn aangekomen?'

Ze keek op.

Cang Lu zat op zijn knieën alsof hij iemand in het paleis bediende, en porde met een stok in de smeulende as van het kampvuur. Toen zij niet antwoordde, keek hij vragend over zijn schouder. Het licht van de maan verleende een zilveren weerschijn aan zijn huid.

'Hoe zorgen we ervoor dat keizer Akechi luistert?' vroeg hij.

Mei Lin staarde langs hem heen. Ze had geweten dat hij die vraag zou stellen, maar ze had gehoopt dat het langer zou duren eer hij moed vatte. Ze wilde niet nadenken over Jitsuma en Akechi en net zomin over Wen De en de mensen die hij had vermoord. Dat bracht haar onherroepelijk bij de vraag of Shula in zijn missie was geslaagd. Ze had het hem moeten vragen, die ochtend voor haar vlucht. Als ze zich niet door haar liefde voor hem had laten afleiden, zou ze nu hebben geweten of Akechi Sadayasu haar boodschap had ontvangen. Of hij nog leefde.

'Ik moet mijn vaders belofte gestand doen,' zei ze. 'De enige manier om Wen De tegen te houden, is door de vrede tussen Yuan en Yamatan alsnog te bezegelen.' Ze zweeg even en keek Cang Lu doordringend aan. 'Ik ga naar Jitsuma om met prins Akechi Sadayasu te trouwen.'

23

Een Yamatanees gewaad

Met haar handen voor haar lichaam gevouwen, verborgen in de wijde mouwen van haar blauwe kimono, bestudeerde Teishi de edelen die een voor een de audiëntiezaal van het keizerlijk paleis van Yuanjing betraden. Ze droegen hun beste gewaden. Zijde uit Nang Shi, brokaat uit het zuiden en fluweel uit de provincies ten westen van Guzhou. Er waren enkele vooruitstrevende lieden die de geometrische patronen van Adhistan in hun kleding hadden verwerkt. Maar geen Yamatanese zijde, zoals ze een maand eerder nog overal had gezien. De mode in Yuanjing veranderde blijkbaar net zo snel als de politiek.

Ze keek naar de verhoging links van haar, waar haar echtgenoot op zijn troon zat, omgeven door vier lijfwachten. De keizer van Yuan. Het was moeilijk te geloven. Wen De droeg een hooggesloten, gele mantel met wijde mouwen en laarzen van donker leer. In het licht van de gouden lantaarns zag hij er knap en machtig uit. Zijn armen lagen op de houten leuningen van zijn troon en hij tikte ongeduldig op de uitgesneden drakenhoofden onder zijn handen.

Ongeduld. De rook van zijn vaders geest was nog niet naar de hemel opgestegen, of hij had deze vergadering belegd.

Teishi schudde het hoofd en boog zoals de mensen om haar heen deden, terwijl een hoogwaardigheidsbekleder de vereiste zinsneden declameerde: 'Eer aan de Yuan-tse!' Ze duwde haar twijfels weg, daarvoor was het te laat: hij wás nu de keizer.

De laatste 'Eer aan de Yuan-tse!' galmde door de zaal en de verzamelde edelen richtten zich weer op. Met een zucht streek Teishi haar kimono glad. Het was een Yamatanees ontwerp, dat ze zelf nooit zou hebben uitgekozen. Wen De had het die ochtend voor haar klaar laten leggen, met de boodschap dat ze vandaag haar gezicht niet moest beschilderen. Ze had een vermoeden van wat hij van plan was. Na zijn kroning had hij haar niet tot zijn keizerin uitgeroepen. Misschien had hij willen wachten tot dit moment waarop de belangrijkste edelen en hoogwaardigheidsbekleders van Yuan bijeen waren gekomen. Die eer deed haar hart sneller kloppen. Ongewild dacht ze terug aan haar kindertijd, in Yamatan. Als ze toen had geweten dat deze dag zou komen!

Wen De keek met een strenge blik de zaal rond. Vergiste ze zich, of bleef zijn blik even bij haar hangen? Onzeker sloeg ze haar ogen neer.

'Ik prijs mij gelukkig,' zei hij met een stem die door de grote zaal echode. 'Ik prijs mij gelukkig dat zovelen van u in deze moeilijke tijd zijn gekomen om uw medeleven te betuigen. Het verlies van mijn vader en mijn zuster is een grote slag voor mijn familie, maar ook voor u, voor Yuan. Ik beloof u dat hun dood niet ongewroken zal blijven. De Yamatanese kraaien die voor deze moorden verantwoordelijk zijn, zullen worden gevonden en ter dood gebracht.'

Er ging een applaus op. Teishi wist dat ze moest meeklappen, maar ze hield haar handen in de mouwen van haar gewaad en staarde naar haar echtgenoot. Ze kon de leugen niet eens in zijn stem bespeuren. Alsof hij het zelf geloofde.

Toen het applaus wegstierf, schoof Wen De naar voren op zijn troon. 'Het verlies is groot,' zei hij, 'maar Yuan kan niet blijven rouwen. Ik ben uw nieuwe keizer en ik zal ons rijk naar nieuwe hoogten tillen!' Hij zweeg even, alsof hij zijn woorden op zijn publiek wilde laten inwerken. Er brandde een vreemd, verontrustend licht in zijn ogen. 'In het verleden zijn er fouten gemaakt, waardoor goede mensen werden gestraft, verraders de kans kregen hun valse ideeën te verspreiden en de groei van ons rijk werd gefrustreerd. Ik zal deze fouten vandaag rechtzetten, zodat niets de roem van Yuan nog in de weg kan staan.'

Hij wenkte en uit de schare edelen stapte een jongeman naar voren met een ernstig gezicht en gekleed in het zwarte gewaad van de keizerlijke lijfwachten. Enkele edelen uit Yuanjing hielden hun adem in. Teishi begreep waarom. Het was de voormalige lijfwacht van de Yuan-sa, een man genaamd Li Jin. Zelfs als niemand wist dat hij door Wen De naar Yuchuan was gestuurd om heer Akechi Sadayasu te vermoorden, dan was zijn aanwezigheid hier nog hoogst opmerkelijk. Hij was door de oude keizer immers ter dood veroordeeld.

Li Jin knielde voor de verhoging van de Yuan-tse neer.

'Meester Li,' zei Wen De, die de consternatie onder zijn onderdanen niet leek op te merken, 'mijn vader heeft je ter dood veroordeeld op basis van de grove leugens van Akechi Sadayasu en een dienstmeid van de Yuan-sa. Dezelfde dienstmeid die de Yamatanese kraaien, door Akechi gezonden, in het paleis toeliet. Is het niet zo?'

Li duwde zijn voorhoofd tegen de tegels. 'Jawel, Yuan-tse.'

'Deze dienstmeid is het paleis in alle hectiek rond de moorden ontvlucht. We zijn nog steeds naar haar op zoek.'

Teishi fronste. De gehele huishouding van de Yuan-sa was enkele dagen eerder ter dood gebracht omdat ze haar moord niet hadden voorkomen. Tot nu toe was er nooit sprake geweest van een ontsnapte meid.

Haar echtgenoot tikte met zijn wijsvinger op de drakenkop van zijn armleuning. 'Yuan beslist het volgende,' sprak hij formeel. 'Li Jin is niet schuldig aan de vergrijpen waarvan hij eerder werd beschuldigd. Hij heeft echter wel de rechtsgang belemmerd door te vluchten voor er een formeel vonnis kon worden geveld. Daarom zal je straf nog niet worden kwijtgescholden, Li, maar voorlopig worden opgeschort. Ik wil dat je de voortvluchtige dienstmeid – en iedereen die in haar gezelschap reist – vindt en naar Yuanjing terugbrengt, zodat ze gestraft kan worden voor haar misdaden. Jij weet hoe ze eruitziet, aangezien jullie dezelfde meesteres hebben gediend. Het zal voor jou niet moeilijk zijn.' Hij zweeg even en keek de knielende man doordringend aan. 'Als je in deze missie slaagt, zal je in ere worden hersteld. Zo niet...' Wen De maakte een achteloos gebaar. '... dan wacht je alsnog de galg.'

Li boog opnieuw het hoofd. 'De Yuan-tse is rechtvaardig.'

Wen De wuifde hem weg en de voormalige lijfwacht verdween, tussen de verzamelde edelen door, naar de uitgang van de zaal, ongetwijfeld om direct met zijn nieuwe opdracht te beginnen. Teishi probeerde haar gezicht in de plooi te houden voor het geval haar echtgenoot opnieuw haar kant op zou kijken. Waarom wilde hij die dienares zo graag terugvinden? Het was nogal veel moeite voor een meisje dat in werkelijkheid natuurlijk niets met de moord op de Yuan-sa te maken had. Tenzij...

De edelen die voor Li opzij waren gegaan, zochten hun plaats weer op, zodat ze het beste zicht op de keizerlijke verhoging hadden. Een korte man met een grijze krijgerknot en gekleed in een gevoerde mantel zoals de edelen van West-Yuan die graag droegen, stootte tegen haar aan. 'Vergeef me, vrouwe,' mompelde hij. Ze schonk geen aandacht aan hem.

Op de verhoging wenkte haar echtgenoot een van zijn lijfwachten en fluisterde iets in diens oor. De lijfwacht knikte en stapte naar beneden.

'Luo-tse!' Wen De's stem spleet de stilte als een mes.

De edelen rond Teishi keken onzeker om zich heen, tot een lange man in een groene brokaten jas naar voren stapte. Teishi kende hem niet. Hij was niet jong meer, misschien zestig jaar, en rimpels groefden zijn gezicht, maar zijn bewegingen waren soepel.

'U draagt mijn kleur,' zei Wen De peinzend, terwijl de man voor hem neerknielde. 'U hebt mijn vader twintig jaar lang trouw gediend, is het niet, als gouverneur van Nan Men?'

Heer Luo boog het hoofd. 'Meer dan twintig jaar, Yuan-tse. En als het de keizer behaagt, zal ik ook hem...'

'Als het de keizer behaagt.' Wen De balde zijn hand tot een vuist en sloeg ermee op de drakenkop van zijn armleuning. 'Bespaar me je leugens!'

Teishi kromp ineen. Ze hoorde enkele edelen om haar heen verschrikt de adem inhouden. De westerling naast haar prevelde: 'De goden schenken ons genade!'

Heer Luo keek verbijsterd op. 'Vergeef me, Yuan-tse. Ik begrijp niet...'

Wen De schudde zijn hoofd. 'Je dacht echt dat je ermee weg kon komen, nietwaar?' Hij wendde zijn blik af van de man aan zijn voeten en keek de zaal rond. Teishi schrok van de smeulende woede in zijn ogen. 'Twintig jaar lang heeft heer Luo, onder de dekmantel van zijn gouverneurschap, contacten onderhouden met de Yamata. Zelfs tijdens de Mars op Jitsuma. En alsof dat nog niet erg genoeg was, heeft hij samen met hen getracht mij om te brengen. Toen ik nog een jongen was, stuurde hij Yamatanese kraaien die een aanslag op mijn leven probeerden te plegen.'

Er ging een zucht van ontzetting door de zaal. Teishi duwde haar handen – verborgen in haar mouwen – tegen haar buik om een plotselinge vlaag misselijkheid tegen te houden. Ze zag dat de gouverneur van de oostelijke provincie zich oprichtte om te protesteren, maar de lijfwacht van de keizer duwde hem hardhandig terug op de tegels.

Langzaam, weloverwogen, stond Wen De op. Zijn hand gleed over het gevest van zijn zwaard, bijna alsof het een onbewust gebaar was, maar Teishi wist wel beter.

'Vergeef me, Yuan-tse. Ik weet niet waar u het over hebt,' zei heer Luo, zijn hoofd gebogen onder de druk van de lijfwacht.

Wen De daalde de treden van zijn verhoging af. Hij ging naast de knielende man staan en met donkere ogen keek hij op heer Luo neer.

'Geef me de kans om u te begrijpen, heer,' smeekte de man. Het licht van de gouden lantaarns flakkerde over zijn kale hoofd.

Wen De schudde zijn hoofd. 'Yuan beslist het volgende,' sprak hij zacht. Toen trok hij zijn zwaard en sloeg met één beweging Luo's hoofd van zijn nek. Bloed spoot over de donkere tegels, over Wen De's leren laarzen, terwijl het hoofd van heer Luo van hem wegrolde. De keizer veegde zijn zwaard schoon aan Luo's groene jas, stak het terug in de schede en stapte de verhoging weer op.

Onwel duwde Teishi haar hand – de linker – tegen haar mond. Ze slikte de gal die in haar oprees terug.

De edelen mompelden onrustig.

'Vrouwe,' zei de westerling die naast haar stond, terwijl hij een hand op Teishi's arm legde. 'Bent u in orde?'

Ze knikte en was blij toen hij haar losliet, al had ze het gevoel dat ze ieder moment door haar benen kon zakken. Ze kon haar ogen niet van Luo's onthoofde lichaam afwenden. Het bloed vormde een grillige plas onder zijn uitgespreide handen.

Wen De's lijfwacht stapte naar voren en gooide zijn mantel over het tafereel.

'Yuan beslist het volgende,' herhaalde Wen De zo luid dat iedereen in de zaal geschrokken opkeek. Hij was weer op zijn troon gaan zitten, zijn handen op de drakenkoppen. Als er geen lijk voor zijn voeten had gelegen, zou Teishi hebben kunnen denken dat hij nooit had bewogen. 'Iedere landverrader zal ter dood worden gebracht. Contacten met Yamatan worden niet langer getolereerd.' Hij zweeg even, keek opnieuw de zaal rond. 'Tan-tse!'

Ditmaal wist Teishi zeker dat alle edelen in de zaal hun adem inhielden. Een dikke, kleine man met een dun snorretje drong zich trillend op zijn benen langs de andere edelen naar voren. Op ruime afstand van Luo's lichaam bleef hij staan en knielde neer.

Met samengeknepen ogen keek Wen De op hem neer. 'U komt uit Guzhou, nietwaar? Wat vindt u van Nan Men?'

Onzeker wrong de man zijn handen. 'H-heer?'

Met een bruusk gebaar, alsof hij plotseling zijn interesse had verloren, zei Wen De: 'Yuan benoemt u tot gouverneur van de provincie Nan Men. Moge uw leiderschap het rijk tot eer strekken.'

De ogen van heer Tan puilden bijna uit hun kassen, maar voor hij iets kon zeggen, wuifde Wen De hem weg. Teishi keek de kleine man na, terwijl hij zijn plaats weer innam tussen de edelen, die nu eerbiedig voor hem opzij stapten: een jongeman die waarschijnlijk voor het eerst in Yuanjing was, een westerling. De kans dat hij banden met de Yamata onderhield, was gering. Ze dacht niet dat Wen De hem toevallig had aangewezen.

Toen de stilte in de zaal was weergekeerd, leunde haar echtgenoot achterover, een vage glimlach op zijn gezicht. 'Ik ben blij dat deze... ongemakken zijn afgehandeld,' sprak hij. 'Nu kunnen we het hebben over de reden dat ik u allen bijeengeroepen heb.'

Hij keek opzij, recht naar Teishi.

Ze voelde haar hart overslaan. Dit was het moment. Nu zou hij haar, ten overstaan van het hele rijk, tot zijn keizerin benoemen. Ze vergat alles om zich heen, haar twijfels, haar angst, zelfs haar afschuw vanwege Luo's lijk. Ze zag enkel haar echtgenoot, zijn gezicht, de krachtige lijnen van zijn kaak, de duistere blik in zijn ogen, hoe zijn hand de drakenkop van zijn troon omklemde. Toen hij haar wenkte, kon ze niet anders dan naar hem toe gaan.

Ze wilde voor zijn verhoging neerknielen, maar hij strekte zijn hand naar haar uit. 'Kom hier, Teishi-sa.'

Ze betrad de verhoging en zonk voor hem op haar knieën. 'Yuan-tse.'

Hij strekte een hand naar haar uit en ging met zijn vingers door haar opgestoken haar, gaf een zacht rukje, zodat ze haar gezicht naar hem ophief. Hij had een hongerige blik in zijn ogen. Nooit eerder had hij zo naar haar gekeken. 'Wat ben je bereid voor mij te doen, Teishi-sa?' vroeg hij.

Ze kon niet over haar antwoord nadenken, niet terwijl hij zo naar haar keek. 'Alles, Yuan-tse!'

Hij glimlachte en keek naar de edelen om hen heen. 'Ziet u hoe ze voor mij buigt, mijn Yamatanese echtgenote?' Zijn greep op haar haar verstrakte en hij trok haar hoofd opzij, zodat ze de zaal in keek. Ze moest haar hand tegen zijn laars duwen om haar evenwicht te bewaren. Een zee van gezichten hief zich naar haar op, ze zag de schok over deze ongepaste behandeling, hoorde het zachte gemompel van de edelen die zich afvroegen wat de Yuan-tse van plan was.

Maar Teishi wist het. O, ze wist het. Een golf van schaamte trok door haar heen en het liefst had ze haar ogen neergeslagen, maar zijn hand in haar haar hield haar op haar plaats. Ze voelde zich naakt zonder haar Yuan gezichtsschilderingen, onfatsoenlijk in haar Yamatanese gewaad. Hij had haar bewust gedwongen zich zo te kleden, maar niet om haar tot keizerin te benoemen. Hij wilde een voorbeeld stellen.

'Dít is wat ik met heel Yamatan zal doen!' riep Wen De zonder haar los te laten. 'De Akechi's zullen aan mijn voeten knielen en sméken om genade!'

Teishi voelde tranen in haar ogen prikken. Ze beet op haar lip tot ze bloed proefde en zag toen nog steeds al die ogen op zich gericht. Het grootste deel van haar leven had ze haar anders-zijn geprobeerd te maskeren, maar nu, voor de verzamelde elite van Yuan, besefte ze dat het zinloos was geweest. Iedereen zag wat ze was.

'Yuan beslist het volgende,' zei Wen De onverstoorbaar. 'Als vergelding voor de laffe moord op mijn vader, de keizer van Yuan, en op mijn zuster, Yuan Mei Lin, zal ons leger optrekken naar Yamatan. Een nieuwe Mars op Jitsuma! En ditmaal zullen we niet rusten voor heel Yamatan ons toebehoort.'

Teishi zag de zaal door een waas van tranen. Ze hoorde de stilte die viel na Wen De's laatste woorden. Die stilte leek eindeloos te duren, met Wen De's hand nog altijd in haar haren en de smaak van haar eigen bloed in haar mond.

Toen, als een storm die aanzwol boven de Zilveren Oceaan, een vloedgolf die over haar heen sloeg en haar dreigde te verdrinken, begon het applaus.

24

Keizerin van Yuan

Teishi had geen idee hoe lang ze op die verhoging zat, op haar knieën, met Wen De's hand in haar haar. Toen het eindelijk over was en hij haar losliet, waren haar benen stijf geworden. Ze kon zich slechts met moeite oprichten.

Teishi wilde niets liever dan weglopen van die verhoging en tussen de toehoorders verdwijnen. Maar ze was een Yamatanese en stak bijna een hand boven de meeste Yuan uit. Terwijl ze door de zaal liep voelde ze hun blikken als scherpe pijlen tussen haar schouderbladen. Ze wilde die zaal verlaten, maar zolang Wen De in gesprek was met zijn onderdanen, kon zij dat niet. De schaamte brandde op haar wangen, onverhuld door een schildering. Leunend tegen de walnotenhouten wandpanelen hield ze Wen De's gang door de zaal in de gaten. Haar echtgenoot liet zich glimlachend aanklampen door edelen die hem trouw zwoeren en hem prezen om zijn besluiten. Hij behoorde te vertrekken. De Yuan-tse liet zich niet op een dergelijke manier aanspreken, daar was hij boven verheven. Maar ze zag hoe haar echtgenoot van de belangstelling genoot en ze wist dat het nog lang kon duren voor hij de zaal zou verlaten.

'Vergeef me, vrouwe. Ik geloof dat dit u toebehoort.'

Verbaasd draaide ze zich om. De westerling was haar gevolgd. Hij boog zijn hoofd en hield iets voor haar in de lucht. Haar waaier. Was ze die verloren? Ze had hem die ochtend achter de gele band rond haar middel gestoken en het was haast onmogelijk dat het ding daaruit was gevallen. Met samengeknepen ogen bekeek ze de man opnieuw. Hij moest de waaier hebben weggepakt toen hij tegen haar op liep, maar waarom was haar een raadsel.

'Ik dank u,' zei ze, terwijl ze de waaier met haar linkerhand aannam. 'Heer...?'

De man boog opnieuw zijn hoofd, zodat zijn grijze knotje op en neer deinde. 'Mijn naam is Tsui Guo Zhi, vrouwe, Heer van Xi Chang.'

Ze knikte, al kende ze het district niet. 'Ik dank u, Tsui-tse,' zei ze nogmaals, in de hoop dat hij weg zou gaan.

De man bleef staan. Zijn lippen waren bedachtzaam opeengeklemd terwijl hij naar haar opkeek. 'Ik heb u eerder ontmoet,' zei hij na een tijdje. 'Ik was raadgever in dienst van de oude keizer, moge zijn geest over ons allen waken.'

Teishi wierp onwillekeurig een blik opzij. Wen De was aan de andere kant van de zaal, nog altijd omgeven door bewonderaars die al zijn aandacht opeisten. Hij kon hen niet hebben gehoord. 'U was raadgever bij de onderhandelingen met Yamatan, bedoelt u te zeggen,' zei ze, terwijl ze de man weer aankeek.

De man boog opnieuw het hoofd. 'Zoals u zegt, vrouwe.'

'U hebt de oude keizer aangeraden om vrede te sluiten met Yamatan.'

De westerling glimlachte. 'Iedere Yuan-tse kiest zijn eigen pad naar grootsheid. Uw echtgenoot is uitermate ambitieus.'

Opnieuw kon Teishi zich niet beheersen. Ze keek langs de man naar Wen De, die nu, omgeven door enkele jongelingen, een verhaal afstak alsof hij niet begreep dat dit de tijd noch de plaats voor dergelijke gesprekken was. Waarom vertrok hij niet, zodat zij niet langer naar heer Tsui hoefde te luisteren?

'Mijn echtgenoot zal de kraaien vinden die zijn vader en zuster hebben gedood. Hij zal wreken...'

'Het viel me op dat u niet applaudisseerde toen de keizer daarover sprak,' onderbrak heer Tsui haar.

Teishi slikte. 'Ik was...'

De man boog naar haar toe. De weeë lucht van zijn reukwater omringde hem. 'Vergeef me, vrouwe,' sprak hij op fluistertoon, 'maar ik denk niet dat u de verhalen over Yamatanese sluipmoordenaars gelooft.'

Geschrokken deed Teishi een stap achteruit. Heer Tsui keek haar veelbetekenend aan. Wat wist hij?

Teishi keek over haar schouder, maar Wen De had hen nog altijd niet in de gaten. Hij was in gesprek met zijn astroloog; normaal gesproken zou Teishi zich daar zorgen om hebben gemaakt, maar nu was ze blij met de afleiding. Groepjes edelen liepen door de zaal en onttrokken haar aan zijn zicht. Toch verwachtte ze ieder moment zijn scherpe blik tussen haar schouderbladen.

'U begrijpt wel waarover ik spreek,' vervolgde Tsui. Er klonk geen enkele twijfel door in zijn stem.

Natuurlijk wist ze wat de man bedoelde. Er waren geen kraaien in het paleis geweest op de dag dat de oude Yuan-tse was gestorven. Daags voor de moord had Teishi in de zak van Cang Lu's livrei een brief aan heer Akechi gevonden, om hem te waarschuwen voor een moordaanslag. Waarom haar dienaar die brief bij zich droeg, was haar nog altijd een raadsel. Dat deed er ook niet toe. Ze had geweten dat Wen De achter het complot moest zitten. Hij had immers gezegd dat hij er alles aan zou doen om de vrede met Yamatan te voorkomen. Alles. Ze kende hem goed genoeg om te weten dat hij tot de moord op zijn eigen vader in staat was als hij daarmee zijn doel kon bereiken.

Maar wat wist heer Tsui daarvan? Voor zover Teishi wist, waren er geen getuigen geweest. Tenzij...

'U beschuldigt mijn echtgenoot van betrokkenheid,' zei ze.

Heer Tsui hief zijn handen op. 'Vrouwe! Dergelijke aantijgingen zijn onmogelijk wanneer er geen bewijs is, zoals u begrijpt. Ik bedoel te zeggen dat ons verteld is dat de moorden door kraaien zijn gepleegd, terwijl niemand deze sluipmoordenaars heeft gezien. Wie weet wat er in werkelijkheid is gebeurd?'

Teishi bestudeerde de donkere vloertegels. 'Misschien moet heer Tsui proberen de dienares te zoeken die mijn echtgenoot zo graag wil vinden. Zij heeft misschien het antwoord dat u zoekt.' Als haar vermoedens juist waren en het meisje getuige was geweest van de moord op de Yuan-sa... Teishi sloot haar ogen. Als er bewijs was voor Wen De's betrokkenheid...

'Vrouwe Teishi spreekt wijze woorden. Maar de kans is niet groot dat ik deze dienares als eerste vind als de keizer een leger gardisten tot zijn beschikking heeft om haar op te sporen. Ik vrees dat we zonder haar getuigenis zullen moeten handelen.'

Teishi dwong haar gezicht in een neutrale uitdrukking. 'Wat wilt u van mij?'

Heer Tsui keek langs haar heen. Het licht van de lantaarntjes verleende zijn haren een zilveren weerschijn. 'Vrouwe Teishi zal het mij vergeven als ik opmerk dat de Yuan-tse – moge de goden over hem waken – haar nog niet tot zijn keizerin heeft benoemd.'

Teishi sloeg haar ogen neer en deed haar best om niet te tonen hoezeer zijn woorden haar raakten. 'De keizer wacht tot de tijd daarvoor is gekomen.'

'Na de manier waarop hij u vandaag te kijk heeft gezet?' Heer Tsui wreef met een hand over zijn kin. 'Vergeef me, vrouwe, ik moet duidelijke taal spreken. Met uw toestemming?'

Teishi keek opzij in de hoop dat Wen De inmiddels was vertrokken, maar hij was er nog steeds. Zijn lijfwachten vormden een zwarte muur om hem heen. Andere edelen wierpen af en toe een blik op haar, maar wendden daarna hun blik weer af. Niemand leek echt op haar en heer Tsui te letten. En ze kon de zaal niet verlaten zolang haar echtgenoot er nog was.

Met tegenzin knikte ze.

Tsui duwde zijn handen tegen het voorpand van zijn korte mantel. 'Onze huidige keizer was vanaf het begin tegen vrede met Yamatan. Hij trekt naar uw vaderland op met als doel het weg te vagen. Daarom zal hij geen Yamatanese keizerin naast zich dulden.'

'Ik ben zijn echtgenote,' zei Teishi, maar zelfs in haar eigen oren klonk haar stem onzeker.

Heer Tsui keek met een scherpe blik naar haar op. 'U vergist zich als u denkt dat dát u zal redden, vrouwe. Als "Yamatanese kraaien" de Yuan-tse en de Yuan-sa kunnen doden, dan houdt niemand hen tegen om ook de echtgenote van de keizer te vermoorden, als u begrijpt wat ik bedoel. De Yuan-tse zal volgens de gewoonte een maand lang een wit rouwlint om zijn haar dragen en daarna een vrouw uit Yuan tot zijn keizerin benoemen. Uw zoon zal naar een klooster in de Qin Mi Shan worden gebracht, waar hij volgens de vredelievende levenswijze van de priesters zal worden opgevoed zodat hij nooit een gevaar zal vormen voor een eventuele nieuwe troonopvolger van zuiver bloed. Gesteld dat de "kraaien" hem niet ook te pakken krijgen, natuurlijk.'

Teishi had het gevoel dat de wereld schokte. Ze steunde met haar linkerhand tegen de wand om haar evenwicht te hervinden. 'Vergeef me,' mompelde ze. Het besef dat heer Tsui gelijk had, leek als een verstikkend net over haar heen te vallen. Wen De zou Dian Wu misschien niet doden of wegsturen – hij was dol op dat kind – maar hij zou geen scrupules hebben om háár uit de weg te ruimen, als dat hem uitkwam.

Hij zou haar niet tot zijn keizerin benoemen. Het verlies van die titel voor ze die zelfs maar had gedragen, voelde als een messteek in haar buik. 'Wat wilt u van mij, Tsui-tse?' vroeg ze nogmaals, haar stem verstikt door tranen die ze weigerde te plengen.

Heer Tsui glimlachte meelevend. 'Ik ben slechts een nederige onderdaan, vrouwe. Maar u hebt voorlopig, als moeder van de toekomstige keizer, nog enige macht. U hebt toegang tot de privévertrekken van de Yuan-tse. Ik kan slechts bidden dat u doet wat het beste is voor Yuan.'

Bijtend op haar lip, die nog dik was en klopte van de vorige keer dat ze erop had gebeten, keek Teishi opzij. Tsui's woorden weefden zich door haar gedachten. 'Moeder van de toekomstige keizer'. Als zij Wen De ombracht zonder dat iemand daarvan getuige was – en ze waren vaak genoeg alleen – zou haar zoon de troon bestijgen. Als regentes zou zij dezelfde macht hebben als een keizerin. Opnieuw dacht ze aan de dromen die haar als kind in Yamatan hadden beziggehouden en ze huiverde van een koortsachtig verlangen.

Aan de overkant van de zaal maakte Wen De eindelijk aanstalten om te vertrekken. Hij keek haar recht aan over de hoofden van de aanwezigen en wenkte. De blik in zijn ogen duldde geen uitstel.

'Ik zal overdenken wat u mij hebt gezegd,' zei ze haastig tegen Tsui. De westerling boog. 'Meer kan ik niet van u vragen.'

'Mijn astroloog zegt dat de stand van de maan vanavond gunstig is.'

Teishi bleef halverwege de doorgang naar haar vertrekken staan. Terwijl ze haar echtgenoot aankeek moest ze haar best doen om haar afschuw te verbergen. Ze had geweten dat Wen De over de maanstand zou beginnen vanaf het moment dat ze hem met die vervloekte astroloog had zien spreken. Het had haar niets verbaasd dat hij haar naar haar vertrekken wilde vergezellen. Met een zure smaak in haar mond zei ze: 'Als het mijn echtgenoot plezier doet...'

Wen De snoof. 'Het doet me helemaal geen plezier, Teishi-sa, maar sommige dingen moeten nu eenmaal gebeuren.' Hij keek over zijn schouder naar de lijfwachten die hen als stille schaduwen vanaf de audiëntiezaal waren gevolgd, maar die er geen blijk van gaven zijn laatste woorden te hebben gehoord. 'Jullie kunnen wachten in het voorvertrek.'

Teishi ging hem voor naar het slaapvertrek, waar ze met gebogen hoofd wachtte tot Wen De op haar brede bed had plaatsgenomen.

Ze had aan dat bed moeten wennen, toen ze pas in Yuan woonde. In Yamatan sliepen zelfs edelen op uitgerolde matrassen op de vloer. Nadat haar echtgenoot zijn laarzen had uitgeschopt, liep ze naar hem toe en knielde voor hem neer. Ze reikte omhoog om zijn gewaad los te knopen, snel en handig, zoals haar was geleerd.

De woorden van Tsui Guo Zhi spookten nog steeds door haar hoofd. Het doden van Wen De zou niet zo gemakkelijk zijn. Voorheen zou het haar wel gelukt zijn, maar sinds zijn kroning werd hij overal door zijn lijfwachten geschaduwd. Zelfs hier waren ze vlakbij. Als het haar al lukte om hem te vermoorden, was er geen mogelijkheid om ontdekking te voorkomen.

Terwijl ze zijn hemd langs zijn armen omlaag trok, keek ze naar hem op. Om de een of andere reden moest ze denken aan de eerste keer dat ze hem had ontmoet. Ze was zeventien geweest en hij tweeëntwintig. Ze had hem de mooiste en tegelijkertijd de angstaanjagendste man gevonden die ze ooit had gezien. Hij was nog steeds mooi. Maar de man van toen was slechts een jongeling geweest. Nu was hij de keizer van Yuan. Het was te laat om iets tegen hem te beginnen, als ze het al had gedurfd.

Toen ze haar handen omlaag bracht om zijn broek los te knopen, greep hij haar polsen en duwde haar weg. Hij stond op, trok haar overeind en gaf een ruk aan de gele band om haar middel, zodat haar Yamatanese gewaad openviel. In een reflex probeerde ze de stof om zich heen te slaan, maar hij trok de kimono omlaag. Ze voelde kippenvel op haar blote huid en haar eerdere afschuw golfde opnieuw in haar keel omhoog. Ze slikte, als was ze een klein meisje dat hulpeloos haar snikken probeerde te smoren. Maar ze was al lang geen meisje meer en ze wist dat er geen hulp zou komen.

Met een hard gezicht duwde Wen De haar achteruit op het bed. 'Mijn astroloog zegt dat ik me niet zo druk moet maken om de stand van de maan,' mompelde hij terwijl hij zijn broek liet zakken. 'Hij zegt dat ik niet alleen de nachten moet benutten waarop ik een zoon kan verwekken, omdat een dochter óók van pas kan komen. Een dochter, zegt hij, kan ik uithuwelijken om de banden met mijn bondgenoten aan te halen. Wat vind jij daarvan, Teishi-sa?'

Onzeker keek ze naar hem op. Ze probeerde te bedenken welk antwoord hij wilde horen, maar ze begreep het niet. 'Als mijn echtgenoot een dochter wil...'

Hij sloeg haar in het gezicht voor ze verder kon praten, en vloekte. 'Jouw echtgenoot wil geen dochters! Welke bondgenoten zou ik aan me willen binden? Ik wil zonen, Teishi-sa! Genoeg zonen om de legers aan te voeren die mijn vijanden én mijn bondgenoten zullen veroveren! En die zonen ga jij mij geven. Nietwaar?'

Teishi antwoordde zonder nadenken: 'Ja, heer.'

Hij gromde tevreden en sloeg haar nogmaals, maar minder hard. 'Waar wacht je op? Op je buik!'

Toen hij klaar was en ze hem hielp zijn mantel dicht te knopen, knielend voor het bed zoals ze ook die eerste keer – in Yamatan – had gedaan, greep hij plotseling haar kin. Ze was bang dat hij haar opnieuw zou slaan, maar hij hief enkel haar gezicht op, zodat ze hem aankeek. Met donkere ogen speurde hij haar gezicht af. Ze vroeg zich af wat hij zocht.

'Je begrijpt toch wel waarom ik moest doen wat ik vanmiddag met je deed, Teishi-sa?' sprak hij zacht. Zijn toon was als een balsem voor de gevoelens van schaamte en afkeer die haar na hun samenzijn plaagden. Het verbaasde haar iedere keer weer hoe liefdevol hij kon zijn als dat eenmaal achter de rug was, en ze maakte zichzelf wijs dat hij alleen maar zo ruw deed omdat hij er net als zij tegen opzag. Op zijn manier had hij haar lief.

Ze liet haar tong over het wondje in haar lip glijden. Ze had er zojuist weer op gebeten, waardoor het opnieuw was gaan bloeden. Het bloed liet een metalige smaak in haar mond achter. 'Voor de eer van de Yuan-tse buigen wij allen,' antwoordde ze. 'Als de Yamata uw wil niet gehoorzamen, zult u hen buigen. Maar mij hoeft u niet te dwingen. Uw welzijn is alles waar ik aan denk.'

Haar echtgenoot lachte in zichzelf. 'Is dat zo?' De manier waarop hij het zei, maakte dat ze zichzelf wilde bewijzen.

Ze hief haar kin verder op zonder dat hij haar losliet, en sprak: 'Tsui Guo Zhi, Heer van Xi Chang, zal u verraden, heer.'

Wen De's blik werd scherp. 'Ik zag dat je met hem sprak.'

'Hij vertelt leugens om uw dood teweeg te brengen.'

Hij keek op haar neer met die schitterende, donkere ogen waarin ze altijd zeventien was gebleven. 'Je bent vandaag een brave echtgenote geweest, Teishi-sa,' zei hij. 'Ik denk dat ik je vaker bij mijn audiënties aanwezig zal laten zijn. Zou je dat fijn vinden?'

Er trok een rilling over haar rug. Het waren de woorden die hij bij hun eerste ontmoeting had gebruikt. Hij had een heel serieuze uitdrukking op zijn jonge gezicht gehad. Terwijl hij vlak na hun eerste samenzijn de tranen van haar gezicht veegde, had hij met die paar woorden haar hele wereld veranderd. 'Ik denk dat ik je meeneem naar Yuanjing om mijn vrouw te worden. Zou je dat fijn vinden?' Op slag was ze de pijn en haar angst voor hem vergeten. Heel even had dat kleine, hulpeloze meisje werkelijk geloofd dat ze gered was.

Teishi kon haar hoofd niet buigen, omdat Wen De haar kin nog altijd vasthield, maar ze sloeg haar ogen neer. 'Ik zal graag aanwezig zijn, als het mijn echtgenoot plezier doet.'

Hij lachte donker en liet haar los. 'Natuurlijk heb je dan een andere titel nodig.' Hij keek de ruimte rond. 'En andere vertrekken. Deze kamers doen immers geen recht aan de keizerin van Yuan.'

Haar mond viel open. Ze wist zeker dat ze hem verkeerd had verstaan. 'Yuan-tse!' stamelde ze. Ze voelde tranen in haar ogen prikken.

'Wat is er, Teishi-sa?' vroeg hij. 'Waarom huil je? Voel je je niet vereerd met die titel?'

'Jawel,' zei ze. Ze kon hem immers niet uitleggen dat ze huilde om het kind dat ze ooit geweest was: het meisje Sadako, dat zich geen hogere eer had kunnen voorstellen dan vrouwe van Saitō te zijn.

25

De val

Het vroor niet meer. In de lucht hingen grijze wolken die grote schaduwen wierpen op het landschap dat zich voor Cang Lu uitstrekte: een vallei van rotsen en groene weiden. De schaduwen deden hem denken aan de muur van zijn slaapvertrek in Yuanjing, met de figuren die daar in het licht van zijn kaars overheen kropen. Hij huiverde en duwde die vergelijking weg uit zijn gedachten.

Her en der lagen boerderijen tegen de hellingen, zo ver weg dat de bewoners hen niet konden opmerken. Beneden kabbelde een beekje naar een kloof aan de zuidkant van de vallei. De enige manier om verder te komen, was af te dalen. Het pad dat ze tot nu toe hadden gevolgd, liep met een wijde boog langs de noordrand van de vallei. Het zou hen dichter bij de boerderijen brengen en bij de mensen die daar nu ongetwijfeld aan het werk waren.

Hij keek opzij. De Yuan-sa stond naast hem en nam de omgeving met een lichte frons op haar gezicht in zich op. Nee, niet de Yuansa. Mei Lin. Haar titel moest hij proberen te vergeten zolang ze op de vlucht waren. Dat was op dit ogenblik niet zo moeilijk. Ze zag er vermoeid uit, niet langer de statige keizersdochter, maar meer een meisje dat net als hij in het spel van hogere machten verdwaald was geraakt.

Ze keek plotseling naar hem om, maar hij ontweek haar blik, uit angst dat ze zijn gedachten zou lezen. 'We moeten hier maar proberen af te dalen,' zei ze en hij knikte.

Ze pakten hun bundels op en gingen verder. De helling was steil, maar er waren genoeg rotspunten die als steun voor hun voeten konden dienen.

Halverwege de afdaling bleef Cang Lu staan en tuurde naar de lucht. 'We krijgen regen.'

Mei Lin kwam naast hem staan. 'Misschien waait het over,' hoopte ze. 'We zullen hoe dan ook verder moeten. Hier kunnen we niet schuilen. Daar beneden misschien, onder die bomen.' Vanuit zijn ooghoek zag Cang Lu dat ze ergens naar wees – een dennenbosje aan de rand van de vallei – maar iets in de lucht trok zijn aandacht.

Hij moest het verkeerd hebben gezien. Wat deed een reiger hier in de bergen? Hij zette een stap naar voren, alsof hij de vogel dan beter zou kunnen zien en zou weten dat hij zich vergiste, want er waren geen reigers in het Ziougebergte. Hij had het zich verbeeld, dat was alles. Maar hij vergiste zich niet. Er wás een reiger, die omlaag zweefde en in de vallei neerstreek.

Naast hem stokte Mei Lins adem. Verschrikt keek hij opzij. Haar gezicht was bleek vertrokken, haar ogen werden groot en donker. Woordeloos wees ze langs de heuvel omhoog. Over het pad dat zij net hadden gevolgd, naderde een jongeman in een wollen mantel.

'Hij zal ons zien,' zei ze. 'Wat moeten we doen?'

Gejaagd keek Cang Lu om zich heen. Ze stonden in het volle zicht, zonder mogelijkheid om zich te verstoppen. Het pad dat ze hadden uitgekozen leidde nog een stuk langs heuveltjes en rotspunten omlaag voor het de valleibodem bereikte. Daar waren bomen, struiken en rotsblokken. Misschien konden ze zich nog verschuilen als ze snel genoeg waren...

'Kom!' riep hij. Hij greep Mei Lins hand en trok haar mee. Ze begonnen zo goed en zo kwaad als het ging te rennen. Het pad was smal en ze moesten achter elkaar lopen. Soms was er niet meer dan een richeltje waarop ze hun voeten konden plaatsen. Toch kwam de bodem van de vallei snel dichterbij.

Maar het ging te traag, ze waren te laat.

'Hé, daar! Hé, wacht eens!' De man had hen gezien. Zwaaiend kwam hij naderbij. Hij had vaker over dit pad gelopen en haalde hen met gemak in.

Cang Lu sprong naar beneden, op een heuveltje, en stapte opzij om ruimte voor Mei Lin te maken. Hij voelde de grond onder zijn voeten verschuiven.

Stuiterend als een bal viel hij over de rotsen en het gras naar beneden. Hij gaf zich over aan de val, zonder enig idee van wat er zich boven of onder hem bevond. Even dacht hij aan de rare toevallen die hij in het paleis had gehad, waarbij hij ook het gevoel kreeg dat hij viel. Maar ditmaal wist hij heel zeker dat het werkelijkheid was en er waren geen witte draden waaraan hij zich kon vastklampen. De wereld rolde om en om, om en om en bleef toen stil op zijn kant liggen. Regenwolken dreven van boven naar beneden door zijn gezichtsveld. Ergens boven zijn hoofd kabbelde nog altijd het beekje.

'Cang Lu-tse!' riep Mei Lin, ergens... ver weg.

En er was een andere stem, een mannenstem.

Mei Lin riep: 'Nee, dank u. U hebt al genoeg gedaan!'

Cang Lu probeerde zich te bewegen. De neuzen van zijn laarzen raakten een rots. Nu pas besefte hij dat hij languit in het gras lag, zijn benen iets hoger dan de rest van zijn lichaam, onder aan de heuvel waarop hij zojuist nog had gestaan. Hij voelde geen pijn, terwijl hij het idee had dat dat wel zou moeten. Vreemd.

'Cang Lu-tse!' schreeuwde Mei Lin opnieuw. 'Is alles in orde?'

'Niets aan de hand,' schreeuwde hij terug. Hij probeerde overeind te komen.

'Wacht!' riep Mei Lin. 'Ik kom eraan!'

Hij draaide zich op zijn rug en ging zitten.

Boven hem klauterde de Yuan-sa haastig de heuvel af, gevolgd door de vreemdeling in de bruine mantel. De bundel op Mei Lins rug zakte scheef, maar ze leek zich niet de tijd te gunnen hem weer recht te trekken.

Waar was zijn eigen bundel eigenlijk gebleven? Hij keek om zich heen en ontdekte hier en daar spullen uit zijn bagage. De deken lag iets hoger op een rots. Dat zou hij later wel weer bij elkaar rapen. Voorlopig vond hij het best om hier te zitten. Hij had nog altijd het gevoel dat hij vloog, wat vreemd was, aangezien hij zojuist was geland.

Mei Lin wierp haar bundel af en knielde bij hem neer. 'Cang Lu-tse!' prevelde ze. 'Is alles in orde? Je viel zo'n eind naar beneden! Kun je alles nog bewegen? Heb je ergens pijn?'

Cang Lu haalde zijn schouders op. 'Ik voel me prima.'

Ze geloofde hem niet, want ze begon hem van top tot teen te onderzoeken.

De vreemdeling dook naast hen op. Hij had lang haar en zag eruit alsof hij zich al een aantal dagen niet had geschoren. Toen hij naast Mei Lin neerhurkte, had hij iets weg van een bosgeest, met zijn gebruinde gezicht en lange armen. Als er bosgeesten in het Ziougebergte leefden, tenminste. 'Zal ik 's kijken?' bood hij aan. 'Als er iets is gebroken, kan ik 't wel weer rechtzetten. Geen punt.' Hij wilde zich over Cang Lu heen buigen, maar Mei Lin duwde hem weg.

Vervolgens begon ze Cang Lu's armen en benen na te kijken. Ze knoopte zelfs zijn tuniek los, alsof ze zeker wilde weten dat ze daar geen verwondingen miste. De frisse lucht op zijn huid, zo plotseling, bezorgde hem kippenvel. Ze boog zich naar hem toe zodat ze zijn tuniek opzij kon duwen. Haar adem streek over zijn wang. Hij had het koud en warm tegelijk.

'Ik voel me prima, Yulan-sa!' riep hij uit, terwijl hij gegeneerd haar handen van zich af duwde. 'Ik ben in orde. Echt!'

Ze bekeek hem met een verwonderde frons in haar voorhoofd. 'Ik geloof het ook,' zei ze. 'Je hebt geluk gehad.'

Maar toen zweeg ze abrupt. Ze staarde naar zijn borst, die half ontbloot was, en hij wist wat ze zag. Blauwe plekken, als donkere stempels over zijn huid verspreid, sommige al vervagend tot een rottig geelgroen. De getuigen van de straffen van haar broer.

Het begon te regenen, met grote, trage druppels.

Mei Lin staarde hem aan. Het enige wat hij kon bedenken was dat ze heel, heel knap was met die frons in haar voorhoofd.

'Hoe kom je aan die blauwe plekken?' vroeg ze. Haar stem was niet meer dan een fluistering, nauwelijks hoorbaar boven de aanwakkerende wind.

Hij opende zijn mond, hij wist niet eens wat hij precies ging zeggen...

Op dat moment stokte zijn adem in zijn keel.

Hij viel en ditmaal was het precies zoals in Yuanjing, want hij wist dat zijn lichaam niet bewoog en toch had hij het gevoel dat hij met een ongelooflijke snelheid door de lucht suisde, langs dikke, witte draden die zich om hem heen in complexe patronen weefden. Onder hem was de wereld nauwelijks zichtbaar doordat het weefsel steeds dikker werd. Hij strekte zijn hand uit om een van die draden vast te grijpen, zoals hij de vorige keren ook had gedaan. Dat was de enige manier om zijn val te breken. Maar ditmaal weken de draden voor hem uiteen en daarachter was niets. Hij greep in de leegte.

Hij wist niet meer of hij viel of neerkwam. In de leegte was geen pijn. Hij wist zelfs niet of hij nog een lichaam bezat. Hij had alleen zijn geest, die in de witte leegte bewoog zonder te vallen of neer te komen.

Hij begreep het niet. Dit was niet wat er in Yuanjing was gebeurd. Daar had hij de witte draden bekeken, ze aangeraakt en in hun vorm en weefsel patronen gelezen die niemand anders leek te zien. Dit was ook niet de leegte die hij al zo lang kende, de leegte die hem beschermde tegen Wen De's straffen en waarin niets of niemand hem kon raken, waarin hij even niet meer bestond. Dit was een combinatie van beide. Een lege wereld, waarin hij wél bij bewustzijn was maar geen enkel patroon kon herkennen. Alsof hij zich ín zo'n witte draad bevond, zonder naar buiten te kunnen kijken. Alsof hij in een gevangenis zat.

'Cang Lu-tse!' Mei Lins stem brak de leegte in stukken.

Snakkend naar adem greep hij haar handen. Hij zat nog altijd aan de voet van de heuvel, in de regen die nu naar beneden stortte. De Yuan zeiden dat de goden huilden als het zo regende. De wind was tot een storm aangewakkerd.

Mei Lin zat nog altijd geknield voor hem, haar haren in slierten om haar wit weggetrokken gezicht. 'Wat gebeurde er met je?' riep ze.

Hij schudde zijn hoofd, omdat hij het antwoord niet wist.

Het ging nog harder regenen.

De vreemdeling, die was opgestaan, stak zijn hand naar Mei Lin uit. 'Kom mee! Daar kunnen we schuilen!' Hij wees naar het zuiden, waar Cang Lu tussen de dennenbomen een houten schuur ontwaarde.

Cang Lu kwam overeind. Even leek de wereld te draaien en was hij bang dat hij zou overgeven, maar dat gevoel trok weg. Mei Lin keek bezorgd naar hem op. 'Nee,' riep hij boven de wind uit tegen de vreemdeling. 'Nee, dank u. We moeten verder.'

De man schudde zijn hoofd. 'In dit weer? 't Wordt zo donker! Kom, broertje, ik bedoel 't goed.'

Tot Cang Lu's ontzetting pakte Mei Lin de hand vast die de vreemdeling nog altijd voor haar uitgestoken hield, en liet zich door de man overeind trekken. 'We komen,' zei ze. En tegen Cang Lu: 'Hij heeft gelijk. In dit weer schieten we niet op en jij bent niet in orde na die val, wat je ook mag beweren.'

Hij besefte dat het geen zin had om te protesteren. Terwijl hij de goden bad dat de man geen bosgeest, misdadiger of handlanger van Wen De was, begon hij de spullen uit zijn bundel bij elkaar te rapen. Mei Lin en de vreemdeling schoten te hulp. De regen sloeg hen in het gezicht en de wind speelde met de rondslingerende bagage, maar weldra hadden ze alles verzameld.

De vreemdeling ging hun voor naar de schuur. Binnen waren verschillende kotten gebouwd, met houten hekjes en voederbakken. Aan één kant lagen balen stro opgestapeld. 'Ons geitenhok,' zei de vreemdeling, terwijl hij de deur achter hen sloot. 'Het is niet groot, maar wel droog.' Hij rommelde wat in een kastje dat tussen het laatste kot en de deur was gebouwd en wierp hun beiden een vierkante doek toe, zodat ze hun gezicht konden drogen.

Mei Lin draaide zich naar de man om. Cang Lu zag dat er een voorzichtig glimlachje op haar gezicht was verschenen. 'U komt van de boerderijen?' vroeg ze.

De man knikte terwijl hij aan een van de hekjes rammelde om te zien of het goed vastzat. 'Ik kwam kijken of alles hier in orde was. Voor als we weer met de kudde naar boven gaan, begrijp je?' Hij klonk niet als een leugenaar, maar Cang Lu nam aan dat de meeste spionnen goed konden liegen. Hij bleef tussen Mei Lin en de man in staan, terwijl de laatste het volgende hekje controleerde.

De prinses wierp haar bundel van haar rug en keek met gefronste wenkbrauwen om zich heen.

De vreemdeling keek over zijn schouder. 'Vergeef me, ik vergeet jullie helemaal! Gooi je spullen maar neer en maak 't jezelf gemakkelijk.' Hij gebaarde naar de strobalen. 'Als je iets nodig hebt, roep je maar. Mijn naam is Huan.'

'Yulan,' mompelde Mei Lin. Ze keek nog eens om zich heen en nam vervolgens wat aarzelend op een van de kleinere strobalen plaats.

'Xiao Lan,' zei Cang Lu. Te laat bedacht hij dat Mei Lin hem zojuist, buiten, met 'Cang Lu' had aangesproken, maar Huan leek het niet op te merken.

'Kijk aan,' zei hij.

Cang Lu legde zijn bundel opzij en klom naast Mei Lin op een strobaal.

'We zijn op weg naar Nang Shi,' zei Mei Lin voor de geitenherder ernaar kon vragen, 'om onze ouders te bezoeken.'

Huan floot tussen zijn tanden. 'Nang Shi! Toe maar!' Hij begon wat in het stro te scharrelen en controleerde de waterbakken. Af en toe keek hij naar hen om. Even bleef zijn blik op Mei Lins tuniek rusten, op de Witte Lelie op haar borst. 'Zijn jullie paleisdienaren, of zo?'

'Ja,' zei Mei Lin. Cang Lu keek gealarmeerd, maar ze ontweek zijn blik. Ze bleef Huan aankijken, die geïnteresseerd naar haar luisterde. 'Ik heb tot mijn ontslag de Yuan-sa mogen dienen. Dit is haar teken, ziet u? In Yuanjing is het een hele eer om dat te mogen dragen.'

Cang Lu moest zich inhouden om haar niet de mond te snoeren.

Huan bleef verwonderd naar haar kijken. Toen ze zweeg, begon hij te lachen, maar niet te hard, alsof hij er niet zeker van was of Mei Lin een grapje maakte. 'Een eer, hè? Het lijkt mij alleen maar verrekte koud in zo'n tuniek.'

Tot Cang Lu's verbazing schoot Mei Lin in de lach. 'Verrekte koud!' beaamde ze.

Huan verdeelde stro over de hokken en prutste wat aan een hekje dat niet goed sloot. Vanaf de strobalen volgden Cang Lu en Mei Lin zijn werkzaamheden.

Buiten nam de storm in kracht af. De wind loeide niet meer en weldra was ook de regen verminderd tot een zacht, ritmisch getik op het houten dak.

'Ik ga er weer vandoor,' zei Huan. 'Moeder doet me wat als ik niet thuiskom na die storm. Jullie mogen met me meekomen, hoor. Geen punt. 't Is een heel eind naar de boerderij, maar moeder maakt de beste stoofpot van de hele vallei.'

Cang Lu's maag knorde bij de gedachte aan een warme maaltijd, maar het idee dat hij deze man meer dan nodig moest vertrouwen, stond hem tegen. Gelukkig schudde Mei Lin haar hoofd. 'Nee, nee, dank u wel. We moeten de andere kant op.'

Huan knikte alsof hij niet anders had verwacht. 'Wat je wil. Je mag ook hier blijven. Je kan vannacht in het stro slapen.'

Mei Lin boog haar hoofd. 'Dank u, Huan-tse,' zei ze. 'Dat is bijzonder vriendelijk van u.'

Huan schudde lachend zijn hoofd. 'Stadsvolk!' dacht Cang Lu hem te horen mompelen, maar toen had hij de deur al opengetrokken. 'Goede reis naar Nang Shi!'

De deur sloeg met een klap achter hem dicht.

26

Blauwe plekken

Zodra Huan de schuur had verlaten, sprong Cang Lu op van zijn strobaal.

Mei Lin keek hem aan, één wenkbrauw opgetrokken, alsof ze ergens
op wachtte.

'Hij was best aardig,' gaf hij schoorvoetend toe. 'Ik maakte me voor
niets zorgen. Tenminste... ik hoop maar dat hij nu niet op weg is naar
de gardisten om hen van onze aanwezigheid op de hoogte te stellen.'

Ze schokschouderde. 'Hij heeft het nieuws uit de stad nog helemaal
niet gehoord, anders had hij wel gereageerd toen ik over de Yuan-sa
begon. Hoe zou hij kunnen vermoeden wie we zijn?'

Cang Lu glimlachte om haar felheid. Hij begon de spullen uit zijn
bundel uit te stallen om ze te laten drogen. Toen liep hij langs haar
heen naar de deur. 'Ik zal vuur maken om te koken.'

Ze reageerde niet. Hij draaide zich om, één hand aan de deur, en
zag dat ze hem bezorgd aankeek.

Hij sloot zijn ogen. In gedachten telde hij tot tien. Ze zou niets zeggen, hij zou naar buiten lopen, vuur maken en hun gerantsoeneerde
porties noedels koken, alsof er niets aan de hand was.

Zes, zeven...

Een witte leegte dreigde aan de grenzen van zijn bewustzijn.

Acht.

'Cang Lu-tse?'

Hij opende zijn ogen. Zijn hand gleed van de deur.

Ze was opgestaan en wenkte hem. Een deel van hem wilde naar haar
toe, het deel dat niet in de leegte was. Ze pakte zijn hand en leidde
hem terug naar de strobalen. 'Vertel,' zei ze, toen ze beiden zaten.

Hij bewoog zijn schouders, op zoek naar een antwoord, dat hem niet te binnen wilde schieten. 'Wat valt er te vertellen?' zei hij uiteindelijk.

Ze gebaarde naar zijn borst, naar de blauwe plekken die onder zijn tuniek verborgen zaten. 'Hoe kom je daaraan?'

Hij haalde achteloos zijn schouders op. 'Ik weet het niet... Misschien van die val daarnet?'

Haar ogen vlamden op. 'Doe niet alsof ik achterlijk ben! Die blauwe plekken zijn oud, dat zie ik heus wel! En ze komen niet van een val.'

Hij zei niets.

Mei Lin zuchtte. Ze sloot haar ogen en leek zichzelf tot kalmte te dwingen. 'Ik wil je alleen maar begrijpen, Cang Lu-tse. Vanaf het begin heb je mijn vragen ontweken. Vertrouw je me soms niet?' In het schemerdonker van de schuur was haar gezicht een bleke vlek, omlijst door haar zwarte haar.

Hij schudde zijn hoofd. 'Ik vertrouw u wel. Dat is het niet.'

'Wees dan eerlijk tegen me.' Haar stem klonk smekend.

Ze had zijn rechterhand al die tijd niet losgelaten. Hij lag warm en klam in haar zachte meisjeshand. Veilig. En tegelijk kon hij haar aanraking niet verdragen, alsof hij zich aan haar bezorgdheid brandde. Hij schoof naar achteren, weg van haar, zijn knieën opgetrokken tegen zijn borst. De leegte trok aan hem. Maar hoe ver hij ook ging, hij kon haar aanwezigheid niet ontvluchten.

Ze boog zich over hem heen. 'Wat is er gebeurd, Cang Lu-tse? Wie heeft dat gedaan? Alsjeblieft!'

Hij wist dat hij wegleed. Witte sterren dansten door zijn blikveld. Maar daarachter bleef hij haar gezicht zien, haar ogen die zo helder waren dat ze hem weerspiegelden, donkere manen in een witte nachthemel.

Hij kon niets zeggen, al had hij het gewild.

Het was ook niet nodig. Hij zag het antwoord in haar ogen opkomen, zag hoe het pijnlijk duidelijk alle andere mogelijkheden verwierp. 'Nee!' zei ze en ze schoof achteruit. En toen nogmaals: 'Nee! Ik kan niet geloven dat mijn broer zoiets zou doen.'

De witte sterren explodeerden in zijn geest, maar ditmaal was er geen vrijheid, geen alles vervagende leegte die van hem bezit nam, er was geen rust. De scherven van zijn geest sprongen weg en sneden hem open. Pijn stroomde in een vernietigend waas over hem heen. Hij staarde naar de handen om zijn knieën en was verbaasd dat ze niet bloedden.

Hij voelde iedere vezel in zijn lichaam schreeuwen van ellende. Maar bovenal voelde hij haar afwijzing, als een brandende schicht in zijn hart.

'Wát zou hij niet doen?' Hij schrok van de scherpte van zijn eigen stem.

Mei Lin schudde haar hoofd. 'Een dienaar, een kind nog, zo toetakelen?'

Cang Lu lachte meesmuilend. 'Uw broer heeft zijn eigen vader laten vermoorden! Denkt u echt dat hij niet in staat is een dienaar af te ranselen, ook al is het een kind?'

Onzeker keek ze hem aan. Toen schudde ze haar hoofd. 'De moord op mijn vader was een politieke beslissing. Hoe laakbaar ook, ik begrijp hoe Wen De ertoe kon komen. Hij moet hebben gedacht dat het de enige manier was om Yuans eer te redden. Maar dit...' Ze bewoog haar hand alsof ze naar het juiste woord zocht. 'Dit is gewoon wreed,' zei ze ten slotte, op een toon alsof dat het laatste was wat ze wilde zeggen. 'Het is oneervol.'

Verbijsterd staarde Cang Lu haar aan. 'U hebt geen idee wat voor soort man uw broer werkelijk is.' Hij trilde van ingehouden woede. Zij was hierover begonnen, ze had hem gesmeekt haar de waarheid te vertellen, en nu ontkende ze alles alsof hij een leugenaar was! 'Hebt u zich nooit afgevraagd waarom uw broer juist mij – een klein kind – uit Yamatan meenam om zijn bruid te bedienen, terwijl hij ook een volwassene had kunnen nemen die voor die taak geschikter was? En waarom een bruid uit een vijandig land? Denkt u dat hij met Teishi getrouwd was als ze hier vrienden had gehad die ze in vertrouwen kon nemen? Eén kind hebben ze gekregen! Eén kind in tien jaar! Waarom zou dat zijn, denkt u?'

'Ik...'

'Hebt u zich dan nooit afgevraagd waarom uw broer zich in zijn werkvertrekken altijd door jonge jongetjes laat bedienen? Jongetjes die na enkele tiendagen steeds weer op mysterieuze wijze verdwijnen... Maar ik kon niet verdwijnen. Waarom heeft hij mij nooit een vrijbrief gegeven, denkt u?'

'Cang Lu-tse!' riep Mei Lin ontsteld.

'U wilde toch dat ik eerlijk was?' zei hij. 'U wilde de waarheid. De waarheid is dat uw broer slechts één keer per maand met zijn vrouw slaapt, als hij de meeste kans heeft om een zoon bij haar te verwekken. De waarheid is dat ík zijn slaapkamer heel wat vaker te zien kreeg dan

Teishi. Vertel me niet dat u uw broer kent, Yuan-sa, want in werkelijkheid hebt u geen idee waartoe hij in staat is! Of denkt u echt dat die blauwe plekken het ergste zijn?' Het was eruit voor hij er erg in had, voor hij zich kon bedenken, de woorden toe kon dekken, verdraaien, verbergen. Zulke zaken waren in Yuan onbespreekbaar. Voor de keizerlijke familie... ondenkbaar.

Hij keek naar Mei Lin op, in de hoop dat ze hem niet had gehoord. Haar gezicht was een strak masker waaruit al het bloed was weggetrokken. Ze stond op van haar strobaal en streek werktuiglijk haar rokken glad. 'Dergelijke beschuldigingen wil ik nooit meer horen,' zei ze met een stem die niet de hare was. 'Begrepen, Cang Lu?'

Hij sloot zijn ogen. Tranen gleden over zijn wangen. Hij had niet eens gemerkt dat hij huilde. Driftig boende hij ze weg.

Hij opende zijn ogen en stond op. De wereld draaide om hem heen. 'Ik ga koken,' zei hij. 'Straks is het te donker.'

Ze liet hem gaan.

Ze aten in stilte. Cang Lu spoelde de kookpot om met water uit hun waterzak. Morgen konden ze die weer bijvullen met water uit het beekje verderop.

Binnen had Mei Lin hun dekens over de strobalen uitgespreid. Hij klom op zijn baal en draaide zich op zijn zij. Het stro prikte in zijn wang, maar het was warm en zachter dan de rotsgrond van de afgelopen nachten.

Naast zich hoorde hij Mei Lin zuchten.

Hij kroop verder onder zijn deken.

Zijn maag lag in een knoop die niets te maken had met de minuscule hoeveelheid noedels die hij had gegeten, en zelfs niet met de misselijkheid na zijn val. De wereld was gestopt met draaien en nu was hij zich pijnlijk bewust van elke beweging die hij maakte, alsof scherpe messen zijn spieren hadden doorkliefd.

'Cang Lu-tse,' fluisterde Mei Lin, 'slaap je?'

Hij gaf geen antwoord.

Er klopte iets niet. Hij had het gevoel dat hij opnieuw viel, maar dit keer viel hij omhóóg, alsof de zwaartekracht zijn greep op hem aan het verliezen was. Zijn vingers verkrampten, ze wilden zich ergens aan vastgrijpen maar waren vergeten hoe dat moest. Steeds hoger viel hij. Zijn lichaam voelde vreemd. Hij werd zich bewust van beelden, gevoelens, herinneringen. Ze stapelden zich op, tot hij erin dreigde te verdrinken. En nergens waren witte sterren om ze uit te wissen. Nergens was er leegte.

Er waren schaduwen. Schaduwen met lange, scherpe klauwen. Om hem heen, boven hem, naast hem, ín hem. En hij kon ze niet zien want overal was duisternis. Hij was alleen in het donker, alleen en blind, en de schaduwen zouden hem verslinden. Hij had licht nodig. Zijn kaars, waar was zijn kaars?

Met een gil schoot hij overeind.

Haar handen waren er voor hij zich van haar aanwezigheid bewust werd, koel en troostend. 'Stil,' fluisterde Mei Lin. 'Stil, Cang Lu-tse. Het is goed.' Ze wiegde hem terwijl hij huilde, als een klein kind. Het donker trok niet weg, maar de schaduwen verdwenen. Uitgeput liet hij zijn wang tegen haar schouder vallen. 'Het spijt me,' prevelde ze tegen zijn voorhoofd. 'Het spijt me. Het spijt me. Het spijt me.' De woorden werkten als een mantra. En wat zelfs Natsuko's kruidenformules nooit bereikt hadden, lukte nu wel: op het magische ritme van die woorden zakte Cang Lu eindelijk weg in een droomloze slaap.

Toen hij wakker werd, was het licht en zat Mei Lin op haar hurken naar hem te kijken. Ze had haar rokken opgebonden, zodat haar laarzen precies onder de zoom uitstaken.

'Wil je cha?' vroeg ze. 'Ik heb het water gekookt, precies zoals jij dat altijd doet. Ik weet alleen niet of het zo'n bruine kleur hoort te krijgen. En die rare geur klopt volgens mij ook niet helemaal. Ik kon me niet meer herinneren of ik de bladeren van tevoren in het water moest gooien of niet.'

Als Cang Lu nog boos was geweest om de vorige avond, zou zijn woede als sneeuw voor de zon zijn verdwenen bij de aanblik van Mei Lin. Er zat een zwarte veeg op haar wang en haar haren smeekten om een kam. Maar haar ogen schitterden terwijl ze hem de cha aanreikte, waarschijnlijk het eerste wat ze ooit zelf in haar leven had bereid.

Ze had de chabladeren tijdens het koken in het water gegooid, zo bleek, wat de smaak niet bepaald ten goede kwam, maar Cang Lu zei er niets van. Hij hielp haar de sporen van hun vuur uit te wissen en pakte hun bundels in. Even later waren ze op weg.

Het was nog vroeg. Mei Lin moest in het donker zijn opgestaan om het vuur op te stoken. Bij de boerderijen in de verte was nog geen enkel teken van leven te bespeuren.

Ze daalden het laatste stukje van de heuvel af naar het beekje. Vandaar trokken ze verder naar het zuiden.

Over Wen De spraken ze niet meer. De blauwe plekken vervaagden allengs tot er niets meer te zien was, maar ze vergeten kon Cang Lu niet. Wen De's stem, zijn geur, zijn aanraking, ze stonden in zijn lichaam gegrift, dieper dan blauwe plekken, waar geen geneesmiddel kon reiken.

27

De vrouwe van Saitō

Natsuko schrok wakker uit haar droom en zat rechtop in bed, ze ademde snel en oppervlakkig. Het paleis was doodstil. De kamer was nog donker; het kon niet veel later zijn dan het derde dubbeluur. Buiten bij de paleisvijver slaakte een vogel een schrille kreet.

Ze sloot haar ogen en probeerde de beelden op haar netvlies uit te bannen. Het was zinloos natuurlijk, en vooral vannacht. De droom was heftiger geweest dan gewoonlijk.

Ze huiverde. Was het zo koud?

Ergens aan de andere kant van haar muur viel een voorwerp rinkelend aan diggelen.

Met een zucht wierp Natsuko haar benen over de rand van het bed. Ze greep een omslagdoek van de kist aan het voeteinde en stond op. Van slapen zou nu toch niets meer terechtkomen.

Het kostte even tijd voor het haar lukte een kaars aan te steken. Ze was natuurlijk geoefend om in het donker haar weg te vinden maar durfde niet te riskeren dat ze zich zou vergissen en per ongeluk ergens tegenaan zou lopen; ze kende deze nieuwe vertrekken nog niet goed genoeg. Flakkerend kwam het vlammetje tot leven.

Met de kaars in haar hand verliet ze haar kamer. Ze kwam in een smalle gang, die alleen door dienaren werd gebruikt. Een deur aan de andere zijde leidde naar het woonvertrek van haar meesteres. De kaars wierp een schimmig licht door de ruimte: enkele meubelstukken, donkere panelen aan de muren. Yuan. Tot haar verbazing voelde Natsuko een steek van verlangen naar Teishi's oude vertrekken. Ze begreep niet wat haar meesteres had bezield om naar de vertrekken van de vermoorde Yuan-sa te verhuizen. Ze waren groter en beter gelegen dan haar vorige vertrekken – meer geschikt voor de nieuwe keizerin van Yuan – maar Teishi leek er niet gelukkig. Natsuko was niet de enige wier nachtrust door boze dromen werd verstoord.

Ze zette de kaars opzij en boog zich over de scherven van een porseleinen vaas, die blijkbaar van een tafeltje was gestoten.

'Laat liggen!'

Natsuko richtte zich half op. 'Teishi-sa?' Ze weigerde haar meesteres met de titel van keizerin aan te spreken. Er waren grenzen.

Van onder haar wimpers zag ze een beweging aan de andere kant van het vertrek. Haar meesteres zat bij het raam, met haar zoontje Dian Wu op schoot. Misschien had het kind niet kunnen slapen. Misschien.

'Zo, een bezig bijtje ben jij,' zei Teishi. De woorden waren waarschijnlijk spottend bedoeld, maar klonken eerder vermoeid. Het was niet de eerste nacht dat Natsuko haar hier wakker had aangetroffen. 'Maar ik heb je niet gevraagd om op te ruimen. Kom hier!'

Natsuko liep naar haar toe.

'Ga zitten.' Teishi wees op de stoel tegenover haar. Natsuko aarzelde. 'Ga zitten!' Natsuko gehoorzaamde. Maar nauwelijks had ze zich op de stoel laten zakken, of Teishi verzuchtte: 'Nu je toch hier bent, kun je wel cha voor mij maken.'

'Jawel, Teishi-sa.' Natsuko stond weer op en verliet het vertrek om de benodigdheden te halen.

'Het is heel helder deze nacht,' mompelde Teishi, toen Natsuko terugkwam. 'Ik heb nog nooit zo veel sterren gezien.' Ze streek afwezig met een hand door Dian Wu's haar. 'Ik geloof soms dat alles in de sterren staat. Wij hoeven enkel de hemel te lezen om antwoord te krijgen. Ons lot ligt daar al vast.'

Natsuko glimlachte geringschattend terwijl ze chabladeren in Teishi's kom schudde. 'Is dat zo, Teishi-sa?'

Teishi keek op. 'Jij gelooft mij niet.'

Natsuko schudde haar hoofd. 'Wat weet ik ervan? Ik ben toch maar een simpele dienstmeid.'

Teishi kneep haar ogen samen, maar reageerde niet. Natsuko had niet anders verwacht. Er viel een onbehaaglijke stilte, waarin haar meesteres naar buiten staarde. Natsuko schonk water in de chakom.

Op dat moment begon Dian Wu zachtjes in zichzelf te zingen. Een Yamatanees versje. Natsuko kon een glimlach niet onderdrukken. Hij deed haar aan Sagi denken, toen die zo oud was als hij. Ze wist bijna zeker dat híj het versje aan de jonge prins had geleerd.

Een steek van verlangen schoot door haar hart.

Sagi. Hoeveel dagen had ze kunnen vermijden aan hem te denken? Ze wilde niet piekeren over wat hem was overkomen. Hij was verdwenen op de dag dat de keizer en de Yuan-sa waren vermoord. Ze wist zeker dat hij daar op de een of andere manier bij betrokken was geraakt. Ze had hem bij de Yuanprinses weg moeten houden!

Haar handen sloten zich om het warme porselein van de chakom. 'Teishi-sa,' zei ze. Teishi keek met glazige ogen op. Natsuko boog. 'Uw cha.'

Teishi schudde haar hoofd, als om bange gedachten te verjagen. Ze reikte naar de kom, maar pakte die niet aan. In plaats daarvan legde ze haar hand over die van Natsuko en keek haar recht in de ogen. Natsuko rilde onder die blik. 'Ik had een droom waarin jij mij cha bracht.'

Natsuko stapte achteruit, maar Teishi's hand om de hare hield haar tegen. 'Dat is toch niet zo vreemd?' vroeg ze met trillende stem.

Teishi staarde naar hun beider handen en liet toen los. 'Ik zat in de tuin van het huis op de heuvel,' mompelde ze. 'De rozen stonden in bloei.'

Onzeker draaide Natsuko de kom in haar handen. Waar had Teishi het over?

Dian Wu was stilgevallen en staarde zijn moeder met grote, donkere ogen aan.

Teishi zuchtte. Ze keek op, plotseling helder. 'Weet jij nog hoe de rozen waren, Natsuko?'

Natsuko fronste. 'Rozen, Teishi-sa?'

'In mijn droom! Ik zat in de tuin, onder een parasol, en jij bracht mij cha.' Teishi lachte. 'Ironisch, toch? Ah! Die rozen... Het is zonde dat jij ze bent vergeten. Maar ik ben niet verbaasd. Het was een wreed lot dat bepaalde dat jij in het huis van de heer van Saitō opgroeide, dat jij vrij door die tuin kon rondlopen – en ik niet.'

De chakom schudde vervaarlijk in Natsuko's hand. De cha spetterde over de rand, maar ze schonk er geen aandacht aan. 'Rozen!' spoog ze. 'Het verbaast me dat jíj je dat herinnert!'

Teishi trok een wenkbrauw op.

Natsuko wist niet wat haar had bezield om zo te spreken. Ze had er niet bij nagedacht. Misschien kwam het door haar droom, die uitgerekend die nacht zo heftig was geweest. Waarom moest Teishi haar daaraan herinneren? Er waren rozen in de droom geweest, nietwaar? Saitō.

Waarom was Teishi erover begonnen? Waarom nu, na al die jaren? Toen Wen De hen uit Yamatan wegvoerde, hadden ze een stilzwijgende overeenkomst gesloten, de echtgenote van de kroonprins en haar krijgsgevangen dienstmeid: ze zouden niet over het verleden spreken. De schande die daarin besloten lag, was voor beiden te groot. Teishi wilde niet worden herinnerd aan wat ze was geweest, Natsuko niet aan wat ze had verloren. Wilde Teishi nu zien hoe ver ze kon gaan tot Natsuko hun toneelspel zou beëindigen? Dacht die slang werkelijk dat ze haar tot zo'n vernedering kon dwingen? Dat Natsuko zou smeken om verlossing? Als iemand deze farce zou doorbreken, dan was het Teishi zelf! Pas als zij haar fouten toegaf en uit zichzelf Natsuko haar verdiende vrijheid schonk, zou Natsuko die accepteren. Tot die tijd speelde ze de rol die haar was toebedeeld.

Maar wanneer zou Teishi breken?

'Ik begrijp jou niet, Natsuko,' zei Teishi. Ze wiegde het kind op haar schoot in slaap, maar het leek een onbewuste beweging. Ze had donkere kringen onder haar ogen.

Snel dan, dacht Natsuko en ze onderdrukte de warme gloed die deze gedachte bij haar opriep.

Teishi hield haar hoofd een beetje schuin, alsof ze Natsuko zo beter kon bestuderen. 'Waarom blijf jij hier?' vroeg ze. 'Ik dacht dat het om Cang Lu was, maar hij is verdwenen en jij bent hier nog steeds. Je weet dat je het slechts hoeft te vragen en de Yuan-tse zal jouw vrijbrief tekenen. Je zou zó kunnen gaan. Maar je blijft. Wat houdt jou hier?'

Mijn waardigheid, dacht Natsuko. Waarom denk je dat ik voor Wen De zal kruipen, alleen omdat jij dat doet? Maar dat zei ze niet. Ze zou niet om haar contract smeken, net zomin als ze de waarheid over Saitō zou vertellen. Als ze om haar vrijbrief vroeg, zou ze haar gevangenschap rechtvaardigen. Nee, haar meesters moesten haar zelf vrijlaten. Dat was de enige manier om haar eer terug te winnen. Teishi moest tot inkeer komen. En de manier om Teishi zover te krijgen, de manier om haar te breken, lag niet in verhalen over Saitō, of wat zij daar waren geweest.

Ze zette de chakom met een tik op tafel. 'Misschien bleef ik inderdaad voor Cang Lu,' zei ze. 'Misschien hoopte ik dat ik hem voor verdere schade kon behoeden. En nu blijf ik om te voorkomen dat een ander het volgende slachtoffer wordt.'

'Denk jij dat ik een vergissing heb gemaakt, Natsuko?' De vraag hing trillend in de lucht en datgene wat Teishi níét zei, drukte op Natsuko's schouders.

'Waarom vraagt u dat, als u weet dat mijn antwoord u niet zal bevallen?'

Teishi keek haar strak aan. 'Geef antwoord!'

Natsuko zuchtte. Tien jaar was een lange tijd. De angst voor vergelding zat te diep in haar geworteld om vrijuit te durven spreken. 'Sommige mensen trekken het ongeluk aan,' zei ze ten slotte, 'alsof de goden hun wezen hebben vervloekt, alsof de wereld eropuit is hen te vernederen, zoals de jongen die u meenam uit Nashido, Cang Lu. Toch hebben alle mensen de keuze om te doen wat ze willen met het lot dat hun is geschonken.'

Teishi's stem sloeg over. 'Welke keuze had ik?'

'Er zijn vele wegen die leiden naar eer en verlossing en evenzovele die leiden naar schande. Zelfs voor iemand die bestemd is voor het ongeluk. Soms zijn alle wegen duister en zwaar, maar de keuze is er altijd.' Natsuko hief haar hoofd op. 'U koos voor Wen De.'

Teishi keek haar fronsend aan, alsof ze nog steeds niet begreep wat Natsuko bedoelde. Ze móést het begrijpen. De tijd van voorzichtigheid was voorbij. Natsuko zou niet lijdzaam toezien hoe een volgend kind aan Wen De's verdorvenheid ten onder ging. Ze had zijn blikken wel gezien. Teishi mocht daar niet langer blind voor zijn.

Ze strekte haar hand uit en streek door Dian Wu's haar. 'Wat wordt hij al groot!' zei ze in het Yamatanees. 'Bijna net zo oud als Cang Lu was, toen jullie hem uit Nashido meenamen. En zo mooi... Je weet toch dat hij een heel knappe jongen wordt, Teishi? Zou Wen De dat al beseffen, denk je? Wanneer zal hij zien dat zijn zoontje is veranderd in een mooie, grote jongen? Over een jaar? Vijf maanden? Een tiendag? Of heeft hij het al gezien?'

Teishi's ogen werden groot. Natsuko zag dat het haar begon te dagen, zag in die blik hoe wanhoop en woede met elkaar om voorrang streden.

Ze hield haar hand boven Dian Wu's hoofd. 'En als Wen De aan zijn verlangens toegeeft, zoals je weet dat hij zal doen, zul je dan opnieuw je ogen sluiten om je eigen positie veilig te stellen?'

Ze wist dat haar woorden hard waren. Ze wist het, maar welke keus had ze? Soms waren alle wegen duister en zwaar. Teishi moest breken. Het was de enige manier.

Toen Natsuko lange tijd later weer in bed kroop, wist ze dat de droom terug zou keren.

Ze zat in de tuin van het huis op de heuvel in Saitō en keek naar de jongen die de rozen water gaf. Een van de diensters kwam uit het huis en bracht cha in kommetjes van Mirushimaporselein.

Tegenover haar boog Nishida met een onzeker glimlachje naar voren in zijn stoel. Ze was er zeker van dat hij de vraag zou stellen waarop ze zo lang had gewacht. Maandenlang hadden ze om elkaar heen gedraaid, blozend en stotterend. Ze wist zelfs dat hij al bij haar vader was geweest om toestemming te vragen. En ook al was het ongebruikelijk, een huwelijk uit liefde, ook al was het in de nadagen van een oorlog de ongunstigste tijd voor een trouwerij, ook al droeg hij nog de rouwlinten ter herinnering aan zijn gevallen familieleden, ze wist dat ze 'ja' zou zeggen.

Op dat moment reed een groep Yuansoldaten door de laan voor het huis. Ze waren geen opzienbarend verschijnsel meer, nu Nashido onder het bewind van hun kroonprins viel. Maar deze groep was anders. Op een schimmel – naast een officier – zat een vrouw. Een Yamatanese. Wat deed zij in het gezelschap van Yuanofficieren? Natsuko meende dat ze het gezicht van de vrouw eerder had gezien, misschien woonde ze ook in Saitō.

De groep hield halt voor de poort van het huis.

Nishida kwam overeind. Natsuko wist niet zeker of hij alleen ging vragen wat er aan de hand was of dat hij hen weg wilde sturen; hij was tot het laatste in staat. Sinds de dood van zijn familie koesterde hij jegens de Yuan een haat die aan het waanzinnige grensde; soms dacht ze dat die haat het enige was wat hem nog op de been hield, dat het een masker was waaronder hij net zo hulpeloos zou blijken als de andere slachtoffers van de oorlog. Maar masker of niet, hij zou toch wel beter weten dan de nieuwe machthebbers te beledigen?

De stem van de vrouw op de schimmel hield hem tegen voor hij de poort had bereikt. 'Haar!' zei de vrouw, terwijl ze met haar hoofd in Natsuko's richting knikte. 'Ik wil haar.'

Even was Natsuko zo verbijsterd dat ze bijna in de lach schoot. Nishida bleef stokstijf staan.

De Yuanofficier schudde zijn hoofd. 'Dat is een edelvrouw, Teishi, geen dienares. Ze is ongeschikt. Als we een stukje doorrijden, komen we bij...'

'Je zei dat ik mocht kiezen wie ik maar wilde, Wen De,' onderbrak de vrouw hem verontwaardigd. 'Ik mocht iemand kiezen en jij zou haar voor me meenemen!'

Natsuko's mond viel open. Wie wás die vrouw?

'Natuurlijk,' zei de man, 'natuurlijk, Teishi, dat mag je ook. Maar er zijn andere...'

De ogen van de vrouw fonkelden. 'Ik wil geen andere.' Ze stak een vinger uit en wees naar Natsuko. In een flits zag Natsuko de tatoeages op haar hand, en plotseling wist ze precies waar ze de vrouw eerder had gezien: in de tuin van het paradijshuis aan de overkant, waar ze als paradijsbloem werkte.

Nishida gromde iets onverstaanbaars.

De Yuanofficier zuchtte. Hij maakte een achteloos gebaar naar zijn volgelingen. De Yuansoldaten stegen af en openden de poort.

Het laatste wat Natsuko zich herinnerde voor ze zwetend in haar bed overeind schoot, was niet haar eigen angst toen ze haar wegvoerden. Nee, het was Nishida's gezicht, dat zich in haar geest aftekende alsof hij nog voor haar stond, de lijnen verwrongen tot een huiveringwekkende grimas. Er was geen haat meer in zijn ogen, er was helemaal niets. De Yuan hadden zijn masker eindelijk gebroken.

28

De nieuwe kleren van de Yuan-sa

In Yuanjing, aan de voet van het Ziougebergte, had Cang Lu nooit beseft hoe uitgestrekt het gebergte was. Er kwam geen einde aan de hoeveelheid pieken, langgerekte kloven en diepe valleien die hen dwongen af te dalen en dan weer omhoog te klimmen, waardoor het onmogelijk was op een dag een behoorlijke afstand af te leggen. Tegen het einde van de eerste tiendag wist hij zeker dat ze zich in de richting moesten hebben vergist, waardoor ze juist dieper de bergen in trokken. Na twee tiendagen was hij bereid hun tocht op te geven en voor te stellen om zich voor altijd in de bergen schuil te houden, waar Wen De hen nooit zou vinden.

Toen bereikten ze eindelijk de uitlopers van het Ziougebergte. De heuvels waren groen en glooiend, het landschap was bezaaid met bosjes loofbomen die hun bladeren nog moesten terugkrijgen. Waterstroompjes slingerden door de dalen als koele, blauwe aders.

Het was moeilijk voorstelbaar dat in dit lieflijke landschap gevaar dreigde. Ze hadden inmiddels zo'n stuk gereisd zonder een patrouille van de keizerlijke garde te ontmoeten, dat het onmogelijk leek dat ze werden achtervolgd. Maar in de dorpjes die ze passeerden – groepjes huizen die langs de traag kabbelende beekjes in de dalen waren gebouwd, met akkers die tegen de hellingen lagen – hingen steevast witte rouwbanieren uit de ramen. De herauten uit de stad waren hier al gepasseerd met het nieuws dat de Yuan-tse was overleden. En dus konden de gardisten die Wen De ongetwijfeld achter hen aan had gestuurd, zich daar ook ophouden.

Ze bleven in de wildernis.

's Avonds hielp Mei Lin Cang Lu met hout sprokkelen en soms bereidde ze op hun kampvuurtje de noedels, al smaakten die altijd een beetje papperig, omdat ze ze te lang liet koken. Met haar losse haar, onbeschilderde gezicht en vuile dienstertuniek was het gemakkelijk om te vergeten dat ze de Yuan-sa was.

Toch waren er nog steeds momenten waarop Cang Lu zich geen raad wist. Dan keek ze hem op zo'n manier aan dat hij zich licht in zijn hoofd voelde en zwaar in zijn buik. Aanvankelijk weet hij dat aan hun ruzie in de geitenschuur en aan de leegte die hem toen in haar greep had gekregen. Vaak moest hij denken aan het gesprek dat ze hadden gevoerd op een avond toen ze nog maar net op weg waren. 'Ik moet mijn vaders belofte gestand doen', had ze gezegd. 'Ik ga naar Jitsuma om met prins Akechi Sadayasu te trouwen'. Om de een of andere reden maakte die herinnering hem intens verdrietig.

Soms was hij bang dat ze zijn gedachten van zijn gezicht kon lezen. Dan zweeg ze plotseling en ontweek ze zijn blik, of ze stapte achteruit en begon aan iets te frummelen, aan haar haren of haar nagels, de zoom van haar mouw. Op dergelijke momenten was hij bang dat ze nog steeds niet geloofde wat hij haar in de geitenschuur had verteld. Die gedachte verkilde zijn hart, alsof hij Wen De's nabijheid nog altijd kon voelen.

Voorbij de laatste heuvels strekte zich het laagland uit, met loofbossen zover het oog reikte. Ergens voorbij die bossen stroomde de rivier de Qing Jiang, die naar de provincie Nan Men leidde. Een weggetje slingerde tussen de bomen door. Tegen de tijd dat ze aan de voet van de heuvel aankwamen, zakte de zon achter de boomtoppen naar beneden.

'We zullen in het bos ons kamp opslaan,' zei Mei Lin.

Maar toen werden ze ingehaald door een grijze man op een krakerige ossenkar. Er was geen enkele mogelijkheid om hem te ontlopen. Hij had hen al in het oog voor ze zich konden verstoppen. 'Hallo! Hallo! Hoe gaat het?' riep hij, terwijl hij de kar naast hen tot stilstand bracht. Hij droeg een simpele jas van bruine wol en leren schoenen. De huid van zijn gezicht was dun als rijstpapier, met fijne lijntjes rond zijn mond en ogen. 'Op weg naar het dorp? Ik geloof niet dat ik jullie ken. Waar komen jullie vandaan?'

Cang Lu en Mei Lin keken elkaar aan. Ze konden niet zeggen dat ze uit het paleis kwamen. Als de keizerlijke garde hier ook al in de buurt was geweest en naar hen had geïnformeerd...

'Een goede avond, vadertje,' zei Cang Lu om tijd te winnen. 'Er is hier een dorp in de buurt, zegt u?'

De man knikte. 'Xiang Xin, net voorbij het beekje daar verderop. Al denk ik niet dat jullie het vanavond nog zullen bereiken als jullie zo door blijven lopen. Komen jullie van ver? Jullie zien eruit alsof jullie dagen door de wildernis hebben gezworven.'

Cang Lu zag de vrees in Mei Lins ogen. Hij nam een gok. 'We komen uit Nang Shi,' zei hij. Hij hoopte dat de man hun paleistunieken niet als zodanig zou herkennen. Ze waren immers ver van Yuanjing en hun livreien waren vuil en gerafeld na dagen in de wildernis.

De man keek hen verrast aan. 'Nang Shi? Van de zijde? Wat leuk! Ik heb nog nooit iemand uit Nang Shi ontmoet! Wat ontzettend leuk! Wat brengt jullie helemaal hier?'

Cang Lu was even uit het veld geslagen door zijn enthousiasme. 'We zijn... eh...'

'We willen de bergen zien!' riep Mei Lin uit. 'De Qin Mi Shan. En daarna gaan we naar Adhistan om Volgelingen van de Halve Maan te worden! We zijn wereldreizigers, mijn broer en ik.'

'Wereldreizigers!' De man schudde zijn hoofd alsof dat zijn begrip te boven ging. 'En jullie komen echt helemaal uit Nang Shi?'

'Ja,' zei Mei Lin zonder blikken of blozen. 'Van de zijde.'

De man schudde zijn hoofd. 'Ongelooflijk! Jullie moeten maar achter op de wagen klimmen, dan geef ik jullie een lift. Mijn vrouw zal alles over jullie avonturen willen horen.'

Cang Lu stapte achteruit.

'Dat is heel vriendelijk van u,' zei Mei Lin beleefd, 'maar we willen u niet tot last zijn.'

De man schudde lachend zijn hoofd en gebaarde naar zijn kar. 'Wil je buiten in de kou blijven liggen? In mijn huis wacht een warm bad en een bed. We hebben plaats genoeg, nu onze meisjes getrouwd zijn. Mijn vrouw zal voor jullie koken. Kom, ze zal het me niet vergeven als ik jullie hier achterlaat. Het is bovendien de goede kant op...'

Mei Lin fronste haar voorhoofd. Cang Lu begreep haar aarzeling. Het was niet gezegd dat andere dorpelingen hun tunieken niet zouden herkennen. Maar de verlokking van een bed en een warm bad waren ook voor hem onweerstaanbaar. Het zou toch al donker zijn tegen de tijd dat ze in het dorp aankwamen. 'Vooruit dan,' zei de prinses. Ze klommen achter op de wagen en even later waren ze weer op weg.

De man op de bok heette Wu. Hij was wever van beroep en had altijd al eens naar het noorden willen gaan om de befaamde zijdespinners van Nang Shi te ontmoeten. Hij wilde alles over hun zogenaamde woonplaats weten. Gelukkig wist de man zelf zo weinig van de zijdeteelt dat hij Mei Lins haastig gesponnen web van leugens niet doorzag.

Tegen de tijd dat ze Xiang Xin bereikten, was de duisternis al ingevallen. Het dorp bestond uit een paar straatjes rond een plein met een smidse, een dorpshuis en een dranklokaal.

Wever Wu bracht de ossenwagen midden op het plein tot stilstand. Verrassend lenig sprong hij van de bok. Twee opgeschoten jongens kwamen uit de smidse om de wagen van hem over te nemen. 'Hallo! Hallo! Hoe gaat het?' riep Wu hun toe. 'Bedank jullie goede vader namens mij voor het lenen van zijn wagen! Vertel hem maar dat ik een goede prijs heb gekregen voor de kleden die hij zo mooi vond.'

De jongens mompelden iets wat Cang Lu niet kon verstaan. Ze wierpen nieuwsgierige blikken op de twee vreemdelingen, maar zeiden niets.

'Brave jongens,' mompelde Wu in zichzelf, terwijl ze het plein overstaken naar een houten huis met een schuin dak, dat tegenover het dranklokaal lag. 'Altijd behulpzaam. Ah! Hier zijn we.' En met een zwaai opende hij de deur.

Het huisje was klein, met donkere muren en een plankenvloer. Het was echter gezellig ingericht met gestreepte tapijtjes en kleurige kleedjes aan de wand, heel geschikt voor een wever in goeden doen. Cang Lu nam het interieur vanuit de deuropening in zich op.

In de huiskamer, die blijkbaar tegelijk als keuken dienstdeed, stond een gerimpelde vrouw bij het haardvuur in een pot te roeren.

Bij het zien van zijn vrouw werd de glimlach op Wu's gezicht nog breder. 'Hallo! Hallo! Hoe gaat het hier?'

Verstoord keek de vrouw op, haar pollepel als een degen voor zich uit gestoken. 'O, ben jij het? Je liet me schrikken!' riep ze. 'Ben je nu al terug?'

Wever Wu liep naar haar toe, pakte de lepel uit haar hand en roerde wat door de kookpot. 'Ik heb bezoek meegebracht,' zei hij, alsof dat hem nu pas te binnen schoot. Hij trok de lepel weer uit de pot en zwaaide ermee in de richting van Mei Lin en Cang Lu. 'Dit zijn Zhao Yulan en haar broer Xiao Lan. Wereldreizigers uit Nang Shi. Wat zeg je me daarvan?'

Vrouw Wu veegde de spetters soep uit haar haren. 'Reizigers, zei je, Wu-tse?'

Wever Wu overhandigde haar de pollepel. 'Wereldreizigers. Ik kwam ze onderweg tegen, een uur rijden vanhier. Zei ik al dat ze uit Nang Shi komen? Ze blijven hier vannacht slapen.'

'Natuurlijk blijven ze hier slapen!' Vrouw Wu liet de lepel met een plons in de kookpot vallen. 'Je gaat maar vlug de bedden in orde maken! Ach, beste kinderen, wat zien jullie eruit! Kom gauw hier bij het vuur zitten. De soep is bijna klaar. Na het eten zullen we de tobbe vullen, zodat jullie je kunnen wassen. En dan zal ik eens kijken of ik nog wat schoon goed voor jullie heb om aan te trekken.' Met een glimlach duwde ze hen in de richting van de stoelen die bij de haard stonden; de glimlach was blijkbaar niet voor haar echtgenoot bestemd. 'Waar wacht je nog op, Wu-tse? Die bedden maken zich niet vanzelf op!'

De wever haastte zich naar de achterkamer.

Cang Lu wierp een blik op Mei Lin, die het geheel met een wat bedenkelijke frons in zich opnam. Afwezig wreef ze voor de haard haar handen tegen elkaar. Ze zag er moe uit. Cang Lu was blij dat ze wever Wu's uitnodiging had aangenomen. Ze konden allebei wel een goede nachtrust gebruiken.

Even later keerde de wever terug uit het slaapvertrek en kondigde vrouw Wu aan dat het eten klaar was. Ze kregen soep in gebarsten aardewerken kommen. Cang Lu at zo gulzig dat hij zijn tong eraan brandde. Daarna was er zure pap, terwijl wever Wu in een grote ketel water voor hun bad begon te verwarmen.

Onder het eten werd er niet gepraat, maar zodra vrouw Wu de kommetjes had afgespoeld, wilde ze van alles weten over hun reis. Mei Lin leunde achterover in haar stoel en vertelde de verhalen die ze eerder aan de wever had verteld, met hier en daar een nieuwe uitweiding als het verhaal daarom vroeg. Cang Lu luisterde vol bewondering. Als hij niet beter had geweten, zou hij hebben geloofd dat ze werkelijk uit Nang Shi kwam.

Vrouw Wu schudde haar hoofd. 'Wat een belevenissen! Zo jong en dan al zulke avonturen!'

Haar man kwam de kamer weer binnen.

'Ah!' riep ze. 'Jullie bad is klaar. Jonge meester Zhao, als je mij wilt volgen...' Ze sprong op en liep naar de achterkamer.

'O nee!' riep Cang Lu verschrikt. 'Laat mijn zuster zich eerst wassen!'

Ze is vast moe na onze reis en wil ongetwijfeld vroeg naar bed. Is het niet, Yulan-sa?'

Mei Lin keek hem verbaasd aan. 'J-ja... Natuurlijk.' Ze stond op en volgde vrouw Wu, maar voor ze door de deur verdween, wierp ze nog een bevreemde blik over haar schouder. Dacht ze soms dat hij haar had weggestuurd omdat hij vond dat ze vroeg naar bed moest? Ze zou toch zeker wel begrijpen dat hij haar enkel als eerste van het water gebruik wilde laten maken?

Wever Wu kwam naast hem zitten en probeerde hem verder uit te horen over de precieze methoden waarmee in Nang Shi kleding werd vervaardigd, maar Cang Lu wist niet veel meer van zijde dan wat Mei Lin hun zojuist had verteld. Gelukkig kon hij de meeste vragen ontwijken door de wever zelf over diens werk te laten praten, omdat hij graag wilde weten welke methoden men in deze streek gebruikte.

Even later keerde vrouw Wu terug. Ze redde Cang Lu door haar man om hout voor het vuur te sturen. 'We hebben meer warm water nodig voor Xiao Lans bad.'

Cang Lu glimlachte verlegen. 'Dat hoeft u niet te doen, Wu-sa.'

'Onzin!' zei ze. 'En anders zou hij de rest van de avond maar door blijven praten over Nang Shi-zijde. Ik wil je niet beledigen, Xiao Lan-tse – ik weet dat die heel mooi moet zijn – maar zo af en toe wil een vrouw het ook wel eens over iets anders hebben!'

Cang Lu schoot in de lach.

'Wat is er? Zeg ik iets geks?'

Cang Lu schudde zijn hoofd.

Ze kwam tegenover hem zitten. Hij zag nu dat ze een wollen hemd en een broek bij zich had, die ze met naald en draad begon in te nemen. 'We hebben nooit zoons gehad,' zei ze, toen ze hem zag kijken, 'maar ik denk dat deze kleding van Wu je wel zal passen als ik alles heb ingekort. Ik denk dat ik ook nog wel een oude mantel heb die je kunt gebruiken. Ik zal hem dadelijk voor je in de achterkamer leggen.'

Hij boog zijn hoofd. 'Dank u, Wu-sa. Dat is bijzonder vriendelijk.'

De vrouw snoof. 'Ik kan jullie toch moeilijk in die vodden laten lopen? Dát is geen Nang Shi-zijde, of wel?'

Cang Lu schudde zijn hoofd. Hij was opgelucht toen de deur naar de achterkamer openschoof, waardoor vrouw Wu werd afgeleid. Ze had een scherpere blik dan haar echtgenoot en hij was er helemaal niet zeker van of ze hun verhaal wel geloofde.

'Nee, maar! Kijk toch eens, wat een plaatje!' riep ze uit terwijl Mei Lin weer schoongewassen de kamer binnenstapte. 'Ziet je zus er niet mooi uit, Xiao Lan-tse?'

Cang Lu kon geen antwoord geven. Het was alsof hij kou had gevat. Hij rilde over zijn hele lichaam. Met geen mogelijkheid kon hij zijn blik van Mei Lin lostrekken.

Ze zag er tevreden en loom uit na haar bad. Haar zorgvuldig gekamde haren vielen als een schaduw over haar schouders. Ze droeg een bruine jurk, die zo te zien van een van de dochters was geweest en die haar lichte huid benadrukte. Ze had blosjes op haar wangen. En haar ogen... Had hij werkelijk gedacht dat ze niet langer op de Yuan-sa leek? Hij was een dwaas, duizendmaal een dwaas! Die ogen zeiden alles. Cang Lu was verbaasd dat vrouw Wu het niet zag.

Hij wilde naar haar toe gaan.

Hij wilde haar vasthouden, precies zoals ze daar stond, zodat niets haar kon raken.

Hij wilde naar haar kijken.

Hij wilde voor altijd naar haar blijven kijken.

'Xiao Lan-tse!'

Het was vrouw Wu die hem riep, maar Mei Lins blik deed hem weer naar zichzelf terugkeren; een perplexe blik met een waarschuwing die hij niet precies onder woorden kon brengen.

'Ja,' zei hij schor, in antwoord op een vraag die hij zich niet meer helemaal kon herinneren, 'heel mooi.' Hij keek weg, maar zelfs toen vrouw Wu hem meenam naar de achterkamer, waar een weefgetouw stond, en vervolgens een deur door, naar een binnenplaats met een tobbe die groot genoeg was voor twee volwassenen, bleven de rillingen hem over de rug lopen.

In de tobbe spoelde hij het vuil van de reis van zich af. Het water was lauw – ondanks de extra ketels warm water die Wu eraan had toegevoegd – en tegen de tijd dat hij zich begon af te drogen, had hij kippenvel.

Vrouw Wu had de verstelde kleren voor hem klaargelegd. Ze pasten inderdaad precies. Nu zou niemand meer kunnen zien dat ze uit het paleis kwamen. Het voelde alsof het laatste teken van Wen De's bestaan van hem was afgeplukt. Cang Lu wist dat ze nog lang niet veilig waren, maar het idee dat er ieder moment een volgeling van zijn vroegere meester op hun pad kon verschijnen, leek plotseling een stuk onwaarschijnlijker.

Vrouw Wu nam hen via een krakend trapje in de achterkamer mee naar de zolder. Die was zo laag dat Mei Lin en vrouw Wu moesten bukken om hun hoofd niet te stoten. Ze bracht hen naar de voorkant van het huis.

'Dit was de slaapkamer van onze meisjes,' zei vrouw Wu, terwijl ze de deur voor hen opende. 'Hij is wel wat klein, maar ik hoop dat jullie dat niets uitmaakt. Jullie zijn tenslotte broer en zus...' Ze keek aarzelend op, alsof ze verwachtte dat Mei Lin of Cang Lu haar zou tegenspreken.

'Nee, nee!' riep Cang Lu snel. 'Dat is geen probleem.'

Ze zuchtte. 'Goed! Als jullie iets nodig hebben, kloppen jullie maar op onze deur. Wij slapen in de kamer hiernaast.'

Mei Lin bedankte haar en vrouw Wu wurmde zich weer langs hen heen door het gangetje.

Cang Lu stapte het kamertje in. Het was inderdaad klein. Veel kleiner dan hij had verwacht. Door een spleet in de wand viel wat licht van de lantaarns op het dorpsplein de kamer binnen. Er stond één bed, groot genoeg voor twee kinderen, en daarnaast was er niet veel ruimte voor iets anders. Cang Lu schoof de bundels, die hij van beneden had meegenomen, onder het bed en draaide zich om.

Mei Lin stond in de deuropening, haar handen in haar zij. 'Nou,' zei ze. En toen nogmaals: 'Nou.'

'Het zal wel gaan,' zei Cang Lu. Hij had direct spijt van zijn woorden. Het bed was zo krap dat ze tegen elkaar aan moesten kruipen, zijn hoofd onder het hare, zodat hij elke zucht van Mei Lin over zijn kale schedel voelde strijken. Hij durfde geen adem te halen. Overal waar zijn lichaam het hare raakte, leek zijn huid in brand te staan.

'Cang Lu-tse,' fluisterde ze. Haar stem vulde zijn oren, haar geur zijn geest. Voor zijn gesloten ogen kwam ze weer de kamer binnen, haar haar nog vochtig, met kleine druppeltjes die op haar sleutelbeenderen parelden. 'Cang Lu-tse, slaap je al?'

Hij wilde zich niet omdraaien. Hij wilde niet nadenken. Hij wilde gewoon slapen en dan weer wakker worden en dat dan alles normaal was.

Ze schrokken op van hoefgetrappel, buiten op het plein. Drie paarden, misschien vier. 's Avonds laat. In een dorp waar de karren door ossen werden getrokken... Cang Lu schoot overeind, Mei Lin een tel later. Hij keek door de spleet in de muur. Twee ruiters in de zwarte wapenrusting van de keizerlijke garde stonden op het plein. Ze hielden hun paarden aan de teugels. Een derde ruiter kwam uit het dranklokaal, gevolgd door een van de broers die de ossenwagen van wever Wu hadden overgenomen.

'Wat zie je? Wat gebeurt er?' siste Mei Lin.

Cang Lu schudde zijn hoofd. Hij kon niet verstaan wat de gardist vroeg of wat de jongen antwoordde, maar het gebaar van de laatste vertelde hem genoeg. De smidszoon knikte en wees naar de weverij.

Cang Lu had het gevoel dat de grond onder hem wegviel, alsof hij omhoog werd getrokken, de lucht in. Even kon hij niet spreken, zich niet bewegen, zelfs niet ademen. Zijn lichaam verkrampte. Hij had het bizarre idee dat hij niet langer zichzelf was. Zijn vingers waren vreemde uitsteeksels die hij niet kende. Zijn armen voelden te licht, alsof hij gewend was aan een gewicht dat nu was verdwenen.

Hij viel door de lucht, waarin witte draden als gerafelde wolken zweefden. Hij reikte ernaar, maar zijn val ging te snel. Hij zag de wereld onder zich steeds dichterbij komen. En hij wist dat die draden hem op de een of andere manier konden helpen. Als hij hun patroon kon doorgronden, zou hij niet langer vallen. Hij zou... zweven?

In een laatste wanhoopspoging stak hij zijn te dunne armen uit en raakte met de vreemde uitsteeksels die zijn vingers waren, een van de draden.

Het gevoel – het idee dat hij viel – trok weg, als mist in het zonlicht, en hij bleef achter met een vaag besef van verwondering: opnieuw die val en die witte draden. Dit was niet de leegte, dit was iets heel anders. Maar het hield er wel verband mee. Hij wilde begrijpen wat het betekende.

'Cang Lu-tse!'

Eindelijk vond hij zijn lichaam en zijn stem terug. Hij keek om. 'Ze hebben ons gevonden, Mei Lin-sa.'

Even zaten ze bewegingloos naast elkaar op het bed, een moment dat ruw werd verstoord door gebonk op de voordeur.

Mei Lin sprong op. Ze viel op haar knieën en rukte hun bundels onder het bed vandaan.

Het gebonk op de deur hield even op. 'Wever Wu? We weten dat je thuis bent! Doe open!'

Aan de andere kant van de wand dreunde een paar voeten op de vloerplanken.

De wachters bonkten opnieuw op de deur. 'Wever Wu? Doe open!'

'Ja, ja,' mompelde Wu. 'Houd je gemak! Ik kom eraan.'

Het houten trapje kraakte.

Mei Lin kwam overeind. 'Kom!' zei ze zachtjes.

Cang Lu klom van het bed en pakte zijn bundel. Ze slopen de kamer uit, door het smalle gangetje, het trapje af. De treden kraakten zo luid dat Cang Lu zijn adem inhield, maar op dat moment opende wever Wu voor in het huis de deur.

Hij hoorde de stem van de wachter, luider nu: 'Wu-tse? We zijn op zoek naar twee voortvluchtige dienaren uit Yuanjing.'

Mei Lin glipte door de achterdeur naar buiten. Cang Lu maakte aanstalten om haar te volgen, maar bedacht zich op het laatste moment. Hij draaide zich om naar de kruk voor het weefgetouw, waarop vrouw Wu zoals beloofd twee grove wollen mantels had klaargelegd.

'Ik begrijp dat jij vanavond met twee vreemdelingen bent gezien,' zei de wachter in de huiskamer. 'Je vindt het vast niet erg als ik even een blik in je huis werp, hè?' Zijn voeten dreunden op de vloerplanken.

'Cang Lu-tse!' siste Mei Lin in de deuropening.

De jongen griste de mantels mee en volgde haar naar buiten. Ze liepen langs de tobbe over de binnenplaats. Een lantaarn tegen de muur van het huis wierp grillige schaduwen over de tegels. Aan de overzijde van het plaatsje was een deur.

Cang Lu bewoog de klink. 'Op slot!'

'Laat mij!' Mei Lin duwde hem opzij, terwijl ze in een van de zakken van haar jurk graaide. Tot Cang Lu's verbazing haalde ze een van haar haarspelden tevoorschijn, die ze omboog en in het sleutelgat stak. Vervolgens zakte ze op één knie en legde haar oor tegen de deur, terwijl ze de haarspeld in het slot ronddraaide. Er klonk een klik. Mei Lin trok de deur open.

Cang Lu staarde haar met open mond aan. 'Hoe...? Wat...?'

Ze glimlachte zelfvoldaan en duwde hem naar buiten.

Achter hen, in het huis van de wever, klonk een verwonderde uitroep. De stem van de wachter schalde door de nacht. Ze versnelden hun pas, doken weg achter een huis, waar een steeg hen van het dorpsplein wegleidde, en begonnen te rennen. Cang Lu durfde niet achterom te kijken.

Pas toen ze een heel eind buiten het dorp waren, tussen de bomen, bleven ze staan. Ze verstopten zich in de struiken en keken naar de lichtjes die, ver weg, door het duister bewogen.

'Dat scheelde niet veel,' zuchtte Mei Lin.

Cang Lu wierp haar een zijdelingse blik toe. 'Hoe wist je hoe je dat slot moest openmaken?'

In het donker glansden haar ogen als twee sierstenen. 'Dat heeft Shula me geleerd. Toen ik klein was en hij dat soort spelletjes nog niet ongepast vond.'

Verbaasd knipperde Cang Lu met zijn ogen. 'Een lijfwacht die sloten openbreekt... Dat is ongebruikelijk.'

Mei Lin fronste. 'Daar heb ik eigenlijk nooit zo over nagedacht.' Ze kwam overeind en klopte wat vuil van haar nieuwe jurk. 'Kom,' zei ze, 'de wachters gaan de andere kant op. Ik wil hier het liefst zo snel mogelijk vandaan.'

Cang Lu knikte.

Ze verdwenen in de nacht.

29

De rivier

Ieder moment van die lange vlucht door het donker vreesde Mei Lin dat ze gevonden zouden worden. Ze verwachtte hoefgetrappel, het schreeuwen van de wachters, het flakkerende licht van hun lantaarns en hun blinkende zwaarden. Maar toen het ochtend werd, waren ze nog altijd alleen tussen de kale bomen. Uitgeput rolden ze zich in hun dekens en sliepen een paar uur. Voor het middaguur gingen ze weer op weg.

'Misschien moeten we een andere kant op gaan,' zei Cang Lu, terwijl ze een pad zochten door het woud. In de lage struiken ritselden onzichtbare, kleine diertjes. Nu en dan kraste een kraai op een van de boomtakken die zich als een grijs netwerk boven hun hoofden uitstrekten.

Mei Lin keek om. Er lagen schaduwen onder Cang Lu's ogen. Voor ze weer verder waren gegaan, had ze het nieuwe laagje blauw haar van zijn hoofd geschoren. Het zonlicht dat door het netwerk van takken filterde, deed zijn hoofdhuid glimmen.

'We zouden naar het zuidwesten kunnen gaan,' vervolgde de jongen. 'De Qin Mi Shan. Adhistan. Uw broer zal ons daar nooit zoeken, Mei Lin-sa.'

'Adhistan?' Mei Lin schudde haar hoofd. 'Nee, de Zilveren Tijgers zijn niet langer aan de macht. De Adhistani kunnen ons niet helpen.'

Cang Lu versnelde zijn pas, zodat hij haar inhaalde. Hij keek bedenkelijk. 'Wie heeft het over zilveren tijgers? Het gebied ligt buiten uw broers bereik. We zullen daar veilig zijn.'

Mei Lin lachte scherp. 'Denk je dat ik wil vluchten? Denk je dat ik kán vluchten?'

Cang Lu keek verbaasd naar haar op. 'Maar dat is toch precies wat we doen, Mei Lin-sa?'

Ze sloot haar ogen en duwde haar hand tegen haar voorhoofd. 'We gaan naar Yamatan omdat keizer Akechi als enige genoeg macht heeft om Wen De tegen te houden. Misschien. En alleen als wij onze krachten bundelen.'

'U gaat daarnaartoe om met prins Akechi Sadayasu te trouwen,' zei Cang Lu. 'Maar dat is eigenlijk het laatste wat u wilt.'

Haar ogen vlogen weer open. 'Daar weet jij helemaal niets van!' snauwde ze.

Cang Lu keek haar doordringend aan. 'Wat geeft u om het lot van Yamatan?'

Mei Lin voelde woede opborrelen. Welk recht had de jongen om haar zo te ondervragen? En om over haar wensen te beginnen! 'Yuans lot ligt net zo goed in de waagschaal,' zei ze. 'Als er oorlog uitbreekt, zullen beide landen verzwakken. Dat mag niet gebeuren! Ik moet naar Jitsuma om dat te voorkomen.'

'Uw broer weet dat we daarnaartoe zullen gaan. U hebt gezien dat zijn gardisten ons zelfs in zo'n klein dorpje als Xiang Xin kunnen opsporen! Wat heeft het voor zin om naar Yamatan te reizen, als we ver voor de grens zullen worden opgepakt? Wie is daarmee geholpen?'

'Ben jij geen Yamatanees?' kaatste ze terug. 'Ik zou denken dat het jou wel iets deed!'

Cang Lu keek weg, zijn blik werd plotseling ondoorgrondelijk. 'Yuan of Yamatan, ik geef er niets om. Het zijn alleen maar namen die mensen gebruiken om anderen te doden of te onderwerpen. Zolang dat geweld bestaat, zal ik pas gelukkig zijn als ik me ver voorbij de faam van beide namen bevind.'

Mei Lin snoof. 'Dat is heel diepzinnig, Cang Lu-tse, maar ik kan moeilijk mijn eigen naam ontlopen. Ik ben de Yuan-sa en ik kan mijn volk niet in de steek laten! Hoe klein de kans ook is dat ik Jitsuma heelhuids bereik, ik moet het proberen. Als jij niet durft dan zal ik desnoods alleen...'

'Sst!' Cang Lu legde zijn hand op haar arm en trok haar mee naar de grond.

Mei Lin luisterde met gespitste oren. Nu hoorde ze het ook. Geritsel door de struiken, hoefgetrappel, een groot beest dat snel hun kant op kwam. Ze hadden in hun opwinding luid gesproken.

Ze voelde Cang Lu's vingers trillen op haar arm.

Het hoefgetrappel kwam dichterbij. Er was geen plek om zich te verstoppen. De struiken waren te laag, de bomen met hun dunne, grijze stammen zouden hen niet aan het zicht onttrekken. Er was zelfs geen tijd om weg te rennen. Een twintigtal passen van hen verwijderd weken plotseling de struiken uiteen en een enorm roodbruin dier sprong naar voren. Mei Lin slikte nog net een geschrokken kreet in.

'Een hert!' zuchtte Cang Lu naast haar.

Het dier bleef even staan, de kop met het gewei alert geheven. Toen Mei Lin voorzichtig overeind kwam, schoot het weg tussen de bomen.

'We moeten in het vervolg voorzichtiger zijn,' zei ze. 'Dat had net zo goed een gardist te paard kunnen zijn.'

Cang Lu knikte en stond ook op. Zwijgend vervolgden ze hun weg naar het zuidoosten. De jongen begon niet meer over Adhistan. Toch bleven zijn woorden door haar hoofd spoken: 'Ik zal pas gelukkig zijn als ik me ver voorbij de faam van Yuan en Yamatan bevind.' Ver voorbij Wen De's macht, bedoelde hij.

Nooit eerder – zelfs niet tijdens haar ergste ruzies met Shula – had Mei Lin gewild dat ze een gesprek kon uitwissen alsof het nooit had plaatsgevonden. Ze zou willen dat ze de hele nacht in die geitenschuur in het Ziougebergte kon vergeten. Had ze maar nooit naar de herkomst van Cang Lu's blauwe plekken gevraagd. Had hij maar niet geantwoord!

'Denkt u dat die blauwe plekken het ergste zijn?'

Dacht ze dat echt? Of had haar broer werkelijk alle wandaden begaan waarvan de jongen hem beschuldigde?

Ze kon het zich niet voorstellen. Cang Lu's aantijgingen strookten van geen kant met het beeld dat ze zelf van Wen De had: de zorgzame oudere broer die altijd voor haar klaarstond, die haar aan het lachen maakte als ze het moeilijk had, die haar beschermde tegen het kwaad. Hoe kon hij een dienaar zo mishandelen dat het kind dagen later nog bont en blauw was?

Maar waarom zou Cang Lu erover liegen? Hij moest weten dat ze hem niet zou geloven. Wat had hij erbij te winnen? Waarom zou hij haar zulke schandalige zaken opbiechten, als ze niet op waarheid berustten?

Toen dacht ze terug aan het moment waarop ze Wen De had geconfronteerd met zijn plan om Akechi Sadayasu te vermoorden; aan de koude Wen De die had gedreigd haar met ongegronde beschuldigingen zwart te maken bij de Yuan-tse. Hij had ervan genoten. Bovendien hád hij haar vader laten vermoorden. Dat mocht om politieke redenen zijn geweest, maar het bleef een daad die ze nooit van haar zorgzame broer had verwacht. Er ging een andere man schuil achter de Wen De die zij kende, een man die ze liever niet wilde kennen.

Cang Lu had de waarheid gesproken. Wat haar daar uiteindelijk van overtuigde, was het feit dat hij Wen De's naam nooit had genoemd toen ze hem naar de herkomst van zijn blauwe plekken vroeg; zij was zelf tot die conclusie gekomen. Ze had de waarheid gelezen in de leegte van zijn gouden ogen.

Wen De.

Het idee dat zijn bloed ook door haar aderen stroomde! Ze wilde Shula's mes pakken om iedere schande die haar broer over hun familie had afgeroepen, weg te laten spoelen. Maar dat had natuurlijk geen enkele zin. Het zou niets goedmaken. Ze kon zijn wandaden niet ongedaan maken, ze kon de as van haar vader niet in een nieuw lichaam veranderen, ze kon Cang Lu's blauwe plekken niet wegwrijven, of de pijn uit zijn ogen bannen. Ze moest de schande dragen, tot aan Yamatan en verder.

Hadden ze er maar nooit over gesproken!

Misschien was het anders geweest als ze Cang Lu meteen had geloofd. Misschien had ze hem kunnen troosten. Maar zijn woorden hadden gesneden door een ziel die al gekwetst was door alles wat haar de dagen daarvoor was overkomen. Ze had Cang Lu niet kúnnen geloven. En later was er nooit een geschikt moment geweest om het onderwerp weer ter sprake te brengen. Soms, als ze hem aankeek, meende ze dat Cang Lu iets wilde zeggen. Maar dan keek hij weg en was hij weer zo klein en hulpeloos dat ze het niet kon opbrengen erover te beginnen. Op die momenten haatte ze zichzelf.

Tegen het einde van die tiendag kon Mei Lin zich nauwelijks nog herinneren hoe haar dagen in het paleis eruit hadden gezien. Wat had ze gedaan toen ze niet hoefde te lopen, vuur hoefde te stoken, haar eigen eten hoefde te bereiden? Cang Lu nam weliswaar de meeste van die taken voor zijn rekening, maar toch... Wat had ze in vredesnaam met haar tijd gedaan?

Eindelijk bereikten ze de rivier. De Qing Jiang was een van de belangrijkste toegangswegen naar het zuiden, al was de rivier hier nog smal genoeg om door een brug te worden overspannen. Op de zuidelijke oever ontdekten ze een stad. Dat moest Zhongrei zijn. Ze waren de afgelopen dagen blijkbaar naar het westen afgebogen. Om de verloren tijd in te halen, zouden ze een overtocht moeten boeken op een van de schepen die in het haventje lagen te wachten. Mei Lin bad dat de gardisten hier nog niet waren geweest, maar veel keus hadden ze niet. Hun voorraden waren zodanig geslonken dat ze het geen twee dagen meer in de wildernis konden uitzingen. Ze trokken hun mantels over hun hoofden en gingen op weg naar Zhongrei.

Het was marktdag. De wegen naar de stad waren vol ossenkarren en mannen met rieten manden op hun rug. Toen Cang Lu en Mei Lin de brug over waren, werden ze door de poortwachters zonder meer binnengelaten.

Het voelde vreemd om weer in een stad te zijn. Zhongrei evenaarde bij lange na niet de grootte en pracht van Yuanjing, maar de bedrijvigheid was eender. Tot haar opluchting bemerkte Mei Lin dat haar angst om ontdekt te worden tussen al deze mensen minder was dan alleen in de bergen of het bos. Hier was ze een van de velen.

Cang Lu leidde haar naar het marktplein, waar ze over verschillende aankopen onderhandelden: een buidel rijst, nieuwe chabladeren voor in het tinnen blikje, enkele reepjes gedroogd vlees; maar ook – tot Mei Lins grote vreugde – een blokje zeep en twee paar stokjes, zodat ze niet langer met hun handen hoefden te eten.

Ondertussen hield ze haar oren open voor de gesprekken die rond hen werden gevoerd. De nieuwe Yuan-tse riep alle mannen die een zwaard konden dragen op zich bij hun districtshoofd te melden. Niemand wist precies wat daarvoor de reden was – er dreigde toch geen gevaar voor Yuan? – maar geruchten waren er genoeg. Het nieuws dat de Yamatanese delegatie na de gebeurtenissen op nieuwjaarsdag haastig was vertrokken, was overal bekend. Algemeen werd aangenomen dat dat iets met de brute moorden op de oude Yuan-tse en zijn dochter te maken moest hebben. Het zou niet de eerste keer zijn dat Yamatanese sluipmoordenaars de keizerlijke familie hadden bedreigd. Misschien wilde de nieuwe keizer de grensverdediging versterken, voor het geval de Yamata nog brutaler werden?

Mei Lin hoopte op nieuws over Akechi Sadayasu, maar tevergeefs.

Het volk in Zhongrei wist niets over de Yamatanese prins. Wie gaf er iets om het lot van zo'n buitenlander?

Toen de kooplui hun kraampjes begonnen op te ruimen, liepen Cang Lu en Mei Lin naar de haven. Ze hadden geluk. De havenmeester, een kleine man met een ronde buik, gaf bij hun verschijnen geen blijk van herkenning. Op hun vraag om een overtocht naar het zuiden wees hij een man in een blauwe overjas aan. 'Kapitein Li. Zijn schip De Tien Zonnen is niet groot, maar een van de snelste in deze wateren. Hij wil jullie misschien wel meenemen – tegen een kleine vergoeding, uiteraard – als jullie hem kunnen overhalen nu al naar het zuiden terug te keren.'

Kapitein Li was een man van begin veertig, met een getaande huid en spieren als kabels. Hij stond aan boord van zijn scheepje met een enkele mast en een platte bodem zonder kajuit, geschikt voor vrachtvervoer. Het dek stond nog halfvol kisten, die met ruwe touwen waren vastgebonden.

'Een goede avond, schipper!' riep Cang Lu. 'Laten we samen een kom rijstwijn drinken!'

In een rumoerig dranklokaal deed Cang Lu zijn voorstel. Mei Lin had de kap van haar mantel over haar voorhoofd geslagen. Ze richtte haar blik op het tafelblad, in de hoop dat niemand haar zou herkennen. De bezoekers van het lokaal zouden denken dat ze een bijzonder deugdzaam meisje was, dat alleen maar binnen was gekomen om haar broer te vergezellen en zich niet aan anderen wilde tonen.

Cang Lu kon zich natuurlijk niet op zo'n manier verbergen. Mei Lin bad dat niemand zijn gouden ogen zou herkennen. Gelukkig had Cang Lu een donker hoekje uitgekozen om zijn verhaal te doen.

Toen de jongen klaar was, zakte kapitein Li onderuit in zijn stoel en streek met een ruwe hand over zijn kin. 'Ik begrijp jullie haast,' zei hij bedachtzaam. 'Als mijn eigen oom was overleden, zou ik hem ook zo snel mogelijk alle eer willen betonen, opdat zijn geest in vrede kan voortleven. Maar wat heb ik ermee te maken? Je hebt mijn schip gezien, jonge meester Zhao. Ik heb nog een behoorlijke lading af te leveren in Yuchuan. Waarom zou ik nu al omkeren?'

'O, we zouden u zoiets niet vragen als we er geen vergoeding tegenover konden stellen!' zei Cang Lu. Hij schoof het waardebriefje dat Mei Lin hem eerder had gegeven over de tafel. De vermelde waarde was een klein fortuin, zeker in een provinciestad als Zhongrei.

Kapitein Li bekeek het briefje met een uitdrukkingloos gezicht. 'Een geldwisselaar uit Yuanjing? Ik dacht dat je zei dat jullie uit Nang Shi kwamen?'

Mei Lin voelde het bloed uit haar gezicht wegtrekken, maar Cang Lu gaf geen krimp. 'Dat is ook zo. We reisden via Yuanjing om de nieuwjaarsfeesten bij te wonen. We wilden een bede aan de keizer doen, opdat hij onze familie in de rampspoed na de dood van onze oom terzijde mag staan. Het kostte ons drie dagen. Drie dagen die we nu moeten inhalen, begrijpt u?'

'Hm...' De schipper boog zich nogmaals over het waardebriefje, maar schoof het toen met een resoluut gebaar terug. 'Dit is nauwelijks voldoende voor de overtocht zelf. Denk eens aan de onkosten die ik zal maken als ik een tiendag later in Yuchuan aankom!'

Cang Lu haalde een tweede briefje tevoorschijn en schoof beide briefjes naar kapitein Li. 'Tweemaal het geboden bedrag. Voor de overtocht en alle kosten die met uw vertraging gemoeid zijn.'

Li lachte. 'Je maakt vast en zeker een grapje, jonge meester! Mijn afnemers zullen met deze vertraging niet bepaald blij zijn. Voor elke dag dat hun bestelling later aankomt, zullen ze een bedrag van de afgesproken prijs aftrekken. Ik zal nauwelijks iets verdienen, als ik uiteindelijk in Yuchuan aankom!'

'U vergeet dat u in het zuiden nieuwe vracht kunt inslaan, Li-tse,' zei Cang Lu onbewogen. 'Het bedrag dat in mindering wordt gebracht vanwege de vertraging, zal in het niet vallen bij het feit dat u tweemaal zo veel kunt leveren.' Hij leegde zijn beker met een zelfverzekerd gebaar, dat Mei Lin heimelijk bewonderde. Hij had geleerd om niet meer te proesten als hij wijn dronk.

Kapitein Li bestudeerde de jongen met samengeknepen ogen.

Cang Lu stond op. 'U kent ons bod, Li-tse. Als u zich nog bedenkt, kunt u ons in de herberg van vrouw Lei vinden. Kom, Yulan-sa. Er zijn nog een paar schippers die we kunnen vragen.'

Hij strekte zijn hand uit naar de waardebriefjes, maar kapitein Li was sneller.

'Rustig aan, jonge meester. We zijn toch nog niet uitgepraat? Als u zo'n haast hebt om naar het zuiden te gaan, dan is er geen schip sneller dan De Tien Zonnen. Ik wil u wel meenemen, ook al zullen mijn zaken eronder lijden. Ik ben de kwaadste niet. Kom, bestel nog een keer, dan drinken we erop!'

Cang Lu knikte alsof hij niets anders had verwacht. De nieuwe drankjes kwamen en ze beklonken de overeenkomst. Voor ze weggingen, stopte Cang Lu de waardebriefjes weer terug in zijn zak. 'Het eerste krijgt u morgenochtend als we uitvaren, het tweede na afloop van de reis.'

Kapitein Li had niet gelogen. De Tien Zonnen was het snelste schip op de Qing Jiang. Per dag zag Mei Lin het landschap om hen heen veranderen. Van het vlakke laagland met zijn eindeloze bossen kwamen ze in rotsachtig gebied, waar alles rood verkleurd was en het water eigenaardig smaakte. De rivier werd breder, de wereld groener. Ze kwamen langs dorpjes waar kinderen op de rivierbedding speelden en vissers in slanke kano's hun netten uitwierpen. Daarna rees het landschap rond hen op en vormde steile bergen met afgeronde toppen, die als reusachtige klokken op het land leken te zijn neergezet. Ten slotte kwamen ze in een kloof met stroomversnellingen die alleen een ervaren schipper kon bevaren.

Li was beslist ervaren, maar op den duur werd de rivier zo wild dat het zelfs onder zijn bekwame leiding te gevaarlijk werd om verder te zeilen. Hij liet het zeil van bamboematten strijken en boomde verder, tot ze een haven aan de noordelijke oever van de rivier bereikten, zeven dagen stroomafwaarts van Zhongrei. 'Tot hier vaart mijn schip,' zei kapitein Li, terwijl hij het anker uitwierp. 'Even verderop zijn de watervallen van Dolan. Als je verder wilt, zul je de stad in moeten gaan, naar de Nederhaven. Daar kun je een nieuwe schipper zoeken.'

'Stad?' zei Mei Lin. De kloof was hier op zijn smalst. Voorbij de haven met enkele gebouwtjes voor de havenmeester en de opslag van goederen viel er niet veel te ontdekken.

Kapitein Li wees omhoog. In de steile rotswand was een trap uitgehouwen, die naar de rand van de kloof leidde. Nu Mei Lin beter keek, zag ze zelfs enkele huisjes, uitgehakt in de rots.

'Boven-Dolan,' zei Li, terwijl hij haar hielp haar bagage aan wal te zetten. 'Vanuit het centrum leiden trappen naar de Nederhaven. Daarvandaan kun je een schip over het zuidelijk deel van de rivier nemen. Kom, ik zal jullie het begin van de trap wijzen.'

Ze gingen van boord en liepen over de steiger om zich bij de havenmeester te melden. Li was een bekende, het melden bleek niet meer dan een formaliteit. Even later stonden ze al onder aan de trap.

Cang Lu haalde het tweede waardebriefje uit zijn zak. 'Alstublieft, schipper. En nogmaals bedankt voor uw medewerking.'

'Het was geen moeite,' mompelde kapitein Li. 'Ik zal bidden voor uw ooms geest.'

'Dat is heel vriendelijk van u,' zei Mei Lin, maar Li's ogen gleden al gretig over het bedrag op het briefje.

Ze begonnen aan de klim naar Boven-Dolan. De huisjes die ze passeerden waren grotendeels in de rots gebouwd, ze konden alleen de deuren en af en toe een raam ontwaren. De traptreden waren door vele voeten uitgesleten. Mei Lin vroeg zich af wanneer die trap precies was uitgehakt. Ze kende Dolan enkel als een naam op een kaart. Als ze had geweten dat hier vanwege watervallen geen schip kon passeren, had ze Cang Lu nooit hun laatste waardebriefje laten bieden voor de overtocht vanuit Zhongrei.

Boven aan de kloof stond een stenen poort. Daarachter werd direct duidelijk hoe de stad floreerde door de handel die de rivier hem bracht. Er was een groot plein waaraan verschillende gildehuizen gelegen waren; stenen huizen met meerdere verdiepingen, prachtige beelden van draken en andere mythische wezens op de daken en met houtsnijwerk versierde deuren. Er patrouilleerden stadswachters rond die gebouwen, zodat Mei Lin en Cang Lu zich snel uit de voeten maakten. Er was een park, een kleine kopie van een stadspark in Yuanjing, waar karpers zwommen in een vijver met helder water. Door de straten rond het park liepen dienaren met versierde draagstoelen waarvan de gordijntjes keurig waren gesloten, onder het wakend oog van wachters met huisinsignes op de borst. Heren in zijden gewaden wandelden langs de villa's en wierpen afkeurende blikken op Mei Lin en Cang Lu in hun simpele kleding.

In het zuidoosten liep een helling naar beneden. Een plateau waarover enkele dames in dikke mantels flaneerden, bood een prachtig uitzicht op de stad beneden, met een netwerk van steile weggetjes en trapjes die tegen de helling op kropen. Daar, voorbij de watervallen, lag de Nederhaven.

Maar nadat ze kapitein Li hadden betaald voor de reis, hadden Mei Lin en Cang Lu te weinig geld over voor een nieuwe overtocht. Voor ze naar beneden gingen, moesten ze dus op zoek gaan naar een geldwisselaar. Dat was gemakkelijker gezegd dan gedaan. Dolan was een welvarende stad, maar het was geen Yuanjing, waar op iedere straathoek wel een bankier te vinden was.

Een jongeman in een blauwe tuniek – een visser, dacht Mei Lin – krabde bedenkelijk achter zijn oor toen Cang Lu hem de weg vroeg. 'Een geldwisselaar? Misschien verderop, bij de tempel. Hoeveel heb je nodig, vriend? Misschien kan ik je iets lenen?'

'O nee,' zei Cang Lu snel. 'Dat is niet nodig. We zijn op doorreis; we zouden nooit de kans krijgen om het u terug te betalen. Als u ons de geldwisselaar kunt wijzen, is dat voldoende.'

De visser haalde zijn schouders op en legde uit hoe ze moesten lopen. 'Gaan jullie naar het zuiden?' vroeg hij, nadat ze hem voor zijn moeite hadden bedankt met een koperstuk.

'Wie weet,' zei Cang Lu.

De visser lachte onverwachts. 'Nou, hoe dan ook, een goede reis! Als jullie nog 's wat nodig hebben, dan moet je maar naar Chi vragen!' Hij verdween in een steegje dat naar beneden leidde.

Cang Lu staarde hem na. 'Rare vent.'

'Ik vond hem wel vriendelijk,' zei Mei Lin. 'Het was heel aardig van hem dat hij ons geld wilde lenen.'

Ze volgden de aanwijzingen van de visser op en vonden inderdaad een geldwisselaar die huisde in een zeer respectabele houten villa, met een poort die door twee wachters werd bewaakt. Aanvankelijk lieten ze Mei Lin en Cang Lu niet binnen in hun afgedragen boerengewaden, die er sinds hun tocht door de bossen en zeven dagen op een zeilboot niet veel fraaier op waren geworden. Toen de wachters echter doorkregen dat ze wel degelijk zaken kwamen doen, werden ze naar binnen geleid, door een tuin met zorgvuldig gesnoeide struiken en via een palissade naar een kantoortje met een enorm eikenhouten bureau.

Achter het bureau zat een gerimpelde man met zijn grijze haar in een dunne vlecht. Even leek hij verbaasd dat twee boeren, een kind en een vrouw, met vijf kettingen vol zuivere edelstenen aan kwamen zetten, maar nadat hij nog eens een blik op hun gezichten had geworpen was zijn argwaan plotseling verdwenen. Hij fluisterde iets in het oor van de wachter die was meegekomen. De wachter verliet het vertrek. Vervolgens bestudeerde de geldwisselaar Mei Lins kettingen een voor een en ging in de weer met een weegschaal, muntstukken en gewichtjes.

Mei Lin verbeet zich. Ze wilde weg. Ze vertrouwde de man absoluut niet. Toen hij eindelijk zijn bod deed, peinsde ze er niet over te onderhandelen. Ze stopte de muntjes die hij haar gaf in een zakje dat ze in haar rokken wegborg. De cha die hij hun aanbood, weigerde ze. Ze was even bang dat hij hen zou tegenhouden, maar de wachters openden de poort. Met het geld op zak haastten Mei Lin en Cang Lu zich weg en ze liepen over de trappen naar Neder-Dolan.

30

Het vertrouwen van een visser

De haven van Neder-Dolan was groter dan Mei Lin had verwacht. Langs de kade lagen tien schepen die door mannen in wollen kleding werden volgeladen of juist leeggeruimd. Een groot pakhuis aan de westzijde van de haven leek wel een mierenhoop van dragers, handelaren en scheepslui. Her en der op de kade lag handelswaar in houten kisten of jutezakken: rijst van de zuidelijke plantages, porselein uit het noorden, specerijen, hout.

De havenmeester had net als in de Bovenhaven zijn eigen kantoortje, vanwaar hij toezicht op de werkzaamheden hield.

Verschillende werkers op de kade draaiden zich om toen ze langskwamen en Mei Lin dook dieper in haar mantel. Ze hield zichzelf voor dat ze nu eenmaal een opzienbarend stel waren, een vrouw en een jongen met hun bundels op hun rug en Cang Lu's hoofd dat bedekt was met een laagje blauwe stoppels. Ze had zijn haar tijdens hun bootreis niet kunnen scheren, bang dat kapitein Li zou vragen waarom hij zulk bijzonder haar wilde verbergen.

Ze kwamen bij het gebouwtje van de havenmeester, maar zagen dat ze niet de eersten waren. Twee priesters in lange, blauwe gewaden stonden al buiten te wachten.

'Een goede avond,' zei Mei Lin, haar ogen zedig neergeslagen.

'Een goede avond, jongedame, jongeheer,' antwoordde de oudste van de twee. 'Ik hoop dat jullie geduld hebben. Wij staan hier ook al een tijdje te wachten.'

'O,' zei Mei Lin. 'Is de havenmeester afwezig?'

'Nee, maar hij heeft hoog bezoek. Een officier uit Yuanjing. Hij is blijkbaar op zoek naar iemand. Hij wil alle gegevens van de havenmeester inzien, begrijp ik, om te weten of degene die hij zoekt hier is langs geweest.'

Mei Lin verbleekte. 'O,' zei ze.

'Het zal nog wel even duren voor de havenmeester alles weer op orde heeft,' vervolgde de priester onverstoorbaar. 'Maar ja, de rechtsgang moet zijn loop hebben, nietwaar? Wilden jullie een overtocht boeken?'

'Wat?' Mei Lin staarde hem aan. Langzaam drong tot haar door wat hij had gevraagd. 'O, nee, nee... We wilden alleen... Het is niet zo belangrijk. We komen morgen wel terug.'

Ze draaide zich om en trok Cang Lu met zich mee.

Yuanjing zond geen officieren uit om voortvluchtigen op te sporen, tenzij het vinden van die personen van het allergrootste belang was. Wen De moest hebben ontdekt dat zij deze kant op reisden. Misschien hadden de wachters in Xiang Xin hem op hun spoor gezet en hadden ze hen achtervolgd. Maar hoe kon de officier uit Yuanjing nu al hier zijn, terwijl zij het snelste schip uit Zhongrei hadden genomen? Hoe kon hij hen hebben ingehaald?

Tenzij hij hen helemaal niet had ingehaald. Misschien was deze officier nooit in Zhongrei geweest. Elk schip uit het noorden moest vanwege de watervallen in Dolan aanleggen, dus was het slechts een kwestie van tijd voor Mei Lin en Cang Lu hier hun overtocht boekten. De officier wist niet dat zij in het bos waren afgedwaald. Hij dacht dat ze de stad al achter zich hadden gelaten en op weg waren naar Nan Men.

Maar als hij niets in de boeken van de havenmeester vond, zou hij dan naar de Bovenhaven gaan, om zeker te weten dat Cang Lu en Mei Lin de stad nog niet hadden bezocht? In de boeken van de havenmeester stonden hun schuilnamen vermeld bij de datum van vandaag.

Er was maar één oplossing: ze moesten de stad zo snel mogelijk verlaten. En niet per schip. Mei Lin versnelde haar pas; Cang Lu moest bijna rennen om haar bij te houden. 'We moeten paarden kopen,' zei ze tegen hem.

'Paarden?' vroeg iemand achter haar.

Met een ruk draaide Mei Lin zich om. Achter haar stond de visser Chi, met de handen in de zakken van zijn versleten tuniek.

'Chi-tse! U liet me schrikken.'

De visser haalde zijn schouders op. Hij wierp een blik over de kade en streek toen met een hand langs zijn gezicht. 'Weet je zeker dat je een paard wilt, zus? Ik weet natuurlijk niet waar jullie naartoe gaan, maar een schip is sneller als je naar het zuiden wilt.'

Mei Lin keek langs hem heen naar het gebouwtje van de havenmeester. De deur was nog gesloten, maar de twee priesters hielden hen in de gaten. 'Heel zeker,' zei ze.

Chi glimlachte. 'Dat komt dan goed uit. Ik ken wel iemand die jullie kan helpen, de eigenaar van een stal hier in de buurt. Daar verdien ik af en toe een zakcentje. Als je wilt, kan ik je ernaartoe brengen.'

De deur van het havenkantoor ging open. Mei Lin voelde haar hart bonken, alsof de officier uit Yuanjing haar direct in de ogen keek. Maar hij was slechts een lange figuur in het zwart en zo ver weg dat hij haar onmogelijk kon herkennen. Hij zou echter weldra hun kant op komen...

'Kun je ons er meteen naartoe brengen?' vroeg ze, terwijl ze in de tegenovergestelde richting begon te lopen.

Chi glimlachte. 'Geen probleem, zus. Kom maar mee.'

Cang Lu volgde hen met een vreemde uitdrukking op zijn gezicht, maar Mei Lin had geen tijd om te vragen wat er aan de hand was. Ze lieten de kade achter zich en beklommen de trappen zo snel ze konden. Chi wist de reden van hun haast niet, hij leek slechts opgelucht dat ze zo vlot meekwamen. Hij leidde hen door de steile straatjes van Dolan, tot ze halverwege de helling op een pleintje uitkwamen waar kinderen in vuile kleding een spel met houten kegels en drie gekleurde ballen speelden, onder toezicht van een oude man.

'Is het hier?' vroeg Mei Lin. Ze keek naar de kinderen, die joelend uiteenstoven. Om beurten cirkelden ze om de kegels in een poging de ballen van de werper te ontwijken.

'Door deze poort,' zei Chi, terwijl hij een grijs geschilderde deur opende naar een smalle steeg. Misschien lag de stal achter de huisjes.

Naast haar schraapte Cang Lu zijn keel. Hij had nog steeds die vreemde uitdrukking op zijn gezicht. 'Yulan-sa,' zei hij, 'misschien kunnen we beter...'

'Kom,' zei Chi, terwijl hij opzijstapte om hen door te laten. Mei Lin liep langs hem heen en Cang Lu volgde haar. De visser trok de poort weer achter hen dicht. 'Het is de eerste deur rechts.'

De deur stond op een kier. Mei Lin duwde hem open en stapte naar binnen. Ze stond in een donkere hal, waar het naar stro en vocht rook. Ze strompelde het duister in, een hand voor zich uit gestrekt, in de hoop een deur te vinden die naar de ingang van de stal leidde. Maar haar hand vond slechts lucht. Onzeker draaide ze zich om. 'Chi-tse?'

Ze hoorde gestommel en een gesmoorde kreet en daarna een geluid alsof iemand in het stro plofte. Er werd gevloekt.

'Xiao Lan-tse?'

Eindelijk begonnen haar ogen aan het donker te wennen. Ze ontwaarden de contouren van de hal, waar helemaal geen andere deur was en waar zich zeker geen paarden bevonden. Er stonden enkele kistjes; misschien was de hal ooit als opslag gebruikt. Tegen een wand was van wat stro een bed gemaakt.

En in een hoek, nabij de ingang, lag iemand. Een jongen in een donkere mantel. Cang Lu.

Mei Lin slaakte een kreet en wilde op hem afsnellen, maar een hand sloot zich om haar arm. 'Niet zo snel, zus!' Chi's stem. Ze voelde het scherpe blad van een mes tegen haar keel en slikte een nieuwe gil in.

'Laat me gaan!' zei ze. 'Ik zweer je, als je hem wat hebt aangedaan dan zal ik...'

'Dan zul je wát, zus?' Hij duwde haar vooruit, dieper de hal in, in de richting van het strooien bed. Daar duwde hij haar op haar knieën, nog altijd met het mes tegen haar hals. 'Ik wil jullie geld,' siste hij in haar oor. Zijn geur omgaf haar, een misselijkmakende lucht van vis en oud zweet. 'Ik weet dat jullie bij de wisselaar zijn geweest. Waar is het? Je jonge vriend heeft niets bij zich, dus zul jij het wel dragen. Geef op!'

Mei Lin snikte van angst en afschuw tegelijk. Ze tastte naar haar rok, maar door de manier waarop hij haar vasthield, kon ze niet bij het zakje met munten. 'Laat me los!' zei ze. 'Ik kan er niet bij.'

Chi grinnikte. 'Je hoeft niet te grienen.' Hij haalde het mes van haar keel, liet haar arm los en liep om haar heen. Tegenover haar zakte hij op zijn hurken. 'Geen gekkigheid, zus. Pak je geld en snel een beetje!'

Mei Lin zuchtte, dankbaar dat hij haar had losgelaten. Ze tastte naar haar rok, alsof ze de munten wilde pakken. Maar ze negeerde het geldzakje en reikte naar de dolk – Shula's dolk – die in zijn schede aan de band van haar rok hing. Ze greep het lederen heft en haalde uit.

Chi's vuist sloeg haar hand naar achteren. De dolk vloog uit haar hand en verdween ergens achter haar. Een nieuwe slag trof haar slaap en met een smak kwam ze op het stro terecht. Voor ze overeind kon komen, voelde ze opnieuw Chi's mes tegen haar huid. Een warme druppel bloed gleed langs haar hals omlaag.

'Ik zei: géén gekkigheid, zus!' Chi's stem was vlak bij haar gezicht.

Hij zat over haar heen gebogen, zijn knieën aan weerszijden van haar lichaam. Een grom welde op in haar keel toen hij zijn vrije hand onder haar rok stak. Ze voelde hoe zijn hand zich om het zakje met munten sloot, hoe zijn vingers net iets te lang over haar been gleden, maar ze hield zich in. Misschien wilde hij slechts hun geld. Misschien zou hij haar laten gaan, als hij had wat hij wilde.

Met een triomfantelijke zwaai haalde Chi het zakje tevoorschijn. Hij leunde achterover en klakte met zijn tong. 'Dank je wel, zus.' Hij knikte opzij, naar hun bundels, die tijdens de schermutseling bij de deur op de grond waren gevallen. 'Wat zit daar nog in?'

'Niet veel!' zei ze snel. 'Kookgerei, eetstokjes, spullen voor op reis. Niets waardevols, heer.'

Hij draaide zich weer naar haar om, greep met een hand haar haar vast en trok haar gezicht naar zich toe. 'Werkelijk?'

'Zonder gekkigheid,' bezwoer ze. 'U mag kijken, als u wilt.'

Hij lachte opnieuw en boog zich tot haar afschuw nog meer naar haar toe. 'Ik geloof je zo ook wel.' Hij borg het zakje munten weg in een zak van zijn jas. Opnieuw gleed zijn hand onder haar rok. Zijn vingers streelden haar benen.

Een snik welde op in Mei Lins keel. 'Alstublieft,' smeekte ze. 'Alstublieft, laat me gaan.' Ze worstelde om onder hem vandaan te komen.

Chi duwde zijn mes dieper in de huid van haar keel. 'Geen kik, zus! Ik meen het!' Hij bracht zijn vrije hand omhoog om haar gezicht te aaien. 'Het zou zonde zijn als ik je de mond moest snoeren.'

Hij verschoof. Ze voelde hem boven op zich, warm en zwaar. Zijn hand verdween opnieuw onder haar rok, maar ditmaal was er niets zachts aan zijn aanraking. Ruw trok hij de stof omhoog, terwijl hij zijn vingers tussen haar benen duwde. Ze kreunde gesmoord. Ondanks zijn waarschuwing bracht ze haar hand omhoog om hem tegen te houden, maar met het mes op haar keel kon ze niets beginnen. Het bloed druppelde nu gestaag langs haar hals omlaag.

Chi gromde tevreden. Hij boog over haar heen, zijn warme adem in haar nek. Met zijn knie duwde hij haar benen uiteen.

Bijna werd het haar zwart voor de ogen. 'Nee!'

Hij maakte een sussend geluidje, terwijl hij met zijn vrije hand zijn broek omlaag duwde. 'Geen kik, zus,' herhaalde hij.

Plotseling sperden zijn ogen zich open. Hij steunde – een vreemd, gorgelend geluid – en de druk van het mes op haar keel verminderde.

Tot Mei Lins afschuw verscheen er bloed rond zijn mondhoeken. Toen, nog altijd met die opengesperde ogen, zakte hij boven op haar ineen.

Haastig kroop ze onder hem vandaan. Er stak een mes in zijn rug, háár mes, dat ze van Shula had gekregen. Cang Lu stond boven hem, met rood bebloede handen en zijn blik zo leeg als die keer dat hij in het Ziougebergte was gevallen en ze voor het eerst zijn blauwe plekken had ontdekt.

'Cang Lu-tse!' riep ze uit, terwijl ze overeind kwam en zijn schouders vastgreep. Ze wist niet of ze hem wilde ondersteunen of zelf steun zocht. Er zat een bult op zijn slaap, waar Chi hem zojuist bewusteloos had geslagen.

De jongen knipperde met zijn ogen, langzaam, alsof hij uit een trance ontwaakte. Met een zucht haalde hij adem. Hij trok Shula's dolk uit Chi's rug, veegde die af aan diens jas en gaf hem aan haar terug. 'De witte draden toonden me de waarheid,' mompelde hij. 'Ze lieten me zien wat ik moest doen.'

'Cang Lu-tse!' zei ze opnieuw.

Toen pas leek hij haar te zien. Zijn blik gleed naar Chi's lichaam, de plas bloed die donker onder hem lag, zijn eigen handen, rood van het bloed, en hij deinsde achteruit. 'Goden!'

Mei Lin voelde zich misselijk worden. Ze greep zijn schouder. 'Kom!'

Ze pakten hun bundels en haastten zich naar buiten. Pas bij de grijze poort besefte Mei Lin dat hun geld nog steeds in de zak van Chi's jas zat, maar ze kon zich er niet toe zetten terug te keren. Bovendien hoorde ze stemmen van achter de grijze deur op het pleintje. Ze gluurde door een kier.

De schemering was ingevallen en de kinderen waren naar huis. Op de tegels lag nog een eenzame bal die blijkbaar was vergeten. Twee gardisten in keizerlijk zwart spraken met de oude man. Hij wees in de richting van de poort. Mei Lin wist genoeg om te begrijpen wat de gardisten hadden gevraagd.

Zonder nadenken draaide ze zich om. De steeg leidde langs de huizen; aan de andere zijde was nog een poort, waardoor ze konden ontsnappen. Ze greep Cang Lu, die nog steeds enigszins verdwaasd naast haar stond, duwde hem vooruit en begon te rennen.

31

Wachten

Teishi wachtte. De nacht was gevallen, maar Wen De was nog niet verschenen. Hij bleef wel vaker lang weg. Wanneer ze hem in haar vertrekken uitnodigde, kwam hij meestal pas als ze al sliep, of helemaal niet. Dat gaf niet. Ze was eraan gewend. Maar vannacht wachtte ze.

Haar zoon huilde in zijn bedje. Buiten haar raam, bij de paleisvijver, krijsten de watervogels.

Na haar officiële benoeming tot keizerin had Wen De haar naar de vertrekken van zijn overleden zuster laten verhuizen. Die waren immers groter en beter gelegen dan de vertrekken die ze voorheen had bewoond. Ze pasten bij haar nieuwe status. Maar de krijsende vogels maakten haar zenuwachtig en ze miste de vertrouwdheid van haar eigen kamers. Mei Lin had haar ruimtes ingericht in de donkere, sobere stijl van de Yuan. Teishi miste haar Yamatanese meubels en vooral het met vissen beschilderde kamerscherm dat Wen De speciaal voor hun huwelijk uit Yamatan had laten overkomen. Ze had nooit eerder een kamerscherm gehad.

Onwillekeurig rilde ze.

'U hebt het koud, Teishi-sa.'

Verschrikt keek ze op. Ze had Natsuko niet horen binnenkomen.

Had ze het koud? Ze wist het niet. Haar lichaam leek alle gevoel te hebben verloren.

Haar dienares liep langs haar heen en sloot de luiken. Die zorgzaamheid paste haar niet. Teishi was gewend aan Natsuko's minachting, aan haar spot, het venijn dat van al haar woorden droop. Maar de laatste dagen, sinds de nacht dat zij over Saitō – en Wen De – hadden gesproken, leek haar dienares een metamorfose te hebben ondergaan.

Teishi had geen idee wat ze met deze voorkomende verschijning aan moest. Het was bijna alsof Natsuko wist wat Teishi van plan was.

'Natsuko!'

De vrouw draaide zich naar haar om, de wenkbrauwen vragend opgetrokken. Teishi zuchtte. Ze had haar stem niet moeten verheffen. Natsuko knielde voor haar neer. Haar haren vielen voor haar gezicht. Ze begon bij haar slapen al grijs te worden.

Teishi opende haar mond, maar kreeg geen geluid over haar lippen.

Natsuko keek op. 'Wilt u dat ik uw zoontje uit bed haal, Teishi-sa? Hij huilt al zo lang. Ik denk niet dat hij nog in slaap valt. Misschien heeft hij honger. Als u wilt, kan ik hem nog wat pap geven. Als u wilt...'

'Natsuko...'

Haar dienares zweeg. Teishi keek peinzend op haar neer. Vreemd, hoe de tijd haar had veranderd. In Teishi's ogen was Natsuko altijd de jonge vrouw uit die tuin in Saitō gebleven die met een dienares en een roze parasolletje langs de rozenstruiken wandelde. De jonge vrouw op wie ze zo intens jaloers was geweest dat het soms pijn deed. Maar nu zag ze haar zoals ze was: een vrouw wier jeugd ongemerkt voorbij was gegaan. En ze voelde geen afgunst meer.

Ze voelde niets.

Natsuko keek aarzelend naar haar op en ten slotte knikte Teishi naar de papierrol die voor haar op een tafeltje lag. Ze had hem daar neergelegd nadat ze voor de laatste keer bij Dian Wu was gaan kijken. Natsuko pakte het papier en rolde het uit. Een blik van verbazing gleed over haar gezicht, gevolgd door ongeloof en... dankbaarheid? Teishi was zo gewend aan de haat in Natsuko's ogen, dat ze er niet zeker van was.

'Jij kunt vertrekken,' zei ze om haar onbehaaglijke zwijgen te doorbreken, een zwijgen waarin Dian Wu's gehuil oorverdovend weerklonk. 'Vanavond nog, als je zou willen. Deze brief zorgt dat de wachters jou laten gaan. De Yuan-tse heeft zelf getekend.'

Wen De had getekend. Zonder vragen, zonder zelfs maar naar haar op te kijken toen ze het hem verzocht. Het kon hem niet langer schelen wat er met Teishi's dienaren gebeurde. Misschien had Natsuko hem wel nooit iets kunnen schelen.

Natsuko staarde met tranen in haar ogen naar haar voormalige meesteres op. 'Teishi-sa... Teishi-sa!' stamelde ze. 'Waarom...?'

'Ga,' zei Teishi.

Natsuko boog zo diep dat haar hoofd bijna de grond raakte. Toen stond ze op en verliet het vertrek.

'Een van ons zal Saitō tenminste terugzien,' mompelde Teishi. Ze had nooit gedacht dat er spijt in die woorden door zou klinken. Ze was haar land ontvlucht in de hoop alle schande uit haar verleden te kunnen vergeten. Als echtgenote van de kroonprins – en nu, als keizerin van Yuan – kwam haar de hoogste eer toe. Waarom had ze dan het gevoel dat ze slechts meer schande over zichzelf had afgeroepen?

In het naastgelegen vertrek huilde het kind nog altijd hartverscheurend.

Eén zoon had ze haar echtgenoot geschonken. Eén zoon in tien jaar. Wen De sprak er nooit over, maar ze wist dat ze hem had teleurgesteld. 'Jij zult me kinderen schenken,' had hij gezegd toen hij haar uit Yamatan weghaalde. 'Eén zoon voor elke man die je eerder hebt gehad. Dan zal ik met geen woord over je verleden reppen en kun jij het leven van een prinses leiden.'

Ze was hem dankbaar geweest. Ergens was ze dat nog steeds, al begreep ze nu dat Wen De niet uit liefde had gehandeld. Hij had, net zo goed als zij, een echtgenote nodig die haar mond hield over bepaalde zaken, zaken die het hof zouden schokken als ze openbaar werden gemaakt. Teishi had nooit geklaagd over het feit dat hij hun samenzijn louter als een plicht zag. Ze was juist opgelucht geweest dat ze hem niet vaker dan eens per maand in haar bed hoefde te ontvangen. De overige nachten had ze haar ogen gesloten voor de tranen van haar jonge dienaar en net gedaan alsof ze zijn gegil niet hoorde als haar echtgenoot met hem bezig was.

Maar het was niet genoeg. In al die jaren had ze Wen De slechts één kind geschonken. Eén zoon. Dat was bij lange na niet genoeg om haar schande uit te wissen.

En tegelijkertijd: één zoon te veel. Natsuko's waarschuwing was geen loos alarm geweest. Wen De zou zijn verlangens niet onderdrukken. De gedachte dat ze zou moeten negeren wat hij deed als het Dian Wu betrof, was onverdraaglijk.

Ze had overwogen om Wen De te vermoorden, maar telkens als die gedachte bij haar opkwam, voelde ze opnieuw zijn vingers in haar haren, zag ze zijn donkere ogen voor zich, hoorde ze zijn stem, zwaar en ernstig, zoals hij had gesproken voor de edelen van het rijk: 'Wat ben je bereid voor mij te doen, Teishi-sa?'

'Alles, Yuan-tse', had ze gezegd, en het was waar. Als hij bij haar in de buurt was, werd ze verlamd door angst en kon ze hem niets weigeren. Ze was nooit die meesterkraai geworden waarvan ze als kind had gedroomd, en ze zou er nooit in slagen hem op die manier te trotseren.

Het deed er niet langer toe.

Ze wachtte.

Hoe lang duurde het? Teishi wist het niet. Elk besef van tijd vervloog. Haar handen, verborgen in de wijde mouwen van haar gewaad, waren ijskoud en tegelijk schenen ze geen deel meer van haar uit te maken. Het was dezelfde trance die bezit van haar had genomen in die laatste jaren in Saitō, voordat Wen De was gekomen en haar had gered.

In de loop van de nacht werd het stil in de kinderkamer. Dankbaar sloot Teishi haar ogen en fluisterde een Yamatanees gebed voor een gezegende slaap.

Het zou nu niet lang meer duren, hield ze zichzelf voor. Hij zou komen.

Hij kwam.

Wen De droeg een brokaten mantel die half openhing, en hij stonk naar drank. Hij had weer een feest gegeven. De feesten van de nieuwe keizer waren inmiddels berucht in Yuanjing. Er werd gegokt en gedronken en als er al muziek was, dan werd die overstemd door het geschreeuw van de gasten. Vrouwen waren niet welkom. Maar waarom zou dat haar nog verbaasd moeten hebben?

Hij was al drie passen de kamer in gestrompeld voor hij haar opmerkte. 'Teishi-sa!' riep hij. 'Je bent nog op!' Even keek hij haar fronsend aan en toen begon hij onhandig de knopen van zijn gewaad los te maken. 'Is het alweer tijd? Mijn astroloog heeft niets gezegd...'

Teishi onderdrukte de neiging om op te staan en hem te helpen. In haar mouwen balde ze haar handen tot vuisten. Nog niet.

'Nee,' zei ze.

Wen De keek op. 'Nee,' herhaalde hij, alsof de betekenis van dat woord hem totaal ontging.

'Ik wilde met jou praten, Wen De-tse.'

Ze had hem niet bij zijn nieuwe titel genoemd, maar Wen De was te dronken om het te beseffen. Hij wankelde nog twee passen de kamer in en zonk neer op een laag tafeltje aan haar voeten.

'Herinner jij je onze eerste ontmoeting nog, Wen De-tse?' Hij gaf geen antwoord, dus vervolgde ze: 'Jij vroeg om een gehoorzaam meisje, maar meester Kansuke zond mij. Hij vond mij onhandelbaar en hoopte dat de Yuanprins mij zou breken.'

Er verscheen een frons op zijn gezicht. 'Ik zei dat je een jongen naar me toe moest brengen en je weigerde,' antwoordde hij.

Teishi knikte. Ze herinnerde zich zijn blik nog, de schok van een man die eraan gewend was dat al zijn bevelen werden opgevolgd. 'Er was geen jongen in dat huis. Nergens in Saitō. Jij had naar Nakiyo moeten gaan, waar alles te koop is. Nu had jij mij gekregen en ik kon de schande om weggestuurd te worden niet verdragen.' De herinnering aan de woede-uitbarsting die op haar weigering was gevolgd, kon nog steeds haar bloed verkillen. Maar Kansuke had zich vergist. Wen De's afranseling had haar niet gebroken. Het was een triomf geweest, omdat ze had geweten dat ze alleen zo de aandacht van de kroonprins kon trekken. 'Herinner je je het nog?'

'Je huilde, Teishi-sa,' zei hij. 'Toen ik klaar was, huilde je. Dat herinner ik me.'

'Jij zei dat je nog nooit een vrouw had zien huilen. Ik denk dat je het fijn vond. Je nam mij mee en gaf mij een nieuwe naam.'

Er verscheen een glimlach op zijn gezicht. 'Ja.'

'Dat was een goede daad, Wen De-tse. Je hebt me van die verdorven man gered.'

Pas veel later was het tot haar doorgedrongen dat haar redder misschien wel veel verdorvener was dan de meester die ze in Saitō had achtergelaten. Nu ze terugdacht aan die bewuste avond, besefte ze dat die waarheid toen al manifest was geweest. Ze had die simpelweg niet willen zien.

Maar na Natsuko's waarschuwing kon ze niet langer doen alsof ze blind was.

Wen De glimlachte als een dwaas. 'Waarom vertel je me dat eigenlijk?'

Teishi zuchtte. 'Mijn leven was schandalig, een slecht leven. Die schande draag ik in mijn bloed met me mee.'

Wen De's glimlach was verdwenen. Hij keek haar aan alsof hij niet wist wat hij moest verwachten.

Onwillekeurig bewoog Teishi haar handen in haar wijde mouwen, maar hij leek het niet op te merken. 'Jij hebt mij behoed voor meer schande,' zei ze, 'maar mijn bloed is nog steeds met verdorvenheid besmet. Dat bloed stroomt ook door de aderen van onze zoon. Ik kon die gedachte verdragen omdat ik onder dwang mijn wandaden beging. Bovendien ben ik slechts de moeder, en mijn invloed is gering. Maar jij, Wen De-tse...' Teishi zweeg en schudde haar hoofd. 'Wat jij hebt gedaan, is zo verderfelijk dat wij er niet over zouden mogen spreken! Jij hebt je vader, de man die jou verwekt heeft, gedood, zodat jij er zelf beter van zou worden. Jij hebt jouw onschuldige zuster vermoord. En nu schend jij hun nagedachtenis met bloedige plannen voor een oorlog!'

Verward streek Wen De met de palm van zijn hand over zijn gezicht. 'Hoe weet jij...?'

'Ik probeerde blind te zijn voor jouw verdorvenheden, Wen De-tse. Ik heb jou nooit verwijten gemaakt over wat jij uitspookte met mijn dienaar, al weten de goden dat het verderfelijk was. Ik hield mijzelf voor dat het niets was, een spel, dat het hoe dan ook niet veel erger was dan wat meester Kansuke mij dwong te ondergaan, en dat Dian Wu er nooit van zou weten. Maar het is niet waar. Het was nooit een spel met Cang Lu. En als onze zoon oud genoeg is...' Ze kon niet verder spreken.

Wen De stak een hand naar haar uit, die ze onwillekeurig ontweek. 'Teishi-sa...'

Ze keek hem aan, met een kilte in haar hart die haar hele wezen bevroor. 'Hoe moest jouw zoon ooit die schande uit zijn bloed wissen? Hoe moest hij leven met de schande van twee ouders die zo verdorven zijn?'

'Teishi-sa, je bazelt!' begon hij, maar toen stopte hij. Zijn blik werd plotseling scherp en Teishi wist dat hij begreep wat ze al die tijd probeerde te zeggen. Hij snakte naar adem. 'Wat heb je gedaan, Teishi-sa?'

Ze glimlachte. 'Jij zult hem niet hebben, Wen De-tse. Niet op zo'n manier.'

Met een kreet schoot hij naar het andere vertrek, verrassend vlug, ondanks de drank. Teishi hoorde zijn snelle voetstappen weerklinken. Ze volgde hem niet. Ze wist wat hij zou zien. Haar zoon, stil als de dood in zijn bedje, zijn tuniekje scharlakenrood verkleurd waar ze hem gestoken had met het mes dat nu op de grond lag. En een wit lint voor zijn oogjes geknoopt om te voorkomen dat hij direct de geestenwereld in zou kijken. Een snelle dood kon iedereen sterven, maar daarmee wiste je nog geen schande uit.

Wen De's schreeuw zou eenieder door merg en been zijn gegaan; Teishi voelde slechts de kou in haar hart. 'Wat heb je gedaan? Wat heb je gedaan! Teishi-sa, Teishi-sa!' Hij verscheen in de deuropening, zijn gezicht vertrokken van woede en pijn. Tranen stroomden over zijn wangen. Teishi kon zich niet herinneren hem ooit te hebben zien huilen. Zijn blik viel op haar lichaam, op haar bebloede handen, en zijn adem stokte.

Ze stond kalm op. 'Ik heb onze zoon gered van deze verdorvenheid, zoals jij ooit mij redde,' zei ze, terwijl ze achter haar stoel langs naar het raam liep.

Hij kwam op haar af, zijn hand trillend uitgestrekt. 'Jíj! Jij...' Ze kon de woede en de waanzin in hem voelen, als een zwarte storm die in zijn bloed woedde en zijn ogen donker kleurde. Hij spuwde van kwaadheid. 'Ondankbare hoer! Ik bind je vast en ik naai je net zo vaak tot je me tien nieuwe zonen hebt gegeven! En dán zal ik je betaald zetten wat je vannacht hebt gedaan. Je zult wensen dat ik je in Yamatan had achtergelaten! Je zult wensen dat ik je bij die eerste ontmoeting had doodgeslagen!'

Teishi stapte verder achteruit. Normaal gesproken zou ze bang voor hem zijn geweest, en zelfs nu kwam het verlangen in haar op om voor hem te knielen en om genade te smeken. Hij was nog altijd haar redder, de enige die ooit naar haar had omgekeken, degene die haar uit de schande van het Yamatanese paradijshuis had gehaald en keizerin van Yuan had gemaakt. Maar in deze ijzige kalmte gehuld wist ze dat zijn genade niet bestond. Aan zijn zijde droeg de titel van keizerin geen enkele glans. En ze kon zijn waanzin niet stoppen. Ze had de kracht niet om hem te vermoorden.

Soms waren alle wegen duister en zwaar.

Ze had haar keuze gemaakt op het moment dat ze het mes in Dian Wu's kamer had opgepakt. 'Nee,' zei ze en ze legde haar hand op de sluiting van de luiken. 'Jij krijgt geen andere zonen. Niet van mij.'

Wen De sloeg de stoel die tussen hen in stond, opzij. Hij strekte zijn hand naar haar uit. 'Ik waarschuw je, Teishi!'

Ze gunde zich zelfs niet de tijd om een lint voor haar ogen te binden, want dan zou hij haar tegenhouden en zou ze nooit meer de kans krijgen om haar schande uit te wissen.

Zonder nadenken duwde ze de luiken open. De nachtlucht voelde koud op haar huid. Ver beneden haar wachtte de paleistuin met de eendenvoetbomen, de chapaviljoenen, de vijver en, precies onder haar raam, de stenen tegels van het tuinpad. De stilte van de tuin leek haar te verwelkomen.

Ze stapte op de vensterbank en sprong.

32

Bittere cha

Na hun vlucht uit Dolan spraken Mei Lin en Cang Lu niet over wat er daar gebeurd was: Shula's dolk, Chi's lichaam in een plas bloed. Cang Lu zei dat hij zich er niets van kon herinneren. Hij hield vol dat hij pas was bijgekomen toen ze zijn naam had geroepen en dat het tot hun vlucht uit de steeg had geduurd, vlak voor de gardisten de grijze deur openduwden, eer hij werkelijk besefte wat er was gebeurd. Mei Lin wist niet of ze hem moest geloven. Ze wist niet of ze hem wílde geloven. Het idee dat hij haar belager in een trance had gedood, was op de een of andere manier verontrustender dan het idee dat hij zoiets in koelen bloede kon doen.

Paarden of een schip om hen naar het zuidoosten te brengen konden ze vergeten zonder het geld dat in Chi's jas was blijven zitten. Ze moesten te voet verder trekken. Dagen regen zich aaneen tot een tiendag, toen tot een maand, toen nog langer. De kou van het noorden was verdwenen. Hier droegen de bomen al bladeren en waren de heuvels vol kleuren. Soms trokken ze door dichtbegroeide bossen van loof en bamboe, waar het moeilijk was om de juiste richting te bepalen, dan weer liepen ze door ruisende velden vol klaprozen, waar knaagdieren ritselend voor hun voeten wegschoten en waarboven roofvogels biddend in de lucht hingen. Ze meden steden en dorpjes, uit angst voor Wen De's gardisten. Ze hielden zich in leven met wat ze in de wildernis vonden en het beetje rijst dat hun nog restte.

'Denkt u dat we Jitsuma zullen bereiken?' vroeg Cang Lu op een dag. 'Denkt u dat we op tijd zullen zijn?'

Mei Lin staarde voor zich uit naar het bos, waar geen einde aan leek te komen, naar de dicht opeen groeiende bomen die nauwelijks ruimte voor een pad boden, naar het zonlicht dat in fijne stralen tussen het bladerdek door viel, en de schaduwen daartussen. Het was als haar wereld in het paleis, waar tussen alle heldere waarheden nog zo veel verborgen bleef; waar het protocol haar over een dunne lijn dwong te lopen terwijl de leugens om haar heen tot zo'n web gesponnen waren dat ze, zelfs nu, nog niet de gehele reikwijdte ervan kon overzien.

'Wie zal het zeggen?' sprak ze tot Cang Lu. 'Ik weet niet hoe lang we er nog over zullen doen. Ik weet niet wanneer mijn broer van plan is aan te vallen. We kunnen enkel bidden.'

Hij keek naar haar op. Er was iets in die blik, iets wat ze de laatste tijd vaker zag als hij naar haar keek. Ze kon het niet benoemen. Het maakte haar nerveus en onzeker. 'We zouden nog steeds ergens anders naartoe kunnen gaan,' zei hij. 'Ergens waar u veilig bent en niet hoeft te trouwen met...' Hij maakte zijn zin niet af, maar de naam dreunde door haar hoofd alsof hij hem had uitgeschreeuwd.

Akechi Sadayasu.

Ze keek weg.

Cang Lu slikte hoorbaar en verschoof de bundel op zijn rug. 'Vergeef me. Ik bedoel... Ik wil alleen...'

'Nee,' zei ze. 'We gaan naar Yamatan.'

Verder naar het zuiden, in de provincie Nan Men, was de lucht warm en zwaar. De aarde kleurde geel, de struiken zaten vol bloemen. Het bos trok zich terug naar het westen en er was een smalle strook land zichtbaar met rijstvelden en kleine dorpjes aan de oevers van een rivier. Daar waren zo veel mensen, dat Mei Lin er niet naartoe durfde te gaan.

In oostelijke richting lagen de moerassen: een mysterieuze, groene wereld die gonsde van de insecten, waar de lucht zo klam was dat het zweet hun uitbrak en waar het rook naar lang vergaan leven. Een pad was er nauwelijks te vinden. Ze baanden zich een weg door de dichtbegroeide wildernis, over mossige eilandjes, door ondiepe poelen, stinkend naar stilstaand water, waar kikkers voor hun voeten wegsprongen.

Niemand volgde hen die jungle in.

Mei Lin verloor er alle gevoel voor richting en tijd. Hun voorraden raakten op en er was geen droog hout om vuur mee te stoken. Toen ze eindelijk een weg vonden die hen uit het moeras leidde, was ze ziek van honger en uitputting.

'Nog even en dan bereiken we Xian Men,' zei Cang Lu hoopvol. 'Vandaar kunnen we vast op een koopmanswagen meeliften naar de grens.'

Mei Lin haalde haar schouders op. Haar hele lichaam deed pijn en er liepen rillingen over haar rug, ondanks haar warme mantel. 'Als de wachters uit Yuanjing ons daar tenminste niet opwachten,' mompelde ze. Plotseling had ze een verschrikkelijke hoofdpijn. 'Kunnen we alsjeblieft ergens stoppen en uitrusten?'

Cang Lu wierp haar een bezorgde blik toe. 'Ja. Ik zal onze laatste portie rijst koken. Iets warms in uw maag zal u goeddoen.'

Mei Lin geeuwde. 'M-maar ik heb geen honger. Ik wil alleen slapen.'

Cang Lu knikte. 'Kom.' Hij sloeg zijn arm om haar heen, alsof hij bang was dat ze anders zou omvallen. Het was hoe dan ook fijn om tegen hem aan te kunnen kruipen. Ze had het plotseling vreselijk koud.

Ze vonden een beschutte plek tussen de rotsen, waar mos en dode bladeren een natuurlijk bed vormden. Het was er verbazingwekkend stil, als in een tempel. Groene bladeren vormden een koepel boven hun hoofden.

'Wat doen we als de wachters ons inderdaad opwachten?' vroeg Mei Lin, terwijl Cang Lu het kampvuur opstookte.

'We zullen wel zien.'

Ze ging liggen op het mosbed en trok de deken over zich heen. Het hielp niet veel tegen de kou, maar haar lichaam voelde minder zwaar.

Ineens werd ze door heimwee overvallen, naar haar vertrekken, naar de warmte van haar eigen bed, naar Shula die haar tegen de wachters uit Yuanjing zou hebben beschermd als hij nu bij haar was geweest.

Shula. Shula!

Ze miste hem zo vreselijk dat het pijn deed. Zijn gezicht met de fijne rimpels rond zijn ogen, zijn met zilver doorregen haren, zijn sterke, zekere handen. Ze miste zijn stem en zijn veilige aanwezigheid. Hij zou haar de hele weg naar Yamatan hebben beschermd als ze hem niet in het paleis van Yuanjing had achtergelaten, waar haar broer hem zeker te pakken had gekregen, waar haar broer hem had gedood.

'Shula!' Ze snikte het uit, rillend op de mosgrond en de bladeren.

En toen was daar Cang Lu, die naast haar kwam zitten en haar heel licht over haar wang streelde. 'Slaap maar, Mei Lin-sa,' fluisterde hij. 'Morgen is het beter. Slaap nu maar.'

Ze sliep.

De volgende morgen voelde Mei Lin zich inderdaad beter. De honger en de heimwee waren niet minder in het ochtendlicht, maar de zonnestralen die door het bladerdek vielen – en de schaduwen daartussen – gaven haar op een vreemde manier hoop. Waarom zou zij zich niet verborgen kunnen houden in de schaduwen tussen waarheden, zoals Wen De altijd had gedaan? Haar broer zou haar nooit vinden.

Ze verzonnen een nieuwe leugen over hun herkomst, voor het geval ze andere mensen tegen zouden komen op weg naar Xian Men, en nieuwe namen die bij de leugen pasten.

De dorpjes en nederzettingen ten zuiden van de moerassen waren zo wijdverspreid dat het ondoenlijk was ze allemaal te ontwijken. Er waren boerenhoeves en rijstplantages, maar geen van de werkers die ze passeerden, herkende hen. De wachters uit Yuanjing waren hier blijkbaar nog niet langsgekomen; waarschijnlijk hadden ze het niet de moeite gevonden de kleine nederzettingen te controleren. De enige weg naar het oosten leidde via Xian Men. Het deed Mei Lins vrees toenemen dat ze in die stad zouden worden opgewacht. Ze hadden echter geen keus.

In de dorpjes die ze passeerden was geen jongeman meer te vinden. Die ontdekking sloeg haar koud om het hart. Iedereen meldde zich voor Wen De's leger. Het deed haar gedrevenheid toenemen.

Die nacht sliepen ze in de berm. Ze werden in alle vroegte gewekt door krakende wagenwielen van boerinnen en grijzende boeren die met hun ossenwagens op weg waren naar de velden. Ze pakten hun bundels bij elkaar en zetten hun reis voort. Cang Lu liep voorop. Af en toe keek hij over zijn schouder als ze wat achterbleef, maar ze spraken geen van beiden.

Het was zo koud dat Mei Lin blij was met haar dikke mantel uit het noorden. Ze had niet goed geslapen. Haar ledematen waren stijf en pijnlijk. Haar hoofdpijn keerde terug. Ze maakte zich zorgen over Xian Men en wat hun daar te wachten stond. Niemand zou verwachten dat ze zich voor Yamata uitgaven, maar stel dat iemand de leugen doorzag? Hoe langer ze erover nadacht, hoe meer hoofdpijn ze kreeg. Haar benen leken van lood en ze wilde niet verder. Sterretjes dansten voor haar ogen. Ze was moe, zo verschrikkelijk moe.

'Voorbij dat dorp kunnen we misschien ons kamp opslaan,' zei Cang Lu toen de avond viel. Hij keerde zich naar haar om en gebaarde in de verte. Mei Lin probeerde zijn beweging te volgen, maar de wereld leek om haar as te draaien. 'Mei Lin-sa?'

Een koude rilling liep over haar rug. Ze dook dieper in haar mantel.

Cang Lu kwam op haar af. Er lag een frons op zijn gezicht. 'Gaat het wel?'

Mei Lin probeerde te knikken. 'K-k-koud,' bibberde ze. 'Zo koud.'

Voor ze er erg in had, legde Cang Lu een hand op haar voorhoofd. 'Goden!' vloekte hij. 'Je staat in brand!'

Mei Lin wilde lachen, maar haar tanden klapperden zo hard dat het leek alsof ze naar adem snakte. Ze strompelde een paar passen naar achteren, weg van zijn beschuldigende vingers, die als ijs op haar huid voelden. 'D-doe niet z-zo b-belachelijk,' rilde ze.

Ze moest zich verstapt hebben, want ze viel. Cang Lu stak zijn handen naar haar uit. Te laat.

Het leek of haar hoofd in tweeën werd gespleten. Haar lichaam krijste van de pijn en ze wilde slapen, eindeloos slapen.

'Mei Lin-sa! Alstublieft!' Cang Lu stond over haar heen gebogen met tranen in zijn ogen. Hij had haar iets gevraagd.

Er keken witte ijssterren over zijn schouder. De hele wereld was bevroren.

'Nee. Laat m-me m-met rust. Slapen,' mompelde ze. 'Is k-koud.'

Een voor een doofden de sterren.

'Nog een klein stukje, Mei Lin-sa, alstublieft!'

Een stem had zich om haar heen geslagen en duwde haar voort. Haar voeten probeerden vaste grond te vinden, maar de wereld was in een stormachtige zee veranderd. Kou, pijn en misselijkheid overspoelden haar en ze klapte dubbel. Alles wat ze ooit in haar leven had gegeten, golfde omhoog.

De stem verliet haar en schreeuwde in tranen: 'Help! Alstublieft! Het is mijn zuster! Ze is ziek!'

Een andere stem doorkliefde haar bewustzijn. Hoog en snel.

Ze sloot haar ogen.

De grond was koud om haar heen gevouwen, beet stukken uit haar handen en knieën.

Een nieuwe golf nat.

En die stemmen bleven maar schreeuwen. Of ze hen hoorde. Of ze haar ogen open wilde doen. Of ze alsjeblieft, alsjeblieft haar ogen open wilde doen.

Toen was er een bed en een laken en fel licht dat haar ogen openspleet. Een vrouw legde een koele doek op Mei Lins gezicht. Mei Lin probeerde haar weg te duwen, maar een kale jongen met schitterende gouden ogen hield haar handen vast. Dus schreeuwde ze dat ze weg moesten gaan, dat ze haar met rust moesten laten, dat ze Shula wilde, alleen Shula. Maar de vrouw en de jongen luisterden niet. Ze wilden haar bevriezen met hun koele handen en hun ijskoude doek. Begrepen ze niet dat dat onmogelijk was? Haar lichaam was een brandende fakkel die niet kon doven. Ze was het licht in de schaduw, de Yuan-sa, de dochter die de valse keizer van zijn troon zou stoten.

Er kwam een man in een donkergrijze mantel binnen, die op de rand van haar bed ging zitten en haar overal betastte. Dat maakte haar razend. Ze wilde hem aanvliegen, maar opnieuw was er die jongen met zijn gouden ogen die haar tegenhield. Om de een of andere reden kon ze zich er niet toe brengen hem te slaan.

'Het is moeraskoorts,' zei de man, toen hij was opgestaan en tegen de witgepleisterde muur leunde. 'Ik heb zelden zo'n heftig geval meegemaakt.'

De jongen slaakte een zucht. Hij had zijn armen om Mei Lin geslagen en streek met zijn hand over haar gezicht. Het was een intiem gebaar, maar dat kon Mei Lin niet schelen. Het kalmeerde haar. 'Kunt u haar helpen?' zei de jongen.

De man knikte bedachtzaam. 'Ik maak cha van gedroogde zomeralsem, die ze op gezette tijden moet drinken. Dat zal mogelijk helpen tegen de koorts. Daarna zal de tijd het leren.'

'Ik zal u de keuken tonen,' zei de vrouw met de koude doek.

'Nu meteen maar,' zei de man. 'We hebben geen tijd te verliezen.'

Toen de man en de vrouw de kamer hadden verlaten, stond de jongen op van het bed. Hij legde Mei Lin neer en trok het laken over haar lichaam, maar ze duwde het weer weg. Ze had het warm. Ze probeerde haar overjurk uit te trekken, maar haar handen hadden nauwelijks kracht. De jongen boog zich naar haar toe. Met vaardige handen knoopte hij de lusjes van haar overjurk los en trok het warme gewaad van haar lichaam. Haar onderjurk was doorweekt van het zweet.

'Ga liggen,' zei hij en ze gehoorzaamde. Hij trok haar jurk naar zich toe en doorzocht de zakken. 'Ik heb de dokter de haarspeld beloofd, Mei Lin-sa,' zei hij verontschuldigend.

Mei Lin knikte wezenloos. Ze wist niet over wat voor speld hij het had. Even dacht ze dat er een schaduw over de jongen viel, maar toen ze knipperde was het duister weg. De kamer leek zich over haar heen te buigen.

'Maakt u zich geen zorgen,' zei de jongen. 'Alles komt goed. De dokter zal u helpen.'

Mei Lin knikte. De muren vouwden zich als een cocon om haar heen. Ze wilde de jongen vragen haar niet alleen te laten, maar ze kon de woorden niet vormen.

Stilletjes zakte ze weg in een lange, lange slaap.

De jongen bracht haar bittere cha in een kom van bruin aardewerk. Af en toe kwam de vrouw met hem mee en bleef dan even bij haar hoofdeinde zitten. Vaak kwam de jongen alleen.

Mei Lin sliep. Soms werd ze rillend van de kou wakker en waren alle dekens in de kamer nog niet genoeg om haar op te warmen, dan weer brak het zweet haar uit. Haar hele lichaam leek uit pijnlijke schakels te bestaan. Ze hield niets binnen behalve de cha, en soms zelfs die niet.

Er waren mensen die haar kamer binnenkwamen; schimmen uit een koortsige halfwereld die haar dingen toefluisterden zonder woorden te gebruiken. Soms namen ze de vorm aan van mensen die ze kende: Shula, de Yuan-tse, prins Akechi, Wen De. Ze wilden haar vastgrijpen en meenemen, ieder voor zich, maar ze vervaagden op het moment dat ze hen aanraakte.

Dan verschenen er nieuwe schimmen.

En steeds weer kwam de jongen met zijn bittere cha. Hij hield zijn ogen op de grond gericht als hij haar de kom aanreikte, maar als ze de kom aan hem teruggaf, keek hij op en las ze bezorgdheid in zijn ogen.

Ze begon zich een naam te herinneren: Cang Lu.

De ochtend dat de koorts brak, kwam de vrouw en niet de jongen met haar cha.

Mei Lin drukte zich op haar ellebogen overeind. 'Waar is...?' Ze haperde. Nee, niet Cang Lu. Die naam mocht ze hier niet gebruiken.

Een glimlach gleed over het gezicht van de vrouw. Ze was niet jong meer, misschien halverwege de veertig. Ze had fijne lijntjes bij haar ogen en zilveren strengen in haar haar. 'Je broer Yasuo helpt beneden,' zei ze. 'Ik bood aan ditmaal de cha te brengen. Als hij hoort dat je weer bij bent, zal hij spijt hebben dat hij zelf niet is gekomen.'

'Beneden?' Mei Lin probeerde verder overeind te komen, maar de vrouw hield haar tegen.

'Rustig aan, lieverd. Je bent heel ziek geweest.'

'Hoe lang?'

'Vergeef me, wat...?'

'Hoe lang?' herhaalde Mei Lin dringend. Ze probeerde de tijd in te schatten dat ze hier gelegen had, maar herinnerde zich slechts schimmige flarden. Hoeveel tijd hadden ze verloren? 'Hoe lang ben ik ziek geweest?'

De vrouw fronste. 'O... Zes dagen, denk ik?'

'Zes dagen!' Mei Lin sprong op, wankelde en viel weer terug op het bed.

De vrouw schudde geamuseerd haar hoofd. 'Reken maar op nog eens zes dagen voor je weer een beetje bent opgeknapt. En dan mag je nog van geluk spreken. Ik heb mensen aan de moeraskoorts zien sterven; sterke, volwassen mannen.'

Mei Lin sloot haar ogen. Ze voelde dat de vrouw gelijk had, maar ze hád geen zes dagen de tijd om aan te sterken.

'Kom,' zei de vrouw, 'rust nog maar wat uit.' Ze legde een hand onder Mei Lins rug, om haar te steunen, en hield haar met de andere de chakom voor.

Mei Lin trok haar neus op. 'Het is bitter.'

'Het helpt tegen de koorts. Drink maar op.'

Mei Lin gehoorzaamde.

Toen de kom leeg was, liet de vrouw haar weer in de kussens zakken. Ze trok het laken dat Mei Lin in haar koortsdromen weg had geschopt over haar heen en stopte haar in. 'Slaap nog maar wat. Ik zal je broer over een paar uur naar je toe sturen met de laatste dosis.'

Gedwee sloot Mei Lin haar ogen. Ze hoorde de vrouw weglopen. Maar op het laatste moment kwam ze toch weer overeind. 'Wacht! Alstublieft... Wat is uw naam?'

De vrouw glimlachte. 'Ze noemen me moeder Liang.'

'Je bent weer beter!' riep Cang Lu in het Yamatanees. Hij vloog op haar af. 'O, ik was zo bezorgd!' Even dacht Mei Lin dat hij haar om de hals zou vliegen, maar toen boog hij naar haar toe en fluisterde: 'Vergeef me, Mei Lin-sa. De muren zijn hier dun en het is rustig beneden. Ik ben bang dat ze ons misschien horen.'

Ze begreep hem maar half, maar toch knikte ze.

Even staarden ze elkaar zwijgend aan. Toen leek de jongen in de gaten te krijgen dat hij nog een kom cha in zijn handen had. Bruusk reikte hij haar die aan.

Ze staarde naar haar lakens. 'Dank je... Yasuo,' zei ze in het Yamatanees. De taal voelde vreemd aan, alsof haar tong de woorden niet kon vormen.

Cang Lu ging op de rand van het bed zitten. 'Drink je de cha niet op?'

'Jawel.' Mei Lin draaide de kom rond in haar handen, maar nam geen slok. Ze keek op en bestudeerde Cang Lu's gezicht. Hij zag er moe uit. Tot haar verbazing was zijn schedel zo kaal als de laatste keer dat ze hem had geschoren. Hij moest het zelf hebben bijgehouden. 'Heb ik hier echt zes dagen gelegen?' vroeg ze.

'Zes of zeven,' zei hij. 'Ik ben de tel kwijtgeraakt.' Hij gebaarde naar haar chakom. 'Drink toch, alsjeblieft.'

Mei Lin dronk.

Ondertussen begon Cang Lu op fluistertoon te vertellen wat er allemaal was gebeurd sinds zij op de weg het bewustzijn had verloren. Blijkbaar had hij haar op de een of andere manier naar het nabijgelegen dorp kunnen slepen, waar ze opnieuw in elkaar was gezakt. In paniek was hij het dichtstbijzijnde gebouw in gerend, een dranklokaal dat gerund werd door moeder Liang. Zij had Mei Lin samen met Cang Lu naar de bovenverdieping van haar lokaaltje getild, waar ze enkele kamers verhuurde. Een van haar klanten was weggestuurd om de dokter te halen.

'Aanvankelijk waren we bang dat hij te laat was gekomen. Je had hoge koorts en bleef maar ijlen. Je herkende niemand meer. We waren bang dat...' Cang Lu zweeg. Hij had zijn benen opgetrokken en zijn armen om zijn knieën geslagen. Hij had een vreemde blik in zijn ogen, die Mei Lin deed slikken.

Ze boog zich naar hem toe. 'Maar ik ben nu weer beter, Yasuo. En over een paar dagen ben ik sterk genoeg om verder te gaan.'

Hij wierp haar een sceptische blik toe, die ze besloot te negeren. Hij stond op en liep naar het raam, dat met donkere luiken was afgesloten. 'De troepen van Yuan verzamelen zich ten oosten van Yuanjing, op de Tanvlakte. Iedereen heeft het erover. Ik begin me af te vragen of het wel zo'n goed idee was om ons voor Yamata uit te geven. Moeder Liang laat niemand een kwaad woord over ons spreken, maar ik zie de blikken die sommige mensen me toewerpen...'

Mei Lin staarde hem verbijsterd aan. 'De Tanvlakte?' herhaalde ze. 'Dat slaat nergens op!' Ze streek met een hand over haar slaap. 'Waarom zou hij daar...'

Er gleed een bezorgde uitdrukking over Cang Lu's gezicht. 'Wat bezielt me? Je komt net bij van een ernstig ziekbed en ik vermoei je alweer met allerlei zaken die op dit ogenblik niet van belang zijn.' Hij duwde zich af van het raam en kwam naar haar toe.

'Maar ik begrijp het gewoon niet,' zei Mei Lin. 'Waarom daar? Waarom niet meer naar het zuiden, in de richting van Zhongrei of Dolan? Vanaf de Tanvlakte zal hij veel langer naar Yamatan onderweg zijn!'

Cang Lu legde zijn handen op haar schouders. 'Maak je er niet druk om. Je moet eerst uitrusten.'

Mei Lin schudde haar hoofd. 'Waarom? Waarom?' prevelde ze.

'Sei!' riep Cang Lu dringend. 'Sei, luister naar me!'

Mei Lin knipperde met haar ogen. Langzaam drong het tot haar door dat Sei de schuilnaam was die ze dagen eerder voor haar hadden bedacht.

'Maak je niet druk over de plannen van de Yuan-tse,' zei Cang Lu. 'We kunnen er nu toch niets aan doen. Rust uit, word beter. En als je sterk genoeg bent, neem ik je mee naar... huis. We zullen op tijd zijn. Dat beloof ik je.'

Mei Lin knikte. Maar al deed ze nog zo haar best om aan zijn verzoek te voldoen, ze kon het gevoel dat ze iets vreselijks over het hoofd zag niet van zich afzetten.

33

Moeder Liangs achternicht

Het duurde drie dagen voor Mei Lin genoeg was aangesterkt om op te staan. Toen ze uit bed kwam, hingen haar kleren wijd om haar heen. Ze herkende de armen niet die als magere twijgen uit haar mouwen staken.

'Misschien past dit.' Moeder Liang kwam de kamer binnen met een donkergroene jurk, die ze Mei Lin voorhield. 'Hij is van mijn dochter geweest.' Mei Lin huiverde bij de aanblik van dat groen – Wen De's kleur – maar de jurk paste inderdaad.

Moeder Liang moest haar helpen de knoopjes te sluiten en haar haren te kammen. Daarna hielp de vrouw haar de trap af, naar een lokaaltje met simpele, ongelakte tafels en ramen met rode luiken.

Het was er nog rustig. Enkele oude mannen speelden een spel met een paar dobbelstenen terwijl ze hun middagmaal wegkauwden. Twee grijze handelaren in donkere overjassen zaten over een of ander contract gebogen en spraken op gedempte toon, terwijl een jongen met een blauwe muts en een grijs schort hun cha bijschonk.

Moeder Liang leidde Mei Lin naar een krukje aan de toog en gebood haar daar plaats te nemen. Ze bond een schort voor. 'Ik zal eens een goede maaltijd voor je klaarmaken, om je weer een beetje op gewicht te krijgen. Lust je eieren?'

'Ja,' zei Mei Lin.

De jongen met de muts draaide zich om bij het horen van haar stem. Het was Cang Lu. Hij glimlachte breed en kwam naar haar toe. 'Je bent op!' zei hij in het Yamatanees. 'Wil je cha?' Hij zette een kommetje voor haar neer en schonk het vol uit de metalen ketel die hij in zijn andere hand hield.

Mei Lin glimlachte. 'Dus dit doe jij de hele dag.'

'O ja...' De jongen haalde zijn schouders op. 'Het is in wezen niet veel anders dan wat ik vroeger deed, nietwaar?' Er veranderde iets in zijn gezichtsuitdrukking en er lag een aarzeling in zijn toon die er eerder niet was geweest.

Moeder Liang keek op. Mei Lin vroeg zich af hoeveel de vrouw van hun gesprek had opgevangen. Zou ze Yamatanees spreken? 'Yasuo-tse, waarom neem je niet even pauze?' zei de vrouw, terwijl ze haar handen aan haar schort afveegde. 'Je bent al vanaf vanochtend in de weer. Ik zal je over een uur of twee roepen, als het drukker wordt.'

Cang Lu boog zijn hoofd. 'Dank u wel, Liang-sa.' Hij richtte zich weer tot Mei Lin. 'Ik denk dat ik even ga liggen, als je het niet erg vindt. Mijn voeten doen pijn.'

'Natuurlijk,' zei Mei Lin.

Cang Lu knikte en verdween naar boven.

'Een harde werker, je broer,' zei moeder Liang, terwijl ze hem nastaarde. 'En heel beleefd. Hij zou aan het hof kunnen dienen.'

Mei Lin schudde haar hoofd. 'Ik denk niet dat het hof hem zou bevallen. Ik hoor dat de keizerlijke familie weinig rekening houdt met de bedienden.'

Moeder Liang glimlachte. Uit een mandje onder de bar haalde ze een paar gekookte eieren tevoorschijn, die ze met snelle vingers begon te pellen. 'De keizerlijke familie is zo hoog boven het gewone volk verheven,' zei ze. 'Kun je het de familieleden kwalijk nemen als ze inderdaad wat minder oog voor hun dienaren hebben?'

Mei Lin keek weg, naar de twee handelaren en de mannen bij de deur. 'Het zou niet zo moeten zijn,' mompelde ze.

'Nee,' zei moeder Liang bedachtzaam. 'Misschien niet. Maar oordeel niet te snel, Sei-sa. Vergeet niet dat de leden van de keizerlijke familie veel aan het hoofd hebben. En misschien weten ze niet beter.'

Mei Lin boog het hoofd. Moeder Liang schoof een kommetje met twee gepelde eieren haar kant op.

'Ik ben even achter,' zei ze. 'Rijst koken.'

Mei Lin keek haar na. Een onbestemd gevoel nestelde zich in haar buik.

Ze schudde haar hoofd en pakte een van de eieren op. Na bijna een tiendag van bittere cha en dunne pap was het een feest om weer vast voedsel te kunnen eten; helemaal toen moeder Liang ook nog eens een kom rijst met gestoofde groente bracht.

'Voor je het weet ben je weer de oude,' zei de vrouw, terwijl Mei Lin op het eten aanviel. 'Wil je nog wat cha?'

Mei Lin knikte, maar gunde zich niet de tijd om iets te zeggen voordat alle kommetjes leeg waren.

Het werd hoe langer hoe drukker in het lokaal. De handelaren beklonken hun overeenkomst en namen afscheid, maar twee andere namen hun plaats alweer in. Grijsaards in blauwe werktunieken kwamen van de velden om nog wat te drinken voor ze naar huis gingen. Drie vrouwen zaten lachend in een hoekje van het lokaal te roddelen. En steeds weer kwamen er handelaren binnen voor een drankje terwijl ze hun zaken deden. Allemaal oud genoeg om grootvaders te kunnen zijn. Mei Lin probeerde niet aan Wen De te denken of aan het leger dat zich op dat moment op de Tanvlakte verzamelde.

'Xian Men ligt op een halve dag reizen vanhier,' zei moeder Liang, toen Mei Lin iets over de drukte opmerkte. 'De handelaren komen hiernaartoe om hun koopwaar in te slaan: rijst, bonen en zijde. Wist je dat we hier een paar van de beste zijdeweefsters uit het land hebben?'

Mei Lin schudde haar hoofd.

'Hun werk kan met de beste stoffen uit Nang Shi concurreren.'

Daar was het weer, dat onbestemde gevoel! En ditmaal wist Mei Lin waardoor het werd veroorzaakt. 'Bent u ooit in Nang Shi geweest?' vroeg ze.

Verbaasd keek moeder Liang op. 'Nang Shi? Nee.'

'Yuanjing dan?' Mei Lin verschoof op haar kruk. 'Ik wil niet nieuwsgierig zijn, maar u praat erover alsof u die steden zelf hebt gezien. Ik dacht...'

Ze viel stil.

Rond de ingang van het lokaal ontstond commotie. Een brede man in de donkere overjas van het handelsgilde blokkeerde de doorgang en sprak fel gebarend tegen iemand die buiten stond. Verschillende mannen stonden op om te kijken wat er aan de hand was.

'Hé, daar!' riep moeder Liang. 'Geen vechtpartijen in mijn gelegenheid!'

Op dat moment werd de handelaar opzijgeduwd.

Mei Lins adem stokte. Zwarte wapenrustingen, de Rijzende Zon en Wen De's Groene Draak – twee, drie mannen. En in hun midden, in het wijde gewaad van de keizerlijke lijfwachten, stond haar voormalige dienaar, de verrader Li Jin.

Ze voelde zich koud worden en vreemd helder, alsof ze een nieuwe koortsaanval kreeg.

Er was geen gelegenheid om te ontsnappen. Zodra ze opstond, zouden de gardisten haar in de gaten krijgen. Maar Cang Lu was nog boven. Ze zou kalm mee moeten gaan, zonder stampij, zodat de jongen niet in de verleiding werd gebracht om te komen kijken wat er beneden aan de hand was. Cang Lu kende haar plan. Misschien kon hij Yamatan in zijn eentje bereiken en keizer Akechi waarschuwen. De oorlog zou niet meer voorkomen kunnen worden, want als zij niet met Akechi Sadayasu trouwde, zou haar vaders vrede niet bezegeld zijn. Maar misschien konden Cang Lu en de Yamata samen een oplossing verzinnen, een manier bedenken om Yuans volk te sparen.

Goden, nee! Waarom hield ze zichzelf voor de gek? Het belangrijkste was dat Cang Lu ontkwam, of hij de keizer van Yamatan nu zou kunnen bereiken of niet. Wen De wilde hen beiden terug. Háár zou hij doden, maar Cang Lu... Cang Lu zou hij in leven laten. En dat, wist ze, was duizendmaal erger dan haar eigen lot. Ze moest koste wat het kost voorkomen dat Wen De's mannen haar kleine reiger te pakken kregen. Dat was ze aan hem verplicht.

Jins blik gleed door het lokaal. Mei Lin voelde zich kalm en ook opgelucht. Nu zou ze niet meer in die continue angst hoeven leven. Haar ergste vrees was uitgekomen, haar vlucht was ten einde.

Jin stapte op haar af.

Maar toen hield moeder Liang hem tegen. 'Een goede avond, heer,' zei ze met gebogen hoofd. 'Waarmee kan ik u van dienst zijn? U komt toch niet om te controleren? Ik heb een vergunning van de gouverneur in Xian Men, als u die wilt zien...'

Jin schudde zijn hoofd. 'Dat zal niet nodig zijn, mevrouw. We komen hier niet voor uw zaak.' Hij verhief zijn stem. 'We zijn op zoek naar een voortvluchtige uit Yuanjing. Een misdadigster.'

Even dacht Mei Lin dat ze moeder Liangs blik in haar richting voelde glijden, maar toen ze opkeek, hield de vrouw haar hoofd nog steeds gebogen. 'Een vrouw?' vroeg ze.

'Een meisje, net volwassen. Ongeveer van uw lengte, met lang haar en een lichte huid. Soms bedient ze zich van de naam Yulan.'

'Mag ik vragen waarvoor ze wordt gezocht?'

Jin fronste, maar zei toen: 'We hebben reden om aan te nemen dat ze bij de moord op de Yuan-sa betrokken is.'

Gemompel steeg op van de tafeltjes.

'Dan is ze een Yamatanese?' vroeg moeder Liang. 'Ik heb gehoord dat de moorden werden gepleegd door kraaien uit Jitsuma.'

Jin schudde zijn hoofd. 'Het gaat om een landverraadster die de Yamata heeft geholpen. Mogelijk reist ze in het gezelschap van een jongen met blauw haar, die ook wordt gezocht. Hebt u hen gezien?'

Moeder Liang keek op. Mei Lin voelde hoe de haartjes in haar nek overeind gingen staan. Moeder Liang streek bedachtzaam met een hand over haar kin. 'Nee,' zei ze uiteindelijk. 'Nee, het spijt me. Zo iemand heb ik niet gezien.'

Jin boog zich naar haar toe. 'Weet u het zeker?'

'Heel zeker. Ik vergeet nooit een gezicht. Maar misschien kunt u het aan de mensen hier vragen?'

Mei Lin had het gevoel dat haar hart stil bleef staan. De wachters liepen rond de tafeltjes, waar de werkers en handelaren met strakke gezichten voor zich uit keken. Maar toen Jin zijn vraag herhaalde, schudde iedereen zijn hoofd. Een landverraadster hadden ze niet gezien.

Mei Lin wilde een zucht van verlichting slaken.

Toen draaide Jin zich om naar de toog. Zijn blik kruiste de hare en er roerde zich iets in zijn ogen, als bij een roofdier dat zijn prooi in de gaten krijgt. Mei Lin verstijfde. Achteraf wist ze niet hoe hij de afstand tussen hen had overbrugd. Plotseling stond hij naast haar, met die hongerige blik in zijn ogen. Een ruwe hand tilde haar kin op, terwijl de andere langs haar hals omlaag gleed.

Ze probeerde te slikken, maar haar keel leek wel van zand.

'Kijk eens aan... wat hebben we hier?' Jins hand kroop langzaam van haar borst omhoog.

'H-heer,' fluisterde Mei Lin schor.

Het was alsof iedereen in het lokaaltje tegelijk de adem inhield.

Toen dook moeder Liang naast hen op. 'Ik zie dat u mijn achternichtje hebt ontmoet,' zei ze enigszins buiten adem. 'Miura no Sei; ze is half Yamatanees.'

Jin kneep zijn ogen samen, terwijl hij Mei Lins kin nog iets verder omhoogtilde. 'Werkelijk?'

Moeder Liang knikte meewarig. 'Ze is na de dood van haar moeder uit Nashido hiernaartoe gekomen.'

'Dan was ze net op tijd. Vanaf morgen zal de grens worden gesloten. Geen Yamatanees die dan ons rijk nog binnen kan komen.' Hij grijnsde, terwijl hij op Mei Lins wang tikte. 'Of verlaten.'

Moeder Liang leek onbewogen. 'Ik denk niet dat ze snel terug zal gaan, heer. Het arme ding is nog steeds niet helemaal van alle ellende bekomen.' De vrouw boog licht voorover, alsof ze Jin iets in vertrouwen wilde vertellen, maar Mei Lin kon haar woord voor woord volgen. 'Mijn nicht bezweek aan een zeer besmettelijke ziekte, heer. Als u het mij vraagt heeft Sei hier er ook een klap van meegekregen. De dokter is nog steeds niet zeker of het arme ding de zomer zal overleven.'

Jin stapte achteruit. Hij trok zijn hand terug alsof hij zich had gebrand. 'Ah,' zei hij. 'Juist. Nu houd ik over het algemeen toch al van wat meer vlees op de botten, als u begrijpt wat ik bedoel. Maar het lijkt me beter als u uw nichtje niet in uw lokaal laat komen zolang ze ziek is. Het zou andere mannen op verkeerde ideeën kunnen brengen, begrijpt u?'

Moeder Liang knikte ernstig.

Mei Lin was zo verbijsterd dat ze zich verslikte en hoestend en proestend ineen moest duiken.

Jin deinsde nog wat meer achteruit. 'We moeten weer verder,' zei hij, terwijl hij zijn hand schijnbaar zonder nadenken aan zijn gewaad afveegde. 'U laat het de wachters weten als het meisje over wie ik het had hier opduikt?'

'Zeker, heer,' zei moeder Liang met een buiging. 'Ik zal mijn ogen voor u openhouden. Veel geluk op uw zoektocht.'

Jin knikte. 'Mijn hartelijke dank. Nog een goede avond.'

De deur viel met veel gekraak achter hem dicht.

'We moeten weg!'

Mei Lin stormde de kamer binnen die ze met Cang Lu deelde en begon haastig haar spullen bij elkaar te pakken.

Cang Lu schoot overeind. 'W-wat?'

'Vanavond nog, Yasuo! Jin herkende me niet zonder mijn gezichtsverf en doordat ik zo ben vermagerd na mijn ziekte. Maar als iemand zich over jou verspreekt...'

Slaapdronken wreef de jongen in zijn ogen. 'Jin? Waar heb je het over? Wat is er gebeurd?'

'Wachters,' zei Mei Lin op het moment dat moeder Liang achter haar de kamer binnenkwam.

Cang Lu staarde haar aan. 'Wachters? Waar?'

'Beneden!' riep Mei Lin. 'In de herberg!'

'Geen paniek,' zei moeder Liang. 'Ze zijn alweer weg. Yasuo-tse, waarom ga jij niet even naar beneden om de gasten te bedienen? Ik weet dat ik je twee uur rust beloofd had, maar ik wil graag met je zuster spreken.'

Cang Lu's ogen waren groot van verbazing, maar hij vroeg niets. Hij sprong van het bed, trok zijn laarzen naar zich toe en griste snel het blauwe mutsje van een haakje bij de deur. 'Tot zo dan,' mompelde hij.

'Welnu,' zei moeder Liang, toen de deur achter hem dichtviel, 'het heeft geen enkele zin om vanavond of vannacht te vertrekken, Sei-sa. Je hebt zelf gezien dat niemand je in je huidige toestand herkent.'

Mei Lin keek op van haar bundel. 'U begrijpt het niet! Het gaat me niet om de wachters! Wat moeten die van mij? Ik ben een Yamatanese! Ik weet niets van paleisintriges in Yuanjing! Maar hoorde u niet wat hij zei? De grenzen sluiten morgen! Hoe moeten Yasuo en ik dan nog thuiskomen?'

Moeder Liang schudde haar hoofd. 'Je kunt niet meer op tijd komen, al was je vanochtend vertrokken.' Ze ging op Mei Lins bed zitten en klopte naast zich. 'Ga zitten, kind. Luister... Iedere tiendag stuur ik een man uit het dorp eropuit om in Xian Men voorraden voor de herberg in te slaan. Ik ken hem al jaren, hij is te vertrouwen. Ongetwijfeld kent hij in de stad ook betrouwbare handelaren die naar grensdorpjes afreizen. Maar als je zo zeker weet dat de wachters niet naar júllie op zoek zijn – als het je alleen maar om de grens gaat – dan hoef ik die man vast niet te vragen of hij jullie in zijn wagen mee wil smokkelen?'

Mei Lin staarde haar aan. Ze opende haar mond, maar er kwam geen geluid uit.

Moeder Liang glimlachte. Met haar hand streek ze omzichtig de dekens glad.

'Waarom?' bracht Mei Lin eindelijk uit. 'Waarom helpt u ons?'

Moeder Liang keek op en zuchtte. 'Je vroeg toch of ik ooit in Yuanjing ben geweest?'

Mei Lin fronste haar voorhoofd. 'Ja?'

'Ik ben er opgegroeid. Ik trouwde met een herbergier uit Zuid-Yuanjing; we kregen twee kinderen. En toen kwam de oorlog.' Moeder Liang schudde haar hoofd, in gedachten verzonken. 'Mijn man kwam nooit terug uit Yamatan en mijn zoon... mijn zoon was zichzelf niet meer. Ik kon daar niet blijven, zo dicht bij het paleis en de soldaten die elke dag langskwamen. Ik verkocht de herberg aan mijn dochters nieuwe echtgenoot en vertrok met mijn zoon naar het zuiden.'

'Ah,' zei Mei Lin niet-begrijpend.

Moeder Liang staarde voor zich uit. 'Ik was niet eerder in Nan Men geweest,' zei ze. 'Ik had nog nooit van moeraskoorts gehoord, anders zou ik de dokter misschien eerder hebben geroepen. Toen hij kwam, was het te laat. Mijn zoon was niet meer te redden.'

Geschrokken sloeg Mei Lin een hand voor haar mond. 'O!'

Moeder Liang haalde haar schouders op. 'Het is al lang geleden. Bijna negen jaar...'

'Bent u ooit naar Yuanjing terug geweest?'

'Eenmaal.' Moeder Liang keek op met een vreemde blik in haar ogen. 'Afgelopen zomer, voor het Feest der Vallende Bloesems. Met mijn kleindochter ben ik bij de grote tempel gaan kijken naar het bezoek van de Yuan-sa.' Ze zweeg even. 'Gek, eigenlijk... We zagen haar alleen van een afstandje, maar toch... Ik vergeet nooit een gezicht.'

Mei Lins hart sloeg een slag over. 'Ik weet niet... wat u bedoelt,' zei ze.

Moeder Liang bleef haar aankijken. 'Natuurlijk niet. Jij bent een Yamatanese, nietwaar? Wat weet jij nou van paleisintriges in Yuanjing?'

Mei Lin slikte.

De vrouw stond op. 'Gelijk heb je, kind. Ik heb me ook nooit in dat soort problemen willen mengen. Maar soms zoeken de intriges ons op, in plaats van andersom. Of denk je dat mijn echtgenoot gewillig naar Nashido ging?'

Mei Lin boog haar hoofd. 'Liang-sa, alstublieft...'

'Zal ik die vriend van me maar opzoeken, om te vragen of hij in Xian Men iemand kent die mijn achternichtje en haar broer naar de grens kan brengen? Ik weet niet of het zin heeft, nu de grens gesloten wordt, maar misschien tref je er iemand die je verder kan helpen.'

Mei Lin sloot haar ogen, zodat moeder Liang de tranen die daar plotseling in prikten niet zou zien. 'Alstublieft,' fluisterde ze.

34

Anshi

De reis naar de grens duurde drie dagen. De eerste dag zaten ze onder een muffe, wollen deken achter op een ossenkar die traag over het zandpad naar Xian Men schommelde. Ze bereikten de stad in de loop van de middag en werden niet ontdekt door de stadswacht, die de wagen blijkbaar zonder vragen doorliet. Vervolgens moesten ze zich in een donker pakhuis schuilhouden, terwijl de vriend van moeder Liang op zoek ging naar een kennis die naar de grens reed. Die kennis had een overdekte wagen, wat een verademing was na die benauwde ochtend. Toch, zo concludeerde Cang Lu na twee dagen, was het niet veel beter om tussen de kisten onder die overkapping heen en weer geslingerd te worden.

Aan het einde van de derde dag bereikten ze Anshi, een klein provinciestadje aan de rivier de Nan Shui. De kennis van de vriend van moeder Liang had deze plaats uitgekozen omdat er geen garnizoen was. Er waren slechts enkele stadswachters, die hun handen vol hadden aan het bewaken van de haven. 'Ze zullen zich niet om een paar Yamata bekommeren,' had hij gezegd voor ze vertrokken. 'Al doe je er misschien beter aan je niet als zodanig voor te doen, gezien de huidige toestand. Geef je maar uit voor een stel reizigers uit Noord-Yuan. Die komen hier wel vaker.'

Zonder problemen bereikten ze het centrum van de stad. Daar namen ze afscheid. 'Zoek een herberg in de buurt van de haven,' zei de man voor hij verder trok. 'Als je een schipper zoekt die nog naar de overkant vaart, heb je daar de meeste kans.'

In de haven, ten zuiden van de stad, lagen enkele zeilscheepjes voor anker naast een grotere boot die als pont dienstdeed. Op dat moment waren ze allemaal verlaten. Vanaf de kade keken Cang Lu en Mei Lin naar de rivier met aan de overkant, nog net zichtbaar, de torens van het fort van Nashido.

Cang Lu tastte in de zak van zijn mantel. Moeder Liang had hem voor ze vertrokken een buidel met wat muntjes toegestopt. 'Je loon voor al die dagen hard werken,' had ze gezegd toen hij protesteerde. 'Neem het nu maar mee. Je weet nooit wanneer het van pas komt.'

'Kom,' zei hij tegen Mei Lin. Op goed geluk koos hij een herberg uit. Het lokaal was niet veel groter dan dat van moeder Liang, een simpele zaal met een vloer van geschuurde planken en gepleisterde muren. De zaak was van hoek tot hoek gevuld. Mannen dronken lachend uit aardewerken bekers, terwijl meisjes met witte schortjes voor serveerden. Blauwe rook kringelde uit lange, houten pijpen. Het bericht dat het leger zich op de Tanvlakte verzamelde, had Anshi blijkbaar nog niet bereikt, of niemand gaf hier aan die oproep gehoor.

Niemand leek hun binnenkomst op te merken, behalve een man in een bruine tuniek aan een tafeltje bij de muur. Het tafeltje naast hem was nog vrij en hij wees uitnodigend naar de lege stoelen. Cang Lu duwde Mei Lin ernaartoe en een van de meisjes bracht cha in gebarsten kommetjes.

'Denk je dat we hier een schipper zullen vinden die ons naar Yamatan kan brengen?' vroeg Mei Lin terwijl ze haar handen om de kom vouwde.

Cang Lu haalde zijn schouders op. Hij wilde antwoord geven, maar op hetzelfde moment keerde de man aan de tafel naast hen zich naar hen toe. 'Willen jullie naar de overkant?' De man had een dun litteken bij zijn slaap en haar dat grijs begon te worden. Hij had een vreemde blik in zijn ogen, die Cang Lu niet goed kon duiden.

'We zijn op weg naar Nashido,' zei Mei Lin. 'Hoezo, bent u een schipper?'

De man lachte. Hij miste een tand. 'Een schipper? Nee. Maar ik reis wel eens naar de overkant, zogezegd.'

'Ook nu de grens gesloten is?'

De man haalde zijn schouders op. 'Ik heb zo mijn wegen...' Hij hield zijn hoofd een beetje schuin en zijn blik bleef op Cang Lu's gezicht rusten. 'Waar komen jullie vandaan?'

Mei Lin nam een slok van haar cha. 'Nang Shi,' zei ze.

De man snoof. 'Ah... Ik meende al een noordelijke tongval te bespeuren. Yuanjing, dacht ik eigenlijk, of iets in die richting. Yuchuan, misschien.'

'Nang Shi, dus,' zei Mei Lin koeltjes.

'Juist.' De blik van de man gleed weer naar Cang Lu.

Cang Lu huiverde en verschoof zijn stoel, zodat hij achter Mei Lin verscholen zat.

'Wat brengt twee jonge mensen uit Nang Shi in vredesnaam helemaal naar Nashido?' vroeg de man, zonder zijn ogen af te wenden. Hij lachte opnieuw. 'Op zoek naar het geluk?'

'Zaken,' zei Mei Lin.

'Misschien moeten we dan eens praten, zus. Ik ben ook vaak genoeg voor zaken naar Nashido geweest, als je begrijpt wat ik bedoel. Sommige dingen gaan daar nu eenmaal... makkelijker dan aan deze kant van de grens, begrijp je?'

Cang Lu fronste zijn wenkbrauwen.

Mei Lin schudde haar hoofd. 'Nee, ik geloof niet dat ik u begrijp.'

De man lachte. Hij boog naar haar toe en fluisterde iets in haar oor.

Cang Lu zag haar gezicht in een masker van verontwaardiging veranderen. 'Wat denkt u wel?' riep ze uit. Ze sprong op, liep om de tafel heen en rukte Cang Lu van zijn stoel. Voor hij iets kon zeggen, had ze hem al naar de uitgang van het lokaaltje gesleurd.

Een dienstertje schreeuwde verontwaardigd.

De man kwam achter hen aan en greep Mei Lins arm. 'Zus! Het is maar een voorstel! Doe niet alsof ik de enige ben die voor dergelijke zaken naar Nashido gaat!'

Met een ruk draaide Mei Lin zich om. 'Ik weet niets van dergelijke zaken, heer. Laat me alstublieft los, we willen gaan.'

'U moet nog betalen!' riep het dienstertje.

De man graaide met zijn vrije hand in zijn zak en wierp het meisje een paar munten toe. 'Kom, zus,' sprak hij op gedempte toon. 'Laten we er op z'n minst over praten. Je wilt toch naar Nashido? Dan is dit de manier. Geen ander zal je meenemen zolang de stadswacht de haven gesloten houdt.'

'Nee,' zei Mei Lin. 'Laat nu mijn arm los!'

Mensen aan de tafeltjes begonnen te staren. Cang Lu wist dat hij Mei Lin eigenlijk te hulp moest schieten, maar hij was niet in staat zich te bewegen, alsof onzichtbare handen hem vasthielden.

'Zus!' riep de man. 'Kom nu toch!'

Mei Lin spoog bijna van woede. 'Nee, zeg ik toch? De jongen is niet te koop; niet voor een nacht, niet voor een uur, nog voor geen tel! En als u me nu niet loslaat, roep ik net zo lang tot de stadswacht hier komt, en dan kunt u die alles vertellen over uw slinkse wegen om in Nashido te komen!'

De man liet haar los.

Mei Lin wankelde achteruit. Ze draaide zich om en opende de deur. 'Cang Lu-tse!' zei ze.

Cang Lu kon zijn blik niet van de man losrukken. Opeens viel alles op zijn plaats: de gladde blik, de dubbelzinnige opmerkingen over Nashido. Hij had wel eens gehoord dat sommige mannen de grens overstaken om de bordelen van Yamatan te bezoeken voor iets wat in Yuan verboden was, maar hij had niet geweten dat ze hun eigen hoeren mochten meebrengen.

De man hield zijn hoofd een beetje scheef. Zijn tong gleed langs het gat in zijn gebit.

Witte sterren flonkerden net buiten Cang Lu's blikveld.

'Cang Lu-tse!' herhaalde Mei Lin indringend.

Hij draaide zich om en volgde haar naar buiten.

'Onvoorstelbaar!' ziedde ze, terwijl ze over de kade beende. 'Hoe durft hij?'

Cang Lu moest rennen om haar bij te houden. 'Wat zei hij dan precies? Mei Lin-sa!'

Ze bleef staan en keerde zich naar hem om. 'Wil je dat echt weten?'

Cang Lu sidderde onder haar blik. 'Ja.'

Mei Lin sloeg haar armen om haar lichaam alsof ze het koud had, maar haar ogen spuwden vuur. 'Hij wilde jou wel meenemen naar Nashido...'

'Voor een nacht in zijn bed.' Hij vulde haar haast zonder nadenken aan.

Mei Lin knikte.

Cang Lu staarde over het water naar de torens van Nashido, die in de schemering vervaagden. 'Denk je dat hij het meende?' vroeg hij.

Mei Lin gaf geen antwoord.

Hij keek naar haar op. Ze staarde hem met open mond aan. 'Ben je helemaal gek geworden?!'

'En als hij gelijk heeft? Stel dat er geen andere manier is om de rivier over te steken?'

Driftig schudde ze haar hoofd. 'Nee!'

Ze begon weer te lopen, naar de gebouwen langs de kade, op zoek naar een andere herberg.

Lachend leunde schipper Mai achterover in zijn stoel. 'Er varen geen schepen meer naar Nashido,' zei hij, toen hij eindelijk was bekomen. 'De grens is gesloten, wist je dat niet? Binnenkort is er oorlog.'

Vermoeid sloot Cang Lu zijn ogen. Hoeveel keer had hij die woorden nu gehoord?

'Ik moet naar Nashido, heer!' riep Mei Lin koppig. 'Hoe kan ik u overreden?'

Mai schudde zijn hoofd. 'Het is onmogelijk.'

Mei Lin zuchtte. 'Hoeveel?'

'Wat?'

'Voor uw schip? Hoeveel?'

Daarop lachte de schipper opnieuw. 'Het is geen kwestie van geld, zus. De stadswacht controleert de haven en alle schepen die er liggen. Al zou je een fortuin bieden, dan kun je nog geen roeiboot kopen. Het is onmogelijk om Nashido te bereiken. Vergeet het.'

Met een kreet van afschuw wierp Mei Lin de deur van de herberg achter zich dicht. 'Waar nu heen?' vroeg ze zonder Cang Lu aan te kijken.

Hij schudde zijn hoofd. 'We zijn overal geweest. Er is geen schipper die ons wil meenemen.'

Mei Lin kreunde.

'Laten we weer naar binnen gaan en iets eten, Mei Lin-sa,' zei Cang Lu zacht. 'Alsjeblieft.'

Ze knikte en volgde hem de warmte van het dranklokaal weer in. Na een maal van vis en rijst vroegen ze de waard om een kamer. Het was een smal vertrek met twee bedden.

Verslagen liet Mei Lin zich op een bed vallen. 'We zijn zo dichtbij!'

Cang Lu liep langs haar heen en zette hun bundels op de grond. Hij wilde niet naar haar kijken, maar kon het niet laten. Ze leek van fijn glas, zo broos zag ze eruit. Hij wilde haar oppakken en tegen het licht houden, zodat de stralen door haar heen vielen en hij haar binnenste kon zien. Hij wilde haar opbergen waar niemand haar kon breken. Maar bovenal wilde hij de zorgen van haar gezicht wissen. Ze had al zo veel moeten lijden om hier te komen.

'Mei Lin-sa,' begon hij, 'als ik die eerste man nu eens...'

Ze keek op met een blik in haar ogen die elke gedachte aan glas uit zijn hoofd verdreef. 'Nee.'

'Maar...'

'Nee!'

Hij schoof met zijn voet over de vloerplanken, keek naar de vegen die zijn laars in het stof maakte. 'Ik heb tien jaar bij Wen De geleefd. Wat maakt één keer meer nog uit?'

Mei Lin kwam overeind. 'Nee!' zei ze. 'Ik sta het niet toe! Wat voor dochter zou ik zijn – ik, die de onderdanen van mijn vader hoor te beschermen – als ik jou al niet eens voor zulk kwaad kan behoeden? Hoe zou ik mezelf de Yuan-sa kunnen noemen, Cang Lu-tse, als ik dit laat gebeuren? Nee.'

Hij keek haar aan. Het was moeilijk die blik te weerstaan; het gezag in haar ogen, dat geen enkele tegenspraak duldde. Ze was de Yuan-sa en niemand zou dat durven ontkennen.

Hij knikte.

'Morgen vinden we wel een manier,' zei ze met een geeuw, terwijl ze weer ging liggen.

Hij klom ook in bed en staarde naar de steunbalken onder het plafond. 'Trek je deken over je heen,' zei hij. 'Het wordt koud, vannacht.'

35

De prijs van een schip

Het wás koud.

Terwijl Cang Lu zich over de kade haastte, dook hij diep weg in zijn mantel. Heldere sterren werden als dansende kaarsjes in het water van de Nan Shui weerspiegeld. Enkele vissers zwalkten over straat. Het was nog niet zo laat dat de meeste dranklokalen al gesloten waren, maar toch was hij bang dat hij te lang had gewacht. Hij had zeker willen weten dat Mei Lin diep in slaap was, voor hij hun kamer uit sloop.

Hij vond de herberg moeiteloos terug, alsof een onzichtbaar koord aan hem trok.

En terwijl hij de deur openduwde, werd hij een ander gevoel gewaar, een gevoel dat hij eerder had gehad, alsof hij door de lucht viel. De druk op zijn borst was zo zwaar dat hij vergat te ademen. Zijn armen gingen omhoog, alsof hij dacht zich ergens aan vast te kunnen klampen, aan de stromen in de lucht, omhoog, omhoog. Steeds maar omhoog.

Alsof hij vloog.

Zijn armen konden vleugels zijn. Hij zou opstijgen en deze plaats verlaten, tot hij hoog en vrij in de lucht was. Hij zou over de wereld scheren als een vogel. Niemand zou hem tegenhouden.

Maar plotseling zag hij witte koorden, kriskras rondom hem gespannen als een net. Hij voelde dat ze hem probeerden te vangen, probeerden hem vast te binden. Eén koord sloeg om zijn rechterarm, een ander om zijn linkerarm. Hij werd naar beneden getrokken. Tevergeefs probeerde hij zijn handen los te maken. Hij kon niet ontsnappen. De koorden trokken aan hem en hij viel weer naar de wereld.

Naar die herberg, op de kade van Anshi.

Cang Lu knipperde met zijn ogen, snakkend naar adem. Toen de wereld in zijn blikveld terugkeerde, besefte hij dat zijn rechterhand nog altijd op de deurknop lag. Hij zuchtte, geschrokken en opgelucht tegelijk. Ditmaal had hij geen mes in zijn hand. Er lag geen lijk voor zijn voeten. Hij had zich niet bewogen. Maar wat was er in naam der goden met hem aan de hand? Waarom overkwam hem dit steeds?

Hij wenste de leegte terug die hij van jongs af aan had gekend, waarin hoop, angst en pijn niet bestonden. In die leegte hoefde hij niet bang te zijn voor de dingen waartoe hij blijkbaar in staat was; dingen die hij helemaal niet wilde doen. In de leegte draaide het enkel om de dingen die hém werden aangedaan. En zelfs daarvan was hij zich niet echt bewust. Er was rust in de wetenschap dat het ergste je al overkwam. Die wetenschap, dát was de leegte.

Misschien was hij daarom naar deze herberg teruggekomen.

Hij ging naar binnen.

Het was nog altijd druk in het lokaal, een blauw waas van rook hing om de gezichten.

Een van de dienstertjes kreeg hem in het oog. 'Jij weer?'

De gesprekken verstomden. Hoofden draaiden zich om naar Cang Lu en het meisje. In hun midden herkende hij de man in de bruine tuniek; de man met de geheime wegen naar Nashido.

'Nee, ik hoef niets te drinken,' zei hij luid, zonder het oogcontact met de man te verbreken. Vreemd genoeg had hij nog steeds het gevoel dat hij omhoog viel. 'Ik kom voor zaken.'

Toen hij terugkeerde, zat Mei Lin rechtop in bed op hem te wachten. Ze keek hem aan, haar gezicht een bleek masker met zwarte, glinsterende ogen.

Hij liep langs haar heen, trok zijn laarzen en mantel uit en ging met gekruiste benen op bed zitten. 'We vertrekken over een uur,' zei hij.

De man, die Zhang heette, wachtte op de kade. Hij had een donkere mantel omgeslagen en blies in zijn handen tegen de kou, maar zijn blik was nog altijd even gretig. 'We moeten eerst een stukje lopen,' zei hij.

Een 'stukje' bleek ruim een uur door dicht kreupelhout, tot ze een bosje op de oever van de rivier bereikten. Zhang knielde neer bij een berg riet, die hij opzijschoof om een roeiboot te onthullen.

'Help je even?' vroeg hij.

Cang Lu liep naar hem toe en samen schoven ze de boot uit het riet het water in.

Zhang stapte als eerste aan boord. Hij pakte de bundels die Cang Lu hem aanreikte en wilde daarna Mei Lin aan boord helpen. Zonder de man aan te kijken klom ze in de boot en nam plaats op een bankje bij de voorplecht. Cang Lu ging tegenover haar zitten. Zhang doofde de lantaarn, pakte de roeispanen van de bodem van de boot en zette af van de kant. De rivier trok het bootje mee.

Ze roeiden om beurten. Mei Lin staarde over het zwarte water; alleen haar ogen waren zichtbaar in het duister. Soms keek ze even op. Een paar keer dacht Cang Lu dat ze iets tegen hem wilde zeggen, maar ze bleef zwijgen.

Hij kon niet zeggen hoe lang de tocht duurde. Het was niet ongevaarlijk in een kleine roeiboot op zo'n stroom, midden in de nacht, maar Cang Lu voelde geen angst. Zhang had dit vaker gedaan. Op een gegeven moment zag Cang Lu in de verte de lichtjes van Anshi, maar ze bleven op flinke afstand van de stad en de havenwachters. Zhang keerde de boot en toen doemde aan de overkant van het water Nashido op. Cang Lu sidderde. Mei Lins ogen schitterden alsof er tranen in blonken, terwijl ze hem over haar schouder aankeek. Plotseling was hij zeeziek en hij sloot zijn ogen.

Een Yamatanese wachter met kort haar en een snor wachtte hen op toen ze in de haven van Nashido aanmeerden, ogenschijnlijk niet onder de indruk van hun verschijning. 'Houden ze de havens nog steeds gesloten?' riep hij, terwijl hij het touw opving dat Zhang hem toewierp. Hoofdschuddend hielp hij eerst Mei Lin en toen Cang Lu omhoog. 'Alsof die wachters niet allemaal in de rij stonden om Nashido's paradijsbloemen te bezoeken toen ze de kans nog hadden!'

Zhang klom op de kade. Hij haalde zijn schouders op. 'Ik vind er altijd wel weer een weg omheen.'

De wachter lachte en boog het hoofd. 'Naar Saitō of naar Nakiyo, heer?' Hij wierp een slinkse blik op Cang Lu en Mei Lin.

Cang Lu voelde de prinses naast hem verstijven. Zelf keek hij de man met open mond aan. 'Saitō?' herhaalde hij. Het was de naam die hem maanden eerder zomaar te binnen was geschoten tijdens een ruzie met Natsuko. Dat was de eerste keer geweest dat hij het gevoel had dat hij viel, de eerste keer dat hij de witte koorden had gezien. Natsuko had gezegd dat ze die naam niet kende.

'Een wijk aan de oostkant van Nashido,' zei de wachter, 'waar de edelen wonen. En hun vermaak vinden. De heren zullen het allemaal ontkennen – wat dat betreft zijn ze net zo hypocriet als de Yuan – vergeving, heer – maar in Saitō staan de beste paradijshuizen van het land. En die worden niet alleen door reizigers bezocht.'

'Wij gaan naar Nakiyo,' zei Zhang.

De wachter boog opnieuw het hoofd. 'Kan ik dragers voor u roepen?'

'Dank u, we lopen wel. Het is niet zo ver en ik spaar liever geld uit voor een goede maaltijd.' Zhang wenkte Mei Lin en Cang Lu en ze liepen naar het centrum van de stad.

In het donker leek de haven van Nashido op een naargeestig levend bouwsel met een hart dat klopte als de drum in een klokkentoren. Het waren de trommels van de muzikanten die speelden in de vele kleine gelegenheden die de stad rijk was. Licht stroomde uit de ramen en wierp schimmige poelen op de onverharde straten. Soms zag Cang Lu door de kieren tussen de luiken meisjes dansen. Hij hoopte dat Mei Lin hen niet zou opmerken.

Zo was het niet overal in de stad. Voorbij de haven kwamen ze in het centrum, dat de naargeestige sfeer ademde die een verlaten markt 's nachts achterlaat. Naar het oosten klom het land omhoog en daar tekenden de eerste tuinen en villa's van de wijk Saitō zich af, maar Zhang leidde hen naar het westen.

Hij stak een leeg plein over en Cang Lu bleef staan alsof hij door een witte klap tussen zijn ogen werd getroffen. Hij was hier eerder geweest. Hij voelde nog de brandende zon op zijn haren, zijn voeten die pijn deden van het lange staan, hij hoorde het geschreeuw van de marktkooplui, de stemmen van de mensen die naar hem en de andere jongens om hem heen informeerden. En hij zag opnieuw de vrouw die zich naar hem toe boog. Een heel treurige vrouw, met een hand vol zwarte tekens. Hij had haar verdriet willen wegnemen. Maar toen hij haar vingers had vastgepakt, was haar schaduw over hem heen gevallen. Een schaduw in de vorm van een brede man, die hem met halfgeloken ogen in zich op had genomen en ten slotte een hand op zijn schouder had gelegd. Cang Lu voelde nog de druk van die vingers rond zijn sleutelbeen.

'Cang Lu-tse?' Mei Lins stem drong van heel ver weg tot hem door. Het was het eerste woord dat ze tot hem sprak sinds hij die avond bij haar was teruggekeerd.

Hij schudde zijn hoofd, knipperde met zijn ogen. De witte sterren trokken op. 'Het is niets,' zei hij en hij liep door. De herinnering aan de markt, aan Teishi en Wen De, duwde hij ver, ver van zich af.

Volgens afspraak zocht Zhang eerst een herberg op, waar hij voor Mei Lin een kamer boekte. Cang Lu liep met haar mee naar boven en legde zijn bundel naast haar matras.

Ze draaide zich naar hem om. 'Doe dit niet, Cang Lu-tse!' smeekte ze. 'Alsjeblieft!'

Ongemakkelijk bewoog hij zijn schouders. 'Ik moet wel,' zei hij. 'Zo is het afgesproken.'

Ze trilde. Even dacht Cang Lu dat ze in woede zou ontsteken, maar toen ze sprak was haar stem ijzingwekkend kalm. 'Laat mij dan gaan.'

Verbaasd schoot hij in de lach. 'Mei Lin-sa!'

Ze keek op. Tranen blonken in haar ogen. 'Ik meen het, Cang Lu-tse! Ik wilde zo nodig naar Yamatan, terwijl jij ons alleen in veiligheid wilde brengen. Dit probleem is mijn schuld en ik moet het oplossen.'

Hij zuchtte en greep haar hand. 'Zelfs als Zhang ermee in zou stemmen, zou het niet kunnen. Dat weet u toch?'

Ze bleef hem strak aankijken.

Hij draaide haar hand om, streek met zijn vingers over haar handpalm. 'Yuan-sa,' fluisterde hij, 'een wijs heerser beschermt zijn onderdanen als hij kan en brengt het kleinst mogelijke offer, als hij dat niet kan. Wilt u het enige middel dat u rest om uw vaders volk te redden, weggooien, alleen om mij pijn te besparen?'

Ze fronste. 'Waar heb je het over?'

Hij liet haar hand los en stapte van haar weg. 'U weet waar ik het over heb,' zei hij.

Mei Lin schudde haar hoofd.

Cang Lu herschikte zijn mantel. Hij legde een hand op de deur, maar voor hij vertrok, keek hij nog eenmaal om. 'Keizer Akechi zal nooit met een hoer onderhandelen.' Hij zweeg even. 'Het kleinst mogelijke offer, Mei Lin-sa... ben ik. Laat het zo zijn.'

Zhang wachtte beneden.

Ze verlieten de herberg en liepen naar de wijk Nakiyo, waar zich de paradijshuizen voor het gewone volk bevonden. Het waren hoge gebouwen zonder ramen, met bloemen voor de deuren in een armzalige imitatie van de tuinen in Saitō. Zhang had een vast adres.

Een man in zijden kimono heette hen welkom. Er werd een contract opgesteld met betrekking tot het gebruik van diverse kamers en versnaperingen. Een jong meisje met een rozenmondje bood hun rijstwijn aan in kleine, rode glaasjes. Daarna werd Cang Lu weggeleid voor een bad. Een vrouw van halverwege de dertig hielp hem zich te ontkleden, terwijl ze giechelde om zijn gouden ogen.

Na het bad keerde de man in de zijden kimono terug. Hij had een witte doek, inkt en een scherpe pen bij zich. 'Ben je Yuan of Yamatanees?' vroeg hij.

Cang Lu keek naar de pen. Hij voelde zijn ledematen langzaam bevriezen. Wit dons vulde zijn hoofd. 'Yamatanees,' zei hij.

De man knikte. 'De wet schrijft het voor... Steek je hand maar uit.'

Toen Cang Lu naar de kamer werd geleid waar Zhang lag te wachten, prikte zijn hand nog steeds van de woorden die daarin waren geschreven; maar het was als de herinnering aan pijn, niet echt een gevoel.

Zhang was niet hardhandig – niet zoals Wen De – hoewel Cang Lu niet geloofde dat hij er veel van gemerkt zou hebben als dat wel het geval was geweest. Hij verbleef al lang in de leegte. Hij voelde niets.

36

De zwarte tekens

De leegte trok als een dichte mist op uit zijn geest. Hij lag op een slaapmat, met de geur van gras die in zijn neus kriebelde. Zijn rechterhand prikte alsof er naalden in zijn huid werden gestoken, en hij was naakt onder een dun, wit laken.

Cang Lu richtte zich op. Kaarslicht filterde door een rijstpapieren wand; aan de andere zijde hoorde hij zachte stemmen. De kamer had een vloer van gevlochten matten en er stonden geen meubels. Op een hoopje in een hoek lagen zijn kleren, maar er was geen spoor van zijn laarzen. Hij kleedde zich aan, schoof de deur open en keek om de hoek. Twee meisjes zaten geknield bij een laag tafeltje en dronken uit blauw beschilderde kommetjes. Een van hen was het meisje met het rozenmondje.

'Vergeving,' zei hij. 'Hebben jullie mijn laarzen gezien?'

Glimlachend kwam het meisje overeind. Ze droeg een lichtgeel gewaad in de Yamatanese stijl, met een roze band om haar middel en witte kousen aan haar voeten. 'Je bent weer wakker! Meester Zhang zal zo blij zijn! Hij zei dat je plotseling wegzakte toen hij klaar was. We waren even bang dat hij je had gebroken. Was het je eerste keer? Meester Zhang is normaal gesproken nooit hard voor de jongens die hij meeneemt... Tenminste, ik heb nooit klachten over hem gehoord. Heeft hij je pijn gedaan?'

Cang Lu schudde zijn hoofd. 'Weet je waar mijn laarzen zijn?'

'Bij de deur.' Het meisje wees. 'Wacht even, dan roep ik meester Zhang. Hij zal graag zien dat je in orde bent. Hij ligt boven te slapen. Misschien wil hij je nog wel een geschenk geven.'

'Nee, nee...' Cang Lu trok zijn laarzen naar zich toe. 'Ik moet gaan.'

Hij keek op en sloeg zijn armen om zich heen. 'Kun je me naar buiten brengen?'

Het meisje haalde haar schouders op. 'Zoals je wilt.' Ze ging hem voor naar de deur en liep door een smal gangetje naar de hal.

Hij legde zijn rechterhand op de deur, maar trok die toen weer geschrokken terug. 'Au!'

Het meisje stapte naar hem toe. Ze greep zijn hand en draaide de palm omhoog. Donkere lijnen kronkelden rond zijn handlijnen, in de vorm van de twee karakters die hij vroeger op Teishi's rechterhand had gezien. Hoe vaak had hij zich niet afgevraagd wat die karakters betekenden? Nu wist hij het.

'Bind er een natte doek omheen,' zei het meisje. 'Dat helpt. Over een paar dagen voel je er niets meer van.'

'Dank je wel,' zei Cang Lu.

Het meisje liet zijn hand los. 'Je hebt heel aparte ogen, wist je dat? Je zou veel geld kunnen verdienen, als je wilt. Meester Zhang is niet de enige die graag mooie jongens in zijn bed heeft.'

Cang Lu duwde de deur open. 'Ik heb geen geld nodig.'

Het meisje haalde haar schouders op. Ze was niet veel ouder dan hij. 'Zoals je wilt.'

'Dank je wel,' zei hij nogmaals.

'Tot ziens,' zei het meisje en ze knipoogde.

Op straat was het druk. De zon was al een eind in de hemel geklommen. Cang Lu haastte zich terug naar de herberg waar hij Mei Lin had achtergelaten. De waard knikte hem vriendelijk toe. Cang Lu hoopte dat Mei Lin nog sliep, zodat hij ongemerkt zijn slaapplaats op kon zoeken. Hun kamer was nog tot die middag betaald. Hij sloop naar boven en schoof zacht de deur van hun kamer open.

Mei Lin zat in kleermakerszit op haar slaapmat en staarde nietsziend voor zich uit. Door de kieren van de luiken viel er wat licht op haar gezicht; haar ogen waren rood en gezwollen. Haar lippen bewogen, geluidloos, als in een gebed.

'Mei Lin-sa,' fluisterde hij. 'Ik ben er weer.'

Ze bewoog niet.

'Mei Lin-sa, alles is in orde. Ik ben terug.' Voorzichtig ging hij naast haar op de mat zitten. 'Mei Lin-sa?'

Ze sprak zo zacht dat hij het nauwelijks kon horen, zo zacht alsof ze in zichzelf sprak: 'Ik had je moeten tegenhouden. Ik had je nooit moeten laten gaan. De goden vergeven me, ik had je moeten tegen-houden...'

Cang Lu stak zijn hand uit. Hij raakte haar huid aan, die zacht was als zijde – alleen om haar tranen weg te vegen, meer niet – en plotseling leek het alsof hij in brand stond. Hij wilde zijn hand terugtrekken, maar op dat moment draaide Mei Lin haar hoofd naar hem toe en zijn vin-gers leken aan haar gezicht vastgebrand. Ze gleden verder, los van hem, streelden haar lippen. Hij had nog nooit zoiets gevoeld. Ze waren zacht, zo veel zachter dan hij had gedacht, en vochtig van haar speeksel. Gevoelens die hij niet begreep schoten door hem heen en maakten hem duizelig. Ademen leek plotseling een onmogelijke opgave.

Mei Lins ogen waren groot en donker en verslonden hem. Hoe hun-kerde hij naar die ogen! Hij zag ze altijd, zelfs als ze niet bij hem was. Als de nachtelijke hemel zonder sterren, zo diep en verlaten waren ze, zo intens dat ze zijn gedachten konden vullen. Alleen in die ogen zag hij wie hij werkelijk was.

Maar de afstand tussen hen was te groot. Hij moest zich naar haar toe buigen om zichzelf te vinden. De vingers op haar lippen wezen hem blindelings de weg; slechts zijn vingers lagen tussen zijn lippen en de hare, maar het was niet genoeg. Het vuur in zijn binnenste ver-teerde hem. Hij wilde... haar.

Een voor een trok hij zijn vingers opzij.

Even voelde hij Mei Lins gejaagde ademhaling en hij wist dat ze aar-zelde. Toen greep ze zijn hand vast en stond op. 'Het spijt me, Cang Lu-tse,' zei ze zacht. Cang Lu wist niet of ze dit bedoelde, of wat er vannacht was gebeurd, maar de woorden sneden door zijn hart. Het eni-ge wat hij uit kon brengen was een gesmoord gegrom diep in zijn keel.

'Je moet slapen,' vervolgde ze. 'Je ziet er moe uit.' En met iets van een zucht voegde ze eraan toe: 'Als je weer wakker bent, zullen we ver-trekken. Het is nog een lange reis naar Jitsuma.'

Bestond er een pijn die je niet kon voelen? Zoals een herinnering in een mist van beelden aan je voorbijging en optrok voor je er een be-schrijving aan kon geven. Een pijn die zo diep ging dat het bewustzijn hem niet kon volgen.

Mei Lins vingers gleden over het lemmet van Shula's dolk. Ze draai-de het wapen om in haar schoot, streelde de andere zijde en draaide het weer om.

Ze keek naar Cang Lu, opgekruld op zijn slaapmat. Het licht dat tussen de luiken door viel, maakte strepen op zijn gezicht. Hij leek zo jong, zo onbezorgd nog. Als ze niet goed keek, kon ze zichzelf voorhouden dat er niets was voorgevallen.

Maar daarmee hield ze enkel zichzelf voor de gek.

Ze draaide het wapen om in haar hand. Daarmee had hij de man die haar lastigviel gedood. In een trance, zei hij, maar toch. Hij had Chi voor haar gedood.

Gisteravond was hij niet in trance geweest. Hij was heel bewust met Zhang meegegaan. Ze vroeg zich niet af waarom hij het had gedaan. Niet nadat hij haar bijna had gekust.

Misschien had ze het eerder moeten zien. Ze had de blikken toch opgemerkt die hij haar soms toewierp? Maar ze had het niet willen weten. Er was zo veel wat haar aandacht vroeg en ze had niet gedacht dat een simpele kalverliefde veel kwaad zou kunnen. Cang Lu was nog zo'n jongen.

Maar nu had hij donkere kringen onder zijn ogen en twee zwarte karakters in de palm van zijn hand.

Die had ze pas gezien toen hij al sliep. Natuurlijk had ze ze herkend. Het waren de Yamatanese karakters van Teishi, de tekens waar haar schoonzuster zo geheimzinnig over had gedaan. En met een reden, zo bleek. Er kon immers geen andere verklaring voor zijn dat Cang Lu plotseling ook zulke tekens droeg. Een hoer, de echtgenote van de kroonprins! In eerste instantie was ze geschokt geweest, maar bij nader inzien verbaasde het Mei Lin niet meer. Wen De had al over zo veel gelogen, dus waarom niet over zijn echtgenote?

En nu hadden ze haar kleine reiger op dezelfde wijze gemerkt, zodat iedereen kon zien wat hij gedaan had. Wat hij voor háár gedaan had.

Ze draaide de dolk om.

De jongen opende zijn ogen. Schitteringen dansten door zijn gouden irissen. 'Mei Lin-sa?' zei hij. 'Ik wil nu graag vertrekken.'

De weg uit de stad liep via het oosten, door de wijk Saitō. Ze liepen door brede lanen, met aan weerszijden weelderige tuinen en witte villa's met meerdere verdiepingen. De meeste tuinen waren omringd door smeedijzeren hekwerken en hadden wachters bij de poort. De tuinen die vrij toegankelijk waren, stonden vol bloemen, met paviljoenen waarin jongedames vertoefden. De huizen erin waren hoog en hadden geen ramen.

Ze liepen zwijgend voort, Mei Lin een paar passen voor Cang Lu, alsof er geen ruimte was om naast elkaar te lopen. Onder de bladeren van hoge eiken en esdoorns was het verbazingwekkend koel, zodat ze hun mantels om hadden geslagen. Mei Lin had de kap ver over haar gezicht getrokken, meer om de wallen onder haar ogen te verbergen dan om iets anders; ze geloofde niet dat ze hier nog op hun hoede moesten zijn voor soldaten uit Yuanjing.

Toen ze plotseling een opgewonden kreet hoorde, begreep ze in eerste instantie dan ook niet precies waar het geluid vandaan kwam. Ze keerde zich om, Shula's dolk al half uit de schede. Cang Lu keek haar verbijsterd aan. Ze waren de enige wandelaars in de laan.

Op dat moment kwam er een dame in een roomwitte japon aanrennen over het pad van een van de landhuizen, een groot wit gebouw boven op de heuvel. Achter het hek zag Mei Lin een paviljoen waarin een oude man zat in het gezelschap van twee dienaressen, van wie er een ontsteld achter de dame aan kwam rennen.

'Sagi!' riep de dame. 'Sagi!'

Cang Lu snakte naar adem. 'Natsuko!'

Tot Mei Lins verbazing rende hij naar het hek, waar de vrouw zojuist was aangekomen. De edelvrouw sommeerde de bewakers de poort te openen en duwde de man met de sleutels opzij toen het haar niet snel genoeg ging. Haar dienstertje kwam aanrennen, maar werd direct naar het huis teruggestuurd.

'Sagi!' riep de vrouw opnieuw. 'Hoe ben je hier gekomen?'

'Ik?' zei Cang Lu. 'Wat doe jij hier?'

De poort ging open en de vrouw vloog naar buiten, waar ze Cang Lu om de hals viel. 'Sagi, o, Sagi! Ik dacht dat je dood was! Hoe wist je in vredesnaam waar je zijn moest, gekke jongen?' Ze liet haar handen over zijn gezicht glijden, alsof ze een tastbaar bewijs zocht dat haar ogen haar niet voor de gek hielden.

Mei Lin schraapte haar keel.

De vrouw en Cang Lu keken tegelijk op, met dezelfde schuldige blik in hun ogen, alsof ze zojuist door een meester betrapt waren op iets wat ze niet hoorden te doen. En op dat moment herkende Mei Lin de vrouw. Het was de lange Yamatanese, Teishi's dienares.

De vrouw richtte zich op. 'Een vriendin van je?' vroeg ze aan Cang Lu. 'Toch niet dat dienstertje van de Yuan-sa, hoop ik?'

Cang Lu opende zijn mond om antwoord te geven, maar Mei Lin

was eerder. 'O,' zei ze, 'ik geloof dat we elkaar wel eerder hebben ontmoet. Natsuko was het toch?'

Met een vragende blik keek de vrouw haar aan. Toen begon het begrip op haar gezicht te dagen. 'O nee!' mompelde ze. 'Zeker niet!'

'Natsuko-sa,' zei Cang Lu met een ongelukkige blik in zijn ogen, 'je herinnert je de Yuan-sa nog wel, hoop ik?'

Natsuko trok wit weg tot ze bijna zo bleek zag als de stof van haar japon. 'Vergeef me! U bent dood, Yuan-sa!'

Mei Lin lachte. 'Dat hoor ik de laatste tijd wel vaker. Maar vreemd genoeg heb ik daar niets van gemerkt. Jij wel, Cang Lu-tse?'

De jongen schudde kleintjes zijn hoofd. 'Hoe ben je hier terechtgekomen, Natsuko?' vroeg hij in het Yamatanees en Mei Lin vermoedde dat hij het niet alleen vroeg omdat het antwoord hem interesseerde, maar ook omdat hun gesprek hem een ongemakkelijk gevoel gaf.

Natsuko maakte een achteloos gebaar met haar handen. 'Teishi liet me gaan.'

'Ze liet je gaan?'

De vrouw keek over haar schouder naar de mensen in het paviljoen. 'Waarom komen jullie niet binnen? Ik zal wat versnaperingen laten halen.'

'Is dat jouw huis?' vroeg Cang Lu, alsof die gedachte nu pas bij hem opkwam.

'Het is het huis van mijn vader,' zei Natsuko, 'de heer van Saitō. Kom, dan stel ik jullie aan hem voor.'

Cang Lu staarde haar aan en Mei Lin deed bijna hetzelfde. Zij was de dochter van de heer van Saitō? Hoe was ze dan in naam der goden als dienstmeid in Yuanjing terechtgekomen? Mei Lin wilde het vragen, maar ze was bang dat het antwoord haar niet zou bevallen. Het zou ongetwijfeld leiden naar Teishi en de zwarte tekens op haar hand, en daar wilde ze nu niet aan denken.

Ze volgden Natsuko naar het paviljoen, waar de oude man met een verbaasd gezicht hun komst afwachtte. Rode kussentjes lagen rond een tafeltje in het midden van het paviljoen. Cang Lu knielde voor de oude man neer, zijn armen stijf langs zijn lichaam, de handen weggedraaid. Mei Lin volgde zijn voorbeeld.

'Vader, dit zijn vrienden van me,' zei Natsuko, terwijl ze naast hen kwam staan. 'Dit is Sagi, die samen met mij in Yuanjing diende. En dit is...'

'De Yuan-sa.' Heer Saitō's stem was ijl, als inkt die te veel verdund was. Hij boog naar voren op zijn kussen en Mei Lin vroeg zich af of ze de vloerplanken hoorde kraken of zijn botten. Hij had dun, spierwit haar, dat met een donker lint bijeengebonden was. Maar zijn ogen waren helder, terwijl hij haar in zich opnam. 'Ze lijkt op haar broer, Natsuko. Ze heeft dezelfde blik.'

Mei Lin slikte. 'Alstublieft, heer, noemt u me Mei Lin.'

De man zakte terug in zijn stoel. Hij leek geenszins verbaasd dat de Yuan-sa toevallig langs zijn huis liep of bij hem langskwam op zijn terras. 'Het is me een eer,' zei hij, 'een grote eer. Ga toch zitten, vrouwe. En jij, vriend uit Yuanjing, neem plaats! Zou je ze niet wat aanbieden, Natsuko?'

Natsuko wierp een nijdige blik in Mei Lins richting, al begreep die niet wat ze verkeerd had gedaan. De Yamatanese wenkte een dienstmeid en zond haar naar het huis om cha en koekjes te halen. 'Vader,' zei ze ten slotte, 'weet u zeker dat u hier wilt blijven? We zullen alleen maar over zaken spreken die op Yuanjing betrekking hebben. Dat kan u toch onmogelijk interesseren.'

'Maar de hoogheid...' Heer Saitō gebaarde onzeker in Mei Lins richting.

'De Yuan-sa zal het niet erg vinden als u zich even terugtrekt, is het wel?' Natsuko keek haar zo streng aan dat Mei Lin direct het hoofd schudde.

'O... nou, dan... In dat geval...' Heer Saitō duwde zichzelf overeind, en ditmaal was Mei Lin er wel zeker van dat ze zijn gewrichten hoorde kraken. Het achtergebleven dienstertje kwam direct aansnellen om hem verder te helpen. 'Vergeving, Hoogheid,' zei hij. 'Gun een oude man zijn middagslaapje.'

Toen hij was vertrokken keerde het andere meisje terug met zoete amandelkoekjes en cha in blauw beschilderde kommetjes. Het was vreemd om weer bediend te worden. Vreemder dan Mei Lin had verwacht.

'Vertel me in naam der goden hoe je me hebt gevonden,' zei Natsuko tegen Cang Lu, toen ze alle drie een chakom hadden gekregen.

De jongen wierp een aarzelende blik op Mei Lin. 'We hebben je niet echt gevonden, Natsuko,' mompelde hij. 'Het was eigenlijk toeval.'

'Toeval?'

'Mijn broer heeft geprobeerd me te vermoorden,' zei Mei Lin zonder van haar cha op te kijken. 'Cang Lu heeft me geholpen het paleis te ontvluchten. We zijn op weg naar Jitsuma. We moeten de keizer waarschuwen voor de plannen van mijn broer.'

'Jitsuma...' Natsuko schudde verbaasd haar hoofd. 'Zouden ze daar niet al lang weten dat Wen De een leger op de been brengt? Wat hebt u daar nog te zoeken, Yuan-sa?'

Mei Lin opende haar mond, maar Cang Lu was haar voor. 'Waarom heeft Teishi je laten gaan, Natsuko? Je zei dat je het me zou vertellen als we eenmaal zaten...'

Natsuko keek schichtig opzij; eerst naar Cang Lu, maar die leek het niet door te hebben en toen, vreemd genoeg, naar Mei Lin.

'Er valt niet veel te vertellen,' zei ze. 'Teishi had mijn contract laten tekenen en zond me weg. Ik weet niet waarom. Misschien...' Natsuko's stem viel weg. Er was iets vreemds in de manier waarop de vrouw naar Mei Lin keek, alsof ze haar niet recht in de ogen durfde te kijken.

'Misschien wat?' vroeg Mei Lin scherp.

Natsuko keek neer op haar chakom. 'Teishi is dood, Yuan-sa.'

Mei Lin staarde haar aan. 'Wat?'

'Teishi en Dian Wu zijn allebei dood. Het nieuws werd bekend vlak nadat ik Yuanjing had verlaten. Uw broer heeft een verbod op het uitspreken van hun namen afgekondigd, wegens hoogverraad. Ze zullen uit alle officiële geschriften worden geschrapt. Het verbaast me dat u het nieuws nog niet gehoord hebt.'

Mei Lin moest moeite doen om haar toon neutraal te houden. 'Hoogverraad? Dian Wu was nauwelijks drie jaar oud!'

'Ik weet het,' zei Natsuko en ze klonk werkelijk aangeslagen. Mei Lin keek naar haar op, maar de vrouw had haar ogen nog altijd neergeslagen. 'Ik wilde dat ik wist wat zich daar heeft afgespeeld. Uw neefje, Yuan-sa...' Ze schudde haar hoofd en duwde een hand tegen haar mond, alsof ze niet verder durfde te spreken.

Mei Lin sloot haar ogen.

Wat was er gebeurd? Had Wen De hen ter dood gebracht? Teishi, ja, dat kon ze geloven, na alles wat Cang Lu haar had verteld. Maar zijn bloedeigen zoon? Hij was dol op Dian Wu! Ze kon zich niet voorstellen dat hij het jongetje ooit iets zou aandoen.

Tenzij...

Hij had háár willen ombrengen omdat ze zijn goede naam kon schaden. En Dian Wu was ook Teishi's zoon. Wat had Teishi gedaan dat Wen De de schande zo groot achtte dat hij alles wat hem aan haar herinnerde uit de geschiedenis wilde schrappen?

Een steek van verlangen trok door haar hart; naar haar schoonzusters gesloten gezicht, naar het jongetje dat lachend door de sneeuw in de paleistuin rende, naar de broer die haar achter op zijn paard had getild en met haar door de versierde straten van Yuanjing was gereden. Wat had zich al die jaren tussen hen afgespeeld dat zij nooit had gezien?

'De goden hebben hun ziel,' mompelde ze, terwijl ze haar chakom ophief. Ze leegde hem in één teug, waardoor ze zich bijna verslikte. De drank was lauw en zoet.

Natsuko boog haar hoofd en herhaalde Mei Lins gebaar. 'De goden bewaren hen.'

Cang Lu had nog altijd niets gezegd. Nu stond hij op. 'Ik heb geen dorst,' zei hij. 'Laat je me het huis zien?'

Natsuko liet haar chakom weer zakken. 'Dadelijk, Sagi. Drink eerst je cha op.'

'Nee!' Hij sloeg zijn armen over elkaar. Met een stuurse blik keek hij van Mei Lin naar Natsuko en weer terug. 'Ik doe niet mee aan deze schertsvertoning! Moet ik medelijden hebben met Teishi?'

Mei Lin had hem nog nooit zo gezien; alsof hij zich door hun woorden gekwetst voelde. 'Cang Lu-tse,' troostte ze.

'Nee!' zei hij nogmaals en hij stapte achteruit. 'Ik ga geen toost uitbrengen op de herinnering aan dat mens! Opgeruimd staat netjes!'

'Sagi!' Geschokt sprong Natsuko op. 'Waag het niet dat nogmaals te zeggen! Teishi heeft veel vergissingen begaan, maar ze verdiende het niet te sterven. Ga nu zitten en drink je cha!' Ze greep zijn arm en trok hem terug naar de tafel. Cang Lu probeerde zich los te rukken. Hij stootte tegen het tafelblad en de chakommetjes rinkelden vervaarlijk.

En toen leken ze beiden te bevriezen.

Natsuko's blik was naar beneden gegleden. Doodstil staarde ze naar de hand die ze vasthield, naar de donkere tekens op Cang Lu's handpalm. Zijn gezicht was een bleek masker.

Mei Lin drukte zich omhoog. Ze liep om de tafel heen, pakte Cang Lu's hand en maakte die los uit Natsuko's greep. De zwarte tatoeages leken door haar eigen huid te branden, klam van het zweet. 'Een van de meisjes wil je vast het huis wel laten zien, Cang Lu-tse,' zei ze. 'Toe maar.'

Een plotselinge blos verspreidde zich over zijn wangen. Hij trok zijn hand los uit de hare, boog zijn hoofd en rende weg.

37

De vrouwe van Saitō (2)

Natsuko bleef de jongen nakijken tot hij in het huis was verdwenen. Toen keerde ze zich naar Mei Lin om, met een strenge uitdrukking op haar gezicht.

Mei Lin richtte zich in haar volle lengte op. De Yamatanese torende nog steeds boven haar uit, maar zij was de Yuan-sa. Ze had zeventien jaar van onbetwiste autoriteit in haar voordeel. 'Je zult de jongen geen vragen stellen,' zei ze. 'Niet over die tatoeages, niet over onze reis, nergens over! Hij heeft genoeg geleden.'

Natsuko sloeg haar armen over elkaar. Ze kneep haar ogen tot spleetjes. 'Yuan-sa, als u zo goed wilt zijn om me te vertellen hoe hij aan die tekens komt, zal ik hem niets hoeven vragen.'

'Hoe kwam Teishi aan die tekens?' kaatste Mei Lin terug. 'Jij zult je eigen cultuur toch beter kennen dan ik. Vertel me maar waarom jullie mensen als vee merken!'

Met een ruk draaide Natsuko zich om. Ze liep naar de tafel en begon de lege chakommen op te stapelen alsof ze was vergeten dat ze geen dienares meer was. 'U bent hier en niet in Yuanjing,' zei ze met een stem die trilde van ingehouden woede, 'dus ga ik ervan uit dat u niet bent als uw broer... Dat er achter al die koude autoriteit nog een hart schuilgaat. Maar de tatoeages op Sagi's hand vertellen een ander verhaal. Zeg me alstublieft dat ik me vergis, dat u hem niet naar zo'n huis heeft laten gaan, dat er een andere verklaring is...'

Mei Lin slikte. Haar stem bleef in haar keel steken.

Natsuko draaide zich zo snel om, dat Mei Lin de beweging pas opmerkte toen het al te laat was. Een vlakke hand raakte haar wang.

'Au!'

'Hoe durft u! Was wat uw broer met hem heeft gedaan nog niet genoeg?'

Gekwetst drukte Mei Lin een hand tegen haar wang. 'Denk je dat ik hem heb aangemoedigd? Ik probeerde hem juist tegen te houden! Maar er was geen andere manier! De grens was gesloten en de enige schipper die nu nog naar Nashido vaart, accepteerde geen andere vergoeding.'

'En u kon natuurlijk geen andere manier bedenken!' riep Natsuko giftig. 'Of was het misschien wel makkelijk dat de jongen voor uw reis kon "betalen"?'

De woorden sneden Mei Lin door het hart. Ze zocht steun bij de tafel en liet zich langzaam op het kussen zakken. 'Ik smeekte hem niet te gaan,' zei ze, 'maar het maakte geen verschil. Hij zou toch gegaan zijn.'

Ze keek op naar Natsuko, die weer was gaan zitten en met een hand krampachtig de tafelrand omklemde.

'Heb jij ooit geprobeerd Wen De tegen te houden, Natsuko?' vroeg ze. 'Heb je Cang Lu ooit geholpen om weg te komen uit het paleis? Of was het misschien wel makkelijk dat iemand anders de toorn van je meesters opving?' Ze liet de hand van haar wang zakken en sloeg haar armen om haar lichaam, plotseling koud.

Natsuko liet de tafel los. Ze schoof achteruit en verborg haar gezicht in haar handen. Even dacht Mei Lin dat ze huilde, maar toen de vrouw opkeek waren haar wangen droog. 'Heeft Sagi u ooit verteld hoe hij bij Wen De en Teishi terecht is gekomen?' vroeg ze.

Verbouwereerd schudde Mei Lin haar hoofd. Wat had dat ermee te maken?

'Nee,' mompelde Natsuko, 'dat dacht ik al. Het zou me niet verbazen als hij het zich niet eens meer herinnert.' Ze streek met een hand over haar rokken en keek opzij, alsof ze zich een beeld voor de geest haalde dat te pijnlijk was om direct te bekijken. 'Ze hebben hem gekocht.'

Mei Lin staarde haar aan. 'Wat?'

De Yamatanese haalde haar schouders op. 'Tien jaar geleden waren slavenmarkten hier niet ongewoon. Mensen met schulden konden daar hun diensten aanbieden. Het ging soms om misdadigers die hun verblijf in het gevang niet meer konden betalen. Ook ongewenste kinderen werden daar verkocht; omdat ze geen ouders meer hadden, omdat ze uit een clandestiene verbintenis waren voortgekomen, omdat ze...

anders waren. Die handel was het eerste wat uw vader veranderde nadat hij Jitsuma had ingenomen.'

'Maar Cang Lu kan nooit vóór de val van Jitsuma zijn verkocht,' zei Mei Lin verward. 'Toen kende Wen De Teishi nog niet eens.'

'Dat klopt,' zei Natsuko. 'Toen Sagi's moeder besloot haar zoon te verkopen, was de markt in Jitsuma al gesloten. De slavenmarkt van Nashido had ook verboden moeten worden, maar Wen De, die de stad in handen had, was traag met het invoeren van zijn vaders wetten. En blijkbaar had hij er zelf ook wel aardigheid in om op die markt te handelen. Ik heb geen idee wat het Sagi's moeder gekost moet hebben om haar zoon langs de wachtposten naar Nashido te smokkelen. Ze moet hebben geweten dat de kans klein was dat hij goed geld zou opleveren met dat rare haar van hem, maar blijkbaar vond ze het het risico waard. Ze was al rijk genoeg om de gok te wagen, of ze was tegen elke prijs bereid de schande van zo'n vreemd kind in haar familie uit te wissen. Wie zal het zeggen? Feit blijft dat Sagi verkocht werd voor hij vier jaar oud was. Denkt u dat de stap erg groot was om zichzelf opnieuw te verkopen?'

Mei Lin fronste, maar had daarop geen antwoord.

Natsuko schudde haar hoofd en stond op. 'Kom, Yuan-sa,' zei ze. 'Het wordt kil. Laten we naar binnen gaan, dan zal ik u naar een kamer brengen waar u wat kunt rusten voor het avondmaal.'

'O!' riep Mei Lin. 'Dat is heel vriendelijk, maar ik... we moeten verder. Het is nog een heel eind naar Jitsuma...'

De Yamatanese schudde opnieuw haar hoofd. 'Jitsuma komt in het donker niet dichterbij. Blijf vannacht en ga morgen weer uitgerust op weg.'

'Nee,' zei Mei Lin. 'Ik moet echt gaan. Ik heb al maanden verloren op mijn reis. Iedere dag dat ik later aankom, zal mijn broer een stuk dichterbij brengen. De keizer van Yamatan moet worden gewaarschuwd!'

Toen glimlachte Natsuko. 'Als u wilt zal ik met mijn vader spreken. Met zijn paarden bent u veel sneller in de hoofdstad.'

Mei Lin boog het hoofd. 'Dat zou bijzonder vriendelijk zijn, Natsuko.'

'Maar...' Natsuko's stem kreeg een harde klank. '... dan moet u Cang Lu wel hier laten.'

Mei Lin slikte. Ze keek langdurig naar het huis, naar de vele ramen waarachter haar kleine reiger ergens verscholen moest zijn. 'Dat kan ik niet,' zei ze ten slotte.

Natsuko sputterde. 'Hij heeft u al helemaal tot Nashido gebracht! Wat wilt u nog meer? Ik dacht dat we zojuist overeen waren gekomen dat hij niemands slaaf hoort te zijn!'

'Natuurlijk niet!'

'Laat hem dan hier!'

'Dat kan ik niet,' herhaalde Mei Lin. Ze wendde haar blik van de villa af en keek Natsuko aan. 'Cang Lu kwam vrijwillig met me mee naar Yamatan. Als hij me nu wil vergezellen naar Jitsuma, kan ik hem niet tegenhouden. Zoals je al zei: hij is niet mijn slaaf die ik kan bevelen naar het mij goeddunkt.'

'Het zou hem hier aan niets ontbreken. Hij zal een thuis hebben, een eigen kamer, liefde en eten. Kunt u hem zo veel bieden, Yuan-sa?' Tot Mei Lins verbazing blonken er plotseling tranen in Natsuko's ogen. 'Vraag hem hier te blijven. Die jongen doet alles wat u maar wilt.'

Getroffen keek Mei Lin weg. 'Nee,' zei ze. 'Hij hééft alles al voor me gedaan. En dit is zijn keuze, Natsuko, niet de mijne.'

De kamer die Mei Lin werd aangeboden, op de bovenverdieping van het huis, was meer dan gerieflijk. Kamerschermen met vissen en grote, rode bloemen verdeelden de ruimte in tweeën. Aan de ene kant lag een slaapmat met dunne, witte lakens. Aan de andere kant stond op een laag tafeltje een kom water met drijvende lotusbloemen. Kussens op de grond dienden als zitplaats. De lichte muren waren versierd met beschilderde doeken en spiegels in zilveren lijsten, waarin de namiddagzon schitterend weerspiegeld werd.

Mei Lin probeerde rust te vinden op haar bed op de tatamivloer, maar beelden van de afgelopen nacht bleven zich aan haar opdringen. Had Natsuko gelijk gehad? Ze hield zich voor dat ze er alles aan had gedaan om Cang Lu tegen te houden, maar ergens was ze opgelucht geweest toen ze ontdekte dat hij toch was gegaan. Omdat ze zelf die keuze niet kon maken.

Ze draaide zich op haar zij. De geur van rozen drong vanuit de tuin de kamer binnen en vermengde zich met de lichte geur van de zeep waarmee ze zich had gewassen. Het was zo'n verademing geweest weer van een echt bad gebruik te kunnen maken. In Yuanjing had ze nooit bij die luxe stilgestaan. Het was haar recht geweest.

Misschien maakte ze zich te druk. Zij was de Yuan-sa en Cang Lu was niet meer dan een dienaar. In de loop der tijd was hun verhouding misschien veranderd, maar die feiten moest ze niet uit het oog verliezen. Ook al ging zijn lot haar aan het hart, ze hoefde het zich niet aan te trekken. Wat er was gebeurd, was per slot van rekening niet háár schuld. Zijn eigen ouders hadden hem verkocht, en wat er vannacht was gebeurd, bevestigde die rol slechts. Het maakte hun situatie opnieuw duidelijk.

En toch...

Haar kamer leek leeg zonder hem. Ze hield zich voor dat ze niet kon slapen omdat ze lag te piekeren over de afgelopen nacht, maar in werkelijkheid maakte ze zich er zorgen over dat Cang Lu haar zou missen. Het dienstmeisje bij het bad had haar verzekerd dat hij, net als zij, een eigen kamer had gekregen waar hij kon rusten, maar zou hij zonder haar wel kunnen slapen? Stel dat hij opnieuw in paniek raakte, zoals die nacht in het Ziougebergte was gebeurd, toen hij haar over Wen De had verteld? Wat als hij haar riep en ze hem niet kon horen?

Ze sprong op en wierp de lakens van zich af. Ze moest Cang Lu vinden voor het te laat was. Ze kon de herinnering aan die angstige blik in zijn ogen niet verdragen. Ze trok haar overjurk aan en verliet het vertrek.

Haar deur kwam uit op een lange gang, met aan één kant een raam dat op de achterzijde van de tuinen uitkeek en aan de andere kant een trap die naar beneden leidde. Aan weerszijden van de gang bevonden zich schuifdeuren, die allemaal gesloten waren. Mei Lin had geen idee waar ze Cang Lu kon vinden. Op goed geluk begon ze te lopen, weg van de trap.

Ze had nog maar een paar passen gezet, toen ze een stem hoorde: 'Nee! Nee! Ik wil niet! Nee!' In paniek ging ze sneller lopen, denkend dat het Cang Lu was, maar toen ze dichterbij kwam, besefte ze dat het een mannenstem was. Aarzelend legde ze haar hand tegen de deur en schoof die open.

Ze zag een duister vertrek, waarvan de luiken gesloten waren; het licht uit de gang viel een paar passen de kamer binnen. Ze zag een volwassen man met kortgeknipt haar, die gehurkt op een paars kussen zat, zijn armen voor zijn gezicht geslagen. 'Nee!' riep hij. 'Het licht! Doe het licht uit! Ze zullen me zien!' Afwerend strekte hij een hand naar haar uit. 'Doe het uit!'

'Vergeving!' sprak Mei Lin verbaasd. Ze stapte de kamer binnen en trok de deur een klein stukje dicht. 'Doet het pijn aan uw ogen?'

Nu keek de man op. Bijna week Mei Lin achteruit. Hij had grote, bloeddoorlopen ogen, die dwars door haar heen leken te kijken. 'Nee!' riep hij opnieuw. 'Niet mij! Niet mij! Ik heb alles al gegeven!'

Even verhelderde zijn blik. Hij leek haar gezicht te bestuderen. Aarzelend strekte hij een hand uit, alsof hij zeker wilde weten dat ze er was; alsof ze een spiegelbeeld kon zijn, dat zijn gebaar zou weerkaatsen.

Toen trok hij met een schreeuw zijn hand terug en dook weer weg. 'Nee!' riep hij uit. 'Niet jij! Ga weg! Ik wil niet met je mee!'

'Heer, vergeving!' riep Mei Lin uit op het moment dat de deur weer openschoof en iemand langs haar heen schoot.

'Je kunt me niet krijgen!' schreeuwde de man, terwijl hij wild naar Mei Lin gebaarde. 'Ga weg! Ga weg! Ik wil niet!'

De persoon die binnen was gekomen boog zich over de man heen en streelde met een slanke hand door zijn verwarde haren. Het licht uit de gang schitterde op een japon van witte zijde. Het was Natsuko. 'Stil,' zei ze. 'Stil maar. Het is goed.'

'Ze zijn gekomen!' riep de man. 'De Yuan komen me halen! Ik zie ze staan!'

Mei Lin stond als verstijfd.

Natsuko sloeg haar armen om de man heen en wiegde hem heen en weer. 'Sst... Nagashige! Het is goed. Ik ben bij je. Niemand komt je halen. Niemand gaat weg. Ik ben toch ook teruggekomen? En nu ga ik niet meer weg. Sst... Stil nu maar. Probeer te slapen. Het is goed.'

Ten langen leste kalmeerde de man wat. Natsuko liet hem los en liep zachtjes van hem weg. Zonder iets te zeggen trok ze Mei Lin mee de gang in en sloot de deur. Mei Lin staarde haar verbijsterd aan, maar durfde niets te vragen.

Pas toen ze de trap bereikten, keerde de vrouw zich naar haar om. 'Die kamer gaat u nooit, nooit meer in!' zei ze. 'Na alles wat hij heeft meegemaakt hoeft hij nooit meer een Yuan te ontmoeten, en zeker niet een Yuan die het gezicht van Wen De draagt.'

Onwillekeurig betastte Mei Lin haar gezicht. 'Is hij je broer?' vroeg ze onzeker. 'Die man? Je noemde hem Nagashige...'

'Nee,' zei Natsuko, 'niet mijn broer. Zijn naam is Nishida no Ichirō Nagashige, en voor de oorlog was hij een groot man.' Ze balde haar handen tot vuisten, alsof ze iets moest loslaten waarvan ze eigenlijk geen afscheid kon nemen. 'Een groot man,' zei ze nogmaals.

Ze daalden de trap af.

'Heb je heer Saitō nog gesproken?' vroeg Mei Lin.

Natsuko schudde haar hoofd. 'Mijn vader lag nog te rusten. Ik zal hem spreken na het avondmaal.'

Mei Lin boog haar hoofd. 'Dank je wel, Natsuko.'

Lichtjes schudde Natsuko haar hoofd. 'Geen dank, Yuan-sa. Tenslotte wens ik net zomin als u dat uw broer dit land opnieuw verovert.' Mei Lin had het idee dat ze die woorden nu heel wat beter begreep dan een uur eerder.

Beneden zat Cang Lu al op hen te wachten, volkomen verdiept in een muurschildering van twee goudgeschubde vissen die door een zee van waterplanten zwommen. Hij had nog wallen onder zijn ogen en zijn gezicht was veel te bleek, maar hij glimlachte breed toen Mei Lin hem riep.

Mei Lin glimlachte terug. Haar kleine reiger was sterker dan iedereen dacht. Niemand kon hem breken. En zij zou zich voortaan aan hem spiegelen. Hoe hun relatie precies in elkaar stak leek niet meer van belang. Zolang ze samen waren, konden ze alles aan.

Natsuko hield woord. Ze voerde een gesprek onder vier ogen met heer Saitō, die Mei Lin die avond nog zijn beste paarden en een escorte van twee man ter beschikking stelde om haar de volgende dag naar de hoofdstad te brengen.

'Het is niet zoals het hoort,' verontschuldigde hij zich. 'Ik had u het liefst mijn draagstoel geleend, Yuan-sa, maar u ziet... Ik ben een oude man en mijn benen kunnen me niet ver meer dragen, tegenwoordig. Bovendien zegt mijn dochter dat u de voorkeur aan snelheid boven comfort zult geven. Maar toch... Als u wilt, kan ik best afstand doen van mijn draagstoel. Ik heb hem niet echt nodig, zo vaak ga ik niet meer uit...'

Mei Lin slikte. Even voelde ze weer het mes op haar keel en Chi's adem die over haar oor streek terwijl hij haar hun geld afhandig maakte; het geld waarmee ze paarden hadden willen kopen, hun enige hoop om Yamatan snel te bereiken. Hoe lang geleden was dat wel niet? Hoe lang had ze moeten lopen met de herinnering aan dat mes en de droom van paarden steeds als een vervlogen hoop in haar gedachten? Ze moest de tranen die onverwacht opwelden wegknipperen.

'Uw dochter heeft gelijk, heer,' zei ze, terwijl ze neerknielde, het hoofd gebogen. 'De paarden die u mij wilt lenen, zijn meer dan voldoende. Ik ben u zo veel dank verschuldigd... '

'O nee, nee! U hoeft mij niet te bedanken!' riep heer Saitō uit. 'Het is me een eer, Yuan-sa! Staat u alstublieft op. Natsuko, help de Yuan-sa overeind!'

Natsuko hielp haar inderdaad overeind, haastig en ruw, maar Mei Lin zei er niets van. Ze liet zich door de vrouw de kamer uit leiden, de hal in, waar Cang Lu vol spanning op een bankje zat te wachten.

'En?' riep hij.

Mei Lin keek opzij. De Yamatanese knikte en mompelde een kort goedenacht. Met ruisende rokken verdween ze naar boven.

Mei Lin ging naast Cang Lu zitten. 'Heer Saitō leent me zijn paarden,' vertelde ze. 'Ik vertrek bij het eerste licht. Ik hoop met drie, misschien vier dagen in Jitsuma te zijn.'

De jongen keek haar onderzoekend aan. '"Ik"?' vroeg hij.

Mei Lin wendde haar blik af, alsof het makkelijker was om tegen hem te praten als ze hem niet hoefde aan te kijken. 'Je zou hier kunnen blijven, weet je,' zei ze. 'Ik weet dat Natsuko je graag in haar huishouden zou opnemen. En het is een mooi huis. Je zou hebben wat je je maar wensen kunt.'

Cang Lu bleef zo lang stil, dat ze ten slotte opzij keek. Zijn gouden ogen schitterden in het licht van de lantaarns aan de muur. 'Je wilt niet dat ik meega naar Jitsuma,' zei hij gekwetst.

'Nee, Cang Lu-tse! Dat is het niet!'

'Wat dan?'

Mei Lin zuchtte. 'Natsuko kan veel beter voor je zorgen dan ik. Hier zul je veilig zijn. Je hebt al zo veel voor me gedaan, Cang Lu-tse, en daarvoor ben ik je zo dankbaar! Ik kan niet meer van je vragen.'

Hij lachte ongelovig. 'Denk je dat ik uit plichtsbesef met je mee ben gekomen?'

Hij keek haar aan en zijn ogen waren zo groot en fel dat ze dwars door haar heen leken te kijken. Zijn blik schoot rechtstreeks naar haar hart, zodat ze naar haar borst greep. Ze voelde zich naakt.

Hij trok wit weg, tot alleen zijn gouden ogen en het dunne laagje blauw haar op zijn hoofd nog kleur uitstraalden. Zijn ogen rolden weg. Hij strekte een arm uit, alsof hij uit balans was gebracht. Hijgend hapte hij naar adem.

Geschrokken greep ze hem bij zijn tuniek vast. 'Wat doe je? Stop daarmee, Cang Lu-tse!'

Hij ademde niet. Zijn ogen staarden als die van een blinde. Hij leek haar niet te horen.

Ze schudde hem heen en weer. 'Cang Lu-tse!'

Eindelijk knipperde hij met zijn ogen en langzaam keerde de kleur weer op zijn gezicht terug. 'Vergeef me,' mompelde hij traag. 'Ik dacht... dat ik omhoog viel.' Hij schudde zijn hoofd en stond op.

Mei Lin liet zijn tuniek los.

'Ik ga mee naar Jitsuma,' zei Cang Lu. 'Probeer me maar niet tegen te houden.'

Mei Lin probeerde het niet. Ze had eigenlijk niet anders verwacht.

De volgende ochtend verzamelde zich een kleine menigte op het terras voor het huis van heer Saitō om de Yuan-sa en haar gevolg uit te zwaaien. Naast de heer zelf en zijn dochter was al het personeel uitgelopen om de vrouwe van Yuanjing vaarwel te zeggen. De meisjes die haar een dag eerder hadden bediend, zwaaiden enthousiast. De jongens uit de keuken bloosden verlegen. Enkele oudere bediendes – degenen die oud genoeg waren om de oorlog bewust te hebben meegemaakt – wierpen haar zure blikken toe, maar ze probeerden wel te voorkomen dat hun meester dat zou zien.

Mei Lin probeerde Natsuko onopvallend weg te leiden van Cang Lu, die het ondanks zijn felle woorden van de vorige avond moeilijk leek te hebben met het afscheid. Bleekjes staarde hij voor zich uit, zijn hand krampachtig om de teugels geklemd van de grijze merrie die hem was toevertrouwd.

'Nogmaals bedankt voor alles, Natsuko,' zei Mei Lin. 'Ik wil je niet graag om nog een gunst vragen, maar het is slechts één vraag en ik weet niet aan wie ik die anders zou kunnen stellen.'

De Yamatanese keek haar een beetje verbaasd aan. 'Nou?'

Mei Lin aarzelde. 'Als ik straks in Jitsuma ben... Hoe spreek ik dan de keizer aan?'

Tot haar verbazing schoot Natsuko in de lach.

'Wat?' zei Mei Lin een beetje gepikeerd. 'Het is al een tijd geleden dat ik Yamatanees heb gestudeerd! Het is nog altijd beter dan mijn Sai of Adhistani, maar ik kan me niet herinneren dat ik ooit een titel heb geleerd om...'

'Yuan-sa,' onderbrak Natsuko haar haastig, 'vergeving. Ik wilde u niet beledigen. Alleen... Ziet u... Een vrouw spreekt de keizer niet aan. Als u aan het hof arriveert, zult u uw boodschap moeten doorgeven aan een ander, aan een tolk.'

Met open mond staarde Mei Lin haar aan. 'Wil je zeggen dat ik dit hele eind heb gereisd om met een paleisbode te moeten spreken?'

Natsuko glimlachte. 'Ik vrees het wel, Yuan-sa.'

DEEL DRIE

Eerder

Ze woonden in de slagerswijk van Anshi, de jongen en zijn moeder, waar de huizen goedkoop waren omdat je ze moest delen met de vliegen. De vrouw verdiende de kost als wasvrouw, maar in die wijk woonden weinig mensen die een wasvrouw konden betalen en nog minder die iemand met haar reputatie wilden inhuren. Soms verdiende ze namelijk wat bij over de grens, in de paradijshuizen van Nakiyo. Tijdens een van die tripjes was haar zoon verwekt. De vermoedelijke vader had nooit meer van zich laten horen; volgens de Yamatanese wet was hij haar niets verschuldigd als hij voor zijn pleziertjes had betaald.

De jongen, die door iedereen liefkozend Ahla werd genoemd, was langer dan zijn leeftijdsgenootjes, met sombere ogen en sluik haar dat over zijn oren groeide. Hij sprak weinig en vroeg nooit iets, omdat hij de antwoorden op zijn vragen al kende. De andere kinderen vonden hem een rare. Tegen de tijd dat hij zeven was – een leeftijd waarop de meeste jongens verstoppertje speelden of met gekleurde stenen leerden dobbelen – zwierf hij meestal in zijn eentje door de stad.

Soms zat hij bij de kade en keek naar de vissersbootjes die met hun vangst in de haven terugkeerden. Naar de veerboten die in de richting van Nashido vertrokken, keek hij nooit. Maar als iemand hem had gevraagd welke mannen aan boord waren gegaan om de paradijshuizen van Nakiyo te bezoeken, had hij hun namen een voor een kunnen noemen.

Op andere dagen ging hij naar de villa's rond het marktplein, die om de een of andere reden nooit zo goed waren afgesloten dat hij er niet kon binnendringen. Hij verschanste zich in de bibliotheek van een of andere rijke handelaar, waar hij probeerde de wonderlijke karakters op de boekrollen te ontcijferen. Meer dan eens werd hij ontdekt en kon hij slechts op het nippertje ontsnappen. Toch leek niemand ooit een slot te kopen dat afdoende was om hem buiten te houden.

Eens per tiendag moest hij met zijn moeder mee naar het worstelen. Daar verdiende zij wat bij met het verkopen van sesamkoekjes. De jongen dook dan weg in een hoekje van de banken met toeschouwers en probeerde het geschreeuw van de mannen om hem heen te negeren terwijl hij de wedstrijden volgde. De winnaars werden beloond met handenvol koperstukken en een nieuwe tuniek als ze aan het einde van de dag ongeslagen waren. Misschien werd hij later ook wel worstelaar, bedacht de jongen. Dan kon hij genoeg verdienen om zijn moeder mee te nemen, weg van de veerboten naar Yamatan.

Niet dat iemand hem ooit op zijn bedenkelijke afkomst aansprak. Niemand vroeg wat zijn moeder precies deed als ze de nacht in Nashido doorbracht. Over dergelijke zaken werd in Yuan niet gesproken.

Het gebeurde op een ochtend in het regenseizoen. De rivier was een breed kolkende maalstroom, waar geen scheepjes op voeren. De stad gonsde ongeduldig van de schippers zonder werk, de handelaren die hun waren niet aan de overkant konden verkopen, de kinderen die zich verveelden omdat ze niet buiten konden spelen. Daarbij kwam nog het recente nieuws van de moord op keizerin Lan, vlak na de eerste naamdag van haar zoontje Wen De. In de dranklokalen was het ook zo vroeg op de dag al druk.

De jongen dwaalde door de stad. Zijn moeder lag met een koortsaanval in bed. Hij had er een dokter bij gehaald, die aan moeraskoorts dacht en haar smerige cha had laten drinken. Nu sliep ze en hij wilde haar niet storen.

De straten waren in modderplassen veranderd en de blubber sopte tussen zijn tenen.

Ahla keek rond op het plein in het centrum van de stad. Het was marktdag en dat betekende dat er, ondanks de regen, veel mensen op straat waren. Hij had geen zin om te worden ontdekt als hij een van de villa's binnensloop. Hij keerde terug naar zijn eigen wijk, in de hoop daar een plek te vinden die niet in een modderpoel was veranderd, waar hij kon zitten tot het tijd werd om naar huis te gaan. Hij kende een steegje achter een van de grote slachthuizen waar een paar dagen eerder nog stapels planken hadden gelegen, bedoeld voor een nieuw hek. Misschien lagen ze er nog.

De stank van de slachterijen – bloed en uitwerpselen – was minder heftig tijdens de regens, maar de vliegen bleven om zijn hoofd zoemen. Kriebelend landden ze op zijn blote bovenarmen.

Via een weggetje vol modder en losliggende kiezels sloeg hij het steegje in. De regen ging over in een zacht druppelen. De planken lagen inderdaad nog opgestapeld tegen de muur van het slachthuis, maar er zat een man op in een zwart gewaad, die voorovergebogen een mango zat te schillen. Een breed zwaard in een leren schede lag naast hem op de planken. Onzeker bleef Ahla staan. De man keek op. Hij had een eng litteken dat over de zijkant van zijn gezicht liep, van zijn rechtermondhoek tot aan zijn wenkbrauw, maar dat was niet het eerste wat de jongen opviel. Nee, het waren de ogen van de man, blauw als water. De jongen had nog nooit zulke ogen gezien. Ze hielden hem met een koele, berekenende blik in de gaten. Als de ogen van een tijger die wacht om toe te slaan.

Op dat moment verschenen er drie jongens in de steeg. Ze waren een jaar of elf, twaalf; opgeschoten knullen die allemaal bijna een kop boven Ahla uitstaken, gekleed in bruin bebloede slagerstunieken. Ahla kende ze wel. Het waren de jongens die de stukken vlees van het slachthuis naar de markt moesten brengen.

'Hé!' riep er een, de breedste van het stel. 'Kijk eens wie we daar hebben!'

De tweede, een jongen met een dun rattengezicht, grijnsde. 'Ben jij niet dat joch van die wasvrouw verderop? Ahla, was het niet?'

Ahla richtte zich in zijn volle lengte op. 'Ja, en?'

De brede jongen lachte meesmuilend. 'En niets! Maar je zou toch verwachten dat een wasvrouw haar zoon er wel wat netter bij liet lopen!'

Nu stapte de derde naar voren. Hij had lang haar dat in een staart was gebonden. 'Weet je wat ik hoorde?' zei hij, terwijl hij zijn handen in zijn zij zette. 'Dat jouw moeder een overloper is. Ze gaat naar Nakiyo, voor geld. Geen wonder dat ze geen zin heeft om jou fatsoenlijk aan te kleden! Zo'n hoerenjong!'

'Zeg dat nog eens!' riep Ahla, terwijl hij zijn handen tot vuisten balde.

De blauwe ogen achter in de steeg hielden alles in de gaten, maar de man verroerde zich niet. De slagersjongens hadden hem niet eens opgemerkt.

De jongen met de staart trok spottend zijn wenkbrauwen op. 'Hoerenjong!'

'Gadverdamme!' riep Rattenkop. 'Een halfbloed!'

'Ik ben geen halfbloed!' gromde Ahla, maar de andere jongens hadden het woord al overgenomen en zongen: 'Halfbloed! Halfbloed!'

Ahla boog zich voorover. In de modder sloot zijn hand zich om een losliggende steen. 'Houd op!' zei hij, terwijl hij weer overeind kwam en de hand met de steen naar achteren bracht, klaar om te werpen. 'Houd op, of ik gooi hem tegen je hoofd!'

De jongen met de staart stopte met zingen en keek hem bijna vertederd aan. 'Moet je dat broekie nou eens stoer zien doen!' riep hij. 'Waarom ga je niet zelf naar Nakiyo, Yamatanees? Ik hoor dat ze in je vaderland veel voor kleine jongetjes als jij betalen.'

'Ik ben geen Yamatanees!' siste Ahla. De kiezel zoefde door de lucht. Met een tik ketste hij van het hoofd van de jongen met de staart terug naar de grond; modder spetterde op zijn laarzen. Rode druppels welden op bij zijn slaap.

'De goden vervloeken je!' riep hij, terwijl hij een hand tegen zijn hoofd duwde. 'Dat zal je bezuren!'

De drie slagersjongens stormden naar voren, Staart voorop.

Ahla had het gevoel dat er iets geks gebeurde. Hij kon zich niet herinneren dat hij had bewogen, maar plotseling stond hij met zijn rug tegen de muur van het slachthuis. Hij wist zeker dat hij niet achteruit was gedeinsd. Hij was toch zeker niet bang! De muur moest naar hém toe gekropen zijn. Misschien wilden de stenen hem beschermen tegen het geweld van de grote jongens. Dat moest het zijn.

Staart sprong op hem af, maar voor zijn vuist Ahla's kaak raakte, gebeurde er opnieuw iets vreemds. De tijd vertraagde. Ahla had het gevoel dat hij een toeschouwer was, zoals bij de worstelwedstrijden die hij iedere tiendag bijwoonde. Hij zág hoe hij onder Staarts arm door zou kunnen duiken, zodat hij niet langer tussen de jongens en de muur gevangen stond. Terwijl hij langs Staart dook, begon de tijd weer te lopen. In volle vaart draaide Ahla zich om en duwde Staarts gezicht tegen de muur. Bloed spoot uit diens neus, maar Ahla lette er al niet meer op.

De andere jongens kwamen op hem af. En opnieuw zag Ahla hoe

hij moest wegduiken, zich moest omdraaien. Hij greep Rattenkop bij zijn armen en dook naar beneden, trok de grotere jongen mee naar de grond. Ahla sprong direct weer op, schopte Rat in zijn maag en was toen net op tijd om een klap van de brede jongen te ontwijken.

Staart, die met één hand zijn neus dichtkneep, dook weer op en probeerde hem te schoppen, maar Ahla zag het en sprong opzij. Die onverwachte beweging bracht Staart uit zijn evenwicht en hij viel. Ahla sloeg opnieuw toe.

Hij wist niet hoe lang het gevecht duurde. Op den duur zagen zijn handen rood van het bloed. Het was natuurlijk onmogelijk dat hij, klein als hij was, ongeschonden van die drie jongens weg zou komen. Maar steeds als hij dacht dat hij er geweest was, zag hij hoe hij toch nog kon ontkomen door op het laatste moment weg te springen of zelf een klap uit te delen. En uiteindelijk was hij de laatste die nog overeind stond. Rattenkop en Staart lagen beiden kreunend in de modder. De brede jongen zat op zijn knieën en spuugde bloed en een paar tanden uit.

Overdonderd leunde Ahla tegen de muur. 'Is het nu genoeg?'

De brede jongen hief zijn handen op. 'Genoeg,' steunde hij, hij rochelde en spuugde nog wat bloed in de modder.

Rat kwam langzaam overeind en hielp zijn vriend op de been. 'Luister, Ahla,' zei hij, 'we maakten maar een grapje...'

'Rot toch op!'

De twee jongens knikten beschaamd. Ze draaiden zich om naar de derde. Maar Staart lag niet meer in de modder.

Ahla had slechts een fractie van een seconde om een verschrikte gil te slaken. Toen schoot Staarts zakmes op hem af.

Er was een flits van staal, een golf van zwart en twee strakblauwe ogen, als water in een storm. Staart viel met zakmes en al achterover, kermend, met een rode snee die dwars over zijn rechterhand liep.

De man in het zwarte gewaad schoof zijn zwaard terug in de schede. 'Ik geloof dat de jongen zei dat het zo genoeg was,' zei hij. Hij had een diepe stem, die respect afdwong. 'Ik ben hier gekomen om moordenaars op te pakken, niet om een stelletje kinderen in het gareel te houden! Maak dat je wegkomt, allemaal!'

Dat hoefde hij geen tweede keer te zeggen. Rattenkop en de brede jongen stonden al aan het einde van de steeg voor de man goed en wel was uitgesproken; Staart kroop zo snel als hij kon overeind en rende achter zijn vrienden aan, nog kermend vanwege de snee op zijn hand. Zijn zakmes liet hij in de modder liggen.

Ahla keek onzeker naar zijn blote voeten. 'Dank u,' mompelde hij. Met een blik op het zwaard en het officiële zwarte gewaad voegde hij eraan toe: 'Heer.'

De man schokschouderde. 'Je redde je aardig. Als dat rotjoch zijn mes niet had gepakt, had je mijn hulp helemaal niet nodig gehad.'

Ahla bloosde. 'Bent u hier echt om moordenaars op te pakken... heer?'

'Moordenaars, landverraders en meer van dat gespuis.' De man herschikte zijn zwarte gewaad en bond de riem met zijn zwaard eraan weer om. Ahla zag dat de Rijzende Zon van Yuan op zijn gesp stond.

'U bent lid van de keizerlijke garde!' zei hij verbaasd. 'Bent u hier om de dood van de keizerin te onderzoeken?'

De man knikte met een grimmige glimlach. 'Dus dat nieuws is hier inmiddels ook doorgedrongen, hè? Dat zal mijn werk er niet gemakkelijker op maken...'

De jongen richtte zich op. 'Misschien kan ik u helpen, heer?'

De man kneep zijn blauwe ogen samen. 'Jij? Hoe heet je eigenlijk precies?'

'Moeder noemt me Ahla,' zei de jongen. 'Mijn familienaam is Sun.'

'Sun Ahla,' peinsde de man. 'Als je mij inderdaad wilt helpen – als je dienst wilt nemen bij de keizerlijke garde – dan moet je allereerst dat kinderachtige "Ah" maar eens uit je naam halen en er een volwassen karakter voor in de plaats kiezen. "Shu", bijvoorbeeld. En je zult dat temperament van je moeten leren beheersen. Een wachter kan niet zomaar met stenen gaan gooien als iemand hem beledigt.'

Met grote ogen staarde Ahla hem aan. 'Gelooft u echt dat ik gardist zou kunnen worden?'

'Waarom niet? De keizerlijke wacht is altijd op zoek naar goede, sterke jongens,' zei de man. 'Waar woont je moeder, Sun-tse? Dan zullen we haar eens vragen of ze er iets voor voelt om – over een paar dagen, als ik hier klaar ben met mijn onderzoek – mee naar Yuanjing te gaan. Ze kent de stad misschien niet, maar wasvrouwen zijn overal nodig. En soms kan het geen kwaad om ergens opnieuw te beginnen, waar niemand je nog kent.'

De jongen was er zeker van dat de tijd opnieuw een spelletje met hem speelde. Anders zou hij hebben durven zweren dat de man naar hem knipoogde.

'Yuanjing is ver vanhier, nietwaar?' vroeg hij. 'Er zijn daar geen sche-pen naar Nashido? En geen Yamata?'

'Nee,' zei de man. 'Ik denk dat het je daar wel zal bevallen.'

38

Keizer Akechi

Jitsuma was een witte stad op de heuvels rond de monding van de Minamigawa. Er waren paleizen, tempels en parken, die volgens een uiterst zorgvuldig geconstrueerd stratenplan waren gebouwd. Het keizerlijk paleis lag op een heuvel ten oosten van de rivier en keek uit over de stad, de baai en het eiland Mirushima in de verte. Rondom de stad lag geen wal zoals rond Yuanjing, maar er waren wel diverse wachtposten.

Mei Lin en haar gevolg hadden geen moeite om de stad binnen te komen. De heer van Saitō had haar een brief meegegeven die hun nood duidelijk moest maken. Blijkbaar was zijn naam ook in de hoofdstad bekend, want zijn zegel was voldoende om hen langs de eerste twee wachtposten te geleiden. De derde wachter las de brief in zijn geheel, haalde er een commandant bij en liet ook hem de brief lezen. Maar uiteindelijk gaf hij het papier terug en liet hij hen door.

Bij de laatste post gebaarde een officier hun af te stijgen. Hij nam hen mee naar het wachthuis om hen te ondervragen. Bij het horen van Mei Lins naam en titels keek hij verbaasd op.

'De Yuan-sa?' zei hij, terwijl hij haar van top tot teen opnam. Natsuko had Mei Lin voor haar vertrek een van haar gewaden geschonken: een japon van hemelsblauwe zijde, met gele bloemen die voor lelies konden doorgaan als je niet al te goed keek. Cang Lu was drie avonden met naald en draad in de weer geweest om het gewaad voor haar op maat te maken. Ze had echter geen gezichtsverf tot haar beschikking gehad, noch haar haren kunnen opsteken. Ze zou hooguit voor een gegoede koopmansdochter kunnen doorgaan.

Maar ze wás de Yuan-sa en ze zou niet toestaan dat iemand daaraan twijfelde. 'Ik heb een boodschap voor uw keizer,' zei ze, terwijl ze haar schouders rechttrok. 'Kunt u me naar hem toe brengen?'

De wachter schraapte zijn keel. 'Vergeving, vrouwe, maar de Yuan-sa is dood. Dat nieuws is al maanden bekend. Ik neem aan dat u een goede reden hebt om uw werkelijke identiteit geheim te houden, maar als u me toestaat... Als u me vertelt wie u bent en waarvoor u komt, zal ik kijken hoe ik u van dienst kan zijn.'

Mei Lin trok een wenkbrauw op. 'Ik ben de Yuan-sa. Zou ik hier staan als ik dood was?'

De wachter wrong zijn handen. 'Nee, nee, natuurlijk niet... Maar u moet begrijpen, vrouwe, dat ik niet zomaar iedereen tot het paleis kan toelaten. Er kunnen zo veel vrouwen langskomen die beweren deze of gene edelvrouw te zijn.'

Mei Lin slaakte een zucht. 'Ik ben niet deze of gene edelvrouw,' zei ze ongeduldig. 'Ik ben de Yuan-sa en ik heb een boodschap voor uw keizer. Maar als u me niet op mijn woord gelooft... Als u te laf bent om een vrouw alleen toegang tot het paleis te verlenen, stuur dan een bode om de keizer te zeggen dat Yuan Mei Lin op hem zit te wachten in het poorthuis. Misschien kunt u me ondertussen een plek aanbieden om te zitten? Ik heb een lange reis achter de rug.'

De wachter knipperde onzeker met zijn ogen. 'Ja,' hakkelde hij. 'Ja, dat kan ik natuurlijk wel doen. Een bode kan geen kwaad. Hier, neem mijn kussen, vrouwe. En uw metgezellen kunnen daar op de mat plaatsnemen. Neem me niet kwalijk, vrouwe, het zijn maar formaliteiten...'

Mei Lin negeerde zijn excuses. Ze knielde op het kussen dat hij haar had aangewezen, haar benen op de Yamatanese wijze onder haar lichaam gevouwen. Ze legde haar handen in haar schoot en hief haar kin in de lucht, het toonbeeld van een ontevreden edelvrouw. Vreemd genoeg zou dit geen spel zijn geweest, bedacht ze, als iemand het vóór haar reis had gewaagd haar zo te behandelen. Ze schudde haar hoofd om die gedachte te verdrijven.

De wachter liet hen alleen, op zoek naar een bode die hij naar het paleis kon sturen.

Het wachthuisje was nauwelijks vijf passen diep en breed. De vloer bestond uit ongeschuurde planken. Het kussen waarop zij zat was de enige luxe die ze kon ontdekken. Op een laag tafeltje voor haar lag een uitgerold stuk papier waarop de wachter in een kriebelig handschrift aantekeningen had gemaakt.

De twee Yamata die haar vanuit Saitō hadden vergezeld, fluisterden zachtjes met elkaar. Blijkbaar waren ze hun terugreis aan het plannen, nu hun taak er bijna op zat.

'Mei Lin-sa?'

Ze keek opzij.

Cang Lu was naar haar toe geschoven. 'Denk je dat ik je mag vergezellen als je voor de keizer verschijnt?' vroeg hij, terwijl hij naar de tekens in de palm van zijn rechterhand staarde.

Verrast keek Mei Lin hem aan.

De wachter keerde terug. Hij bleef in de deuropening staan, met zijn rug naar hen toe, alsof hij bang was om binnen te komen. Maar misschien wachtte hij alleen tot de bode uit het paleis terugkeerde.

Mei Lin vouwde haar vingers om Cang Lu's rechterhand, zodat haar nagels in zijn handpalm stonden, duwde zo hard ze kon en trok haar vingers langs zijn hand omlaag.

'Au!'

'Och, heer!' riep Mei Lin verschrikt naar de wachter, terwijl Cang Lu verontwaardigd zijn hand terugtrok. Enkele druppels bloed gleden traag langs zijn pols omlaag. 'Mijn metgezel heeft zich gesneden aan een splinter op de vloer Hebt u toevallig een verbandje om de wond te bedekken?'

De wachter boog het hoofd en haastte zich weg. Binnen enkele ogenblikken was hij weer terug, met een witte reep stof in zijn handen. 'Is het heel ernstig?' vroeg hij. 'Moet ik een dokter halen? Vergeving, vrouwe! Deze vloer is eigenlijk niet bedoeld om op te zitten. Ik had kussens moeten halen!'

Mei Lin nam de stof uit zijn hand en wuifde de bezorgde man weer weg. 'O, het is niets! Dit verbandje zal het bloeden wel stelpen. Laat u niet langer van het werk houden; ik zal de wond wel verbinden.'

'Maar, vrouwe!' riep de man.

'Hebt u de Yuan-sa niet gehoord?' siste Cang Lu in een perfecte imitatie van een verbolgen lijfwacht.

De wachter keerde terug naar zijn post.

Mei Lin knipoogde naar Cang Lu en wikkelde de reep stof zorgvuldig om zijn hand, zodat de wondjes en de zwarte tekens bedekt waren.

Het duurde nog bijna een uur voor er iemand verscheen. Het was een lange, grijzende man in een blauwe kimono met het embleem van de keizer op zijn borst. Zeker geen paleisbode. De man maakte een stijve buiging in de Yamatanese stijl, met zijn handen langs zijn lichaam. Toen richtte hij zich op en sprak op formele toon: 'Zijne Keizerlijke Hoogheid Akechi no Ichirō Arihito, Heer van het Land van de Wassende Maan, Meester van de Zes Eilanden, Heer van Jitsuma, de Keizer van Yamatan, verzoekt de edele en hooggeëerde vrouwe Yuan Mei Lin, de Yuan-sa, om voor hem te verschijnen.'

Mei Lin haalde diep adem. Ze stond op, kruiste haar handen voor haar lichaam en keek de man strak aan. Naast haar, alsof ze het zo hadden afgesproken, sprong Cang Lu overeind en boog zijn hoofd. 'De Yuan-sa zal komen,' zei hij.

Hun voetstappen klonken hol in de lege zaal. Er lag een plankenvloer die geschuurd en gepoetst was tot hij glansde. Lantaarns flakkerden aan de blauwgeschilderde muren, als sterren in de nacht. Twee lijfwachten bewaakten de deuren, met kromzwaarden aan hun riem. Aan de andere zijde van de zaal, op een verhoging, stond een oudere man in net zo'n blauw gewaad als dat van de man die hen begeleidde. Naast die man hing een dun gordijn, een sluier die de keizer voor Mei Lin en Cang Lu verborgen hield.

Voor de verhoging hielden ze halt. Even zag Mei Lin een silhouet achter het gordijn, maar toen moest ze knielen en haar hoofd buigen.

De man die hen had binnengeleid, schraapte zijn keel. 'De edele en hooggeëerde vrouwe Yuan Mei Lin en haar tolk...' Hij zweeg even en richtte zich toen tot Cang Lu: 'Wat is je naam, jongen?'

'Cang Lu, heer,' zei Cang Lu.

'Dat is geen naam!' zei de man. 'Een vogel! Wil je de spot met ons drijven? Vertel de keizer je werkelijke naam!'

Mei Lin hoorde Cang Lu een zucht slaken. Ze keek opzij en zag zijn lippen bewegen, maar het duurde even voor zijn woorden tot haar doordrongen. 'Yasuo... Mijn werkelijke naam is Miura no Yasuo.'

'Heer Miura,' herhaalde de hoogwaardigheidsbekleder.

Mei Lin trok vragend een wenkbrauw op. Haast onmerkbaar schudde Cang Lu zijn hoofd. Dit was niet het moment voor verdere uitleg.

Een zware stem onderbrak haar gedachten. 'Breng kussens voor de vrouwe en haar tolk.'

Ze keek op. De hoogwaardigheidsbekleder op de verhoging had het gordijn opzijgetrokken. Erachter zat een lange man op een stoel van donker hout, ingelegd met gouden platen en edelstenen. De man droeg een lichtgrijs gewaad met wijde mouwen die over beringde vingers vielen. Hij had steil, zwart haar dat over zijn schouders hing en bij de slapen grijs begon te worden. Mei Lin schatte hem eind dertig, misschien veertig. Ze wist niet goed wat ze van keizer Akechi had verwacht. Een oudere versie van Akechi Sadayasu misschien; maar afgezien van zijn lengte hield elke vergelijking op. De keizer was breed, terwijl zijn broer slank was. Zijn blik had iets serieus en er was geen sprake van de glimlach die ze bij de jongere Akechi zo had gehaat.

'Ik wil u danken voor deze ontvangst, Hoogheid,' zei ze in het Yuan, terwijl ze opnieuw het hoofd boog. Cang Lu zat nog altijd lichtelijk overdonderd omhoog te staren, dus porde ze hem in de ribben. Geschrokken begon hij te vertalen.

De keizer boog zich voorover in zijn stoel, alsof hij haar zo beter op kon nemen. 'Als u werkelijk bent wie u beweert, dan ben ík waarschijnlijk degene die dankbaar moet zijn,' sprak hij. 'Maar dat is precies het probleem, nietwaar? Alle berichten zeggen dat de Yuan-sa is vermoord. Hoe weet ik of u werkelijk uit de dood bent herrezen? Misschien bent u gewoon een voortvluchtige landverraadster en hoopt u op deze wijze uw situatie te verbeteren. Of misschien bent u een spionne van de Yuan-tse, gestuurd om de situatie in Jitsuma te bestuderen. Hoe kan ik weten of u werkelijk bent wie u zegt te zijn?'

Mei Lin slikte. 'Dat weet u niet,' zei ze. 'Maar er zijn hier vast en zeker mensen die uw twijfel kunnen wegnemen. Mensen die in Yuanjing waren voordat mijn vader... stierf. Uw broer! Hoe maakt uw broer het eigenlijk? Ik hoop dat hij gezond in Jitsuma is teruggekeerd?'

Keizer Akechi wachtte tot Cang Lu alles had vertaald voor hij sprak. Hij tikte bedachtzaam met zijn vingers op de leuning van zijn stoel terwijl hij haar gezicht bleef bestuderen. Mei Lin vreesde dat hij haar hart daar op de verhoging kon horen kloppen. 'Waarom bent u naar Jitsuma gekomen, vrouwe?' vroeg hij. 'Zelfs hier hebben we de geruchten gehoord... Uw dood en die van uw vader zouden het werk zijn van Yamatanese kraaien. Wat hebt u hier dan te zoeken? Wilt u zelf de daders opsporen?'

Mei Lin bleef hem strak aankijken. 'We weten beiden denk ik wel dat die geruchten onzin zijn. Ik kom u waarschuwen, heer.'

'Waarschuwen?' Keizer Akechi's wenkbrauwen schoten omhoog.

'Mijn broer beraamt een oorlog. Hij heeft zijn troepen reeds verzameld; hij is van plan nog deze zomer Yamatan binnen te vallen.'

Cang Lu's stem stierf weg. Het enige geluid in de zaal was het tikken van voetstappen, terwijl de man die hen eerder uit het wachthuis had opgehaald, terugkeerde met een drietal vierkante kussens, die hij voor Mei Lin en Cang Lu op de grond legde.

'U mag gaan zitten,' zei keizer Akechi.

Opgelucht kwam Mei Lin overeind. Haar knieën deden inmiddels pijn van het knielen op het hout. Ze vouwde haar benen onder zich op het kussen en Cang Lu nam plaats aan haar linkerhand. Het kussen rechts van haar bleef leeg.

Toen ze weer opkeek, had de hoogwaardigheidsbekleder op de rand van de verhoging nog een kussen neergelegd. De keizer ontvouwde zijn lange lichaam en kwam tegenover hen zitten. 'Ik dank u voor uw bezorgdheid, vrouwe,' zei hij. 'Maar dacht u werkelijk dat wij nog niet van dit nieuws op de hoogte waren?' Hij maakte een vaag gebaar, waarvan de betekenis Mei Lin ontging. 'Wij hebben onze spionnen in Yuan. We weten dat uw broer zijn leger verzamelt op de Tanvlakte en binnenkort op zal trekken. Tenzij u méér te vertellen hebt, denk ik niet dat uw boodschap veel toevoegt aan wat iedereen al wist.'

Mei Lin gaapte hem aan. 'Maar u moet hem tegenhouden!' riep ze. 'Een oorlog zal beide landen noodlottig worden! Mijn broers troepen... Uw geheime wapen...' Wanhopig zocht ze naar woorden om het gevaar duidelijk te maken. 'U stelde toch zelf aan mijn vader voor om een bezegelde vrede te sluiten, heer? Toen al zag u de nood!'

Keizer Akechi glimlachte. 'Als u een spionne uit Yuan bent, dan heeft de nieuwe Yuan-tse u in ieder geval goed voorgelicht...'

Mei Lin kon haar oren niet geloven. 'Waarom zou ik spioneren voor Wen De? Hij was het die mijn vader vermoordde! Hij zond een huurmoordenaar naar uw broer om te voorkomen dat die de vrede kon bezegelen! Hij wil Yamatan veroveren, zonder oog voor wat zo'n strijd zal kosten. Hij heeft geprobeerd mij uit de weg te ruimen toen ik hem probeerde tegen te houden, en als ik niet naar Jitsuma was gevlucht, zou hij in zijn opzet geslaagd zijn. Heer, ik smeek u om hem tegen te houden! Mijn vader en uzelf zagen de gevaren van een oorlog in. Laat mijn broer er niet in slagen de vrede die u voor ogen stond te ondermijnen!'

De keizer schudde zijn hoofd terwijl Cang Lu vertaalde. 'U vergeet, vrouwe, dat die vrede nooit is bezegeld. Wat wilt u dat ik doe? Denkt u dat heer Wen De naar mij luistert, als u – zoals u zegt – hem al niet kon tegenhouden?'

Mei Lin haalde diep adem. Dit was het moment waarvoor ze was gekomen. 'Bezegel de vrede alsnog.' Achter haar klonk een klik, maar ze bleef keizer Akechi aankijken, die haar in zich opnam alsof hij niet goed wist wat hij van haar moest denken. 'Alstublieft, heer,' zei ze, 'vertel me: is uw broer nog in leven?'

39

De prijs van vrede (2)

Voetstappen verstoorden de rust in de zaal, gevolgd door een diepe stem: 'Vergeving, Uwe Hoogheid. Ik ben zo snel mogelijk gekomen.'

De hoogwaardigheidsbekleder op de verhoging sprong naar voren om de nieuw aangekomene voor te stellen, maar voor hij kon spreken, had Mei Lin zich al omgedraaid. Ze kon nauwelijks ademhalen van opluchting. 'De edele en hooggeëerde heer Akechi no Jirō Sadayasu, Heer van Jitsuma, Prins van Yamatan.'

De afgelopen maanden hadden Akechi Sadayasu niets veranderd. Hij had nog steeds een zelfverzekerde houding, zijn lange krijgervlecht hing in een rechte lijn langs zijn rug. Het kaarslicht flakkerde over zijn kimono van donkergroene zijde, met zilveren sterren en de Wassende Maan op zijn borst geborduurd. Hij had vreemd genoeg zijn vingers om een stuk papier geklemd, een dun strookje papier, dat hij wegstopte zodra haar oog erop viel. Hij zocht haar blik in plaats van die van de keizer en dat was het moment waarop Mei Lin besefte dat er wel degelijk iets was veranderd: de pretlichtjes in zijn ogen, alsof hij stiekem ergens om lachte, waren gedoofd.

Het was alsof iedereen in de zaal gezamenlijk de adem inhield.

Akechi Sadayasu keek haar lang aan zonder te spreken. Mei Lin moest onwillekeurig denken aan Li Jin in de herberg, die haar niet herkend had; aan Natsuko, die pas had geloofd dat zij de Yuan-sa was toen Cang Lu het haar verzekerde. Ze moest denken aan haar gezicht, naakt zonder haar gebruikelijke gezichtsverf, aan haar haren die los over haar schouders vielen en aan het feit dat ze na haar reis door de wildernis en haar ernstige ziekte nog maar nauwelijks leek op de prinses met wie hij in Yuanjing verloofd was geweest.

Ten slotte boog hij zijn hoofd een fractie, zodat hij haar nog net in de ogen kon kijken. 'Yuan-sa,' zei hij met die verrassend diepe stem, en even dacht ze dat de lichtjes in zijn ogen waren teruggekeerd. 'Ik kon het nieuws nauwelijks geloven. U leeft nog!'

Mei Lin boog haar hoofd. 'Akechi-tse.'

'Juist,' sprak de keizer vanaf zijn verhoging, 'ik ben blij dat die vraag tenminste is beantwoord.' Hij gebaarde naar het kussen aan Mei Lins rechterhand. 'Neem plaats, Sadayasu. De Yuan-sa zal het me niet kwalijk nemen dat ik je bij ons gesprek aanwezig laat zijn. Ik heb nu eenmaal het idee dat uw komst ook mijn broer aangaat, is het niet, vrouwe?'

Mei Lin opende haar mond, maar op hetzelfde moment voelde ze de scherpe blik van Akechi Sadayasu en de woorden bleven in haar keel steken.

'De Yuan-sa is gekomen om ons te waarschuwen, Sadayasu,' vervolgde de keizer. 'Ze vertelt dat haar broer achter de aanslagen in Yuanjing en Yuchuan zit. Hij wil Yamatan veroveren. Zijn leger verzamelt zich in het oosten van Yuan en zal ons nog voor de zomer aanvallen.'

Akechi Sadayasu verschoof op zijn kussen. Zijn blik leek aan Mei Lin vastgeklonken, alsof hij er net als zijn broer niet zeker van was of ze het wel was, ook al had hij haar zojuist geïdentificeerd. 'Nou,' zei hij ten slotte en hij keek omhoog naar de keizer, 'dat is toch geen nieuws?'

'De Yuan-sa vraagt u om haar broer tegen te houden,' zei Cang Lu. Verlegen sloeg hij zijn ogen neer. 'Vergeving, ik wilde niet voor mijn beurt spreken,' fluisterde hij.

'Hij heeft wel gelijk,' zei Mei Lin. Ze gebaarde Cang Lu dat hij moest vertalen. 'We moeten Wen De stoppen voor hij onze landen in het verderf kan storten. En dat is alleen mogelijk door het vredesverdrag dat u en mijn vader hebben opgesteld, alsnog te bezegelen. Als dat is gebeurd, kunnen we de troepen van mijn broer tegenhouden. Als zijn generaals doorkrijgen hoe de situatie werkelijk in elkaar steekt...'

'En hoe wilde u dat bewerkstelligen, vrouwe?' Akechi Sadayasu's toon was niet onvriendelijk, maar zijn beleefdheid vormde slechts een dun laagje over een kern van staal. Hij zat kaarsrecht op zijn kussen en bewoog niet.

Mei Lin keerde zich zo kalm mogelijk naar hem toe. 'Ik ben hiernaartoe gekomen om mijn vaders woord gestand te doen,' zei ze. Haar handen voelden koud en klam aan. Terwijl hij vertaalde, leek Cang Lu's stem dwars door haar heen te snijden. 'Ik ben bereid de vrede die u beiden bent overeengekomen, te bezegelen met een huwelijk. Wat mij betreft is onze verloving nooit verbroken.'

Er veranderde iets in Akechi's blik, alsof haar woorden ergens bleven haken en hem pijnigden. Als ze hem niet was blijven aankijken zou ze het gemist hebben, want hij herstelde zich direct.

Aan haar linkerkant struikelde Cang Lu over haar laatste woorden. Mei Lin durfde zich niet naar hem om te draaien, bang voor wat ze in zijn gouden ogen zou lezen.

'Ik meen mij te herinneren dat u deze zaak in eerste instantie niet zo serieus nam,' sprak keizer Akechi, toen de jongen was uitgestotterd. 'Dat u gezien werd met een paleisdienaar ten tijde van uw verloving. Dat mag gezien worden als een grove belediging. Wat hebt u daarop te zeggen, Yuan-sa?'

Mei Lin boog het hoofd. 'Dat was een misverstand, Uwe Hoogheid, zoals we aan uw broer hebben uitgelegd. De lijfwacht drong zich aan mij op.' Ze keek op en zocht opnieuw Akechi Sadayasu's blik, omdat ze hem duidelijk wilde maken wat ze in het gezelschap van zijn broer niet kon zeggen; maar zijn gezicht was eens te meer gesloten. 'De verrader is door mijn vader ter dood veroordeeld,' zei ze nadrukkelijk.

Terwijl Cang Lu haar woorden vertaalde, bleef ze de jonge Akechi aankijken in de hoop toch een reactie te bespeuren. Toen Cang Lu zweeg, knikte de prins, nauwelijks merkbaar. 'Deze zaak is al uitgebreid besproken,' zei hij. 'De verantwoordelijke is veroordeeld, zoals de Yuan-sa zegt. Alstublieft, heer, hoor haar niet verder uit over deze kwestie!'

De keizer haalde zijn schouders op. 'Zoals je wilt.' Hij wendde zich weer tot Mei Lin, zijn handen in een open gebaar op zijn knieën uitgespreid. 'Dus dit is waarvoor u bent gekomen, Yuan-sa: een huwelijk?'

'Ja, heer.'

Mei Lin wachtte op Cang Lu's vertaling, maar die kwam niet. Omdat ook de beide Akechi's zwegen, had ze geen keus dan zich naar haar reisgenoot om te draaien. De jongen zat star en bleek op zijn kussen naar haar te kijken. En zijn ogen... O, goden, zijn ogen! Ze had nooit eerder recht in iemands hart kunnen kijken, niet zoals nu. Ze zag hoe haar volgende woorden hem zouden kwetsen, erger dan de naalden van Nakiyo, erger dan alles wat haar broer hem ooit had aangedaan; en ook háár hart brak, maar ze kon niet zwijgen. Haar land mocht niet boeten voor zijn liefde. 'Vertaal wat ik zojuist zei en vraag de keizer dan of ik hem onder vier ogen zou kunnen spreken. Zonder tolk.'

Gealarmeerd richtte Cang Lu zich op. 'Yuan-sa!'

'Zeg het, Cang Lu-tse!'

Cang Lu boog zijn hoofd. Zijn stem was nauwelijks hoorbaar, minder dan een fluistering, maar het was voldoende. De keizer en Akechi Sadayasu hadden haar woorden al verstaan in het Yuan, wat nog eens onderstreepte hoe belachelijk het was dat zij een tolk nodig had om de keizer aan te spreken. Cang Lu vervulde slechts een ceremoniële rol in deze onderhandelingen en ze wilde hem niet verder kwellen. Bovendien moest ze op de een of andere manier op gelijke voet zien te komen met de keizer, als ze serieus met hem wilde onderhandelen. Dat lukte haar nooit als een jongen haar woord voor woord moest herhalen, alsof ze een kind was van wie de woorden uitleg behoefden.

Keizer Akechi tikte met een vinger tegen zijn lippen. Ze wist zeker dat hij haar motieven om haar tolk en zijn hoogwaardigheidsbekleders weg te sturen doorzag, maar ze hoopte dat hij er toch in toe zou stemmen. Zijn gezicht verried niets. Zijn ogen waren hard en streng en leken haar te willen wegen.

Ze kon die blik niet langer beantwoorden, dus keerde ze zich naar Akechi Sadayasu. Zíjn blik hielp niet om haar zenuwen te kalmeren, maar de manier waarop hij naar haar keek had tenminste iets vertrouwds. Ze verlangde bijna naar de pretlichtjes in zijn ogen, alleen omdat die haar een excuus zouden geven om zich over iets anders druk te maken dan over het antwoord van de keizer.

'Zoals u wilt, Yuan-sa,' sprak de keizer uiteindelijk. Hij klapte in zijn handen en de twee hoogwaardigheidsbekleders maakten aanstalten om te vertrekken.

Cang Lu stond op, maar keerde zich nog eens naar Mei Lin. 'Yuan-sa!' zei hij dringend.

Zonder naar hem om te kijken schudde Mei Lin haar hoofd. 'Ga, Cang Lu-tse.'

Hij volgde de hoogwaardigheidsbekleders naar buiten.

Ook Akechi Sadayasu duwde zichzelf overeind. In een impuls stak Mei Lin haar hand uit. 'Wacht, heer Akechi, alstublieft.' Ze keek op naar zijn broer de keizer en glimlachte verontschuldigend. 'Ik weet dat ik u verzocht om een onderhoud onder vier ogen, Hoogheid, maar wellicht kunt u uw broer verzoeken om te blijven. Mijn komst naar Jitsuma gaat tenslotte ook hem aan, zoals u al zei.'

De keizer glimlachte en zijn hele gezicht werd verlicht. Hij maakte een geruststellend gebaar naar zijn broer, die zich weer op zijn kussen liet zakken. Mei Lin bemerkte dat Akechi Sadayasu haar weer schattend aankeek.

De keizer had zijn handen gevouwen, de ellebogen op zijn knieën, en tikte met zijn duimen tegen elkaar. 'Stel dat we met uw plan instemmen, Yuan-sa, en het huwelijk wordt gesloten... Hoe zal ons dat helpen tegen de troepen van uw broer?'

'Het is de enige manier, heer,' zei Mei Lin. 'Als we kunnen bewijzen dat ik nog leef en dat het vredesverdrag van mijn vader alsnog is bezegeld, nemen we het belangrijkste excuus voor deze oorlog weg. We zullen duidelijk maken dat de Yamata niets met de dood van de keizer van doen hadden. Als de goden ons gunstig gezind zijn, zullen de generaals zich van mijn broer afwenden. Velen van hen hebben nog onder de oude keizer, mijn vader, gediend. We moeten bidden dat ze zijn nagedachtenis nog genoeg eren om zijn moordenaar niet te willen volgen.'

'En uw broer zelf?'

Mei Lin beet op haar lip. 'Hij zal niet buigen. Maar misschien kunnen we hem ervan overtuigen dat vrede ook in zijn belang is.'

'Hij is niet belangrijk,' onderbrak Akechi Sadayasu haar. 'U hebt gelijk, Yuan-sa. Als we zijn generaals ervan kunnen overtuigen dat ze van een oorlog moeten afzien, doet het er niet toe of uw broer wil luisteren of niet. We kunnen hem desnoods uit de weg ruimen.'

'Nee!' Mei Lin voelde de verwonderde blikken van de beide Akechi's en begon te blozen. 'Als mijn broer moet sterven, dan mogen de Yamata er beslist niets mee te maken hebben,' verduidelijkte ze. 'Zo'n belediging zou alsnog tot een oorlog leiden. Nee, laat hem aan mij over. Als ik zijn generaals eenmaal duidelijk heb gemaakt wat er in Yuanjing is gebeurd – dat Wen De verantwoordelijk is voor de moordaanslagen die daar hebben plaatsgevonden – dan moet hij volgens de wet van Yuan worden berecht.'

'En ter dood worden gebracht.' Keizer Akechi keek haar met samengeknepen ogen aan. Het was geen vraag geweest, maar toch leek hij een antwoord te verwachten.

Mei Lin slikte. 'Ja,' zei ze. Haar stem klonk heel wat kalmer dan ze zich voelde. Ze had tot dan toe steeds vermeden zo ver vooruit te denken. Maar natuurlijk bestond er geen andere oplossing. Haar broer zou moeten boeten voor de moord op hun vader.

Keizer Akechi knikte. 'U hebt geen andere broers of zusters, is het wel, vrouwe Yuan?' vroeg hij. 'Of enige andere familie?'

'Ik heb verder geen familie die in leven is,' antwoordde zij.

Ze wist waar hij naartoe wilde, maar toch kwam het als een schok toen hij zei: 'Dan zou u na Wen De's dood dus de enige rechtmatige troonopvolger zijn.'

Mei Lin staarde naar de vloerplanken en knikte.

'En dat zou betekenen dat mijn broer, wanneer hij met u trouwt, de machtigste man in Yuan zal zijn.' De keizer liet zijn ellebogen van zijn knieën glijden en spreidde zijn armen in een wijd gebaar. 'Waarom zou ik dat toestaan, vrouwe? Waarom zou ik mijn jongere broer boven mijzelf dulden – want zo liggen de verhoudingen toch? Ook al zal hij in uw land nooit de titel "keizer" dragen.'

Onzeker keek Mei Lin naar Akechi Sadayasu, wie het niets leek te kunnen schelen dat zijn broer hem een dergelijk lot misgunde. Mei Lin geloofde echter niet dat het zo simpel lag.

'Nee,' vervolgde keizer Akechi. 'Daarmee kan ik niet akkoord gaan. We zullen het anders aanpakken. U weet immers dat wij een nieuw wapen hebben ontwikkeld. We zijn machtiger dan Yuan ooit was. Maar toch zullen we dit wapen niet in uw land gebruiken. De oorlog wordt voorkomen, uw volk gespaard. In ruil daarvoor zal Yuan aan mij toevallen. Iets anders kan ik niet accepteren.'

Mei Lin staarde de keizer verontwaardigd aan. Haar land aan Yamatan vergeven? 'Onmogelijk!'

'U bent nauwelijks in een positie om te onderhandelen, vrouwe Yuan,' merkte keizer Akechi op.

Mei Lin trok haar wenkbrauwen op. Ze tilde haar handen op, die ze in haar schoot had gelegd, en vouwde ze voor haar lichaam samen. 'U vergist zich, heer Akechi. U hebt mij nodig om in Yuan ook maar iets te kunnen bereiken. Zonder mij hebt u geen keus dan de strijd met Wen De aan te gaan. En wat zal dat u brengen? U hebt uw wapen, vanzelfsprekend. U kunt dood en verderf zaaien onder de troepen van mijn broer. Maar dan? Zult u verder trekken? Denkt u dat u sterk genoeg bent om de macht van Yuan te breken? Gelooft u werkelijk dat uw macht de onze overtreft?' Mei Lin lachte. 'Kom, heer Akechi! Ik ben een vrouw, maar ook ik weet dat Wen De's leger te groot is – dat Yuan te groot is – om door Yamatan te worden overmeesterd. Als u geluk hebt, zult u Wen De breken. U kunt hem uit uw land verdrijven en misschien het grensgebied plunderen voor zijn macht is hersteld. Maar aan het eind... aan het eind, heer, zult u beiden slechts vele doden te betreuren hebben. Yuan zal nooit in uw handen vallen. Is dat wat u wenst?'

De keizer schudde zijn hoofd. 'U bent hier gekomen omdat we beiden wat te winnen hebben bij een pact, vrouwe, maar ook omdat u nergens anders naartoe kunt. In Yuan bent u niet langer veilig en wie anders is machtig genoeg om u te beschermen? Welke andere keus hebt u dan in te stemmen met mijn eisen?'

Mei Lin rechtte haar rug. 'Ik kan altijd nog besluiten dat de schande van deze situatie te groot is om te dragen.'

Keizer Akechi lachte. 'U maakt een grapje.'

Mei Lin schudde haar hoofd. 'Integendeel, heer. Ik verzeker u dat ik nog nooit zo serieus ben geweest.'

Akechi Sadayasu boog zich op zijn kussen naar haar toe. 'In Yuan pleegt men geen zelfmoord om zijn eer te beschermen, Yuan-sa,' zei hij zacht. 'Dat is een Yamatanees gebruik.'

Kalm keek Mei Lin hem aan. 'Ik ben nu toch in Yamatan? Mag ik mij de gebruiken van mijn gastheren niet eigen maken? Dat is niet meer dan beleefd, nietwaar?'

Akechi Sadayasu gaf geen antwoord. Het waren de woorden die hij in Yuanjing had gebruikt toen hij haar belachelijk probeerde te maken, en ze wist dat hij ze had herkend.

Keizer Akechi boog zijn hoofd. 'Wat stelt u dan voor, vrouwe?'

Mei Lin legde haar handen terug in haar schoot. 'Ik wil vrede tussen Yuan en Yamatan, heer, bezegeld met een huwelijk tussen uw broer en mijzelf. Als we Wen De eenmaal hebben tegengehouden, zal het leger van Yuan zich terugtrekken – een vrije aftocht, omdat de troepen uw landen niet zullen plunderen – en er zal een delegatie uit Yuanjing komen om uw nieuwe wapen te bestuderen.'

Keizer Akechi glimlachte. 'U hebt nogal wat eisen, Yuan-sa. En wat krijgt Yamatan daarvoor in de plaats?'

'Vrije handel,' antwoordde Mei Lin direct. 'De belasting op Yamatanese zijde zal worden afgeschaft en de import vanuit Yuan zal niet langer worden gehinderd.'

Akechi knikte bedachtzaam. 'Vrije handel, geen plunderingen en een Akechi als echtgenoot voor de troon van Yuanjing. En natuurlijk willen wij vrije doorgang voor onze onderdanen door uw land.'

Mei Lin maakte een achteloos gebaar. 'De grenscontroles kunnen niet worden gestaakt,' zei ze. 'Maar ik kan beloven dat uw volk voortaan geen strobreed in de weg gelegd zal worden als het eenmaal in Yuan is toegelaten. Hebt u nog meer verzoeken?'

De keizer schudde zijn hoofd. 'Nee, Yuan-sa. Ik denk dat we wel tot een overeenkomst kunnen komen. Tenminste, als mijn broer ermee instemt met u te trouwen. U begrijpt dat ik niet voor hem kan spreken.'

Mei Lin knikte, al begreep ze het helemaal niet. Waarom zou een keizer zijn onderdaan zoiets niet kunnen opdragen? Waarom zou Akechi Sadayasu iets te zeggen moeten hebben over met wie hij trouwde? Ze draaide zich om naar de jongere Akechi, die haar met halfgeloken ogen gadesloeg. 'Nou?' zei ze.

De lichtjes waren in zijn ogen teruggekeerd en ze begreep niet meer waarom ze die eerder had gemist. Het leek alsof hij er behagen in schepte haar te laten wachten, alsof niet haar lot en dat van hun landen van zijn antwoord afhing!

Toen drong zich een andere gedachte aan haar op. Misschien wilde hij haar helemaal niet bespotten door zijn antwoord zo lang mogelijk uit te stellen. Misschien wist hij werkelijk niet wat hij moest antwoorden. Stel dat hij zich nog steeds druk maakte over Shula's kus! In Yuchuan had hij dat voorval over zijn kant laten gaan; waarschijnlijk omdat hij het niet waard vond de vrede daarvoor in gevaar te brengen. Maar nu was de vrede reeds in gevaar. Wilde hij zijn toekomst wel in de waagschaal stellen voor een plan dat nog op zo veel manieren kon mislukken?

Maar hij had haar zojuist tegenover zijn eigen broer verdedigd, toen die naar de problemen rond hun verloving vroeg. Hij had het smoesje bevestigd, terwijl hij zo gemakkelijk de waarheid had kunnen vertellen.

Ze waagde een gok. 'U hebt zelf mijn vader om mijn hand gevraagd en onze verloving is nooit officieel verbroken geweest. Hebt u een reden om nu van dit huwelijk af te zien?'

Akechi Sadayasu boog het hoofd. 'Natuurlijk niet, Yuan-sa. Het zou me een eer zijn, mocht ik u mijn echtgenote kunnen noemen.'

'Wel,' sprak keizer Akechi, 'in dat geval...'

'Er is nog één ding.' Mei Lin duwde haar handen tegen de houten vloer en keek op naar de keizer. Ze had bewust gewacht tot ze het eens waren geworden over alle andere zaken – en het huwelijk in het bijzonder – voor ze dit ter sprake bracht.

'Spreek,' zei de keizer.

'Vanaf de dag van het huwelijk zult u alle paradijshuizen in Yamatan verbieden.'

Beide Akechi's keken verbaasd op, maar Sadayasu was de eerste die sprak. 'U weet van die huizen?'

Mei Lin keek hem spottend aan. 'Uw volk maakt er niet bepaald een geheim van dat dergelijke plaatsen bestaan, heer,' zei ze, 'zolang de mensen die er werken worden gemerkt als vee. Of dacht u dat ik na al die tijd nog steeds niet weet wat die tatoeages betekenen?'

Akechi Sadayasu kuchte en boog zijn hoofd. 'Vergeving, Yuan-sa.'

Mei Lin keek op naar de keizer. 'In Yuan zijn dergelijke zaken ondenkbaar,' zei ze. 'U zult begrijpen, heer, dat ik mij niet kan verbinden aan een familie die een dergelijke uitbuiting goedkeurt.'

De keizer fronste. Hij had zijn handen weer voor zijn gezicht gevouwen en keek haar over zijn vingers aan. 'Ik begrijp uw probleem, Yuan-sa,' zei hij langzaam. 'Maar wat u vraagt is onmogelijk.'

'Mijn vader liet u de slavenmarkten verbieden en die vonden op veel grotere schaal plaats!'

'En nog steeds worden er mensen verkocht, ook al doet de wacht er alles aan om dergelijke praktijken te verhinderen!' kaatste de keizer terug. 'Als ik de paradijshuizen verbied, zullen die zaken niet verdwijnen. Ze zullen zich enkel naar de illegaliteit verplaatsen, waar wij er geen zicht op hebben. Denkt u dat ik wachters kan inzetten om dat een halt toe te roepen, als ik mijn land ook tegen de legers van uw broer moet verdedigen? Nu weten we tenminste waar we moeten controleren, zodat de ergste uitbuiting kan worden voorkomen.'

Mei Lin wendde haar blik af. Hij had gelijk. Goden, ze wist het! Had ze niet met haar eigen ogen gezien dat zelfs in Yuan mensen hun leven waagden om het verbod op dergelijke paradijshuizen te omzeilen? 'Stop dan in ieder geval met het merken van de mensen die er werken,' zei ze. 'Laat hen niet hun hele leven achtervolgd worden door wat ze doen.' Het zou niet veel helpen – ze kon zich niet indenken dat Cang Lu ooit zou vergeten wat Wen De hem had aangedaan, ook al droeg hij geen zichtbare tekens die hem daaraan herinnerden – maar het was een begin.

'Dat moet haalbaar zijn,' knikte de keizer.

'En geen kinderen meer.' Mei Lin moest moeite doen om haar stem kalm te laten klinken. Tranen prikten achter haar ogen. 'Het kan me niet schelen hoeveel wachters u vrij moet maken! U zult alle huizen controleren. Geen kind jonger dan zeventien zal er mogen werken.'

Keizer Akechi liet zijn handen zakken. Er lag een berustende blik in zijn ogen. 'Ik zal ervoor zorgen dat het in orde komt. Had u nog meer wensen?'

Mei Lin schudde het hoofd.

'Dan is onder deze voorwaarden onze overeenkomst gesloten. Uw huwelijk zal, met uw welnemen, over twee dagen worden gesloten. Dat moet genoeg zijn voor de nodige voorbereidingen.' Keizer Akechi keek van haar naar zijn broer en toen geen van beiden protesteerde, stond hij op. Hij stapte van zijn verhoging en liep naar Mei Lin. 'Yuan-sa?' Vriendelijk bood hij haar zijn hand. Ze liet zich overeind trekken. Ze kwam nauwelijks tot zijn schouder en moest haar hoofd in haar nek leggen om hem aan te kunnen kijken. 'Onder de Maan en de Goden,' zei hij en hij kuste haar hand.

'Met mijn voorouders als getuigen en de goden aan mijn zijde,' zei Mei Lin en vluchtig kuste ze zijn hand. Ze was plotseling heel erg moe.

Toen ze opkeek bleek de keizer tot haar verbazing te glimlachen. Hij liet haar hand los en wenkte zijn broer, die bereidwillig opstond. 'Ik zal vertrekken voor u en uw gevolg in gereedheid laten brengen, Yuan-sa. Sadayasu, wil je Oda voor me roepen? Als u ons vertelt waar u uw gevolg hebt achtergelaten, zal hij ervoor zorgen dat ze een eigen onderkomen krijgen. Hij zal uw bagage naar boven brengen.'

Met een glimlachje boog Mei Lin haar hoofd. 'Dank u, heer, maar dat zal niet nodig zijn. Er is niemand anders dan C... Yasuo, en we hebben geen bagage.'

De keizer knipperde met zijn ogen. 'Maar... hoe bent u dan hier gekomen? De bode zei dat u een escorte bij u had.'

Mei Lins glimlach werd breder. 'Dat waren twee mannen die uit Nashido met ons mee zijn gekomen. Ik verwacht dat ze inmiddels op de terugreis zijn met de paarden die ons geleend waren. De rest van de reis hebben Yasuo en ik alleen afgelegd. Te voet.'

De keizer staarde haar verbijsterd aan. Maar Akechi Sadayasu, die naast hem stond, leek allerminst onder de indruk van haar woorden.

Dat stak haar om de een of andere reden. 'U doet nogal wat moeite om uw beloftes na te komen, Yuan-sa,' zei de prins met iets van zijn oude vleierij.

'Zou u dat niet doen?' vroeg ze venijnig.

Hij sloeg zijn ogen neer. 'Ik zou het niet weten, vrouwe,' mompelde hij. 'Ik heb me nog nooit in uw situatie bevonden en kan dus niet zeggen wat ik zou doen. Ik kan de goden slechts bidden dat ik uw moed zal hebben als het er ooit op aankomt.' Zijn woorden klonken zo oprecht dat Mei Lin hem bijna geloofde.

40

De rode draad

Voor de tweede maal brak de ochtend van Mei Lins huwelijksdag aan.

Ze werd door een dienaar gewekt en naar de Zilveren Morgenzaal gebracht, een simpel vertrek met lage tafeltjes en kussens, waar de hofdames hun ontbijt gebruikten. De Yamata hielden van veelbetekenende namen voor zaken die in feite weinig om het lijf hadden; zo had de keizer haar in de Vleugel van de Gouden Regen onder laten brengen, en hoewel haar vertrekken zeker aan alle eisen voldeden, was er weinig goud te bekennen, laat staan dat ze zo ruim en mooi waren als haar eigen vertrekken in Yuanjing. Niet dat het veel uitmaakte. Na vandaag zou ze toch naar de privévleugel van de Akechi's verhuizen.

Met een zucht liet ze haar adem ontsnappen.

De dienaar die haar de weg moest wijzen, keek verbaasd naar haar om. Ze wierp hem een woedende blik toe. Kon hij zijn ogen in haar bijzijn niet neerslaan? Andere dienaren die ze in de gangen passeerden, meisjes met haar tot op hun schouders en lange mannen in blauwe en zilveren kimono's, bogen in het voorbijgaan vluchtig hun hoofd, maar gingen niet door de knieën. Zelfs na zo'n tijd in de wildernis stak dat haar. Het was alsof de dienaren van Jitsuma haar niet serieus namen.

Het waren echter niet de dienaren om wie ze zich boos maakte. De keizer had haar, na het onderhoud twee dagen geleden, niet meer ontboden. Dat was nog tot daaraan toe. Ze was er evenwel van uitgegaan dat Akechi Sadayasu het fatsoen op zou brengen haar nog eens te bezoeken voor het huwelijk plaatsvond. Maar toen ze een dag eerder informeerde waar ze hem zou kunnen vinden, had ze tot haar ontsteltenis te horen gekregen dat heer Akechi het paleis had verlaten en pas de volgende ochtend zou terugkeren.

Ze bereikten het einde van de gang en de dienaar stapte opzij om de deur naar de ontbijtzaal voor haar open te schuiven. Helder licht stroomde rond haar voeten op de houten vloer; in de Zilveren Morgenzaal was een raam dat uitzicht bood op een hofje waar irissen bloeiden.

Drie vrouwen kwamen haastig overeind en bogen hun hoofd bij haar binnenkomst, waarschijnlijk hofdames. Mei Lin had hen nog niet eerder gezien. Een vierde vrouw kwam glimlachend op haar af en pakte haar handen vast. 'Yuan-sa.'

Beleefd knikte Mei Lin haar toe, hoewel ze moeite moest doen om haar handen niet los te trekken. 'Hoogheid.'

Keizerin Akechi no Asami was niet lang voor een Yamatanese, Mei Lin kon haar bijna in de ogen kijken. Ze was een stuk jonger dan haar echtgenoot – nauwelijks eenendertig – en had een wat kinderlijke uitstraling, die werd benadrukt door de manier waarop ze voortdurend met haar ogen knipperde. Ze was Mei Lin de vorige dag op komen zoeken, direct nadat het nieuws van haar aanstaande huwelijk met Akechi Sadayasu bekend was gemaakt. Toen ze hoorde dat Mei Lin geen enkele bagage had meegenomen uit Yuanjing, had ze direct haar eigen naaister laten komen om Mei Lin op te laten meten voor een trouwgewaad. 'Het zal allicht niet zo mooi zijn als we ons zouden wensen,' had ze gezegd, 'maar met de juiste sieraden en uw haar opgestoken zult u zich niet te schande maken. Ah, nu begrijp ik wat Sadayasu bedoelde.'

Mei Lin had zich afgevraagd wat Akechi Sadayasu precies over haar had gezegd, uitgerekend tegen vrouwe Asami, maar ze had niets gevraagd. Er waren dingen die je niet besprak, zelfs niet met een vrouw die binnen een paar uur zo goed als haar zuster zou zijn.

De keizerin gebaarde naar de tafel waaraan zij en haar hofdames hadden zitten eten. 'Wilt u zich bij ons voegen, vrouwe?'

Direct schoven twee hofdames op om plaats te maken tegenover de keizerin. Dienstertjes die al die tijd geknield langs de wand hadden gezeten, kwamen naar voren om de tafel voor haar te dekken met kommetjes rijst, gedroogd zeewier, vis en soep van gefermenteerde sojabonen. Terwijl Mei Lin at, luisterde ze afwezig naar de gesprekken van vrouwe Asami en haar hofdames. Het zangerige Yamatanees klonk haar nu vreemd in de oren; heel anders dan de lage stemmen van keizer Akechi en zijn broer.

Een van de keizerlijke kinderen, een meisje van acht met de naam Haruka, leerde blijkbaar borduren van de vrouw naast Mei Lin, die al wat ouder was en voortdurend met een zakdoekje haar mond afveegde als ze iets had gegeten. 'Gisteren kwam ze me haar eerste werkje laten zien,' vertelde vrouwe Asami vol trots. 'Niemand zou zeggen dat ze pas was begonnen. Prachtig! En zo secuur! Vind je niet, Shiori?'

'De edele prinses doet goed haar best,' zei de oudere vrouw met een glimlach, waaruit Mei Lin opmaakte dat het werk van de prinses nog niet bepaald kunstzinnig kon worden genoemd.

'Het verbaast me niets, vrouwe,' sprak de hofdame aan Mei Lins linkerzijde, die voor haar had moeten opschuiven. 'Prinses Haruka is zo begaafd!'

Vrouwe Asami glimlachte naar haar hofdame en keek toen over de tafel naar Mei Lin. 'Borduurt u, Yuan-sa?'

'Zelden,' zei Mei Lin. 'Ik heb er het geduld niet voor.'

'Doet u dan aan origami, Yuan-sa?' vroeg de oudere dame, Shiori. 'Of bloemschikken?'

'O nee!' Lachend legde Mei Lin haar eetstokjes neer en tilde het kommetje soep omhoog.

'Niet?' Vrouwe Asami knipperde verbaasd met haar ogen. 'Maar hoe wilde u ooit de aandacht van een geschikte echtgenoot trekken, als u niets kunstzinnigs doet?'

Mei Lin verslikte zich bijna in haar soep. 'In naam der goden, welke man is geïnteresseerd in bloemschikken?' proestte ze. Maar toen vier paar ogen haar uitdrukkingloos aanstaarden, zei ze: 'Ik kalligrafeer.'

'U bedoelt dat u schildert?' zei de keizerin glimlachend.

Mei Lin schudde haar hoofd. 'Ik schrijf. Meestal kopieer ik teksten; spreuken van filosofen en dergelijke. Mijn schrijfleraar is een aanhanger van de oude stromingen.'

Vrouwe Asami en Shiori keken acuut weg. De hofdame naast de keizerin, een meisje dat nauwelijks ouder kon zijn dan Mei Lin zelf, was niet zo tactvol. Met open mond staarde ze Mei Lin aan. 'U bedoelt dat u die teksten daadwerkelijk leest, vrouwe?'

Mei Lin keek de dames een voor een aan en lachte om de gespannen stilte te doorbreken. 'Waar hebben we het eigenlijk over? Ik heb die kunsten nu toch niet meer nodig, is het wel? In ieder geval niet om een echtgenoot te vinden.'

Het meisje naast de keizerin zuchtte. 'Nee. U moet heel gelukkig zijn, Yuan-sa! Heer Sadayasu is zo'n attente man. Ik weet zeker dat ieder meisje in het paleis u benijdt!'

'En u bent hem helemaal vanuit Yuanjing achternagekomen!' voegde de dame aan Mei Lins linkerzijde eraan toe. 'U moet wel bijzonder veel om hem geven, Yuan-sa.'

Nu was het Mei Lins beurt om te staren. 'Zoals u zegt,' mompelde ze ten slotte, terwijl ze haastig haar soepkom leegde.

De dames leken meer te willen zeggen, maar de keizerin onderbrak hen. 'Ik zal dadelijk een van mijn persoonlijke dienaressen naar u toe zenden om u te helpen kleden,' zei ze.

'Dank u,' zei Mei Lin, terwijl ze haar eetstokjes weer opnam en aan haar rijst begon. 'Dat is heel vriendelijk van u.'

Vrouwe Asami boog het hoofd. 'Natuurlijk. Ik zou niet willen dat u zich hier ongemakkelijk voelt. Het was uiteraard gemakkelijker geweest als u uw eigen dienares uit Yuanjing had kunnen meenemen. Maar ik verzeker u dat mijn Imari u volledig ter wille zal zijn.'

Met een zucht legde Mei Lin haar eetstokjes neer; alle eetlust was haar vergaan. 'Ik had graag mijn dienares meegenomen. Maar aangezien ze werd vermoord toen ik het paleis uit moest vluchten, was dat nogal lastig.'

De dames gaapten haar aan.

Mei Lin stond op, maakte een buiging en keerde terug naar haar vertrekken in de Vleugel van de Gouden Regen.

Cang Lu stond haar op te wachten. Hij droeg een tuniek van lichtblauwe zijde in de Yamatanese stijl, met een band om zijn middel, een wijde broek en rieten sandalen aan zijn voeten. Blijkbaar was zij niet de enige bij wie de keizerlijke naaister op bezoek was geweest.

Ze had hem na haar onderhoud met de keizer gevraagd naar de naam die hij in de troonzaal had opgegeven – Miura no Yasuo – maar hij had er niets over willen zeggen. Toen ze aandrong had hij naar haar opgekeken met een uitdagende blik in zijn ogen. 'Ik zei het alleen maar omdat ze me geen Cang Lu wilden noemen. Ze vroegen naar mijn werkelijke naam en dit is de enige die ik me kan herinneren. Zo noemde zíj me.'

'"Zij"? Je moeder?'

Hij had verbaasd geleken dat ze dat wist, maar had toen geknikt. 'Voor ik... van haar wegging. Daarna mocht ik die naam niet meer gebruiken. Het zou een schande zijn voor mijn familie als iemand hoorde wie ik was.'

'O, Cang Lu-tse!' had Mei Lin geroepen. 'Luister niet naar dat soort onzin!'

Hij had zijn schouders opgehaald. 'Cang Lu is een goede naam. Ik snap niet waarom die man in de troonzaal er moeite mee had.'

Ze had niets meer durven zeggen.

'Cang Lu-tse!' zei ze nu, terwijl ze wachtte tot de dienaar die haar vanaf de ontbijtzaal was gevolgd, haar deur openschoof. 'Wat kom jij hier doen?'

De jongen boog zijn hoofd. 'Ik heb iets voor je.'

Nieuwsgierig keek Mei Lin hem aan, maar hij zei niets tot ze in haar vertrekken stonden en de dienaar was weggelopen. Bedachtzaam nam hij haar zitkamer in zich op; de gelakte vloeren, de wanden van rijstpapier, de kussentjes bij het raam en de vele bloemen die in porseleinen vazen het vertrek opsierden. Hij hield zijn hoofd een beetje schuin. Het blauwe haar dat zijn schedel bedekte, had een zilveren glans. 'Het hele paleis is in rep en roer vanwege de bruiloft,' zei hij. 'En toch merk je er hier niets van.'

Mei Lin liep langs hem heen naar de kussentjes en knielde. Ze gebaarde hem om plaats te nemen, maar de jongen bleef staan, zijn hoofd van haar afgewend. 'Je weet toch dat ik geen keus heb, hè?' zei ze. 'Een huwelijk is de enige manier om vrede tussen Yuan en Yamatan te stichten. Het spijt me, maar...' Ze schudde haar hoofd. 'Het is slechts een formaliteit, Cang Lu-tse. Politiek. Als Yuan-sa kan ik niet om een andere reden trouwen. Heb er geen verdriet om.'

Als door een wesp gestoken keerde hij zich naar haar om. 'Waarom zou ik...?'

'Je zei dat je iets voor me had,' zei Mei Lin op kalmerende toon.

Hij boog zijn hoofd en er verscheen een glimlach rond zijn lippen. Het was de treurigste glimlach die Mei Lin ooit had gezien. 'Ik heb de hele stad afgezocht,' zei hij. 'Uiteindelijk vond ik een toneelspeler die had wat ik zocht.' Hij zocht in de plooien van zijn band en haalde een koperen blikje tevoorschijn, dat hij haar aanreikte.

Zwijgend nam ze het van hem aan. Het droeg geen enkele versiering en had zwarte vlekken op het deksel. Ze draaide het blikje open en snakte naar adem; het was tot de rand toe gevuld met goudkleurige poeder, bijna zo fijn als de gezichtsverf die in Yuan werd gebruikt. 'Cang Lu-tse!' riep ze uit.

Hij schudde zijn hoofd. 'Het is niets.' Hij boog zijn hoofd en mompelde: 'Mogen de goden je beschermen op deze belangrijke dag, Mei Lin-sa. Yuan mag trots op je zijn.'

Die woorden spookten nog steeds door haar hoofd toen de dienstmeid Imari haar had omgekleed en haar haren had opgestoken, toen de gouden verf al op haar gezicht schitterde en ze behangen was met de sieraden die keizerin Asami haar had gezonden. Zou Yuan trots op haar zijn? Gaf het volk wel iets om haar daden?

En toen vroeg ze zich af wat Shula zou zeggen als hij haar nu kon zien, in haar witte trouwgewaad. Zou hij trots zijn op wat ze van plan was? Of zou hij haar aanraden ervan af te zien? Zou hij haar meenemen naar een plek waar ze samen konden zijn, ver weg van haar broer, de Akechi's en de oorlog die hun landen zou verscheuren? Ze kon zich Shula's blik voorstellen, de manier waarop hij zou buigen, een hand op zijn zwaard. Maar ze kon zijn woorden niet horen, al deed ze nog zo haar best. Ze wist niet wat hij zou zeggen. Ze wist zelfs niet wat ze wilde dat hij zou zeggen.

Dienaren in zilveren kimono's kwamen naar binnen en brachten haar naar een zaal waar ze nog niet eerder was geweest. Een zaal vol spiegels, waar heren aan de ene en vrouwen aan de andere kant zaten, geknield op zilveren kussens.

'De Zaal van Zuivere Waarheid,' sprak een man naast haar, 'waar elke leugen duizendmaal wordt weerspiegeld tot ze de leugenaar terug aankijkt.'

Ze keek opzij.

Keizer Akechi stond naast haar en boog zijn hoofd. 'U hebt geen vader of broer die hier aanwezig kan zijn om u eervol uit te huwelijken, Yuan-sa,' zei hij, 'maar na vandaag zult u mijn schoonzuster zijn. Ik zou zeer vereerd zijn als u me toestond u naar binnen te begeleiden.'

Hij stak zijn hand naar haar uit en ze keek ernaar, zwijgend. In de zaal was het doodstil; minstens honderd edelen waren er verzameld, die allemaal wachtten op haar komst. Door de openstaande deuren kon ze de kussens zien waarop bruid en bruidegom zo dadelijk zouden knielen. Akechi Sadayasu wachtte daar. Hij had zijn vlecht uit laten kammen en zijn haar viel glanzend over zijn schouders. De spiegels weerkaatsten de zilveren maantjes op zijn hemelsblauwe kimono, alsof ze licht gaven. Hij stond met zijn rug naar haar toe, maar ze kon zijn gezicht zien in de spiegel tegenover hem; de pretlichtjes in zijn ogen en de glimlach die hij alleen voor haar bewaarde. Haar toekomstige echtgenoot.

Ze wist, zonder dat die gedachte werkelijk tot haar doordrong, dat Shula haar niet meer kon helpen. Hij was ver weg, waarschijnlijk dood. Maar ook als hij nu was verschenen om haar van haar noodlot te redden, zou ze niet met hem mee hebben kunnen gaan. Ze had hem voor altijd verloren. Wat restte was Yuan, en een belofte die ze niet kon verbreken.

Ze legde haar hand in die van de keizer. 'Alstublieft,' zei ze.

Honderd paar ogen volgden haar toen ze binnentrad. Mei Lin hoorde de fluisteringen die zich door de zaal verspreidden als rimpelingen in water waarin iemand een steen had gegooid. Ergens tussen al die mensen moest Cang Lu zitten, maar ze kon slechts voor zich uit kijken, naar het spiegelbeeld dat haar tegemoetkwam. Ze kon begrijpen wat al die fluisteringen teweegbracht. Haar gezichtsverf zag er exotisch uit voor wie er niet aan gewend was; een strak gouden masker waarin slechts haar ogen leken te leven. Haar witte trouwgewaad – in de Yamatanese stijl – leek vreemd genoeg op een rouwwade uit Yuan. Mei Lin vond het wel passend.

Ze bereikten de overkant van de zaal, de blauwe kussens en Akechi Sadayasu, die zich naar hen omkeerde. De keizer pakte zijn broers linkerhand en legde Mei Lins vingers in de zijne. 'Mogen de goden met u beiden zijn,' fluisterde hij.

Er verscheen een priester in een groen gewaad. Zonder elkaars handen los te laten, knielden Mei Lin en Akechi voor hem neer, hun hoofden gebogen. Mei Lin wenste dat ze zich kon concentreren op wat de priester zei, maar haar hoofd leek vol watten te zitten. Het enige wat tot haar doordrong waren Akechi's slanke vingers die de hare omsloten alsof hij bang was dat ze zouden breken, maar die haar geen moment loslieten. Hij keek haar niet aan, zijn donkere haar was een sluier die zijn gezicht voor haar verborg.

Toen de priester eindelijk zweeg, boog Akechi zijn hoofd nog dieper en drukte kort zijn lippen tegen haar nagels. De aanraking ging als een ijskoude schok door haar lichaam. 'Onder de Maan en de Goden,' sprak hij, 'neem ik Yuan Mei Lin tot mijn echtgenote. Ik zal haar eren en beschermen en ik zal geen andere echtgenote nemen zolang zij leeft.'

De stilte die op zijn woorden volgde, was oorverdovend. Mei Lin slikte en boog zich voorover, in de hoop dat niemand de tranen zou zien die in haar ogen glansden. Toen bracht ze Akechi's vingers naar haar lippen en kuste ze. Gouden glitters bleven achter op zijn vingertoppen. 'Met mijn voorouders als getuigen en de goden aan mijn zijde,' zei ze met slechts een lichte trilling in haar stem, 'neem ik Akechi no Jirō Sadayasu tot mijn echtgenoot. Ik zal hem eren en dienen. En zolang hij leeft, zal ik geen ander tot mijn echtgenoot nemen.'

Toen ze haar gezicht weer ophief, keek Akechi haar van opzij aan met pretlichtjes in zijn ogen. Ze kon hem wel slaan! Wat viel er te lachen nu ze hun lot hadden bezegeld? Maar ze kon haar hand niet lostrekken, want de ceremonie was nog niet voorbij.

De priester haalde een rood lint tevoorschijn, dat hij zorgvuldig om hun polsen bond: eerst rond die van Akechi, daarna rond die van Mei Lin, daarna nogmaals om hun twee polsen tezamen, waarna hij het lint nauwgezet vastknoopte. Zo zouden ze de rest van de dag samen blijven; het symbool van hun verbintenis.

De priester gaf hun een stenen beker in hun samengebonden handen, waar hij rijstwijn uit een smalle, rode fles in schonk. 'Drink,' sprak hij, 'en wordt één.' Ze tilden de beker naar Akechi's lippen en hij dronk terwijl hij Mei Lin over de rand van de beker heen bleef aankijken. Vervolgens lieten ze de beker voor haar gezicht zakken en ook zij dronk, tot de beker leeg was. Toen nam de priester de beker uit hun handen, rolde hem in een doek van groene zijde en stak hem in een zak van zijn gewaad. Hij zou de beker op het tempelterrein begraven, wist Mei Lin, als offer aan de moedergodin Ashira, om een vruchtbaar huwelijk af te smeken.

Er was een moment van stilte, terwijl de priester zich weer oprichtte. Een pijnlijk lang moment, zo scherp als een mes, waarin Mei Lin geen adem durfde te halen. Toen gebaarde hij dat ze overeind mochten komen. In de spiegelwand zag Mei Lin het rode lint dat haar met Akechi verbond trillen, als een lijn van bloed waar de stilte hen had gesneden. Maar ze waren niet losgesneden, ze waren juist vaster aaneengeregen. Akechi, haar echtgenoot. Ze kneep haar ogen stijf dicht.

Toen draaiden ze zich om en keken de zaal in en er werd gejuicht en geapplaudisseerd. Keizer Akechi kwam naar hen toe en kuste Mei

Lins vingers. Een voor een stonden de mannen en vrouwen langs de wand op om hun geluk te wensen. Vrouwe Asami was een van de eersten. Ze werd gevolgd door een vrouwe Ishida no Sayomi, die kort Akechi's vrije hand greep alsof ze meer wilde zeggen dan binnen het protocol viel, maar er op het laatste moment van afzag. Mei Lin wierp haar een onderzoekende blik toe, maar niemand anders leek het op te vallen. Zelfs heer Ishida, een stevige man met grijzend haar in een lange krijgervlecht, zei er niets van.

Er volgden verschillende andere landheren met hun echtgenotes: Togashi, Maeda, Kojima. Een vrouwe in een blauwe japon verontschuldigde zich voor de afwezigheid van haar echtgenoot, die nog in het zuiden verbleef. Een dienaar stelde haar voor als Ōta no Yasuna. Ze had bijna dezelfde blik als Akechi Sadayasu, met lichtjes die in haar ogen dansten, zodat Mei Lin vermoedde dat ze familie was. Voor ze er echter naar kon vragen, had de vrouw haar vingers al gekust en was er een volgende edele verschenen. De namen duizelden Mei Lin en al snel gaf ze het op de gezichten te onthouden.

Halverwege verscheen er een vrouwe met zilveren kammen in haar opgestoken haren en een jurk van grijze zijde. Ze was klein voor een Yamatanese, en ze had grote ogen die verschrikt om zich heen keken. Even had Mei Lin het idee dat ze haar eerder had gezien, maar toen, terwijl de vrouw zich boog om haar vingers te kussen, schraapte de dienaar naast haar zijn keel en zei: 'Vrouwe Miura no Kishiko.'

Haar houding, die blik. Alles viel op zijn plaats.

Mei Lins eerste neiging was om haar hand terug te trekken, maar ze was nog altijd aan Akechi verbonden. Hij bemerkte haar beweging en fronste zijn wenkbrauwen.

De vrouw kuste haar vingers. 'Yuan-sa,' fluisterde ze, terwijl ze haar gezicht weer een stukje ophief. 'Heer Sadayasu, ik wil de felicitaties van mijn echtgenoot overbrengen. Hij laat zich verontschuldigen, daar hij nog steeds in Onasaka is gelegerd.'

Akechi mompelde iets – Mei Lin wist niet wat – en de vrouw verdween weer in de menigte. De felicitaties gingen daarna als in een roes aan Mei Lin voorbij.

Cang Lu was de laatste die naar hen toe kwam. Voorzichtig vouwde hij zijn vingers om de hare. Ze waren ijskoud en onwillekeurig moest Mei Lin denken aan de ochtend waarop hij uit Nakiyo was teruggekomen; hoe hij zijn vingers op haar lippen had gelegd om haar te kussen en hoe ze bijna aan zijn wens had toegegeven, omdat ze zo graag de pijn in zijn ogen had willen wegnemen. Ze wilde hem toeschreeuwen dat ze zijn moeder had gezien, dat zij hier was, in dezelfde zaal; maar ze kreeg de woorden niet over haar lippen.

'Cang Lu-tse,' fluisterde ze.

Zwijgend kuste hij haar vingers.

41

Een bloem voor een bloem

Na de officiële ceremonie was er een feestbanket in de Zaal van de Rode Avondbloemen, waar muzikanten en acrobaten de gasten vermaakten terwijl zij zich te goed deden aan de vele lekkernijen die in rode porseleinen kommetjes werden uitgedeeld. Mei Lin en Akechi zaten op een verhoging, naast de keizer en zijn vrouw, en kregen aparte schaaltjes geserveerd waaruit ze met hun samengebonden handen moesten eten, tot grote hilariteit van de mensen om hen heen. Mei Lin was Cang Lu in stilte dankbaar om de gezichtsverf die hij haar had gegeven, waardoor niemand haar blos kon zien. Elkaar voeren! En hier, tijdens een banket! Akechi bleef haar tijdens het eten aankijken, maar zei niets. Wat maar goed was ook. Ze geloofde niet dat ze onder deze vernedering nog een beleefd woord met hem had kunnen wisselen.

Toen de laatste kommetjes waren weggehaald en een dienares hen de handen had laten wassen, stond keizer Akechi op om zijn gasten te verzoeken naar buiten te gaan voor 'een speciale feestelijkheid'. Mei Lin keek hem vragend aan. Ze wist niets van extra festiviteiten.

Keizer Akechi gaf haar een hand om haar overeind te helpen. 'U hebt tot zover woord gehouden, Yuan-sa,' zei hij. 'En nu wil ik u tonen waarvoor u dat hebt gedaan. Ik heb opdracht gegeven om ter ere van uw huwelijk een demonstratie van ons nieuwe wapen te geven.'

Verbijsterd staarde Mei Lin hem aan. 'U wilt een wapen gebruiken om feest te vieren, heer?'

Keizer Akechi glimlachte. 'Kom, Yuan-sa. U zult het zelf zien.' Hij leidde hen naar de trappen. 'Naar de tweede verdieping,' zei hij. 'Het balkon. Ik zie u boven.' Voor Mei Lin kon reageren, had hij zich al omgedraaid.

'Weet u wat hij van plan is?' vroeg ze aan Akechi Sadayasu, terwijl ze de trappen beklommen. 'Waarom moeten we naar het balkon?'

'Voor een beter uitzicht, denk ik zo,' antwoordde Akechi geheimzinnig. 'Mijn broer gaat het een en ander inspecteren voor de demonstratie. Hij zal zich dadelijk bij ons voegen. Ik vermoed dat de rest van de familie al boven op ons wacht.'

'De rest van de familie?' Mei Lin fronste. Bijna stapte ze op de zoom van haar rok.

'Mijn zusters,' legde hij uit. 'Ik ben de zoon van mijn vaders derde vrouw. Dochters had hij genoeg, maar voor ik werd geboren, had iedereen de hoop al opgegeven dat de keizer nóg een zoon zou krijgen.'

'De goden waren ons gunstig gezind,' merkte Mei Lin op. 'Uw broer is immers al getrouwd. Aan wie anders had ik uitgehuwelijkt kunnen worden om de vrede te bezegelen, heer?'

Lachend schudde hij zijn hoofd. 'Blijf je me zo formeel aanspreken? Je vindt het toch niet erg dat ik jou bij je voornaam noem, als we onder elkaar zijn?' Hij had weer die pretlichtjes in zijn ogen, alsof hij verwachtte dat ze zou protesteren.

'Nee, heer,' zei ze liefjes, 'ik ben immers uw vrouw. U kunt me noemen zoals u wilt.'

Ze bereikten het balkon en een dienaar schoof de deuren voor hen open. Even werd Mei Lin een blik op een breed terras met flakkerende lantaarntjes gegund, waar zich een tiental mensen had verzameld. Toen schoot een vrouw in een blauwe jurk op hen af en vloog Akechi om de hals. 'Ah, Jirō!'

In een reflex ving Akechi haar op en Mei Lins arm werd mee omhooggetrokken. Ze slaakte een gesmoorde kreet. Haastig liet Akechi zijn arm weer zakken.

De vrouw stapte blozend achteruit. Het was Ōta no Yasuna, de dame met dezelfde lichtjes in haar ogen als Akechi Sadayasu. Mei Lin twijfelde er nu niet meer aan dat ze zijn zus was. 'Vergeving,' zei de vrouw. Toen begon ze weer te lachen. 'Ik kan niet geloven dat je werkelijk getrouwd bent, Jirō! Wat een prachtige ceremonie!' Ze keerde zich naar Mei Lin. 'Yuan-sa, wat een eer u eindelijk te ontmoeten! Of mag ik Mei Lin zeggen? Ik weet nooit of de Yuan op formaliteiten staan...'

'"Vrouwe" is voldoende wanneer we onder elkaar zijn,' zei Akechi.

Ōta no Yasuna wierp hem een glimlach toe. 'Wat kijk je serieus, Jirō! Wacht maar tot je mijn nieuwtje hoort!'

'Ik wil dadelijk alles horen, maar ik wil de Yuan-sa aan de rest van de familie voorstellen voor de demonstratie begint.' De lantaarntjes wierpen een zacht licht over zijn gelaat. Mei Lin begreep dat hij het niet zo streng bedoelde als het klonk.

Vrouwe Ōta boog haar hoofd zonder haar pretoogjes van haar broer af te wenden en stapte opzij om hen door te laten.

De andere aanwezigen keken nieuwsgierig hun kant uit. Mei Lin besefte dat ze hen allemaal al had ontmoet. Dit waren de eerste mensen die haar hand kwamen kussen in de Zaal van Zuivere Waarheid: de Ishida's, de Togashi's, de Maeda's en de Kojima's. Nu ze de vrouwen bij elkaar zag staan, begreep ze niet waarom ze hun verwantschap niet eerder had onderkend. Ishida no Sayomi en Togashi no Mika – de oudste twee – hadden bijna dezelfde ogen als keizer Akechi en dezelfde grove bouw; Kojima no Asae was slank als haar jongere verwanten, maar had dezelfde gelaatstrekken als haar zus Maeda no Isoko.

Hun echtgenoten waren zo verschillend als de bomen in een bos. Allemaal hadden ze de lange bouw van de Yamata, met stijl, zwart haar dat ze in vlechten droegen of los over hun schouders. Maar Ishida Takamasa was stevig, terwijl Togashi Ieyasu mager en lenig was als riet. Maeda Nobutomo had een litteken dat over de zijkant van zijn gezicht liep, een aandenken aan Mei Lins verwanten in Yuan, grapte hij. Kojima Nagayasu was een zwijgzame man, die haar met een diepe buiging welkom heette en zich daarna weer over het balkon boog om de voortgang van de festiviteiten in de gaten te houden.

Keizerin Asami was de laatste die naar Mei Lin toe kwam, met een vriendelijke glimlach en een paar welgemeende woorden, die echter totaal langs Mei Lin heen gingen omdat keizer Akechi op dat moment op het balkon verscheen. 'De demonstratie zal dadelijk beginnen,' zei hij, waarop iedereen zich naar de balustrade begaf.

In de diepte zag Mei Lin de overige gasten op het plein. Ze hadden een ruime cirkel gevormd, waarin ze enkele dozen kon ontwaren die in stapeltjes waren gerangschikt. Dienaren in donkere tunieken bewogen zich daartussendoor.

'Zijn dat de wapens?' vroeg ze ongelovig, maar niemand hoorde haar, omdat Ōta no Yasuna tegelijkertijd met luide stem verkondigde dat ze in verwachting was. Natuurlijk was het volkomen ongepast om dergelijk nieuws op een bruiloft te melden, maar Mei Lin kon een glimlach niet onderdrukken. Ze mocht de vrouw wel. Ze leek op haar jongere broer met haar totale gebrek aan decorum, maar bij háár sprak daar een onbevangen eerlijkheid uit die je haar onmogelijk kwalijk kon nemen.

Terwijl de diverse familieleden hun vreugde over vrouwe Ōta's nieuws uitten, boog Mei Lin zich verder over de balustrade. Ze zag vonkjes oplichten in de diepte. De dienaren bogen zich met korte, brandende stokjes over de dozen. Wat gingen ze doen? De boel in brand steken? Maar hoe kon dat als wapen dienen? Hadden ze ergens een grote katapult staan, die haar niet was opgevallen? Maar waar zouden ze dan in naam der goden op willen schieten?

'Ah,' zei keizer Akechi aan haar linkerkant, 'ik geloof dat het gaat beginnen.'

Er was een flits bij een van de dozen en toen een schicht als een omgekeerde vallende ster. Mei Lin hield haar adem in. De schicht rees op naar de hemel en even was ze bang dat hij weer zou vallen. Maar toen klapte hij met een knal uit elkaar in een cirkel van roze sterren, als een vluchtig opbloeiende lelie die in haar ogen nabrandde. Geschrokken dook ze ineen. Het feit dat ze nog altijd verbonden was met Akechi voorkwam dat ze achteruitdeinsde.

Een tweede schicht schoot omhoog, gevolgd door een derde. Op het plein slaakten de toeschouwers verrukte kreten. Rode en blauwe sterren bloeiden op in de nacht.

Met open mond staarde Mei Lin omhoog. 'Wat zijn dat?' bracht ze uiteindelijk uit.

Akechi Sadayasu wendde glimlachend zijn blik van het schouwspel af. 'Vuurbloemen,' zei hij. 'Ze worden gemaakt van zwarte stof, een uitvinding van onze alchemisten.'

'Zwarte stof?' Mei Lin probeerde achter hem weg te duiken toen een nieuwe bloem boven haar hoofd uiteenspatte.

'Een zeer brandbaar goedje,' antwoordde keizer Akechi, die zich naar hen omdraaide. 'Natuurlijk gebruiken we het niet alleen voor deze sierbloemen, Yuan-sa. U kunt zich wel voorstellen wat er gebeurt als zo'n raket op een regiment soldaten wordt afgeschoten, of als we zwarte stof in een fles stoppen en die wegwerpen...' Drie zilveren vuurbloemen ontploften tegelijk boven het plein. Het felle licht speelde over de ernstige gelaatstrekken van de keizer, terwijl hij weer naar de hemel keek.

'Een bloem voor een bloem,' mompelde Mei Lin. 'Dus dit is de reden dat mijn vader vrede wilde sluiten.'

Akechi Sadayasu wierp haar een onderzoekende blik toe. 'Je klinkt verbaasd.'

Mei Lin knikte zonder haar ogen van de vuurbloemen af te wenden. 'Mijn vader sprak altijd over uw wapen als iets dodelijks, als een uitvinding die Yuan op de knieën zou krijgen. Ik wist niet dat het ook zo mooi was.'

Zijn hand op de balustrade trilde, zo licht dat ze het nauwelijks voelde, al lag haar eigen hand ertegenaan. 'Ja,' zei hij, terwijl hij weer naar de vuurbloemen opkeek, 'die dingen gaan vaak samen.'

Ze had kunnen vragen wat hij bedoelde.

Ze boog zich over de balustrade om de dienaren te kunnen zien die met hun brandende stokjes over het plein liepen om de vuurbloemen aan te steken. Zwijgend volgden haar ogen een nieuwe schicht de hemel in. Toen hij ontplofte, dook ze niet meer weg.

Na de demonstratie liep het plein leeg. Ook Akechi's familieleden namen afscheid, waarbij de vrouwen veelbetekenende blikken op het rode lint rond de polsen van bruid en bruidegom wierpen.

Ōta no Yasuna hield als enige haar mond. Toen de rest van haar familie – inclusief de keizer – was vertrokken, legde ze haar hand op het lint. 'Ik hoop u snel weer te zien, vrouwe,' zei ze tegen Mei Lin. Ze had een trieste blik in haar ogen, die niet bij haar vriendelijke woorden leek te passen. 'Tot mijn echtgenoot terugkeert verblijf ik in het paleis. Als u gezelschap zoekt...'

'Yasuna,' onderbrak Akechi haar.

Met een glimlach keek vrouwe Ōta naar hem op. 'Vergeving, ik houd jullie op! Ik zal nu gaan.' Maar voor ze naar binnen verdween, draaide ze zich nog eenmaal om. 'Wees lief voor haar, Jirō,' zei ze.

Er liep een rilling over Mei Lins rug.

'Heb je het koud?' vroeg Akechi. Hij pakte haar hand en leidde haar naar binnen, waar een dienaar wachtte om hen naar Akechi's vertrekken te begeleiden.

Het was alsof haar plotseling de adem werd afgesneden. Tot nu toe was Mei Lin erin geslaagd de gedachte dat er na de huwelijksdag ook een huwelijksnacht zou volgen te verdringen. Alsof de ceremonie en haar trouwgelofte pijnlijker waren dan de werkelijke verbintenis. Maar ze was niet volkomen naïef. Ze had de hofdames in Yuanjing heus wel horen praten over zaken die niet voor haar oren bestemd waren. En nu het moment daar was, kon ze zichzelf onmogelijk langer voorhouden dat het niets voorstelde. Een ijzeren band sloot zich om haar borst. Sterretjes dansten voor haar ogen en ze wilde haar hand wegtrekken, maar als ze al uit Akechi's ijzeren greep los had kunnen komen, dan was ze nog altijd door dat vervloekte rode lint met hem verbonden.

Op de een of andere manier slaagde ze erin zijn vertrekken te bereiken zonder dat hij iets van haar consternatie bemerkte. De dienaar die was meegelopen, schoof de deur open en liet hen daarna over aan de zorgen van een andere bediende, even naamloos.

'U hebt geen vaste lijfwachten in Yamatan,' merkte Mei Lin op, om de stilte te doorbreken. Een blos schoot naar haar wangen toen Akechi met een ruk opzij keek. Ze wist waaraan hij dacht, omdat die gedachte ook bij haar was opgekomen: Shula. Maar Shula was dood en zij was nu Akechi's echtgenote. Dat moest ze goed beseffen. 'Het viel me alleen maar op,' zei ze luchtig.

'Een vaste lijfwacht loopt het risico dat hij te veel invloed op zijn meester krijgt,' sprak Akechi afgemeten. 'Dat is een ongunstige situatie, niet in het minst voor de lijfwacht zelf.'

Beschaamd keek Mei Lin naar de grond. 'U hebt vast gelijk, heer.'

Ze probeerde langs hem heen te kijken om zijn vertrekken in zich op te nemen; het waren nu ook haar vertrekken, tenslotte. Ze stonden in een lichte, ruime kamer, die veel leek op de zitkamer die zij tot die ochtend had gebruikt. In de rechterwand zat een schuifdeur die een stukje openstond, net genoeg om een tatamivloer te onthullen waarop een matras was uitgerold.

De dienaar, een grijzende man met een gerimpeld gezicht die haar vreemd genoeg aan haar oude dienares Xi Wei deed denken, kwam op hen af. Met een beleefde buiging wendde hij zich tot Mei Lin. 'Wil de Yuan-sa dat ik een doek haal om haar gezichtsverf te verwijderen?'

'Een doek en olie,' antwoordde Mei Lin. Ze keek naar Akechi. 'Hebt u geen dienaressen om mij te helpen? Dit is onbetamelijk!'

Hij lachte en wenkte de dienaar terug. 'Haal Yuki,' zei hij. En tegen Mei Lin: 'Als ze je bevalt, zal ik haar als persoonlijke bediende aan je toewijzen, al druist dat tegen het protocol in. Zie het maar als een huwelijksgeschenk.' Hij boog zich over hun polsen en begon de knoop in het lint los te maken. Toen hij hen had bevrijd, draaide hij het lint om het handvat van de deur en knoopte het vast. 'Zodat we niet worden gestoord,' zei hij toen ze hem verbaasd aankeek. 'Dat is een onderdeel van het ritueel.'

'Ah.' Werktuiglijk wreef Mei Lin over haar pols, terwijl ze door het vertrek liep. De luiken voor de ramen waren al gesloten.

'Wil je dat we Yuan spreken?'

Verbaasd draaide ze zich om. Akechi stond nog bij de deur en keek haar onzeker aan. Ze snapte niet waarom hij dat vroeg, waarom hij zo keek. Dreef hij de spot met haar?

'U mag elke taal spreken die u wilt, heer,' zei ze.

'Dan zou ik graag Yuan met je spreken.'

Uit het naastgelegen vertrek kwam een meisje van een jaar of twintig met kortgeknipte haren, in een donkerblauwe paleistuniek. 'Yuan-sa,' zei ze met een diepe buiging.

Akechi wendde zijn blik af. Hij liep naar de kussens bij het raam, alsof hij plotseling alle interesse in haar had verloren. 'Dit is Jitsuma no Yuki,' zei hij achteloos. 'Zij zal je helpen je gereed te maken.'

Mei Lin staarde hem aan, maar aangezien hij zich blijkbaar niet verwaardigde haar nog langer aan te kijken, volgde ze de dienares maar naar het slaapvertrek. Wat wilde hij van haar? Was het allemaal bedoeld om haar van haar stuk te brengen? Of verwachtte hij dat ze, zelfs nu nog, op haar woord terug zou komen? Daagde hij haar uit, om te zien wat ze zou doen? In dat geval zou ze hem wel eens laten zien uit wat voor hout ze gesneden was! Niemand kon de Yuan-sa op zo'n manier bespotten, en Akechi Sadayasu al helemaal niet!

Nadat de dienares was heengegaan wachtte ze hem in kleermakerszit op op het bed. Ze droeg niet meer dan haar nachthemd en haar gezicht was onbeschilderd, maar ze had Yuki haar haren laten vlechten.

Akechi hield zijn adem in toen hij binnenkwam en even dacht Mei Lin dat hij onder al die glimlachjes net zo zenuwachtig was als zijzelf.

'Waar wacht u op?' zei ze met een frons. Ze moest vriendelijk zijn, glimlachen, maar ze voelde zich daar niet toe in staat. Hij verdiende haar beleefdheid niet met die spottende blik in zijn ogen. Hij was helemaal niet nerveus; hij maakte háár zenuwen belachelijk!

'Wil je iets drinken, Mei Lin-sa?' vroeg hij, zonder naderbij te komen. 'Cha? Wijn?'

'Ik heb liever dat u doet waarvoor u bent gekomen, Akechi-tse, zodat we dat maar hebben gehad,' zei ze.

Ze had gehoopt dat haar woorden hem zouden schokken, maar hij knipperde niet eens met zijn ogen. Hij kwam op haar af en knielde naast haar neer, zijn gezicht dicht bij het hare. Ze probeerde rustig te blijven ademen – wat niet lukte – en bleef zitten waar ze zat, haar rug kaarsrecht. Hij tilde een hand op – de linker, waarmee hij de hele dag met haar verbonden was geweest – en volgde met een vinger de lijnen van haar gezicht: van haar voorhoofd, over haar jukbeenderen, langs haar kin. Een langzame lijn over haar lippen.

Ze bleef hem in de ogen kijken en zag de lichtjes daarin dansen, zo dichtbij dat ze ervan kon huilen. Maar ze gaf niet toe. Als hij haar wilde bespotten, moest hij zijn gang maar gaan. Ze had beloofd dat ze hem als een goede echtgenote zou dienen en geen haar op haar hoofd die eraan dacht die eed te verbreken. Ze was de Yuan-sa en ze zou deze Yamatanees tonen wat eer was, al kostte het haar de rest van haar leven. Hij kon haar niet wegjagen, hoeveel angst hij haar ook aanjoeg. Die schande zou ze niet dragen!

Hij boog zich naar haar toe en ondanks haar goede voornemens kromp ze ineen. Maar hij drukte slechts zijn lippen tegen haar voorhoofd, meer niet. Toen hij weer achterover ging zitten, waren zijn ogen te donker om zijn blik te kunnen lezen. Een vreemd glimlachje speelde om zijn lippen. 'Je bent erg mooi als je streng probeert te kijken,' zei hij. Zijn hand gleed over haar samengevlochten haren. 'Een goede nacht, Mei Lin-sa.'

Toen stond hij op en verliet het vertrek.

42

De kapitein van Onasaka

'Hebt u goed geslapen, vrouwe? Ik hoop dat de vertrekken van mijn broer u bevallen?'

'Jazeker,' loog Mei Lin. Ze streek met een hand over haar onbeschilderde gezicht en keek het vertrek rond waar keizer Akechi zijn krijgsraad bijeen had geroepen.

De kamer had houten wanden, die met oorlogstaferelen waren beschilderd. Het belangrijkste onderdeel van de kamer was echter een massieve tafel met sierlijk uitgesneden poten, die nu grotendeels onder een bonte verzameling kaarten schuilging. Keizer Akechi en zijn broer stonden over een uitgerolde landkaart van Yamatan en oostelijk Yuan gebogen, samen met Maeda en Togashi. Ishida en Kojima zaten op kussens in een hoek van de kamer met elkaar te fluisteren, terwijl ze af en toe een blik op de mannen rond de tafel wierpen. Het verbaasde Mei Lin niets dat keizer Akechi deze mannen als zijn generaals had gekozen. Ze waren allen in de veertig en heer Ishida was zelfs iets ouder. Oud genoeg om mee te hebben gevochten in de vorige oorlog. En als ze hun nut daarvóór al niet hadden bewezen, was geen van hen waarschijnlijk met een Akechiprinses getrouwd geweest.

De aanwezigheid van vrouwe Ōta was wel een verrassing, al had Mei Lin misschien kunnen weten dat zij haar echtgenoot zou vertegenwoordigen. Ōta no Yasuna had niet langer de bezorgde blik van de vorige avond in haar ogen, maar leek geen woord van wat Mei Lin zojuist had gezegd, te geloven.

Mei Lin besloot haar te negeren. Ze stierf nog liever dan dat ze iemand vertelde wat haar die nacht wakker had gehouden. Wat had Akechi Sadayasu de vorige avond bezield? Wilde hij haar bespotten door haar te negeren? Ze wenste dat ze zijn bedoelingen kon doorzien, zoals Cang Lu soms de gedachten van anderen leek te kunnen lezen. Misschien moest ze de jongen vragen wat hij van Akechi Sadayasu dacht. Als ze dat tenminste kon doen zonder hem de reden van haar vraag te onthullen.

Ze keek nogmaals de kamer rond. 'Waar is Yasuo? Ik wil hem er ook bij hebben.' Cang Lu en zij hadden tot dan toe al haar plannen samen uitgevoerd. Het voelde als verraad om hem hierbuiten te houden.

Akechi Sadayasu keek met een frons op, maar de keizer stuurde een bediende om de jongen te halen.

Cang Lu verscheen alsof hij haar oproep had verwacht. Hij onderwierp haar aan een onderzoekende blik, alvorens een diepe buiging voor alle aanwezigen te maken.

De mannen verzamelden zich rond de tafel. Vrouwe Ōta nam heer Kojima's plaats in op de kussens, wat duidelijk maakte dat haar plaats binnen deze raad louter ceremonieel was. Maar daarmee nam Mei Lin geen genoegen. Ze wurmde zich naar voren, zodat ze tussen de keizer en heer Togashi in kwam te staan, tegenover Akechi Sadayasu.

'De Yuan-tse verzamelt zijn legers op de Tanvlakte,' zei keizer Akechi, terwijl hij het gebied op de uitgerolde kaart omcirkelde. 'Onze bronnen zijn niet allen even betrouwbaar, maar zijn troepen moeten minstens zo talrijk zijn als die van zijn vader tien jaar geleden. Honderdduizend gardisten op zijn minst.'

'Meer,' zei Mei Lin zonder op te kijken. Ze voelde de verbaasde blikken van de keizer en zijn generaals, alsof die nu pas doorhadden dat zij in hun midden was verschenen. 'Er waren al honderdtwintigduizend keizerlijke gardisten in dienst van het rijk toen ik Yuanjing verliet,' zei ze. 'Denkt u dat mijn broer in de tussentijd geen nieuwe rekruten zal hebben aangenomen?'

Heer Maeda floot tussen zijn tanden. 'Dat is meer dan wij zelfs met onze milities op de been kunnen brengen. Hoeveel man militie zal hij kunnen verzamelen?'

Mei Lin schudde haar hoofd. 'Dat weet ik niet. Maar overal in het land geeft men aan zijn oproep gehoor.'

Keizer Akechi knikte. 'De Yuan zijn in aantal onze meerderen, maar wij hebben het voordeel dat we weten dat ze komen. En ditmaal zullen ze ons niet zo gemakkelijk overmeesteren. We hebben immers ons nieuwe wapen.'

De generaals knikten instemmend.

'Ik had liever dat u helemaal geen strijd leverde,' zei Mei Lin.

Keizer Akechi keek meewarig opzij. 'U hebt mijn woord dat we er alles aan zullen doen om een oorlog met Yuan te vermijden, vrouwe. U begrijpt dat dat ook in ons belang is. Maar voor het geval het ons – u – niet lukt uw broer en zijn generaals te overtuigen, moeten wij ons opmaken voor de strijd.' Hij wendde zich weer tot zijn generaals. 'Inmiddels zullen de eerste legers vanaf de Tanvlakte naar onze grens zijn vertrokken. We zullen ons moeten haasten om onze verdedigingslinies te verstevigen. We hebben reeds versterkingen naar alle grensposten gestuurd. Heer Ōta is met zijn troepen in het zuiden om het fort van Nashido te versterken. De rest van de troepen zal binnenkort afreizen vanaf Jitsuma en het legerkamp van Asahino in het noorden. Als de Yuan komen, zijn we gereed.'

Terwijl hij sprak, bestudeerde Mei Lin de kaarten op de tafel; de troepen die met gekleurde vlaggetjes stonden aangegeven, de verdedigingslinies die keizer Akechi had aangewezen. 'Denkt u dat u iedereen op zijn post hebt voor mijn broer aanvalt?' vroeg ze, toen hij zweeg.

De keizer maakte een achteloos gebaar. 'We hebben nog tijd. De troepen die vanaf de Tanvlakte zijn vertrokken, hebben de grens bij Nashido voorlopig nog niet bereikt. Tegen de tijd dat ze daar aankomen, begint het regenseizoen. Uw broer kan onmogelijk aanvallen als de rivier buiten haar oevers treedt en de helft van zijn manschappen door de moeraskoorts is geveld.'

Bezorgd schudde Mei Lin haar hoofd. 'U hebt misschien gelijk wat betreft de rivier,' zei ze, 'maar ik denk niet dat Wen De zijn aanval zal uitstellen om manschappen te sparen. Hij zal zo snel mogelijk in Yamatan willen zijn. Hij heeft zijn eigen vader laten ombrengen om dat doel te bereiken; futiele zaken als de seizoenen zullen hem niet tegenhouden.'

Ze had het serieus bedoeld, maar Akechi Sadayasu schoot in de lach. Hij boog naar voren en leunde met zijn handen op de kaart, terwijl hij grinnikend zijn hoofd schudde. Gepikeerd probeerde ze hem opzij te duwen. 'Vergeving, Mei Lin,' zei hij zonder ook maar een moment met lachen op te houden. Hij trok wel zijn vingers weg. Dat was tenminste iets. Het Hirosangebergte kwam weer tevoorschijn, met de Guan Baipas, die zich daar als een dunne lijn doorheen slingerde.

Het was alsof haar hart in ijswater werd gedompeld. Snakkend naar adem keek ze op.

De glimlach verdween van Akechi's gezicht. 'Wat?'

'Mogen de goden ons genadig zijn!' stamelde ze. 'Hij komt niet via Nashido.'

Even hing er een ijzige stilte. Mei Lin bestudeerde nogmaals de lijnen op de kaart. Wen De's troepen op de Tanvlakte, de lange, lange weg naar het zuiden, en dan de pas en Midden-Yamatan, die veel dichterbij lagen. Er was geen twijfel mogelijk.

Akechi Sadayasu legde een hand op de hare. 'Mei Lin!'

Ze keek op en slikte. 'Mijn broer neemt de kortste weg naar Yamatan. Hij stuurt zijn legers door de pas van Guan Bai.'

De generaals om haar heen lachten verbijsterd, maar Akechi niet. Hij schudde slechts zijn hoofd en trok zijn hand van de tafel.

'Dat is belachelijk!' zei heer Ishida. 'Die pas is levensgevaarlijk! Hij zou een aanzienlijk deel van zijn troepen verliezen! Welke commandant zou zoiets doen? En bovendien kan hij via de pas niets anders dan manschappen en paarden meenemen! Geen wagens, geen belegeringswerktuigen, niets!'

'Hij heeft geen belegeringswerktuigen nodig als hij de pas neemt,' zei Mei Lin fel. 'Wat wacht hem aan de andere kant? Geen fort, zoals in Nashido! Alleen de grenspost van Onasaka!' Ze keek de tafel rond, maar haar blik bleef op Akechi Sadayasu rusten, die haar fronsend gadesloeg. 'Het kan mijn broer niets schelen hoeveel manschappen er op weg naar Yamatan omkomen. Hij heeft voldoende rekruten om het verlies te compenseren. Ik zeg u, hij komt via de pas! Hij komt via Onasaka!'

Heer Togashi, aan haar linkerzijde, schudde bedachtzaam zijn hoofd. 'Als de Yuan-tse inderdaad via de pas zou aanvallen, is dat natuurlijk een list. Hij zal een klein deel van zijn troepen sturen om onze legers bij de zuidelijke grens weg te lokken, zodat hij dáár zijn grote aanval kan plannen. Geen weldenkend mens zou zijn hele strijdmacht door Guan Bai sturen.'

Aan het hoofd van de tafel knikte heer Maeda instemmend. Met samengeknepen ogen nam hij Mei Lin in zich op, terwijl het litteken op zijn gezicht een verwrongen lijn vormde. 'Een slimme heerser zou zo'n list bedenken en dan iemand sturen om de vijand van zijn komst op de hoogte te stellen,' mompelde hij, 'zodat die met open ogen in de val loopt.'

Mei Lins mond viel open. Achter haar sprong Cang Lu verontwaardigd op van zijn kussen, maar Akechi Sadayasu reageerde als eerste. Hij had zijn zwaard al voor de helft getrokken voor heer Kojima een bezwerende hand op zijn arm kon leggen. 'Wilt u mijn echtgenote van verraad beschuldigen, heer?' zei hij met een stem als van geslepen staal.

Maeda glimlachte. 'Natuurlijk niet, heer Akechi. Vergeving, het was niet zo bedoeld.'

Akechi knikte en stak zijn zwaard terug in de schede.

'Welnu,' sprak de keizer, 'wat betreft de aanval van de Yuan...'

'De Yuan-sa heeft gelijk.'

Als één man draaiden de generaals en Mei Lin zich om. Niemand van hen had gemerkt dat Cang Lu naderbij was gekomen. Hij stapte tussen hen in en liet zijn vingers over de kaart glijden. Mei Lin vroeg zich af hoeveel hij ervan begreep, hij kon immers niet lezen. Er gleed een vreemde uitdrukking over zijn gezicht, bijna zoals die keer in Saitō, toen hij helemaal wit weg was getrokken. Snakkend naar adem greep hij de tafelrand vast, alsof hij bang was te vallen. Zijn ogen draaiden omhoog.

Mei Lin schoot op hem af. 'Cang Lu-tse!'

Voor ze bij hem was, sloeg hij zijn ogen op. Gouden schalen, de blik van een roofvogel. 'Wen De stuurt al zijn troepen via de pas,' zei hij tegen keizer Akechi en zijn stem klonk vreemd, onaards. 'Over elf dagen zal Onasaka vallen, heer, en er is niets wat u daaraan kunt doen.'

De generaals om de tafel leken zich onder Cang Lu's blik onbehaaglijk te voelen.

Keizer Akechi boog het hoofd. 'We zullen de troepen bij Nashido moeten waarschuwen dat ze terug moeten keren,' zei hij. 'Jitsuma is niet eenvoudig te verdedigen, met het water in zijn rug en de hoge gronden voor de vijand. Als de Yuan-tse tot hier weet op te trekken, zijn we verloren. We moeten onze verdedigingslinie naar het noorden verplaatsen.'

Mei Lin slaakte een zucht van opluchting. Ze boog zich over de tafel en bestudeerde opnieuw de kaarten. 'Hoeveel man hebt u in Onasaka?' vroeg ze.

Keizer Akechi schudde zijn hoofd. 'Normaal gesproken driehonderd. Met de versterkingen erbij... duizend man, misschien. Dat is niet genoeg.'

'En de troepen in Asahino?'

'Ze zouden niet op tijd komen. Het enige wat we kunnen doen is een boodschapper naar de grenspost sturen en hopen dat hij op tijd komt, zodat de kapitein van Onasaka de bewoners van de bergdorpjes in veiligheid kan laten brengen.' De keizer richtte zich op, zijn gezicht eens te meer streng en ongenaakbaar. 'We zullen bij Asahino een front vormen,' zei hij. 'En daar zullen de Zeven Legers van de Wassende Maan de Yuan tegenhouden.' Mei Lin wist niet of hij die woorden zelf geloofde, maar dat maakte niet uit. Zíj geloofde hem. Ze moest wel.

Toen Akechi Sadayasu en zij veel later gearmd naar hun vertrekken terugliepen, keerde hij zich plotseling naar haar toe. 'Het hof verhuist over een tiendag naar het zomerpaleis, Mei Lin-sa. Je kunt mee, als je wilt. Ik zal mijn vertrekken daar voor je in orde laten brengen.'

Mei Lin bestudeerde zijn gezicht. Nu hij haar eer tegenover Maeda had verdedigd, verwachtte ze zijn blik te kunnen lezen, maar niets was minder waar.

'Over een tiendag zijn de legers al uit Jitsuma vertrokken,' zei ze. 'U zult me in Asahino nodig hebben, als u mijn broer en zijn generaals ervan wilt overtuigen van een oorlog af te zien. Ik ga mee.'

Hij bewoog zijn mond – Mei Lin was ervan overtuigd dat hij wilde protesteren – maar uiteindelijk zei hij slechts: 'Het zal zwaar zijn op die mars. Kun je paardrijden?'

Ze wierp hem een spottende blik toe. 'Ik ben Yuan. Vraagt u een Yamatanees ook of hij kan vissen, Akechi-tse?'

Tot haar verbazing schoot hij in de lach. 'Ik neem aan dat de jonge Miura ons ook zal vergezellen?'

Mei Lin beet op haar lip. Ze dacht aan Cang Lu's lijkbleke gezicht, de scherpte van zijn blik en zijn angstaanjagende stem, als het gekras van een vogel. Wat was er die ochtend met hem gebeurd?

'Nee,' zei ze. 'Yasuo blijft hier.'

Akechi boog zijn hoofd. 'Zoals je wilt.'

Ze kwamen aan bij hun vertrekken en een dienaar schoof de deur voor hen open. Bij de ingang naar het slaapvertrek liet Akechi haar los. 'Een goede nacht, Mei Lin-sa,' zei hij. De lichtjes in zijn ogen straalden.

Kapitein Miura no Ichirō Shigemori liep zijn ronde over de muren van Onasaka, zoals iedere morgen diep weggedoken in de kraag van zijn gevoerde overjas. In Jitsuma zou het hof zich zo langzaamaan voor de verhuizing naar het zomerpaleis gereedmaken, maar in de bergen droeg de lucht nog een herinnering aan de afgelopen winter.

De wachters achter de palissade knikten hem kort toe. Voor iedere man op wacht zaten er twee gehurkt op de planken te slapen. Zelfs op het plein hadden sommigen een rustplek gezocht. De grenspost was overvol met de versterkingen die de afgelopen maand uit Asahino waren aangekomen, maar het had Miura niet de moeite geleken om extra barakken te bouwen. Het zou tiendagen kosten om het hout over de bergpassen hiernaartoe te krijgen. De extra manschappen zouden toch niet lang blijven. Het was een gril van de keizer; iedereen wist dat er nog nooit een vijand door de Guan Baipas was gekomen. Als de Yuan Nashido aanvielen, zouden zijn manschappen daar hard nodig zijn. En dus had hij liever dat de nieuwe jongens hun gevechtstechnieken oefenden dan dat ze hun dagen als timmerlieden sleten. Ze waren goede krijgers, maar nog jong, het merendeel bestond uit nieuwe rekruten. De veteranen van de vorige oorlog waren naar het zuiden gestuurd, waar hun aanwezigheid ertoe deed.

Miura bereikte de westelijke verdedigingstoren en stapte het wachtlokaal binnen, waar een vuur brandde. Twee soldaten en een officier zaten rond een tafel en aten rijst uit aardewerken kommetjes.

De soldaten bogen hun hoofd. De officier knikte uitnodigend naar de fles rijstwijn op tafel. 'Een goede morgen, kapitein. Wilt u iets drinken voor u verdergaat?'

Miura liep op de fles af, maar toen hij zijn hand wilde uitsteken om een van de bekers te pakken die op een rijtje naast de fles stonden, stopte hij. De bekers rinkelden zonder dat hij de tafel had aangeraakt. Hij stapte achteruit. 'Hoe lang doen ze dat al?'

De officier haalde zijn schouders op. 'Vanaf vanochtend vroeg, heer, denk ik. Ik heb er niet echt op gelet.'

Miura fronste. Dat was vreemd. Het kon een lawine zijn, ergens in de kloof. Maar het seizoen voor lawines was eigenlijk al voorbij. Misschien was het een aardbeving, al kwamen die in dit deel van Yamatan zelden voor.

Hij draaide zich om en verliet het wachtlokaal.

Op de westelijke muur trof hij een van de weinige degelijke officieren die hij tot zijn beschikking had. Nishi Masamitsu had tijdens de belegering van Nashido, tien jaar eerder, onder hem gediend en was een van de beste ruiters die Miura kende. De man had inmiddels al lang zijn eigen bataljon kunnen hebben, als hij niet de gewoonte had gehad de verkeerde mensen tegen zich in het harnas te jagen. Plichtplegingen waren aan hem niet besteed.

'Heb je iets gezien?' vroeg Miura.

Nishi maakte een weids gebaar naar de omgeving buiten de muren. 'Niets dan steen en rots, kapitein.'

Miura knikte en leunde met zijn rug tegen de palissade. Hij voelde het hout tegen zijn schouderbladen trillen. 'Een lawine,' zei hij.

'Die komen hier voor, heer. Als Fujita met zijn patrouille uit de kloof terugkeert, zullen we het wel horen.'

Miura draaide zich om, om door de pijlgaten naar buiten te kijken. Rots en steen.

'Hoe lang denkt u dat we hier nog zullen blijven, kapitein?' vroeg Nishi. 'Niet dat ik me beklaag! Steen en rots zijn beter dan vuur en bloed. Ik vroeg me slechts af of er nieuws was.'

Miura schudde zijn hoofd. Het was al meer dan een tiendag geleden sinds er enig bericht uit Jitsuma was gekomen; en dat betrof enkel een korte boodschap van zijn echtgenote, die toestemming vroeg voor een uitbreiding van de keukens in hun stadshuis.

Hij blies in zijn handen om ze op te warmen.

Goden, hij miste Kishiko! Hij kon haar bijna voor zich zien in haar japon van lichtgroene zijde, met een bloesem in haar haar. Zijn kleine duifje. Hij vroeg zich af hoe ze het maakte. Ze was zo broos geworden sinds de dood van hun zoontje, tien jaar eerder. Soms was hij bang dat ze zou breken als hij haar alleen maar vastpakte.

Hij had niet altijd van haar gehouden. Ze was een kille bruid ge-weest, die weinig met het leven van een legerkapitein ophad. Maar dat was veranderd toen ze zijn kind droeg. Of misschien was hij in haar ogen veranderd. Ze had haar masker laten vallen en hem de vrouw ge-toond die ze werkelijk was; de vrouw die niets liever wilde dan de eer van haar man hooghouden. En hoe kon ze dat beter doen dan door hem een zoon te schenken?

Goden, hij herinnerde zich nog de schok toen ze het kind voor het eerst zag. Een perfect jongetje, maar met haren als de hemel en ogen als gouden manen. Ze had het vreselijk gevonden dat haar kind er zo uitzag – een onuitsprekelijke schande – en ze had gedacht dat Miura haar zou verstoten. Maar hoe kon hij een kind dat uit haar schoot was voortgekomen, niet aanbidden? De priesters zeiden dat zulke kinderen als boodschapper van de goden werden geboren. En een kind dat het levenslicht zag op de dag dat Yamatan de oorlog werd verklaard, moest wel zijn voorbestemd om zijn land van de vijand te redden.

Maar helden van de goden leefden nooit lang.

Dergelijke zaken had Miura nooit met Kishiko besproken, natuurlijk. Ze had het al moeilijk genoeg zonder dat ze weet had van de lotsbestemming van haar zoon. Hij had het kind nooit aan de keizer getoond, zoals het protocol eigenlijk voorschreef. Als de goden een toekomst van strijd en pijn voor zijn zoon in gedachten hadden, zouden ze hem snel genoeg tot die zaken roepen. Tot die tijd zou Miura hem beschermen. Hij had Kishiko opgedragen het kind binnen te houden, verborgen voor de wereld.

Hij had geweten dat het zinloos was. Geen mens kon de strijd met de goden aanbinden. Ze hadden zo hun manieren om wraak te nemen. En dus was hij, toen hij na een lange gevangenschap in Nashido eindelijk naar huis terugkeerde, niet verbaasd om te horen dat het kind, slechts drie jaar oud, was gestorven. Soms dacht hij dat het een genade was.

Kon Kishiko het zo maar zien. Ze voelde zich na al die tijd nog steeds schuldig. Miura wenste dat hij haar weer kon laten lachen.

Hij zou haar een brief schrijven zodra hij klaar was met zijn ronde. Een echte brief, geen haastig gepende boodschap op een strookje papier. Hij zou haar schrijven wat hij voor haar voelde; dat ze nog steeds de enige voor hem was, ook al hadden de goden haar geen andere kinderen meer geschonken; dat hij haar niets kwalijk nam.

Hij draaide zich om van de palissade om zijn ronde te voltooien, toen de grond nog heviger begon te trillen. Een paar slaperige soldaten keken verward op.

'Het duurt nogal lang voor een lawine, vind je niet?' mompelde Miura.

Nishi slaakte een opgewonden kreet. 'Daar!' Hij wees door de pijlgaten van de palissade. 'Een van de verkenners is terug uit de kloof. Maar het lijkt wel alsof hij alleen is. En hij is te voet.'

Geërgerd beet Miura op zijn onderlip. Ook dat nog! Hij had meer dan genoeg troepen tot zijn beschikking, maar elke man die een onnodige dood stierf was zonde. En een hele patrouille in een lawine!

Hij duwde Nishi opzij, zodat hij zelf kon kijken.

Een eenzame figuur daalde op zijn gemak de helling af. Miura kneep zijn ogen tot spleetjes. De figuur leek helemaal niet op een man die zojuist al zijn metgezellen bij een vreselijke natuurramp had verloren. En wat had hij bij zich? Een fakkel? Misschien wilde Fujita een boodschap sturen? In het snel opkomende morgenlicht onderscheidde Miura nu een zwarte mantel en een handboog, die de man onder zijn linkerarm geklemd hield. Dit was niet het uniform van een van zijn manschappen, noch het soort wapen dat zijn verkenners droegen. Was het iemand uit de bergdorpjes?

De man op de helling bleef staan.

'Kapitein!' Een soldaat die Miura eerder die ochtend was gepasseerd, op wacht bij de poort, vloog de weergang achter de palissade op. 'Kapitein! Een boodschapper uit Jitsuma! We moeten de dorpelingen evacueren! De Yuan komen via de pas! Kapitein!'

Miura keerde zich weer naar de palissade en keek door het pijlgat. Een brandende pijl schoot van de helling op zijn muur af, in een gouden flits.

'Dekking!' brulde hij. 'Schilden op!'

Maar het was te laat. De pijl vloog over de palissade, gevolgd door een verschrikkelijk salvo, dat de ochtendlucht zwart kleurde. Hij hoorde geschrokken kreten. Op het plein zakten mannen in elkaar voor ze goed en wel uit hun slaap overeind hadden kunnen komen. Een volgend pijlensalvo regende op hen neer.

'Schilden op!' brulde Miura opnieuw. 'Iedereen te wapen!'

Een derde salvo vloog over de muren en trof de mannen die juist uit barakken en wachtlokalen tevoorschijn kwamen. In het poorthuis begon iemand de alarmklokken te luiden.

Miura keek door het pijlgat naar buiten. Hij kon de boogschutters nu zien, boven aan de helling, langs beide zijden van de kloof. Terwijl een vierde salvo als een vlucht zwarte doodsvogels op de grenspost af schoot, zag hij hoe infanterietroepen in de zwarte wapenrusting van de Yuan langs de schutters naar beneden stormden. Hij probeerde te tellen, te schatten, maar de stroom scheen eindeloos. Vierduizend? Vijfduizend? Zesduizend zelfs? Te veel. Veel te veel.

Terwijl het pijlensalvo over de muur trok, draaide hij weg van de palissade.

'Nishi!' brulde hij.

'Kapitein?'

Miura greep hem bij de schouders. 'Neem het snelste paard dat je kunt vinden, en rijd alsof je leven ervan afhangt! Bedank Jitsuma voor zijn waarschuwing, maar zeg dat ze rijkelijk laat komt. De Yuan zijn er al. Ze zijn hier, nu!'

Nishi boog zijn hoofd. Miura wist dat hij liever bleef, wat hij ook gezegd had over steen en rots en bloed en vuur. Maar een direct bevel zou hij niet trotseren.

'Ga nu!' zei hij. 'En zeg... zeg tegen Kishiko dat ik haar zal zien aan de andere kant van de Volle Maan.'

De man begon te rennen. Miura keerde zich weer om naar de palissade.

De Yuan vormden een zwarte lawine die vanuit het dal omhoogklom naar de grenspost. Miura maakte zich geen illusies. Misschien zou hij zijn zoon terugzien, Kishiko's zoon. Dat zou een genade zijn.

Een volgend pijlensalvo. De eerste troepen kwamen aan bij de verdedigingswal en wierpen klimtouwen met brede haken omhoog.

Miura Shigemori trok zijn zwaard. 'Te wapen!' riep hij. 'Voor de Wassende Maan en Yamatan! Voor de keizer! Iedereen te wapen!'

43

De mars

Het Veld van de Bloedende Aarde, aan de oever van de Minamigawa ten noorden van Jitsuma, gonsde als een bloementuin vol hommels. Tienduizenden hommels, met bogen en speren, in harnassen van blauwe en zilveren plaatjes, die hun hoofden bogen tegen de zon. Het licht weerkaatste verblindend van helmen en speren. Her en der rezen in hun midden met huisemblemen versierde vlaggetjes op, die zich in de wind ontvouwden als ontluikende bloemknoppen.

De laatste keer dat de Zeven Legers van de Wassende Maan zich op deze plek hadden verzameld, waren ze in een laatste wanhoopsoffensief tegen Mei Lins vader ten strijde getrokken. Volgens de verhalen was de aarde die dag inderdaad doordrenkt geweest met bloed. Was Mei Lin hier toen geweest, dan zou ze tot de vijand hebben behoord. Of was ze nú de vijand?

Vóór haar gaf Akechi Sadayasu zijn paard de sporen voor een laatste inspectie van de troepen. Het had haar in eerste instantie verbaasd dat ook hij zijn eigen legermacht commandeerde, jong als hij was. Maar inmiddels had ze, na dagen van overleg met generaals, officieren en raadsheren, begrepen dat de zaken in Yamatan heel anders geregeld waren dan in Yuan, waar de keizer regeerde en bepaalde welke krijgers het tot generaal konden schoppen. Hier was Akechi Arihito de keizer in naam, maar hij deelde zijn macht met de voornaamste huizen van Jitsuma. De Zeven Legers waren als de zeven loten aan één stam en iedere loot viel toe aan een andere heer. Dat Akechi Sadayasu, als tweede heer van Yamatan, ook het bevel over het Tweede Leger voerde, was niet meer dan logisch.

Vandaag waren er slechts drie van de zeven legers aanwezig, maar ze vormden desalniettemin een machtig schouwspel: dertigduizend man, als een zilveren slang, gereed voor de mars. De enige keer dat Mei Lin meer krijgers verzameld had gezien, was tijdens de triomftocht na de Mars op Jitsuma, maar toen had ze meer oog gehad voor haar vader en haar broer dan voor iets anders.

En dan te bedenken dat al deze mensen op haar woord ten strijde trokken! Stel dat ze het mis had? Stel dat Wen De helemaal niet via de pas zou komen? Ze hadden nog geen bericht uit Onasaka ontvangen. Stel dat haar voorgevoel verkeerd was en Wen De toch via het zuiden kwam? Al deze mensen... dood of onderworpen aan haar broer!

Een andere gedachte drong zich aan haar op, terwijl ze haar zwarte merrie aanspoorde om Akechi bij te houden. Hoeveel mannen zouden niet meer terugkeren als ze wel gelijk had?

Mei Lin kneep haar ogen toe, plotseling misselijk van de warmte. Ze probeerde haar gezicht van de zon weg te draaien, maar dat hielp weinig. Het was haast niet te geloven dat het hartje winter was geweest toen ze Yuanjing had verlaten. In de paleistuin zouden de struiken inmiddels in volle bloei staan. Hier, in Jitsuma, voelde de late lente anders dan thuis; de zeewind voerde zout mee dat ze proefde als ze inademde.

Ze had de zee nog nooit gezien. Cang Lu en zij waren Jitsuma aan de landzijde binnengekomen. Nu wenste ze, belachelijk genoeg, dat ze Akechi had gevraagd om haar een keer naar het strand te brengen; of dat ze tenminste de moeite had genomen om een plek in het paleis te zoeken vanwaar ze over de baai uit kon kijken. Er was tijd genoeg geweest.

'Ben je in orde, Mei Lin-sa?'

Ze opende haar ogen en keek opzij naar Cang Lu, die onwennig in het zadel van zijn pony zat. Ze had geprobeerd hem naar het zomerpaleis van de Akechi te sturen, maar die strijd had ze hopeloos verloren. Hij had niet eens naar haar willen luisteren.

'Ik voel me prima,' zei ze zonder hem recht aan te kijken.

Er kwam een ruiter op hen af. Akechi en zijn officieren hielden halt om hem op te wachten. Mei Lin stond te ver weg om hun onderhoud te volgen, maar het gebaar dat Akechi naar zijn officieren maakte, was duidelijk: mars! De ruiter reed door, ongetwijfeld op weg om zijn boodschap door te geven aan heer Ōta, die zijn Vijfde Leger uit Nashido achter hen had opgesteld.

In het noorden, waar de voorhoede zich bevond, stegen stofwolken op van de duizenden voeten en paardenhoeven. 'Zo veel mensen op deze mars,' mompelde Cang Lu. Mei Lin knikte. Ze keek over zijn schouder. Van de rivieroever vloog een reiger op.

Een marcherend leger was een log beest, dat nauwelijks vooruit leek te komen. Het maakte Mei Lin zenuwachtig, ook al verzekerde iedereen haar dat haar broer in de bergen onmogelijk sneller kon optrekken. Ze hadden echter in Jitsuma al vijftien dagen gewacht tot de troepen uit Nashido zich bij hen hadden gevoegd en ze konden zich geen uitstel meer veroorloven. Als Wen De inderdaad Onasaka had ingenomen, was hij nu op weg naar Asahino. Stel dat hij het kamp vóór hen bereikte? De troepen van Ishida, Kojima en Maeda, die daar al waren gelegerd, zouden de legermacht van haar broer nooit kunnen weerstaan. Ze moesten vooruit, vooruit!

Akechi lachte niet om haar onrust, wat haar des te nerveuzer maakte. Als hij werkelijk vond dat ze zich voor niets zorgen maakte, had hij haar wel bespot. Of dacht hij dat hij méér lol aan haar kon beleven als hij haar in die waan liet? Ze wierp hem een tersluikse blik toe. Hij zat fier rechtop in het zadel, de laatste stralen van de middagzon flikkerend op de plaatjes van zijn wapenrusting. Hij zag er niet bepaald bezorgd uit.

Ze zuchtte.

Ze begreep niets van hem. In Jitsuma had hij al zijn vrije tijd in haar gezelschap doorgebracht. Hij probeerde haar uit te horen over de meest uiteenlopende zaken, zoals hij ook in Yuan had gedaan. Soms dacht ze dat hij zich werkelijk voor haar interesseerde. Maar dan lachte hij weer met die spottende blik in zijn ogen en maakte al haar antwoorden belachelijk, zodat ze wist dat het slechts spel was. Maar met welk doel? Ze was zo in de war dat ze hem er op een gegeven moment zelfs naar gevraagd had, maar toen had hij gedaan alsof hij haar niet begreep. En iedere avond liet hij haar opnieuw alleen in het slaapvertrek. De eerste keer had ze zich voorgehouden dat hij moe was, de tweede keer dat hij zich misschien druk maakte over de aanstaande oorlog en daarom niet in de stemming was. Maar na de derde en vierde nacht kon ze zichzelf niet langer voor de gek houden: Akechi Sadayasu weigerde met haar te slapen. Natuurlijk wilde ze dat ook helemaal niet. Het idee alleen al maakte haar misselijk! Maar hij was toch een man? Waarom probeerde hij niets? Ze had zijn blikken heus wel gezien, als hij eens vergat haar te bespotten. Hij kon onmogelijk beweren dat hij nooit op die manier over haar had gedacht. Ze was zijn echtgenote, dus hij had alle recht. Waarom liep hij dan van haar weg? Wilde hij haar misschien bespotten door haar af te wijzen? Zo erg kon hij haar toch niet haten? En ze weigerde te geloven dat een man – zelfs Akechi Sadayasu – zo veel zelfbeheersing bezat dat hij de verleiding van een jonge vrouw nacht na nacht weerstond, alleen om haar te bespotten. Er moest een andere reden zijn. Maar welke? De onzekerheid ergerde haar dermate dat ze bijna hoopte dat hij op een nacht bij haar zou komen, zodat ze tenminste haar frustratie op hem kon botvieren door hém dan af te wijzen.

Ze wendde haar blik van hem af en speurde de horizon af, op zoek naar iets wat haar kon afleiden. Ze hadden de rivier inmiddels achter zich gelaten en trokken door een heuvellandschap met slanke dennen. Hier en daar ontdekte ze huisjes tegen de hellingen, waar mensen aan het werk waren op de akkers.

Haar blik gleed terug naar de colonne. Een ruiter maakte zich uit de voorhoede los en kwam naar hen toe. 'De keizer laat een kamp opslaan, heer,' sprak hij tegen Akechi. 'Verderop ligt het dorp Kimoya. In de plaatselijke herberg zijn slaapplaatsen voor u in gereedheid gebracht.'

Akechi knikte. Nadat hij het bericht aan zijn ondergeschikten had doorgegeven, keerde hij zich om naar Mei Lin. 'Ik zal iemand roepen om je vast naar Kimoya te brengen.'

Mei Lin schudde haar hoofd. 'Ik wacht wel tot u gereed bent, heer.'

Ze had er nooit over nagedacht hoeveel werk er in een kamp van deze omvang ging zitten. De paarden moesten in nette rijen worden vastgezet, bepakkingen met voorraden moesten op vaste plaatsen worden opgeslagen en bewaakt, er dienden wachtposten te worden uitgezet. Akechi wilde op alles toezicht houden, alsof hij bang was dat zijn onderofficieren er een puinhoop van zouden maken zodra hij hun de rug toekeerde.

'Orde straalt van de hoogste macht naar beneden,' zei hij, toen ze er een opmerking over maakte, 'zoals de goden ook hun sterrenlicht over de mensen op aarde laten schijnen. Maar wie eenmaal de sterren heeft gezien, herinnert ze zich, zelfs als de nacht bewolkt is en er geen ster aan de hemel verschijnt. Een commandant die wil dat zijn troepen in de strijd gehoorzamen, doet er goed aan ze in rust orde bij te brengen.'

Mei Lin kon niet ontkennen dat alles er piekfijn uitzag. Toch vermoedde ze dat de keizer en heer Ōta hun kampen ook op orde hadden, terwijl die in de herberg al van een warme maaltijd zaten te genieten toen zij er binnenkwamen.

De herberg was niet veel groter dan een flinke boerderij. In de eetzaal was een rijstpapieren wand verschoven om aan alle officieren ruimte te bieden. De kussentjes rond de tafels zagen eruit alsof ze betere tijden hadden gekend.

'Yuan-sa,' zei keizer Akechi, toen ze gingen zitten, 'ik hoop dat de tocht van vandaag niet te vermoeiend voor u was?'

'In het geheel niet, heer,' glimlachte Mei Lin, terwijl ze heer Ōta, die tegenover haar zat, toeknikte.

De man grimaste minzaam. Hij was klein voor een Yamatanees, strenger dan heer Ishida en zwijgzamer dan Kojima. Mei Lin had hem deze ochtend voor het eerst ontmoet. In eerste instantie had ze niet kunnen geloven dat hij de echtgenoot van Ōta no Yasuna was. Zo'n serieuze man! Het afscheid van heer en vrouwe Ōta, voor de poort van het paleis, had haar dan ook niet erg verbaasd; vrouwe Ōta had zonder enige zichtbare emotie de hand van haar echtgenoot gekust. En dat terwijl ze Akechi Sadayasu eventjes daarvoor om de hals was gevlogen met de woorden dat hij maar beter heelhuids bij haar terug kon keren! Op dat moment had Mei Lin er niet bij stilgestaan, maar nu ze de blikken zag die heer Ōta hun toewierp – haar en Akechi Sadayasu – begon ze zich af te vragen of er misschien meer achter stak. Er sprak uit die blikken een nauwelijks verholen haat, die haar alle eetlust ontnam. Waarom zou heer Ōta Akechi haten? Waarom had vrouwe Ōta bij het afscheid alleen oog gehad voor haar jongste broer?

'Heb je geen honger?'

Verschrikt keek Mei Lin op. Akechi Sadayasu had zich bezorgd naar haar toe gebogen.

'Nee,' zei ze, terwijl ze haar kommetjes opzijschoof. 'Ik ben toch wel moe van de reis. Ik wil graag gaan slapen.'

Naast haar doorzag Cang Lu de leugen direct. Hij stak fronsend een hand naar haar uit, maar ze negeerde hem.

Akechi stond op. 'Ik zal je naar je kamer brengen.'

Hij nam haar bij de hand en ging haar voor naar de slaapvertrekken.

Enkele dienaren – onder wie de dienares Yuki, die speciaal voor Mei Lin uit Jitsuma was meegekomen – waren naar het dorp gezonden om de slaapplaatsen van de edelen in orde te brengen. Het dienstmeisje wachtte in Mei Lins kamer, maar de prinses zond haar weg. Ze liep de kamer in en nam in kleermakerszit plaats op de slaapmat. Pas toen keek ze op.

Akechi leunde tegen de dichtgeschoven deur, zijn armen over elkaar geslagen. 'Ik dacht dat je wilde slapen.'

'Waar was u op de dag voor ons huwelijk?' vroeg Mei Lin.

Hij knipperde met zijn ogen, duidelijk overrompeld door haar vraag. 'Wat?'

'De dag voor ons huwelijk,' herhaalde ze. 'Ik heb naar u gezocht, maar de dienaren zeiden dat u het paleis uit was.' Ze zweeg even en likte haar lippen. 'U was bij Ōta no Yasuna, nietwaar?'

Het was de enige verklaring. Waarom zou hij anders weigeren met haar te slapen? Er moest een andere vrouw in het spel zijn. En hoe afschuwelijk het idee ook was, alles wees erop dat die vrouw zijn zuster moest zijn.

Akechi lachte verbijsterd. 'Wat zeg je? Hoe kom je daarbij?'

'Iedereen ziet toch hoe intiem u zich samen gedraagt!'

'Ze is mijn zuster!'

'U omarmt elkaar alsof u geliefden bent. Terwijl vrouwe Ōta haar echtgenoot geen blik waardig keurt!'

'Hoe Yasuna en haar echtgenoot zich jegens elkaar gedragen is hun eigen zaak!' Akechi maakte zich los van de deur en kwam op haar af, maar Mei Lin stak haar hand naar hem op.

'Ik heb begrepen dat heer Ōta al sinds deze winter in Nashido verbleef,' zei ze. 'Wel opvallend dan, dat zijn vrouw een kind verwacht, nietwaar?'

Akechi bleef staan. Hij sloot zijn ogen en schudde zijn hoofd. 'Wat wil je beweren, Mei Lin-sa?'

Mei Lin lachte. 'Moet ik het daadwerkelijk uitspreken, Akechi-tse?'

Hij opende zijn ogen. 'Heer Ōta is kort in Jitsuma geweest, ongeveer rond de tijd dat ik in Yamatan terugkeerde. Ik zou zeggen dat mijn zuster rond die tijd zwanger zal zijn geraakt. Meer weet ik niet van dergelijke zaken!'

Mei Lin zuchtte. Ze geloofde dat hij de waarheid sprak. Er sprak geen spot uit zijn toon, geen enkel pretlichtje schitterde in zijn ogen.

Maar de waarheid verklaarde nog niets. 'Waarom kijkt heer Ōta dan naar ons alsof we zijn eer op een onnoemelijke wijze door het slijk hebben gehaald?' vroeg ze.

Akechi knielde bij haar neer en pakte voorzichtig haar hand vast. Mei Lin keek naar hem op. Hij zag eruit alsof hij zich nog steeds in het nauw gedreven voelde. 'Heer Ōta,' zei hij ten slotte, 'is verontwaardigd over het feit dat ik met een Yuan ben getrouwd. Niets meer en niets minder.'

Mei Lin trok een wenkbrauw op. 'Als de keizer zelf zijn goedkeuring voor dit huwelijk heeft gegeven, welke reden heeft heer Ōta dan om er verontwaardigd over te zijn?'

Akechi liet haar hand los. 'Hij... het is... mijn zuster,' hakkelde hij.

Mei Lin maakte een afwijzend gebaar. 'Laat maar. Als u die dag niet bij uw zuster was, Akechi-tse, waar was u dan wel?'

'Ik zei niet dat ik niét bij mijn zuster was, Mei Lin-sa. Alleen niet bij de zuster die jij bedoelde.' Akechi glimlachte. 'Ik was bij Sayomi.'

'Sayomi?' Verbaasd knipperde Mei Lin met haar ogen. 'Waarom?'

Akechi haalde zijn schouders op. 'Ik wilde met haar praten,' zei hij. 'Ze is mijn oudste zuster en heeft lang voor me gezorgd toen mijn eigen moeder stierf. Ik wilde weten wat haar gedachten waren... over jou.'

Mei Lin staarde hem aan. 'Over mij? Ze kende me niet eens!'

'Over ons, ons huwelijk,' verbeterde Akechi. 'Ik vroeg me af of het wel doorgang moest vinden.'

'Waarom?'

Hij keek haar strak aan. 'Doe niet alsof je stond te popelen om met mij te trouwen, Mei Lin-sa! Of moet ik je herinneren aan gebeurtenissen waarover we geen van beiden willen spreken?'

Blozend keek Mei Lin van hem weg. 'Nee, Akechi-tse,' zei ze. Ze streek haar rijrok glad over haar knieën, in de hoop dat hij van onderwerp zou veranderen, maar het bleef stil. 'En wat zei uw zuster?' vroeg ze ten slotte op een zo nonchalant mogelijke toon. Voorzichtig waagde ze een blik op haar echtgenoot.

Akechi's ogen twinkelden. 'Sayomi zei dat als jij helemaal uit Yuanjing was komen lopen om onze verloving in stand te houden, ik daar misschien maar op moest vertrouwen.'

Mei Lin knipperde met haar ogen. 'O.'

Hij stond op.

'Gaat u weg?' vroeg ze. Zodra de woorden haar mond verlieten, kon ze zich wel voor haar hoofd slaan. Nu zou hij denken dat ze hem uitnodigde om te blijven!

Hij boog zijn hoofd. 'Jawel,' zei hij. 'Je zei dat je moe was en we moeten morgen weer vroeg op.'

44

Idonu's golf

Na een lange mars werd het kamp de volgende dag in een veld ten zuiden van de eerste wouden opgeslagen. Ditmaal was er geen herberg om in te overnachten, zodat de tenten voor de edelen tevoorschijn werden gehaald. Ze waren ruim vergeleken met de ronde tenten die Mei Lin uit Yuan kende, en bedekt met verticale banen van donkerblauwe en zilveren stof. Binnen werden tatami's neergelegd om op te zitten en te slapen. Ze kreeg haar eigen tent in Akechi Sadayasu's kamp. Voor Cang Lu was er een kleinere tent die in de buurt van de hare werd opgezet; de Yamata waren blijkbaar tot de conclusie gekomen dat hij, als haar gezel, ook een edelman moest zijn. Mei Lin had niets gedaan om hun dat idee uit het hoofd te praten.

De derde dag trokken ze door dichte naaldbossen vol donker struikgewas, waar de colonne zich tot een dunne slang moest uitrekken. Mei Lin vroeg zich al af waar ze die avond hun kamp zouden moeten opslaan, toen de begroeiing plotseling uiteenweek en het leger een dal in stroomde, waar een dorpje tegen de helling rustte.

Die avond vonden ze onderdak in een tempelcomplex dat vanaf de top van de heuvel over het dorp en de omringende kampementen uitkeek. De priesters in hun felgekleurde mantels voorzagen hen van rijst en gezuurde groenten, die ze zich goed lieten smaken.

Heer Ōta bleef zijn donkere blikken in Mei Lins richting werpen, maar zij negeerde hem.

Na het eten wandelde ze door de houten tempelhal. De hoge steunbalken vormden smalle nissen, waarin beelden stonden of beschilderde doeken hingen. Bij één doek bleef ze staan. Het stelde twee mensen op een klif voor, een man en een vrouw, die beiden naar zee keken. Een reusachtige golf rees boven hen uit en kon ieder moment over hen heen rollen. De gekalligrafeerde tekst naast de schildering sprak over twee geliefden, maar veel meer kon Mei Lin er niet uit opmaken.

Fronsend boog ze haar hoofd opzij. Iets in de schildering, in de manier waarop de vrouw was afgebeeld, herinnerde haar aan een beeld dat ze eerder had gezien, maar...

'Ben je geïnteresseerd in geschiedenis?'

Geschrokken stapte Mei Lin opzij.

Akechi Sadayasu was in het gezelschap van een van de priesters de hal binnengekomen.

'Is dit geschiedenis?' vroeg ze verbaasd, terwijl ze nogmaals een blik op het doek wierp.

Hij haalde zijn schouders op. 'Sommigen zeggen van wel.'

'Ah, het verhaal van Yamata en Mirushi,' zei de priester. Hij kwam naast Mei Lin staan. 'Wij noemen het verhaal naar dit doek "Idonu's golf". Maar het is onder vele namen bekend. U kent dit verhaal?'

Mei Lin schudde haar hoofd.

Akechi zei: 'Mijn vader had een wandkleed dat een andere scène uit deze vertelling verbeeldde. Ik denk van dezelfde kunstenaar. Het doek hing boven het altaar van de huisgoden in het winterpaleis. Als kind ging ik er vaak naar kijken. Maar toen de Yuan de stad innamen, is het verdwenen. Ik vraag me af wat ervan is geworden.'

'Kunt u me dat verhaal vertellen?' vroeg Mei Lin aan de priester, omdat ze niet op Akechi's woorden wilde reageren. Ze wist plotseling heel goed waar ze de afbeelding van de vrouw eerder had gezien: in haar vaders vertrekken.

De priester glimlachte. 'Ik zal het u met alle plezier vertellen, Yuansa. Het is per slot van rekening het verhaal van Yamatan zelf. Maar laten we terugkeren naar de eetzaal, waar wij kunnen zitten. Dat praat gemakkelijker, vindt u niet?'

Mei Lin boog haar hoofd en gebaarde hem haar voor te gaan.

In de eetzaal zaten nog enkele priesters, die in een diep gesprek met keizer Akechi en een van zijn officieren verwikkeld waren. Cang Lu zat in een hoekje. Toen hij hen binnen zag komen, sprong hij op en ging bij hen zitten.

De priester schraapte zijn keel. 'Lang geleden – nog voor de Dagen van de Eeuwige Sneeuw ten einde kwamen, zoals de Yuan rekenen – leefde er in de baai van Jitsuma een jonge visser die Yamata werd genoemd. Nu was er in die tijd een grote schaarste aan vis, zodat de schepen ver buiten de havens moesten gaan om hun vangst binnen te halen. Alleen de dapperste vissers trokken er nog op uit en Yamata was de dapperste van allemaal. Telkens als zijn scheepje eropuit moest gaan, bad hij om een behouden vaart tot Idonu, de Heer van de Wateren. Daarna vertrok hij om in de verste uithoeken van de zee te vissen. En steeds keerde hij veilig weer, want Idonu was een welwillende god voor zijn onderdanen.

Op een keer was Yamata verder uitgevaren dan zelfs hij gewend was. De golven rezen hoog boven zijn scheepje uit en hij vreesde voor zijn leven. "O, Idonu," bad hij, "als u vandaag mijn leven spaart, zal ik nooit meer om iets vragen!" En zie! De storm trok over en Yamata kon naar huis terugvaren. Maar toen hij de zeilen weer hees, ontdekte hij in de verte een eiland. Daar zal ik naartoe gaan, dacht hij, want hij was zeer vermoeid. Vandaar zal ik morgen mijn reis naar huis voortzetten.

Wat hij niet wist, was dat op dit eiland een beeldschone vrouw woonde, Mirushi genaamd. Ze was de dochter van Idonu, met ogen als de immer veranderende golven. Toen Yamata haar zag, werd hij op slag verliefd. Mirushi, die altijd alleen was geweest op het eiland waar haar vader haar veilig had verstopt, bloosde hevig toen ze de jonge visser zag. En zij werd ook verliefd op hem.

Tien dagen en tien nachten brachten zij samen op Mirushi's eiland door. Maar Yamata wist dat hij niet langer kon blijven; zijn familie had hem nodig. Hij wilde zijn geliefde echter niet achterlaten. "Ga met me mee, Mirushi!" riep hij.

Maar Mirushi barstte in snikken uit. "O, Yamata!" zei zij. "Ik wou dat ik met u mee kon, maar mijn vader zal ons nooit laten gaan."

Toen verzon Yamata een list. Hij verborg Mirushi onder de zeilen van zijn scheepje en knielde neer op het strand, precies op de plek waar de golven het zand raakten. "O, Idonu," bad hij, "u hebt mijn leven gespaard. Maar wat moet ik met mijn leven, als ik niet meer thuis kan komen? Breng mijn scheepje toch veilig over uw wateren! Nooit meer zal ik om iets anders vragen!" En zie! Toen Yamata aan boord van zijn scheepje stapte, leidde Idonu het veilig naar de haven van Jitsuma. Want de Heer van de Wateren was een welwillende god voor zijn onderdanen. Hij had niet door dat zijn eigen dochter zich onder de zeilen had verstopt.

Toen Idonu besefte wat er was gebeurd, was het al te laat. Yamata en Mirushi waren getrouwd en woonden in een huisje aan de baai. Woedend ging de Heer van de Wateren naar hen toe om zijn dochter terug te eisen. Maar toen hij aankwam, sprak Yamata: "Idonu, Heer! U hebt mijn leven gespaard en me veilig over uw wateren naar huis gebracht. Maar wat zijn mijn leven en mijn huis waard zonder de vrouw van wie ik houd? Ik smeek u, geef me uw dochter en nooit meer zal ik om iets anders vragen!"

Die woorden maakten de Heer van de Wateren kwaad. Had hij Yamata's wensen niet vele malen vervuld? Hoe durfde deze jonge visser hem zo schaamteloos te bedriegen en dan ook nog een wens te doen? De Heer van de Wateren was zo kwaad, dat hij zon op wraak. Hij balde al zijn machten samen en maakte een golf zo hoog als de grootste berg van Yamatan, zo breed als de wijdste horizon. En deze golf stuurde hij naar Jitsuma – naar Yamata en Mirushi – om alles wat hem aan hun bestaan herinnerde, uit te wissen.

Toen Yamata dat voorzag, wierp hij zich in de zee terwijl hij bad: "Heer Idonu, duizenden malen heb ik u gevraagd om een behouden vaart. Ik heb u gevraagd om mijn leven te sparen en mij veilig thuis te brengen. Zelfs heb ik u gevraagd om mij uw enige dochter te schenken. Maar luister nu, want nooit heb ik u iets gevraagd wat me liever was dan dit! Spaar mijn land en mijn lief! Mijn leven zal ik u ervoor geven! O, Idonu, Heer van de Wateren, wees mild en nooit meer zal ik om iets anders vragen."

En men zegt dat de kracht van Idonu's golven door die opoffering werd gebroken. Want de Heer van de Wateren was een welwillende god voor zijn onderdanen en hij zag dat Yamata oprecht berouw toonde. En zo redde Yamata zijn land van de ondergang.

Nadat Yamata's lichaam door de golven was verzwolgen, nam heer Idonu zijn dochter op en bracht haar terug naar haar eiland. En daar zit zij, tot op de dag van vandaag, te midden van de golven en wacht op de terugkeer van haar geliefde, die nooit meer zal komen.'

'Een mooi verhaal,' zei Mei Lin. 'Wat wordt ermee bedoeld?'

De priester lachte. 'Vraagt u de zee naar het uiterlijk van haar golven, Yuan-sa? Ze veranderen met iedere wind! U moet haar zelf aanschouwen om haar te kennen. Ik ben slechts de verteller van dit verhaal. Misschien kunt u mij de betekenis uitleggen?'

'Aan dit soort verhalen worden altijd verschillende betekenissen toegeschreven,' zei Akechi Sadayasu. 'Sommigen zeggen dat dit verhaal een waarschuwing vormt voor hen die te veel van anderen verlangen. Ik persoonlijk geloof dat het wil zeggen dat eenieder die bereid is de prijs te betalen, zijn dierbaren kan redden van de verdoemenis. Zelfs hij van wie de goden zich hebben afgekeerd.'

Mei Lin knikte bedachtzaam, maar naast haar lachte Cang Lu geringschattend. 'Wie gelooft dat er een boodschap in dit soort verhalen verscholen ligt, houdt zichzelf voor de gek,' zei hij, terwijl hij opstond. 'Mensen vechten niet tegen de goden! Dat is een verloren strijd.'

Akechi keek hem verbaasd aan.

Mei Lin sprong op. 'Cang Lu-tse!'

Hij schudde zijn hoofd en boog. 'Vergeving,' mompelde hij. 'Een goede nacht.' Voor Mei Lin nog iets kon zeggen, had hij de eetzaal verlaten.

Met een zucht draaide Mei Lin zich weer naar de priester en Akechi. 'Wat mij opvalt,' zei ze, terwijl ze weer ging zitten, 'is dat niemand rekening houdt met de beeldschone vrouw. Yamata en Idonu vechten hun strijd met elkaar uit, maar volgens mij is Mirushi uiteindelijk het slechtst af. Konden haar geliefde en haar vader daar niet bij stilstaan voor ze het gevecht aangingen?'

De priester fronste verbouwereerd zijn wenkbrauwen. Akechi schoot in de lach, maar na een blik van Mei Lin deed hij alsof hij zich verslikte. Ze had wat ze zei niet als grap bedoeld.

Toen ze zich de volgende ochtend voor een vroeg ontbijt verzamelden, was Akechi Sadayasu afwezig. 'Yuan-sa, hebt u enig idee waar hij kan zijn?' vroeg de keizer.

Mei Lin bloosde, omdat ze het niet wist. Akechi Sadayasu had haar de vorige avond naar haar slaapvertrek gebracht, maar daarna was hij weer snel verdwenen, zoals ze inmiddels van hem gewend was. Ze had hem niet meer gezien. Maar dát kon ze de keizer natuurlijk niet vertellen.

Cang Lu, die al aan een van de lage tafeltjes zat te eten, wierp haar een bevreemde blik toe.

'Ik zal hem gaan zoeken,' mompelde ze en met een buiging naar de keizer haastte ze zich weg.

Akechi was niet op het tempelplein, noch in de gang die naar de slaapvertrekken leidde. Mei Lin wist niet welke kamer de zijne was, maar toen een dienaar haar de weg wees, bleek het vertrek leeg. Ze bedacht dat ze hem waarschijnlijk was misgelopen en wilde terugkeren naar de eetzaal, maar besloot eerst nog even in de tempelhal te kijken.

Ze hoorde zijn stem voor ze hem zag, verborgen in de nis bij het doek van Idonu's golf. Hij sprak diep en bedachtzaam, op een toon die hij zelden gebruikte als hij met haar praatte: '... en toch kon ik... anders... niet? Ik moet... maar... niet winnen... mijn ondergang.'

Mei Lin liep om de steunbalken heen, zodat ze hem kon zien. Hij zat met zijn rug naar haar toe, tegenover de priester die hun de vorige avond het verhaal van Yamata en Mirushi had verteld.

De priester bewoog zijn handen in een alomvattend gebaar. 'De goden hebben vele manieren om onze krachten op de proef te stellen, heer Sadayasu,' zei hij. 'Als dit het pad is dat zij voor u hebben gekozen, dan moet u het volgen. Heb vertrouwen! Zelfs in de duisterste strijd is er hoop.' Toen stond hij op en gebaarde naar Mei Lin. 'Kijk, uw echtgenote komt u zoeken!'

Akechi sprong op, alsof hij zich betrapt voelde. 'Mei Lin-sa!'

De priester glimlachte beleefd. 'Een goede morgen, Yuan-sa. Het ontbijt is reeds opgediend, nietwaar? Wel, dan zal ik u beiden niet langer ophouden. Als u me wilt verontschuldigen...'

Akechi boog zijn hoofd. 'Ik dank u,' mompelde hij.

De priester bewoog opnieuw zijn handen. Mei Lin vroeg zich af of dat gebaar iets te betekenen had. 'Wie kan zeggen wat de goden bedoelen? Wij spreken loze woorden, heer.' Toen boog hij zijn hoofd en verliet de hal.

Akechi staarde hem na. 'Vreemde mensen, priesters,' mompelde hij. Hij leek bijna vergeten dat Mei Lin naast hem stond.

Ze beet op haar onderlip, niet zeker of ze terug moest komen op het gesprek dat hij zojuist met de priester had gevoerd. 'Bent u bang voor de strijd?' vroeg ze ten slotte.

Hij wierp haar een vreemde blik toe. 'Jij niet?' Voor ze antwoord kon geven, greep hij haar hand en verstrengelde zijn vingers met de hare. 'Ik had moeten sterven in Yuchuan,' zei hij. 'Je broer had het zo bedacht. Maar jouw boodschap – jíj – redde mijn leven. En nu, als dank voor jouw inspanning, moet ik voor die moordaanslag wraak nemen. Voor mijn eer, voor die van Yamatan. En voor jou.'

Mei Lin fronste haar wenkbrauwen. Ze probeerde van hem weg te kijken, maar het leek alsof hij haar vasthield met die blik, waarin geen zweempje spot te vinden was. 'Waarom zegt u dat?' vroeg ze.

Hij haalde zijn schouders op. 'Ik weet het niet. Misschien vrees ik de strijd inderdaad; omdat hij haat zaait waar geluk en vrede zouden kunnen groeien; omdat wie zoekt naar hogere deugden, in de strijd verloren zal gaan. Misschien wilde ik mezelf eraan herinneren dat zo'n einde niet de enig mogelijke afloop is. Dat je soms gered kunt worden door degene van wie je dat het minst verwacht. Dat zelfs mensen die je haten, je kunnen behoeden voor een vreselijke dood.'

Mei Lin voelde hoe een blos naar haar wangen kroop. 'Ik haat u niet, Akechi-tse!' zei ze.

'O?'

Ze glimlachte schuchter en schudde haar hoofd. 'Als dat het geval was geweest, zou ik u niet alleen aan uw lot hebben overgelaten, maar had ik zelf de moordenaar gestuurd om u te doden.'

Hij schoot in de lach en opgelucht keek ze weg.

Ze trok haar hand los uit zijn greep. 'We kunnen maar beter opschieten, voordat het ontbijt voorbij is.'

Hij volgde haar zwijgend.

Niet veel later namen ze afscheid van de priesters.

Tegen het einde van de middag bereikten ze Asahino. Het legerkamp lag op een heuvel en was omgeven door een hoge palissade. Rondom waren alle bomen in een brede straal weggekapt, zodat er een grazige helling was ontstaan, die onder de tienduizenden voeten al snel in een modderpoel was veranderd. Binnen de omheining wachtte een bonte verzameling van tenten, vuurplaatsen en vlaggen, waartussen soldaten als blauw-met-zilveren mieren krioelden. In het midden van het kamp verrees een houten verdedigingstoren. Een tweede palissade grensde de grond rond de toren af; dat was het oorspronkelijke legerkamp.

Terwijl officieren orders om kwartier te maken naar de nieuw aangekomen soldaten schreeuwden, begaven Mei Lin, Cang Lu, heer Ōta en de beide Akechi's zich naar de verdedigingstoren.

Bij de toegangspoort wachtte heer Maeda hen op. 'Geen dag te vroeg, heer,' zei hij met een buiging voor de keizer. 'Ishida had al bijna een zoektocht naar u georganiseerd.'

'Is er nieuws van de Yuan?' vroeg keizer Akechi. Hij steeg af en wierp de teugels van zijn bruine hengst naar een van de staljongens. 'Jullie moeten iets hebben gehoord, als Ishida zich zo druk maakt.'

Maeda boog opnieuw zijn hoofd. 'Er is nieuws,' zei hij. 'Een boodschapper uit Onasaka. Hij was op weg naar Jitsuma, maar een van Kojima's verkenners heeft hem onderschept. Hij wacht binnen.'

De keizer knikte en gebaarde naar Maeda hem voor te gaan. De andere mannen volgden hen naar de toren.

'Ga je niet mee, Cang Lu-tse?' vroeg Mei Lin, terwijl ze zich naar de jongen omdraaide, die niet was afgestegen.

Hij schudde zijn hoofd en wendde zijn pony naar de palissade. Hij was inmiddels een behoorlijk vaardige ruiter. 'Ik denk dat ik het kamp ga bekijken.' Hij glimlachte schuchter. 'Maak je geen zorgen, Mei Lin-sa. Ik kom je straks wel weer opzoeken.'

Ze knikte en volgde Akechi naar binnen.

De keizer zat op een kampstoeltje in een zaal op de eerste verdieping van de toren, vergezeld door Maeda, Kojima en Ishida. Voor hem op de vloer zat een slanke man die zijn hoofd gebogen hield. Zijn grijze haar was samengebonden in een simpele krijgervlecht en er stonden diepe lijnen in zijn gezicht. 'Het was een slachting, heer,' zei hij met verstikte stem. 'Een slachting.'

Mei Lin nam plaats aan de voet van de verhoging.

'We hadden geen schijn van kans,' sprak de man. 'Ze vielen als een lawine van ijzer en staal over ons heen. De grenspost en de omringende dorpen... er is niets van over. De boerderijen in de omgeving zijn geplunderd, de mannen gedood, de vrouwen verkracht, de kinderen...' Hij schudde zijn hoofd, niet meer tot spreken in staat.

'Wanneer?' vroeg de keizer.

'Zes dagen geleden, heer,' stotterde de man. De generaals keken elkaar veelbetekenend aan; dat was precies de dag die Cang Lu voorspeld had. 'En nu zijn de Yuan op weg naar Jitsuma, en dus op weg naar dit kamp. Hun aantallen zijn overweldigend! Ze zullen ons verslaan zoals ze tien jaar geleden hebben gedaan. Ik was erbij in Nashido, toen de Yuan hun eerste aanval begonnen, en ik zeg u, het zal ditmaal honderd keer erger zijn! De bloeddorst van deze Yuan-tse is ongekend. Zijn manschappen zullen Yamatan uiteenrijten, de aarde met bloed kleuren! Geen leger kan hen verslaan! Uw zoons zullen sterven, uw dochters ten prooi vallen...'

'Verman je, Nishi!' siste Ishida hem toe. 'Er is een vrouw bij!'

De boodschapper, Nishi, sloot zijn ogen en slikte. Toen hij weer opkeek, leken de lijnen in zijn gezicht te verzachten. Een vreemde berusting gleed over hem heen. Mei Lin voelde een brok in haar keel. De man wendde zich weer tot de keizer. 'Vergeef me, heer, ik heb gefaald. Wij hebben allen gefaald, in Onasaka. We hadden de opdracht uw grens te bewaken, maar we zijn tekortgeschoten. Ik ben als enige ontkomen om u deze boodschap te brengen. Gun me genade, nu ik deze opdracht heb volbracht. Alstublieft, heer, gun me uw genade!'

Keizer Akechi's gezicht was een hard masker, maar ten slotte knikte hij. 'Ik schenk u genade,' zei hij.

Tranen van opluchting verschenen in Nishi's ogen. Ooit moest hij een heel sterke man zijn geweest, bedacht Mei Lin. 'Dank u, heer,' fluisterde hij. 'Dank u wel!'

De keizer stuurde hem met een kort handgebaar weg.

De man stond op en kwam, tot Mei Lins verbazing, op haar af. Hij greep haar hand en kuste haar vingers. 'Mijn naam is Nishi Masamitsu,' zei hij. 'Nishi Masamitsu, vrouwe.'

'Ik zal die naam onthouden,' antwoordde ze. Het was blijkbaar wat de man wilde horen. Hij boog zijn hoofd en verliet de zaal. Peinzend keek Mei Lin hem na.

Akechi Sadayasu boog zich naar haar toe. 'Weet je wat hij nu gaat doen?' vroeg hij.

Ze schudde haar hoofd.

'Hij zal een wit lint voor zijn ogen binden en daarna zijn zwaard nemen om zich van het leven te beroven. De genadedood, om zijn eer te redden.'

Mei Lin verwachtte half en half dat er pretlichtjes in zijn ogen schitterden – het bewijs dat hij haar weer eens voor de gek hield – maar zijn blik was koel en ernstig, misschien zelfs trots. 'Eer!' zei ze. 'Wat heeft Nishi's dood nu nog voor zin?'

Akechi keek haar fronsend aan. 'Dat moet je niet zeggen. Sommige dingen zijn in Yamatan nu eenmaal anders dan in Yuan. Ik verwacht niet dat je onze gebruiken begrijpt, maar je hoeft ze ook niet te verguizen!'

Mei Lins mond viel open. 'Ik... Ik zou niet begrijpen...'

Maar Akechi had zich alweer van haar afgewend.

45

Maskers en muren

Toen keizer Akechi en zijn generaals, na samen een maaltijd te hebben gebruikt, een voor een afscheid namen om hun tenten op te zoeken, was Mei Lin nog steeds verontwaardigd. Ze had nauwelijks een hap door haar keel kunnen krijgen. En dat Akechi Sadayasu zich niet verwaardigde om nog een woord met haar te wisselen, hielp ook niet om haar te kalmeren. Hoe waagde hij het haar zo te behandelen? Alsof ze te dom was om de Yamatanese gewoonten te begrijpen!

Ze waren samen achtergebleven. Mei Lin kwam overeind en streek haar rokken glad, terwijl ze wachtte tot Akechi zou opstaan, maar hij staarde slechts in gedachten verzonken voor zich uit. Goden, waarom had ze eigenlijk iets anders verwacht? Hij nam haar toch nooit serieus? Hij dacht dat alles wat haar betrof een grote grap was. Waarom zou hij zich nu wel om haar bekommeren?

'Ik zou graag mijn tent opzoeken,' zei ze snibbig, 'maar als het te veel moeite is om me te begeleiden, kan ik ook zelf de weg wel vinden.'

Akechi schudde zijn hoofd. 'Nee,' mompelde hij, 'het is geen moeite.'

Mei Lin lachte schamper. Op de een of andere manier stak het haar dat hij haar niet aankeek. 'Wat nu?' zei ze. 'Geen spottende opmerking? Geen "Maar Yuan-sa, alleen door het kamp lopen! Het idee alleen al!"? Niets?'

Verbijsterd knipperde hij met zijn ogen. 'Wat?'

Verontwaardigd bewoog ze haar handen. 'Doe niet alsof u mij niet begrijpt!'

'Maar ik...' Hij zweeg en glimlachte zijn spottende glimlachje. 'Mei Lin-sa, in naam der goden, waar heb je het over?'

Het lef! Ze kon hem wel slaan, de zelfingenomen kwast!

'Dit!' zei ze, terwijl ze woedend naar hem gebaarde. 'U blijft me maar bespotten, alsof ik een kind ben en niets van wat ik zeg serieus hoeft te worden genomen! Bij alles wat ik doe lacht u me uit, vanaf het allereerste moment dat we elkaar ontmoetten! En nu we getrouwd zijn...'

Akechi's mond viel open. 'Mei Lin-sa!' riep hij uit. 'Hoe kun je zoiets denken?'

'Wat moet ik anders denken als u lacht om alles wat ik zeg?'

Hij sprong op. Ze hief een hand op om hem af te weren en hij bleef staan.

'Ik wil dat u ermee ophoudt,' zei ze. 'Ik ben uw echtgenote! Misschien had u het liever anders gezien – ik weet dat u geen keuze had – maar u hebt gezworen mij te eren! Als u niet van plan bent zich aan die eed te houden...'

'Mei Lin-sa!' Akechi's ogen werden donker als de nacht. Ze had hem nooit eerder op die toon horen spreken.

Er liep een rilling over haar rug, maar ze was niet van plan om hem te laten zien dat ze onder de indruk was. 'Vergeet het,' zei ze, plotseling onverschillig. 'Ik weet niet wat me bezielde dat ik probeerde u terecht te wijzen. U bent nooit van plan geweest om dit huwelijk serieus te nemen. Op elke mogelijke manier hebt u geprobeerd om me te bespotten. Ik ben een dwaas dat ik me inbeeld u te kunnen veranderen! Een man die zijn eigen vrouw afwijst, zal toch geen rekening met haar wensen houden.'

Akechi's ogen leken bijna uit hun kassen te rollen.

Ze glimlachte liefjes. 'Ik vind mijn tent zelf wel, Akechi-tse. Als u meekwam, zou het maar een zinloze tocht zijn. Ik zou u enkel een nieuwe mogelijkheid bieden om mij te bespotten.' Ze keerde zich om naar de deur.

Akechi was in een oogwenk bij haar. Hij greep haar bovenarm, trok haar opzij en drukte haar met haar rug tegen de muur. Ze voelde de houten wandpanelen tegen haar schouderbladen. De vingers van zijn andere hand duwden pijnlijk in haar wang. Zijn adem streek over haar lippen. 'Is dit wat je wilt?' siste hij.

Ze probeerde zich los te rukken, maar hij was te sterk. 'Laat me los!' riep ze woedend.

'Wil je een man die zich bij elke mogelijkheid aan je vergrijpt, Mei Lin-sa?' zei hij, terwijl hij de hand van haar wang naar beneden liet glijden.

Ze probeerde haar vrije arm te gebruiken om hem weg te duwen, maar hij greep simpelweg haar hand vast en duwde die naast haar gezicht tegen de wand.

'Is dat wat je wilt, Mei Lin-sa?' vroeg hij nogmaals.

Ze had het gevoel dat de lucht om haar heen in steen veranderde. 'Nee!' zei ze. 'Laat me los!'

Ze kon de lichtjes in zijn ogen zien opkomen, als ijssterren die opbloeiden in het winterse duister. Er veranderde iets in zijn blik en hij zuchtte. Plotseling leek hij ontzettend moe. 'Goed,' zei hij zacht. De greep op haar bovenarm verslapte, maar hij stapte niet weg. 'Goed,' zei hij nogmaals, 'want zoiets zou ik nooit kunnen doen. Ik ben niet als de Yuan, die moorden en verkrachten alsof elk leven en lichaam hun toebehoort! Dat soort praktijken heb ik meegemaakt tijdens de bezetting van Jitsuma en ik weiger me daartoe te verlagen!'

Mei Lin fronste. 'Waar hebt u het over?'

Op dat moment slaakte iemand naast haar een kreet. 'Laat haar los!' Akechi schoot van haar weg.

Mei Lin keek naar de doorgang waar Cang Lu stond, bleek weggetrokken tegen de deurpost. 'U mag niet...' riep hij tegen Akechi, stotterend van woede. 'U mag haar niet...'

'Cang Lu-tse!' siste Mei Lin.

De jongen zweeg en keek haar met samengeknepen ogen aan. 'Ik had gezegd dat ik je zou opzoeken,' zei hij, bijna beschuldigend, alsof zij er iets aan kon doen. Zijn blik gleed weer naar Akechi, die midden in het vertrek strak naar de vloer staarde. 'Maar goed ook,' mompelde hij.

Mei Lin merkte dat ze nog steeds tegen de muur geleund stond. Ze duwde zichzelf weg en haalde een hand over de plukken haar die uit haar vlecht waren losgeraakt. 'Cang Lu-tse!' zei ze nogmaals. 'Ga naar mijn tent en wacht daar. Ik zie je zo.'

'Mei Lin-sa!' riep hij uit.

'Ik zie je zo, Cang Lu-tse!'

De jongen opende nogmaals zijn mond, maar schudde toen abrupt zijn hoofd en verdween.

'Moet je niet met hem meegaan? Jullie zijn toch zo onafscheidelijk?' zei Akechi venijnig.

'Nee!' Ze draaide zich met een ruk naar hem om, een wijsvinger waarschuwend opgestoken. 'Daar mag u niet mee spotten! Nooit!'

Verbaasd trok Akechi een wenkbrauw op, maar hij knikte. 'Ik heb je nooit willen bespotten,' zei hij zacht. 'Als ik om je lachte, dan vond ik je werkelijk grappig. Als ik een grapje maakte, dan hoopte ik dat jij zou lachen. Vergeef me als dat niet duidelijk was.' Hij leek plotseling onzeker, zoals in de tempel toen ze per ongeluk zijn gesprek met de priester had opgevangen.

Het liefst wilde Mei Lin inderdaad achter Cang Lu aan lopen, maar ze wist dat ze dan nooit meer een kans zou krijgen om Akechi Sadayasu te leren begrijpen. Daarom stapte ze op hem af. 'Wat is er tijdens de bezetting van Jitsuma gebeurd?'

Hij keek op, verrast door haar vraag. 'Dat vertelde ik zojuist toch?'

'Moord en verkrachting,' herhaalde Mei Lin. Ze boog haar hoofd een tikje opzij om hem beter aan te kunnen kijken. Er was meer, ze wist het zeker. Maar Akechi weigerde haar aan te kijken.

'Bijna vijftien was ik, toen Jitsuma viel,' zei hij. 'Te jong om bij de oorlog te worden betrokken. Mijn vader en mijn broer onderhandelden met de Yuan over een wapenstilstand. Mij stopten ze met mijn zusters, een troep gardisten en een deel van de hofhouding weg in het zomer-paleis. Misschien dachten ze dat ik zo niets van de oorlog mee zou krijgen.' Hij haalde zijn schouders op. 'De Yuan legerden daar ook troepen, natuurlijk. Ze hadden de hele stad in hun macht. Het waren ruwe mannen die wilde feesten gaven tot diep in de nacht, waar ze vrouwen uit de paradijshuizen voor uitnodigden. Zonder voor hun gunsten te betalen, denk ik.'

Mei Lin opende haar mond om iets te zeggen, maar Akechi ging verder.

'Mijn slaapvertrekken lagen naast die van mijn zus Yasuna. Zij was zeventien inderdaad, en mooi als een pas ontloken roos. Een landheer uit het noorden was vlak voor de val van Jitsuma uitverkoren om met haar te trouwen; het huwelijk zou binnenkort plaatsvinden.'

Hij zweeg even.

'En toen?' vroeg Mei Lin.

Akechi lachte treurig. 'En toen... toen werd ik wakker van gegil. Ik haastte me naar Yasuna's vertrekken. Maar ik kwam te laat. Een Yuan-officier was haar kamer binnengedrongen en had zich aan haar ver-grepen. O, ze had zich verzet! De vuilak had haar bont en blauw ge-slagen. Maar hoe moest ze hem van zich afhouden, een meisje van zeventien?'

'Goden!' bracht Mei Lin uit. 'Wat deed u?'

'Wat denk je dat ik deed? Ik joeg hem weg. Ik wilde hem doden, maar dat zou mijn vaders positie ten opzichte van de Yuan in gevaar hebben gebracht. We probeerden het stil te houden, maar door de Yuan lekte het verhaal toch uit. Yasuna's verloofde weigerde nog met haar te trouwen. Het zou een waar schandaal zijn geworden, als heer Ōta – toen nog een kapitein onder heer Ishida – niet om haar hand had gevraagd. Natuurlijk deed hij dat alleen om zijn eigen positie te verbeteren, maar mijn familie moet hem eeuwig dankbaar zijn. Hij redde Yasuna's naam en onze eer.'

'En Yasuna zelf?'

Akechi glimlachte. 'O, ik denk dat ze echt van Ōta houdt, ook al kan ze dat natuurlijk nooit in het openbaar tonen; het zou haar wankele eer beschadigen als ze zich onbetamelijk gedroeg. Ze herstelde van haar mishandeling, maar de dokters waren bang dat ze nooit kinderen zou kunnen krijgen. U begrijpt dus wat een heuglijk nieuws haar zwangerschap is.'

Mei Lin sloeg een hand voor haar mond. 'Goden, en ik beschuldigde u nog wel! Vergeef me, Akechi-tse. Ik had geen idee...'

Plotseling kwaad keek hij op. 'Nee, natuurlijk had je geen idee! Je beschuldigt mij ervan dat ik je zou willen bespotten, maar je hebt mijn gedrag nooit anders willen zien! Alsof het idee dat er een andere verklaring zou kunnen zijn te vreselijk is om te overwegen! Denk je dat ik me ooit aan een meisje zou kunnen vergrijpen, Mei Lin-sa, na wat ik die nacht heb gezien? Denk je dat ik iemand zoiets aan zou kunnen doen – laat staan jou?'

Ontdaan staarde Mei Lin hem aan. 'Wat bedoelt u daarmee? Waar hebt u het over?'

Akechi wierp zijn handen in de lucht. 'Over jou, Mei Lin-sa! Met je koele houding en je eeuwige aantijgingen! Zie je dan zelf niet dat je die dingen als een masker gebruikt om zowel de wereld als jezelf om de tuin te leiden?' Moedeloos schudde hij zijn hoofd. 'Jij bent zo bang dat iemand echt tot je door zal dringen, dat je iedereen op afstand houdt. Welke man moet ooit door die muren van jou heen breken?'

'Wat? Ik...' stotterde Mei Lin. 'Maar mijn lijfwacht...'

'O ja,' riep Akechi giftig. 'Een beetje scharrelen met een lijfwacht die immers toch nooit écht naar jouw hand kon dingen. Dat voelde vast heel veilig! Maar zo werkt het niet! Echte liefde doet pijn, neem dat maar van mij aan. Je kunt jezelf niet voor iemand openstellen zonder dat diegene je vroeg of laat zal kwetsen. En toch is dat altijd nog beter dan alleen te leven met een masker dat je nooit af kunt zetten!'

Verontwaardigd staarde Mei Lin hem aan. Ze zocht naar woorden om hem van repliek te dienen. Hoe kwam hij erbij zulke dingen over haar te zeggen? Hij begreep helemaal niets van haar!

Toen haar niets te binnen wilde schieten, draaide ze zich om naar de deur. Maar toen Akechi verder sprak, kon ze zichzelf er niet toe zetten weg te lopen. 'Kon je het maar begrijpen, Mei Lin-sa! Maar jij staart je zo blind op alles wat je nooit zult hebben, dat je niet eens ziet wat er wel binnen je bereik ligt. Als je je ogen eens opende en voorbij die muren keek – voorbij dat ijskoude masker – dan zou je zien wat er op je wacht!'

Hij zweeg en keek haar aan en op dat moment voelde Mei Lin haar hart vallen, als een brok steen in haar maag. Tranen sprongen haar in de ogen en woedend sloeg ze haar armen over elkaar. 'Wat is dat dan?' riep ze.

Ongelovig staarde Akechi haar aan. Toen schudde hij zijn hoofd en liep langs haar heen.

'Wat is dat dan!' schreeuwde ze naar zijn rug.

Zonder te antwoorden verliet hij het vertrek.

Cang Lu wachtte voor haar tent, die binnen de oorspronkelijke omheining was opgezet. 'Heer Akechi zou beter moeten weten,' zei hij. 'Hij mag je geen pijn doen.'

'Nee,' zei Mei Lin. Maar eigenlijk wist ze niet zeker wie van beiden de ander het meest pijn had gedaan.

Ze stapte haar tent binnen.

Cang Lu hurkte naast haar slaapmat. Hij zag er moe uit, alsof hij in dagen niet had geslapen. Plotseling voelde ze zich schuldig. Ze was de afgelopen tijd zo druk geweest met de aanstaande oorlog, met de Akechi's – en met Akechi Sadayasu in het bijzonder – dat ze nauwelijks aandacht aan haar kleine reiger had besteed.

Als vanzelf strekte ze een hand naar hem uit en streek de kraag van zijn lichtblauwe tuniek glad. 'Heb je nog last van nachtmerries?' vroeg ze.

Cang Lu hipte op en neer op zijn hurken. 'Er zijn altijd schaduwen in het donker,' zei hij. 'Jij?'

Mei Lin zuchtte. Ze kon hem niet vertellen dat haar nachten vol strijd en dood waren; dat ze haar broers troepen als zwarte doodsbrengers over het land zag uitzwermen; dat ze de Yamatanese vuurbloemen zag ontploffen in sterren van bloedrood, bloedrood, telkens bloedrood. En als ze niet over veldslagen droomde, droomde ze over Akechi Sadayasu. Die dromen waren erger dan bloed en dode soldaten.

'Je tent staat vlak bij die van mij,' zei ze. 'Als je last hebt van nachtmerries, kom dan naar me toe.'

Weifelend keek Cang Lu op. 'Wat zou heer Akechi daarvan zeggen?'

'Akechi kan stikken in alles wat hij te zeggen heeft!' zei ze.

Cang Lu trok een wenkbrauw op, maar zei gelukkig niets.

Die nacht kwam hij niet naar haar tent, al hoorde ze hem schreeuwen in het donker. De volgende morgen stond hij haar op te wachten toen ze uit haar tent naar buiten stapte. Hij had donkere wallen onder zijn ogen. 'Heb je goed geslapen?' vroeg hij.

'Ja,' loog ze.

Ze keek langs hem. Het leven in het kamp was al in volle gang. Plotseling was ze vervuld van het verlangen om het kamp te zien – werkelijk te zien – niet vanaf de rug van een paard en door officieren geschaduwd, maar gewoon te voet.

'Waarom maken we geen wandeling?' zei ze. Ze deed een stap naar voren, uit de luwte van haar tent. Er stond een straffe wind, die direct aan haar rokken begon te trekken.

'Nu?' vroeg Cang Lu. 'Ja... goed. Maar heb je dan geen andere verplichtingen?'

'Nee, ik...' Mei Lin zweeg. Cang Lu keek vragend naar haar op, maar het leek alsof de woorden met de wind waren weggevlogen.

Tegenover haar had Akechi Sadayasu de flap van zijn tent opengeslagen. Hij droeg slechts een zwarte kimono met een bijpassende broek, niet de wapenrusting waarin ze hem de afgelopen dagen had gezien. De wind greep zijn losse haren. Hij keek op en zijn blik kruiste de hare. Kalm boog hij zijn hoofd, zijn armen strak langs zijn lichaam. Zijn lippen vormden haar naam.

Ze had moeite om haar stem te vinden. 'Laten we gaan,' zei ze afgemeten tegen Cang Lu.

De jongen volgde haar zwijgend.

De dagen daarna zag ze Akechi nauwelijks. Hij had het druk met besprekingen. Uren zat hij met de keizer en de andere generaals over kaarten en grafieken gebogen, terwijl ze strategieën bespraken. Mei Lin hield zich verre van die gesprekken. Ze was geen krijger en had geen verstand van militaire zaken. Haar rol in deze strijd lag ergens anders.

De paar momenten dat ze Akechi wel zag, was hij kortaf en afstandelijk. Als hij haar aankeek – wat hij zo veel mogelijk leek te vermijden – leken zijn ogen een gepijnigde uitdrukking te hebben bij haar aanblik. Mei Lin vroeg zich af of ze haar excuses moest aanbieden. Ze had toch niets verkeerd gedaan, niets gezegd wat onterecht was? Toch moest hij boos op haar zijn, want waarom zou hij zich anders zo gedragen?

O, diep vanbinnen kon ze wel een verklaring bedenken, maar die weigerde ze te geloven. De blikken die Akechi haar toewierp, de woorden die hij tot haar had gesproken, alle pogingen die hij deed om door haar muur van traditie en protocol te dringen... Ze moest hem verkeerd hebben begrepen. De man had een verborgen agenda, hij wilde iets van haar, al kon ze niet verzinnen wat dat moest zijn. Maar wat het ook was, het kon niet waar zijn dat Akechi Sadayasu verliefd op haar was! De gedachte alleen al veranderde haar hart in ijskoud glas, dat zou versplinteren als ze het bij het rechte eind had.

Om haar gedachten te verzetten maakte ze met Cang Lu lange wandelingen door het kamp. Op de buitenste omheining vonden ze een plek vanwaar ze het grootste deel van het noordelijke dal konden overzien: groene hellingen, waarop hier en daar verlaten boerderijen lagen. Het landschap was uitgestorven.

De eerste dagen, althans. Toen ze op een ochtend naar boven kwamen, was er iets bijzonders aan de hand. Een stevige wachter met een brede glimlach, Kitashu no Riku genaamd, wees hen erop. Diep in het dal, rond een verlaten houten tempel, waren vijf grijsblauwe vogels neergestreken.

'Reigers!' zei Cang Lu. Zijn blik werd troebel en even was Mei Lin bang dat hij opnieuw een toeval zou krijgen; maar zijn ademhaling bleef rustig. Ze had hem naar die aanvallen gevraagd toen ze uit Jitsuma vertrokken. Hij had haar een tijdlang aangekeken, zijn blik zo ver weg dat ze zich afvroeg of hij haar wel had gehoord. 'Soms denk ik dat ik mezelf niet ben,' had hij ten slotte gezegd. 'Dan vlieg ik weg. Het is

anders dan in Yuanjing. Anders dan de leegte. Ik begrijp het niet goed.'
Mei Lin begreep er na die uitleg nog minder van, maar had niet verder
gevraagd. Gelukkig had hij in Asahino geen aanvallen meer gekregen.

'Een gunstig teken, de reiger,' mompelde Riku, terwijl hij tegen de
palissade leunde.

Mei Lin fronste haar voorhoofd. 'Wat doen ze daar? Er is geen water
in de buurt.'

Riku haalde zijn schouders op.

Halverwege de middag liepen ze opnieuw langs de omheining. Het
kamp gonsde onrustig, alsof er iets te gebeuren stond. Mei Lin was
juist van plan om terug te keren naar het kampement van de generaals
om uit te vinden of er nog nieuws was, toen Riku van boven op de palissade naar hen schreeuwde: 'Yuan-sa! Jonge meester Miura! Komt u
alstublieft omhoog!'

Cang Lu en Mei Lin wierpen elkaar een verbaasde blik toe. Toen
klommen ze achter elkaar het laddertje naar de weergang op.

'Wat is er aan de hand?' vroeg Mei Lin, maar Riku wees al over de
palissade naar de heuvel aan de andere kant van het dal.

Even dacht Mei Lin dat ze sliep en in een van haar nachtmerries
verzeild was geraakt. Een zwarte golf overspoelde de hellingen; duizenden, tienduizenden krijgers met blikkerende speren en strijdbijlen,
onder banieren die fier wapperden in de wind. De Rijzende Zon. De
Groene Draak. En nog een embleem, dat ze niet herkende: een rode,
afgeplatte cirkel, als een steen of een kei. 'Mogen de goden ons bijstaan!'
zuchtte ze. 'Hoeveel zijn het er?'

'Honderdduizend, misschien wat meer.' Riku spoog over de palissade
en keek toen verschrikt naar haar om. 'Vergeving, vrouwe!'

Mei Lin schudde afwezig haar hoofd. 'Het lijkt alsof ze een kamp
opslaan,' zei ze. 'Waarom vallen ze niet aan?'

'Ze wachten op versterkingen,' zei Cang Lu, naast haar. 'Dit is slechts
de voorhoede. Je broer heeft nog veel meer troepen onder zijn commando, als hij in Guan Bai tenminste niet te veel verliezen heeft geleden.'

'Nog meer?' riep Mei Lin uit. Ze had geweten dat Wen De's leger
dat van Yamatan in grootte vele malen overtrof, maar pas nu ze de aantallen met eigen ogen zag, drong dat feit werkelijk tot haar door.

Riku knikte. 'De jonge meester heeft gelijk. Yuans legers zullen hier
een voor een aankomen, als een eindeloze stroom.'

'Waarom vallen we dan niet nu aan?'

Cang Lu fronste. 'Ik dacht dat we strijd te allen tijde wilden voor-komen?'

Mei Lin schudde haar hoofd. 'Is er een andere mogelijkheid, als Wen De's troepen werkelijk zo talrijk zijn? Zal het wel tot onderhandelingen komen?'

Cang Lu glimlachte. 'De Yamata hebben hun nieuwe wapen, vergeet dat niet. We staan niet volledig machteloos.'

'Waarom vallen we dan niet aan?' riep Mei Lin opnieuw. 'We zijn nu in de meerderheid!'

'En morgen komen Yuans versterkingen aan, en dan zijn wij moe-gestreden,' zei Riku kalm. 'Nee, Yuan-sa, vergeving! Ik denk dat het wijs is om te wachten. Laat de Yuan aanvallen, dan zullen wij ons uit alle macht verdedigen. Dat is onze beste kans.'

Mei Lin knikte. Ze wist dat hij gelijk had. Zo hadden keizer Akechi en zijn generaals het ook afgesproken. Maar in haar hart voelde ze de wanhoop wringen.

'Er komen ruiters aan,' wees Cang Lu.

'Verkenners,' zei Riku, terwijl hij zijn boog greep. 'Ze willen ons kamp bestuderen. Maar als ze slim zijn, komen ze niet dicht genoeg in de buurt voor onze pijlen.'

Mei Lin staarde over de palissade naar de groep die de tegenover-gelegen helling afdaalde. Het waren niet meer dan negen ruiters, met lichte wapenrustingen en korte handbogen. Eén droeg een vaandel met de rode steen die ze op de banier had gezien. Hun leider was een lange man op een zwart paard.

'Het lijkt wel alsof hun generaal zelf een kijkje komt nemen,' zei Cang Lu verbaasd.

'Nee,' zei Riku. 'Misschien een officier.'

Mei Lin kneep haar ogen tot spleetjes, in de hoop de man op het zwarte paard te kunnen herkennen. Ze had de meeste generaals van haar vader wel eens ontmoet. Ze wist natuurlijk niet of Wen De de-zelfde mannen had aangehouden, maar hij zou dom zijn als hij niet van hun ervaring gebruikmaakte. Misschien kon het de Yamata helpen als ze wisten met wie ze hier van doen hadden. Iets in de houding van de man kwam haar bekend voor. 'Misschien is het Zheng Lei,' mom-pelde ze onzeker. Ze kon het gezicht van de man niet onderscheiden. Als hij nog iets dichterbij kwam...

'Mei Lin-sa!'

Met een ruk draaide ze zich om. Akechi Sadayasu zat te paard onder de palissade.

'Ik heb je overal gezocht!' riep hij. 'De Yuan zijn gekomen.'

'Ik weet het,' zei ze, terwijl ze over de palissade gebaarde. 'Er komt een groep verkenners aan.'

Geschrokken keek Akechi naar haar op. 'Kom naar beneden! Straks ziet iemand je! Stel dat ze je herkennen!'

'Ze zijn een eind weg,' zei ze, maar een blik over de omheining was genoeg om haar te vertellen dat de ruiters het kamp dicht genoeg waren genaderd om hun gezichten te kunnen onderscheiden. De man op het zwarte paard had zich omgedraaid naar een van zijn ondergeschikten, zodat ze hem nog steeds niet kon herkennen. Ze wilde wachten tot hij zich omkeerde, maar besefte dat ze inderdaad het risico liep dat een van de ruiters zou zien wie ze was, als ze nog langer op de palissade bleef staan. Haar verschijning zou niets teweegbrengen als Wen De al op de hoogte was. Hij zou dan een verhaal rond haar plotselinge verdwijning spinnen, waardoor zijn generaals haar als de verrader zouden zien. Nee, hij mocht niet te weten komen dat ze hier was. Nog niet.

Ze liep terug naar de ladder en klom naar beneden.

'Wanneer denkt u dat ze zullen aanvallen?' vroeg ze, terwijl Akechi afsteeg en haar in het zadel hielp.

'Ze zullen wachten op versterkingen,' zei Akechi, als een echo van Cang Lu. 'Ze willen hun kamp versterken, voorraden aanleggen. Over drie dagen, misschien vier.'

Mei Lin knikte.

'Ik heb liever dat je vanaf nu binnen de oorspronkelijke omheining blijft, Mei Lin-sa,' zei hij. 'Het is hier niet veilig, zo dicht bij de rand van het kamp. Beloof je me dat?'

Mei Lin keek op hem neer. Er lag een bezorgde blik in zijn ogen. En onder die bezorgdheid lag nog iets anders, iets wat recht naar haar hart schoot, hoe ze het ook probeerde te negeren. 'Ja,' zei ze, terwijl ze aan versplinterend glas dacht. 'Ik beloof het.'

46

Het dal van de kraaien

De volgende morgen kwamen meer troepen uit Yuan bij Asahino aan. Er werd in het kamp zo veel over gesproken, dat Mei Lin zich een levendig beeld van hun aantallen kon vormen, ook al kon ze niet meer op de buitenste palissade gaan kijken. Ze overwoog even of ze de verdedigingstoren zou beklimmen om het uitzicht vandaar te bekijken, maar zag ervan af. Ze zou maar in de weg lopen. Cang Lu en zij zochten een rustig plekje op het plein voor de toren en wachtten tot de middag aanbrak.

'Yuan-sa!' Het was Yuki die haar kwam halen, half rennend, met grote verwonderde ogen. 'Er is een man voor u gekomen, gekleed in het zwart! Hij zegt dat hij een boodschap voor u heeft.'

Cang Lu keek verschrikt naar haar op. 'Is hij Yuan?'

Het dienstmeisje schudde haar hoofd. 'Ik denk het niet. Hij is lang en spreekt vloeiend Yamatanees. En hij draagt geen wapenrusting, enkel een kimono.'

Cang Lu leek niet overtuigd. 'Wil je dat ik heer Akechi roep, Mei Lin-sa?'

Mei Lin schudde haar hoofd. 'Ik ga zelf wel kijken.' Ze glimlachte om zijn bezorgde blik. 'Wat kan me gebeuren, midden in het kamp? Wacht hier. Ik ben zo terug.'

Ze volgde Yuki naar haar tent.

Een lange man stond met zijn rug naar haar toe onder het tentdak. Een krijgervlecht, zwart doorregen met grijs, viel over zijn zijden kimono. Hij had zijn handen voor zijn lichaam samengevouwen en stond zelfverzekerd wijdbeens. Als hij inderdaad een boodschapper was, kon ze zich niet indenken van wie. Even was ze bang dat hij inderdaad een

Yuan was, door Wen De gezonden om haar te doden.

'Heer?' vroeg ze.

De man draaide zich om.

Mei Lins adem stokte in haar keel. Ze voelde hoe het bloed uit haar gezicht wegtrok. Even wist ze zeker dat ze in een schim zou veranderen, wat de man voor haar ook moest zijn. 'Shula!' fluisterde ze.

Hij stapte naar haar toe en greep haar bovenarmen voor ze van schrik kon bezwijmen. 'Mei Lin-sa!' zei hij. Zijn warme adem streelde haar voorhoofd, helemaal niet als die van een schim, en ze sloot haar ogen.

'Je leeft nog!' bracht ze uit. 'Je leeft nog! Je bent hier! Hoe...?'

'Ik wachtte op het balkon van de feestzaal. Toen u niet kwam, besefte ik dat u het paleis moest zijn ontvlucht. Ik wist dat u slim genoeg was om tot dezelfde conclusies te komen als ik. Ik wist dat u naar Jitsuma zou gaan. Dus ben ik u gevolgd.'

'Wen De hield al mijn dienaren tegen,' zei Mei Lin, terwijl ze naar hem opkeek. 'Hij pakte ze op. Hoe ben jij ontsnapt?'

Shula glimlachte, een zachte rimpeling over zijn harde gezicht. 'Ik ben lijfwacht van de Yuan-sa. Ik ben geschoold om me onzichtbaar en geruisloos te bewegen.'

Ze schudde haar hoofd. 'Hoe heb je me gevonden?' vroeg ze. 'Hoe ben je in vredesnaam hier gekomen?'

'Dat was niet makkelijk,' zei hij, 'al had u een spoor voor me achtergelaten. "Yulan". Slim van u om een schuilnaam aan te nemen waarvan u wist dat ik die zou herkennen. Er waren veel wachters naar u op zoek en ik wist natuurlijk niet welke weg u had gekozen, en of u daadwerkelijk naar Jitsuma op weg was. In Dolan was ik u bijna op het spoor, in de haven, maar toen ontglipte u me weer.'

'In de haven!' Ademloos staarde Mei Lin hem aan. 'Jij... Was jij de officier uit Yuanjing die de boeken van de havenmeester doorzocht? Ik dacht dat je een gardist in dienst van Wen De was! Ik ben gevlucht!'

Shula knikte. Hij was nog steeds zo dichtbij dat ze zijn adem op haar huid kon voelen. 'Als er toch al wachters naar u op zoek waren, bedacht ik dat ik me net zo goed voor een van hen kon uitgeven. Als ik iets eerder was gekomen, had ik u gevonden.'

'Stel dat Wen De's mannen erachter waren gekomen dat jij je voor een van hen uitgaf!' riep Mei Lin. 'Als ze je te pakken hadden gekregen, zouden ze je hebben gedood! Er waren op dat moment gardisten in de stad, weet je.'

Hij haalde zijn schouders op en streelde haar wang. 'Als ik u niet vond, zou ik toch verdoemd zijn. Ik moest u beschermen. En ik wilde u vinden voor u Jitsuma bereikte. Ik weet wel wat u van plan moet zijn geweest. U wilde keizer Akechi waarschuwen voor de plannen van uw broer. U wilde een bondgenootschap met hem aangaan, misschien alsnog met zijn broer trouwen om dat pact te bezegelen... Maar er is een andere weg... een andere manier om Yuan te redden. Die moest ik u tonen voor het te laat was.'

Mei Lin verstijfde bij die woorden. 'Een andere weg? Maar waarom heb je me dan niet gevonden? Waarom ben je niet gekomen voor ik Jitsuma bereikte?'

Shula zuchtte. Hij streek over haar armen en boog verslagen zijn hoofd. 'Ik heb gefaald,' zei hij. 'Tot aan de moerassen van Nan Men kon ik uw spoor volgen, maar daarna niet meer. Ik heb overal gezocht, tevergeefs. Toen ik besefte dat u al lang in Yamatan moest zijn, was de grens reeds gesloten. Het duurde dagen voor ik een overtocht kon regelen. Tegen die tijd was er al sprake van legers die van Jitsuma naar het noorden trokken. Toen ik hoorde dat de Yuan-sa met de troepen meeging naar Asahino, ben ik direct hiernaartoe gekomen. Ik heb alles in het werk gesteld om op tijd te zijn, Mei Lin-sa, maar ik heb gefaald. Het spijt me.'

Mei Lins mond viel open. Tranen vulden haar ogen. 'Shula-tse!'

Hij streelde haar wangen droog. 'Huil niet, Mei Lin-sa. Niet alles is verloren. Er is nog steeds een manier om iedereen te redden... het is nog niet te laat.'

'Nee!' Ze schudde haar hoofd en duwde hem weg. 'Nee, Shula-tse, je begrijpt het niet! Ik heb dat bondgenootschap met keizer Akechi gesloten. Ik bén met Akechi Sadayasu getrouwd!'

Met grote ogen keek hij haar aan. Ze had hem nog nooit in haar leven zo geschokt gezien. 'De goden zullen ons vergeven,' zei hij uiteindelijk. Hij keek om zich heen, naar de spullen in haar tent, alsof hij iets zocht. 'Ik meen wat ik zei, Mei Lin-sa. Er is een andere manier om Yuan te redden. Als u met me meekomt, zal ik het u laten zien.' Hij knielde neer bij haar kledingkist en begon erin te graaien. 'U moet iets donkers aantrekken, zodat we ongemerkt het kamp kunnen verlaten. Ik ben op een stil punt over de palissade gekomen – ik vreesde dat de wachters me niet zouden binnenlaten als ik via de poort kwam – maar ik denk niet dat u in de kleding die u nu draagt, ongezien weg kunt komen.'

'Ik heb niets donkers bij me,' zei Mei Lin. 'Ik wist niet dat ik als een Yamatanese kraai zou moeten rondsluipen!' Ze begreep niet waarom hij zo vreemd deed. Ze pakte zijn hand en trok hem weg bij de kist. 'Shula-tse, ik kan het kamp niet zomaar verlaten! Waar wil je naartoe? De troepen van mijn broer zitten vlakbij! Stel dat ze ons te pakken krijgen?'

Shula keek teder naar haar op. 'Wees daarvoor maar niet bang. Ik zal er wel voor zorgen dat de Yuan u geen kwaad doen. We trekken in een wijde boog om hun kamp heen.'

'Waar wil je naartoe?' vroeg Mei Lin opnieuw. 'Wat wil je doen? Als je het me vertelt, kan ik Akechi misschien vragen ons te helpen.'

'Nee!' zei Shula. 'Wat denkt u dat hij zal doen als hij weet dat ik hier ben? Hij heeft ons samen gezien. Hij zal u verbieden met me te spreken. En hij zal nooit met dit plan instemmen, ook al is het onze redding. Er is een reden dat ik me niet aan de Yamata heb getoond! Akechi zal me doden zodra hij me in het oog krijgt.'

Mei Lin fronste haar wenkbrauwen. 'Dat weet je niet, Shula-tse. Je kent hem niet! Misschien luistert hij wel. Hij heeft je toch ook niet gedood toen je hem in Yuchuan kwam waarschuwen voor Wen De's aanslag? Ik zou hem kunnen zeggen...'

'Nee! Mei Lin-sa, alstublieft!' Shula greep haar andere hand en keek haar smekend aan. 'Zeg hem niets.'

'Wat voor plan is het dan?' vroeg ze. 'Wat moeten we doen?'

Shula schudde zijn hoofd. 'Dat kan ik niet zeggen. U zou mijn woorden verkeerd begrijpen. Maar alstublieft, Mei Lin-sa, vertrouw me! Ik kan het u laten zien, als u met me meegaat. Alstublieft! Ik heb eenmaal in uw dienst gefaald, maar laat me dat nu goedmaken! Samen kunnen we Yuan redden.' Hij keek haar onderzoekend aan. 'Of wilt u soms hier blijven bij heer Akechi, in de hoop dat uw huwelijk Wen De zal tegenhouden?'

'Nee!' Mei Lin sloot haar ogen. 'Ik weet niet... Ik heb een eed afgelegd, Shula-tse. Voor de goden en mijn voorouders...'

'En ik zal u nimmer vragen om die eed te verbreken.' Shula's stem was zacht, als een liefkozing. 'Mei Lin-sa, u weet toch dat ik liever sterf dan uw eer te beschamen? Ik zou u dit niet vragen als ik er niet zeker van was. Kom alstublieft mee, dan zal ik het u tonen.'

Mei Lin opende haar ogen en keek naar hem op. Zijn handen, om de hare gevouwen, waren veilig en warm; maar ze voelde zich vreemd, alsof er iets miste. Ze wilde zo graag dat alles anders was; dat haar huwelijk met Akechi nooit had plaatsgevonden, dat Shula haar op tijd had gevonden, dat ze nooit weg was gerend in de haven van Dolan. Ze wilde geen band van glazen splinters om haar hart die haar vasthield op deze plaats. Maar als Shula gelijk had... Als hij een manier had gevonden om iedereen te redden...

'We hebben geen donkere kleding nodig,' zei ze. 'Ik ken iemand die ons kan helpen over de omheining te komen. Hij zal ons niet verraden.'

Het schemerde al toen ze de oostelijke helling afdaalden naar de bomen die in het dal een donker woud vormden. Riku had gezworen hun vertrek stil te houden en dankzij Shula's voorzichtigheid werden ze niet door andere wachtposten opgemerkt. Bij de eerste bomenrij had hij twee paarden verstopt, waarvan ze de teugels zwijgend van de takken losknoopten.

'Is het ver?' vroeg Mei Lin, terwijl ze opsteeg.

Shula schudde zijn hoofd. 'Hooguit een uur,' fluisterde hij. 'Stil nu! Er zijn misschien wachtposten buiten de kampen. Een vrouwenstem draagt ver.'

Ze reden voort in noordoostelijke richting, in een wijde boog om het Yuankamp op de heuvel. In de schemer was het lastig om vooruit te komen, maar telkens als Mei Lin achterop dreigde te raken, keek Shula met een liefdevolle blik in zijn ogen om en hield zijn eigen paard in. Mei Lin verfoeide zichzelf. Hoe had ze ook maar een moment kunnen twijfelen of ze met hem mee moest gaan? Hij was Shula, haar Shula, die al talloze malen haar leven had gered, die aan haar wieg de eed had gezworen haar te zullen beschermen, haar eer boven alles te stellen en haar te dienen zolang hij leefde. Maar bovenal was hij Shula die van haar hield. Als hij zo over zijn schouder keek, voelde ze zich bijna als tevoren, in Yuanjing, toen alles nog was zoals het hoorde. De band om haar hart leek losser te worden.

Na een half uur doken er lichtjes tussen de bomen op. Fronsend boog Mei Lin zich voorover in het zadel. 'Wat zijn dat?'

Shula schudde zijn hoofd, al leek hij niet verbaasd.

Toen ze dichterbij kwamen, zag Mei Lin de lichtjes flakkeren. Kampvuren! Honderden kampvuren! 'Shula-tse!' riep ze.

Hij legde een vinger op zijn lippen, maar op dat moment klonk er hoefgetrappel en maakte een groepje ruiters zich los uit het duister. Ze droegen zwarte kapmantels, die hun gezichten en wapenrusting verborgen, maar dergelijke zaken had Mei Lin niet nodig om hen te herkennen.

'Het zijn Yuan!' riep ze. Wat konden het anders zijn?

Ze wilde haar rijdier wenden, maar Shula greep haar teugel. 'We komen niet op tijd weg,' zei hij. 'Wees stil en laat mij het woord doen. Ik heb beloofd dat ik u zou beschermen, Mei Lin-sa. Ze zullen u geen kwaad doen.'

De ruiters naderden, drie man in totaal. De man voorop wierp zijn kap af en trok zijn zwaard. 'Wie zijn jullie?' riep hij in het Yuan. 'Noem je naam!'

Shula steeg af en gebaarde Mei Lin hetzelfde te doen. Met opgeheven hoofd stapte hij naar voren, zodat het maanlicht op zijn gezicht scheen. Er lag een vreemde blik in zijn ogen. 'Mijn naam is Sun Shula en dit is mijn beschermelinge,' zei hij. 'Zij is ongewapend en ik ben niet gekomen om te vechten, dus je kunt dat zwaard wel weg doen.'

Even leek de man in het zadel niet te weten wat te doen. Maar toen lachte hij en duwde zijn zwaard terug in de schede. 'Vergeef me, Suntse. Ik had u niet herkend.'

Mei Lin dacht dat haar mond zou openvallen. 'Shula-tse!' riep ze.

Haar lijfwacht keek naar haar om en maakte een kalmerend gebaar. 'Ik zei toch dat niemand u kwaad zou doen, Mei Lin-sa. Dit zijn vrienden.'

'Vrienden?' herhaalde Mei Lin verbijsterd.

'Natuurlijk.' De derde ruiter, die al die tijd achter de eerste verscholen had gestaan, dreef zijn paard naar voren. Hij droeg nog steeds zijn kap, zodat Mei Lin niet meer dan schaduwen van zijn gezicht zag, maar iets in zijn houding kwam haar akelig bekend voor. De man boog zich voorover in het zadel om kort een hand op Shula's schouder te leggen. 'Gefeliciteerd, Sun-tse,' zei hij. 'Ik moet bekennen dat ik niet had verwacht dat het je zou lukken. Blijkbaar ben je beter dan ik dacht.'

Shula keek omhoog en zijn vreemde gezichtsuitdrukking veranderde in een bizarre grijns. Hij had zijn armen langs zijn lichaam gestrekt, alsof hij wilde buigen. Boven hem wendde de ruiter zijn blik van hem af.

Mei Lin had het gevoel dat ze naar een toneelstuk keek waarin alle spelers plotseling van rol hadden gewisseld. 'Wie ben jij?' vroeg ze aan de ruiter. Ze voelde zijn ogen in het duister branden en moest moeite doen om niet achteruit te stappen.

'Dat spijt me nu,' mompelde de man. 'Het is een tijd geleden, zeker, maar ik had verwacht dat je me nog wel zou herkennen. We zijn tenslotte familie, jij en ik.' Langzaam trok hij zijn kap naar achteren. Maanlicht streek over zijn huid – te licht voor een zuiderling – en tekende sterretjes in zijn donkere ogen. 'Dag, Mei Lin-sa,' zei hij.

Mei Lin bevroor. 'Nee,' zei ze.

De man lachte met een laag geluid, dat in haar hoofd echode tot ze er misselijk van werd. Er was geen vergissing mogelijk.

'Wen De-tse,' fluisterde ze. Ze staarde van hem naar Shula, op zoek naar een verklaring. Beiden keken haar zwijgend aan en haar hart werd ijskoud.

Haar broer wendde zijn paard. 'Neem haar mee naar het kamp! Ik wil haar spreken in mijn tent.' Hij stoof weg, gevolgd door een van de andere ruiters. Mei Lin staarde hen na terwijl ze door het duister werden opgeslokt, als schimmen uit een boze droom.

'Kom,' sprak Shula ten slotte. Hij pakte haar bij de elleboog.

En pas toen, terwijl ze haar voormalige lijfwacht aanstaarde alsof hij een vreemde was, drong de volle omvang van het verraad tot Mei Lin door. 'Jij was het,' zei ze. 'Je stond op wacht in mijn vaders vertrekken. Jíj hebt hem vermoord! En Xiao Ning! Je hebt Xiao Ning vermoord omdat je dacht dat ik het was!'

Shula trok aan haar arm en ze strompelde met hem mee. De laatste ruiter volgde met hun paarden.

'Waarom?' riep ze, met een door tranen verstikte stem. 'Waarom, Shula-tse? Ik dacht dat je van me hield! Hoe heb je me zo kunnen verraden?'

Hij keek op haar neer met die liefdevolle blik in zijn ogen. 'Verraad?' zei hij. 'Ik heb mijn leven aan u gewijd, Mei Lin-sa! Ik heb gezworen dat ik uw eer als het hoogste goed zou bewaken, dat ik u door niemand zou laten beschamen! Elk moment aan uw zijde heb ik aan dat doel besteed! En u noemt wat ik deed verraad?'

'Je wilde mij vermoorden!' Mei Lin was zo gefixeerd op Shula's gezicht, dat ze de losse takken op de grond niet zag en bijna struikelde.

Shula sloeg een arm om haar heen om haar te ondersteunen. 'Ik wilde u juist beschermen,' zei hij. 'Denkt u dat ik het, na alles wat ik voor u heb gedaan, kon verdragen dat uw aanzien zou worden geschaad door een huwelijk met een ondankbare, eerloze Yamatanees? Dat ik het kon verdragen dat Yuans bloem bezoedeld zou worden door dat barbaarse bloed?'

Tevergeefs probeerde Mei Lin zijn arm af te schudden. 'Barbaars? Eerloos? Wat weet jij daarvan?'

Shula's blik gleed weg van haar gezicht. Hij begon te fluisteren, maar zijn toon werd er niet minder giftig om. 'Mijn vader was een Yamatanees. Hij was rijk genoeg om geld uit te geven aan vrouwen die niet de zijne waren, maar mijn moeder en mij liet hij verrekken! Eerloze honden zijn het, stuk voor stuk!'

Verbijsterd staarde Mei Lin hem aan. 'Je bent zelf half Yamatanees? En dat heb je me nooit verteld?'

'Nee!' riep hij. Hij trok haar voort. 'Nee, ik zei dat mijn vader Yamatanees was. Ik ben Yuan. Geen halfbloed! Nooit!'

Verbijsterd schudde Mei Lin haar hoofd. 'En jij was degene die steeds benadrukte dat ik mijn vaders keuze voor een echtgenoot moest respecteren, dat ik onder geen beding mijn verloving met Akechi Sadayasu mocht verbreken!' Ze wist niet wat ze moest denken. Haar vingers voelden zo koud dat ze ze tot vuisten balde. Shula's arm lag als een verdovende band rond haar schouders.

Ze naderden het kamp. Shula trok haar mee langs de eerste tenten, maar bleef tussen de bomen, alsof hij niet wilde dat ze zou worden gezien.

'Een dergelijke ongehoorzaamheid had ook uw eer geschaad,' zei hij. 'U had geen keus dan in te stemmen met uw vaders plannen. Maar uw broer en ik hadden het huwelijk nooit doorgang laten vinden! We hadden een plan...'

'Een plan!' herhaalde Mei Lin. 'Jij en Wen De!'

Shula wierp haar een laatdunkende blik toe. 'Dacht u nou echt dat uw broer in staat was om een krijgsplan als dit in zijn eentje op te zetten?'

Mei Lin sloot haar ogen, terwijl een nieuw deel van de puzzel op zijn plaats viel. 'De generaal met de rode steen. Dat was jij. Ik dacht je al te herkennen, maar ik wist niet wie...' Ze schudde haar hoofd en keek weer naar hem op. 'Goden, wat ben ik stom geweest! Jullie hebben het vanaf het begin zo bedacht, nietwaar? Je was niet verbaasd toen ik vertelde dat mijn vader me aan Akechi Sadayasu uithuwelijkte, want Wen De had het je al verteld. Jullie hadden al bedacht hoe jullie hem uit de weg zouden ruimen. Jij stuurde Li Jin, omdat die toch zo goed als onder jouw bevel viel... Wen De zorgde ervoor dat jijzelf op de dag van het huwelijk dienst zou doen in de vertrekken van de Yuan-tse; daar zou niemand wat van denken, aangezien ik je toch niet meer nodig zou hebben... Jullie hadden alles in gereedheid gebracht om een oorlog met Yamatan te beginnen.' Ze zweeg en keek van hem weg. 'Maar waarom ook mij vermoorden? Wie van jullie heeft dat bedacht?'

Shula duwde haar langs dicht struikgewas. In het donker kon ze zijn gezichtsuitdrukking niet lezen. Zijn stem bleef kalm. 'Uw dood behoorde niet tot het oorspronkelijke plan. De moord op Akechi zou genoeg zijn om een oorlog met Yamatan te ontketenen. Maar u dwarsboomde die plannen door hem te waarschuwen.'

'En ik vertelde jou er alles over! Goden!'

Shula knikte. Ze liepen nog altijd tussen de bomen. Hij bleef blikken op de tenten werpen en af en toe hield hij halt als er iets bewoog. Mei Lin begreep niet waar hij bang voor was. Dit waren toch zíjn mannen?

'Naarmate de dagen vorderden en uw huwelijksdag naderde, werd ons duidelijk dat u nooit met Wen De's plannen zou instemmen,' vervolgde hij. 'De enige manier waarop we alsnog een ongunstige vrede met Yamatan konden voorkomen, was door de Yuan-tse om te brengen. Dan zou Wen De keizer worden en kon hij het leger aanvoeren zoals hij wenste. Dat leek hem genoeg.' Shula zweeg. Zijn greep om haar schouder werd strakker. 'Maar ik wist dat u zijn plan zou doorzien en alles in het werk zou stellen om een oorlog te voorkomen. Ik wist dat u alsnog zou proberen de vrede te bezegelen door met Akechi Sadayasu te trouwen. En de enige manier waarop ik u – uw eer – kon beschermen, was door u ook te doden.'

Sprakeloos staarde Mei Lin hem aan. 'Mijn eer!' zei ze ten slotte. 'De goden vervloeken je! En ik dacht nog wel dat ik van je hield! Was dat ook onderdeel van jullie plan, Shula? Heeft Wen De je misschien bevolen om zijn kleine zusje te verleiden, zodat ze een makkelijker prooi voor jullie verraad zou zijn?'

Shula staarde haar aan. 'Wat?' riep hij. 'Nee! Hoe kunt u zoiets denken, Mei Lin-sa? Ik houd van u, meer dan woorden kunnen uitdrukken! Hoe zou ik anders kunnen? Ik heb u opgeleid sinds u een klein meisje was, ik heb u gevormd tot wat u nu bent. Alles wat mooi en eerzaam is aan u, heb ik zo gemaakt! Wat ik deed, deed ik uit liefde voor u. Om u te beschermen.'

Ze bereikten de rand van het bos en de man die hen met de paarden op een afstandje gevolgd was, kwam naderbij. Shula knikte en gebaarde hem om voor te gaan.

'Stil nu,' zei hij tegen Mei Lin. 'De tent van uw broer is niet ver van-hier. Hij zit op u te wachten. Maar één kik en ik vrees dat hij u nooit te spreken zal krijgen.' Hij legde een hand tegen haar wang en glim-lachte. 'Wees niet boos, Mei Lin-sa. Dit is voor uw eigen bestwil.'

Ze sloeg zijn hand weg en wankelde achteruit. 'Je bent gek!' stamelde ze. 'Je bent volslagen gek geworden, Shula-tse! En je vergist je. Mis-schien heb je me geleerd wat eer en plicht inhouden, maar wie ik ge-worden ben, heeft niets met jou van doen! Niets!'

De glimlach verdween geen moment van zijn gezicht. Hij pakte haar opnieuw bij de elleboog en trok haar mee, tussen de tenten door. De man met de paarden begon luidkeels te zingen om de aandacht van hen af te leiden.

Plotseling begreep ze Shula's voorzichtigheid. 'Jullie hebben verteld dat ik door verraders ben gedood,' zei ze ademloos. 'Als mensen mij hier zien en de waarheid horen, zal jullie leger in opstand komen.'

De blik in Shula's ogen verried dat ze de reden van hun vreemde ge-drag had doorzien. 'De Yuan-tse bepaalt wat waarheid is, Mei Lin-sa,' zei hij desondanks en hij duwde haar een tent binnen.

47

Shula

Mei Lin moest haar ogen afschermen voor het plotselinge licht. Een aantal lantaarns hing aan standaarden in het midden van de tent. Er was geen verhoging zoals bij de Yamata, wel een plankenvloer. Wen De zat op een kampstoeltje. De ruiter uit het bos stond naast hem. Verder was de tent leeg.

Mei Lin werd naar het midden van de tent geleid. 'Wen De-tse!' zei ze.

De man uit het bos stapte naar voren en duwde haar hardhandig op haar knieën. 'Je zult buigen voor de Yuan-tse en hem met respect behandelen! Op het uitspreken van zijn voornaam staat de doodstraf!'

Woedend sloeg Mei Lin zijn handen weg en op hetzelfde moment trok Shula zijn zwaard. 'En u zult de Yuan-sa met respect behandelen. Raak haar niet aan!'

'De Yuan-sa is dood,' zei de man, maar hij ging opzij.

Mei Lin keek op. Haar broer had zijn armen gekruist en liet zijn kin op de palm van zijn hand rusten, terwijl hij het schouwspel met een vage glimlach gadesloeg. 'We zullen de formaliteiten vanavond maar achterwege laten,' zei hij. 'Mijn zuster mag gaan staan. Breng haar wat te drinken.' Die laatste zin sprak hij in het Yamatanees.

Mei Lin kwam overeind. Een jongetje van een jaar of negen, met grote, angstige ogen, kwam uit de schaduw tevoorschijn, waar ze hem in eerste instantie over het hoofd had gezien. Hij bood haar een porseleinen kommetje aan. Argwanend keek ze naar de inhoud.

'Het is cha,' zei haar broer. 'Kom, drink! Wat denk je nou? Dat we je zullen vergiftigen?'

Hij wenkte. Het jongetje kwam naar hem toe en knielde aan zijn voeten.

Mei Lin voelde een vlaag van misselijkheid opkomen. Ze wilde schreeuwen. Ze wilde de chakom naar haar broers hoofd gooien. Maar ze beheerste zich en zei: 'Geloof je zelf dat je plannen zullen slagen, Wen De-tse?'

Hij lachte. 'Eigenlijk wel. Op jouw bemoeienissen na loopt alles tot nu toe volstrekt naar wens.' Zijn hand gleed over het haar van het jongetje aan zijn voeten. Het kind sidderde.

Mei Lin verbeet haar tranen. 'Je hebt onze vader vermoord, Wen De-tse!' zei ze. 'Hoe heb je dat kunnen doen? Waarom? Je was de eerste in lijn voor de troon! De mogelijkheid om Yamatan de oorlog te verklaren zou zich vanzelf hebben voorgedaan als je geduld had gehad!' Terwijl ze het zei, besefte Mei Lin hoe onwaarschijnlijk haar woorden klonken. Haar broer en zij leken minder op elkaar dan ze altijd had gedacht, maar geduld zat hun geen van beiden in het bloed.

Wen De verbaasde haar echter met zijn antwoord: 'De vrede zou getekend zijn en dan had ik mijn woord aan de Yamata moeten breken. Zo eerloos ben ik niet.'

Mei Lin staarde hem aan. 'Het ging je om eer?' zei ze. 'Je vermoordde onze vader om je éér?' Woedend stapte ze op hem af. 'Hoe durf jij nog over eer te spreken! Na alles wat je hebt gedaan met mij, met onze vader en met Cang Lu?'

'Cang Lu?' Verbaasd knipperde Wen De met zijn ogen. 'Hoe weet jij...?'

Mei Lin gebaarde naar het jongetje op de grond. 'Cang Lu en hoeveel anderen? Is dat waarom je Teishi in de ban hebt gedaan? Kwam ze tegen je in verzet? Weigerde ze het spelletje nog langer mee te spelen? Of heb je je oog misschien op je eigen zoon laten vallen, toen Cang Lu weg was? Heb je Dian Wu misschien...?'

Wen De kwam zo snel overeind, dat ze het nauwelijks in de gaten had. Zijn vuist raakte haar kaak en ze viel op de grond. Ditmaal kwam zelfs Shula haar niet te hulp. 'De naam van de verraadster en haar zoon worden niet uitgesproken!' siste haar broer.

Ze lachte door haar tranen en de pijn heen en krabbelde overeind. Geknield keek ze naar hem op. 'Je bent te laat, Wen De-tse! Ik ben met Akechi Sadayasu getrouwd, de vrede is bezegeld. Door Yamatan binnen te vallen heb je Yuans woord gebroken.'

'Jij bent dood!' zei Wen De. 'Jij kunt helemaal geen verdragen sluiten. Het hele rijk weet het. En Yamatan zal bloeden voor jouw dood! Yuans eer en die van mij zullen door deze oorlog worden gered.'

Mei Lin schudde haar hoofd. Het bloed suisde in haar oren. 'Je zult Yuans ondergang bewerkstelligen. De Yamata hebben een wapen dat je stoutste dromen overtreft! Ze zullen dood en verderf zaaien onder je troepen. Daarom wilde vader vrede sluiten!'

Wen De ging weer zitten. Zijn hand zocht opnieuw zijn weg naar het haar van het jongetje voor zijn voeten. 'Ik weet alles van dat wapen,' zei hij.

Mei Lin knipperde met haar ogen. 'Wat?'

'Ik heb spionnen, Mei Lin-sa. Dacht je nu werkelijk dat ik niet wist waarom de Yamata plotseling zo zelfverzekerd zijn?'

Sprakeloos opende Mei Lin haar mond. 'Waarom voer je dan nog oorlog?' bracht ze uiteindelijk uit. 'Je vergooit onze eer en de levens van onze soldaten!'

'Vuurbloemen!' snoof Wen De. 'Goochelaarstrucjes om de nacht te kleuren! En dat moet Yuans troepen afschrikken?' De lantaarns wierpen een oranje gloed over zijn gezicht en handen. Het jongetje aan zijn voeten had zijn ogen gesloten.

Mei Lin deed moeite om haar stem kalm te houden. 'Het is meer dan goochelaarstrucjes. Je troepen hebben geen schijn van kans, Wen De-tse. Je zult iedereen de dood in jagen als je deze oorlog doorzet. Ik zweer je, zo waar als ik hier sta, je zult Yamatan nooit innemen! Je verzwakt Yuans macht, je ontneemt de bloem van onze natie zijn leven... En dat allemaal voor je éér! Wen De-tse, je zou je land zo veel beter dienen als je van deze waanzin afzag! Ga met me mee en spreek met keizer Akechi. Laat ons een uitweg vinden die geen strijd behoeft! We kunnen een vrede sluiten waarbij geen van ons zijn eer hoeft te verliezen. Alsjeblieft, Wen De-tse! Je hoeft deze oorlog niet te voeren!'

Wen De grinnikte. Hij keek langs haar heen naar Shula. 'Nu weet ik weer waarom ik nooit met vrouwen onderhandel, Sun-tse. Je zei dat mijn zuster slim was, maar in feite is ze net als ieder ander wijf dat ik heb meegemaakt. Als ze eenmaal het bed met een man hebben gedeeld, spreken ze hem in alles na. Die hond Akechi had zijn leugens zelf niet beter kunnen verwoorden!'

Mei Lin schoot overeind. 'Heer Akechi heeft me met geen vinger aangeraakt!' siste ze. 'Hij begrijpt beter wat eer en respect inhouden dan jullie samen ooit kunnen bevatten!' Ze draaide zich om en stak een beschuldigende hand uit naar Shula. 'Geen vinger!' zei ze.

'Dus hij is niet alleen een barbaarse hond, hij weet ook niet hoe hij met een echtgenote moet omgaan.' Wen De lachte en schudde zijn hoofd. 'Ik heb genoeg gehoord. Sun-tse, ik denk dat je het met me eens zult zijn dat we mijn zuster tegen zichzelf in bescherming moeten nemen. Jij bent aangesteld om haar eer en welzijn te bewaken.'

Shula boog zijn hoofd. 'Jawel, Yuan-tse.'

Mei Lin keerde zich om naar haar broer. 'Wen De-tse!' riep ze.

Hij wuifde haar weg. 'Neem haar mee,' zei hij. 'Dit gesprek was een vergissing. Mijn zuster is reeds lang geleden gestorven.'

'Je hebt gezworen dat je me zou beschermen, Shula-tse!' riep Mei Lin, terwijl haar voormalige lijfwacht haar bij de arm greep. 'Je zou ervoor zorgen dat niemand me kwaad deed! Ben je je eed vergeten? Shula-tse!'

Hij trok haar mee naar de uitgang van de tent, zijn gezicht was een volmaakt masker van kalmte. 'Ik houd me aan mijn eed, Mei Lin-sa,' zei hij. 'Ik behoed u enkel voor een groter kwaad.'

Ze probeerde zich los te worstelen en slaagde erin zich om te draaien. 'Wen De-tse!' schreeuwde ze. 'De goden vervloeken je! Ik ben je zus!'

Op dat moment werd de tentflap opengeslagen en stapte een krijger in volle wapenrusting naar binnen, een man met grijzend haar en een vriendelijk, alledaags gezicht. Hij bleef voor Mei Lin staan. Een schok van herkenning ging door hem heen en toen besefte Mei Lin wie hij was: de kapitein van Yuanjings stadswacht, de man die haar had helpen ontsnappen.

'Help me!' zei ze gehaast. 'Ik ben de Yua...' Maar toen greep Shula haar vast en sloeg een hand voor haar mond.

De man naast Wen De stapte naar voren, een hand op zijn zwaard, en keek dreigend naar de kapitein. 'Je hebt niets gezien,' zei hij.

De kapitein wierp een aarzelende blik op Mei Lin, keek toen naar Wen De en knikte. 'Vergeef me, Yuan-tse. Ik heb nieuws van de achterhoede.'

Meer kon Mei Lin niet verstaan, omdat Shula haar de tent uit sleurde. 'Stil,' siste hij, terwijl hij haar meetrok door het kamp. Verderop weken de tenten uiteen. Daar waren de kampvuren die ze eerder had gezien, met de soldaten die zich eromheen hadden verzameld. Shula liep precies de andere kant op, naar de rand van het kamp.

'Moet ik mijn naam verloochenen, Shula-tse?' zei ze, toen hij eindelijk de hand van haar mond haalde. 'Noem je dat eervol?'

'U moet doen wat in Yuans belang is,' zei hij.

Ze vroeg zich af of ze zich zou kunnen losrukken. Als ze die kampvuren kon bereiken en genoeg mensen kon toeschreeuwen wie ze was... Het was een gok. Wellicht zou ze tweedracht onder de troepen van haar broer kunnen zaaien, genoeg om de strijd in het voordeel van de Yamata te beslechten. Maar ze had geen idee hoeveel mannen loyaal zouden blijven aan haar broer. Misschien zouden ze haar niet eens geloven. Iedereen had immers gehoord dat ze dood was. Maar als er een kans was... Ten dode opgeschreven was ze toch.

Ze had te lang getwijfeld. Ze bereikten de rand van het kamp en Shula duwde haar een tent binnen. Er brandde geen licht, zodat ze bijna struikelde over een kist die vlak bij de ingang stond. Shula liet haar los en gebaarde naar een hoop dekens op de grond. 'Ga zitten.'

'Nee, dank je,' zei ze. Ze sloeg haar armen over elkaar en probeerde te doen alsof ze in haar vertrekken in Yuanjing waren en híj degene was die in de problemen zat. 'Is dit jouw tent?'

Shula liep om haar heen. Hij schopte de dekens opzij, rommelde in de kist en maakte licht.

'Moet je me niet uit de weg ruimen?' snauwde ze toen hij weer overeind kwam, zijn rug naar haar toe.

Shula zuchtte. 'Het had niet zo hoeven zijn, weet u,' zei hij. 'U had niet met Akechi hoeven trouwen. Als u naar me had geluisterd en u niet in zaken had gemengd die u niet aangingen...' Hij draaide zich om en trok zijn zwaard. 'Ga zitten.'

Tot dat moment had Mei Lin niet werkelijk geloofd dat hij het meende. Dat hij haar vader en Xiao Ning had gedood, ja. Dat hij haar had verraden, zeker. Maar niet dat hij haar in de ogen kon kijken en haar leven kon nemen.

'Ik ben blij dat ik alsnog met Akechi Sadayasu ben getrouwd,' zei ze, terwijl ze neerknielde. Ze vouwde haar handen in haar schoot, tegen de band van haar jurk. 'Misschien zien de goden daardoor in dat niet iedereen in Yuan zijn verstand heeft verloren. Misschien zijn ze ons land dan genadig. Dit huwelijk heeft me in elk geval behoed voor de schande die me anders in jouw armen ten deel was gevallen!'

Ze wist dat hij zou toeslaan voor hij bewoog. Ze kende Shula al haar hele leven; ze wist hoe hij was, al had ze nooit beseft waartoe hij precies in staat was. Hij was als de draad in een spinnenweb, die ongelooflijk lang kon worden uitgerekt voor hij brak. Maar als hij brak, schoot hij met een waanzinnige kracht terug. Als Shula's geduld op was, werd hij kwaad en onvoorzichtig. En niets maakte hem zo kwaad als wanneer je zijn eer in twijfel trok.

Zijn zwaard zong door de lucht, maar te laat, te traag. Mei Lin gleed van haar plaats alsof haar ledematen vloeibaar waren. Toen zijn zwaard de lucht doorkliefde waar zo-even haar nek was geweest, trok ze haar dolk – zíjn dolk – uit de band van haar jurk en drukte die op zijn keel.

Ze glimlachte. 'Je had beter op moeten letten voor je zei dat ik ongewapend was, Shula-tse. Laat je zwaard los.'

Hij gehoorzaamde. Het wapen plofte op de aangestampte aarde.

'Wat wilt u doen, Mei Lin-sa?' zei hij. 'U bent alleen, niemand weet waar u bent. U komt nooit voorbij onze wachtposten.'

'Ik bedenk wel iets, als ik me eenmaal van jou heb ontdaan.'

Shula lachte. 'Wilt u me doden? Dat durft u niet.'

'Wil je het erop wagen?' Ze duwde de dolk met nog meer kracht tegen zijn keel.

'Doe het dan,' zei hij.

Mei Lin haalde diep adem.

Maar ze kreeg nooit de kans om zichzelf te bewijzen, want Shula bewoog zo snel als de bliksem. Hij greep haar hand en de dolk en trok die weg van zijn keel. Hij was zo snel dat ze hem niet kon tegenhouden. Met zijn andere hand sloeg hij haar hoofd naar achteren, zodat ze viel. Haar hart sloeg over van de klap. Stom! Stom! Hoe had ze hem kunnen onderschatten? Een geoefende lijfwacht met meer dan twintig jaar trouwe dienst!

Ze duwde zichzelf overeind, terwijl Shula zijn zwaard opraapte. De dolk wierp hij opzij, alsof die er niet toe deed. Tot Mei Lins spijt moest ze toegeven dat dat ook zo was. Ze kon Shula nooit een tweede keer te snel af zijn.

'Shula-tse!' snikte ze. 'Alsjeblieft! Als je ook maar iets om me geeft, doe dit dan niet! Alsjeblieft!'

Even keek hij haar zwijgend aan.

Toen klonk er rumoer buiten de tent, ergens aan de rand van het kamp. Tegelijkertijd werden de tentflappen opengeslagen en stapte een jonge officier met een sikje en kortgeknipte haren de tent binnen. 'Er is iets aan de hand bij de zuidelijke wachtposten, Sun-tse,' zei hij met een korte buiging van zijn hoofd. 'Generaal Zheng vraagt... O, vergeef me! Ik wist niet dat u een vrouw had uitgenodigd.' Hij glimlachte verontschuldigend naar Mei Lin en groette haar in het Yamatanees, blijkbaar in de veronderstelling dat ze een dorpsbewoner was die voor bepaalde zaken naar het kamp was gekomen.

Shula schoof zijn zwaard terug in de schede, alsof hij het slechts naar aanleiding van het rumoer had getrokken. 'Geen probleem, Ju Long-tse,' mompelde hij. 'Wat vraagt generaal Zheng?'

Ju Long gebaarde in de richting van de bomen. 'Hij vraagt of u er een patrouille op uit kunt sturen. Er is rumoer bij de zuidelijke wachtposten, uw deel van het kamp.'

'De Yamata?'

De jongeman schudde zijn hoofd. 'Ik denk het niet. Als ze een aanval hadden gepland, dan zou ik ervan hebben gehoord toen ik vanmiddag in hun kamp was. Misschien zijn het wilde dieren...'

Mei Lin gaapte de jongeman aan. Een spion! Ze had hem nooit eerder gezien, zeker niet bij de Yamata, maar hij moest een spion zijn als hij in het Yamatanese kamp was geweest.

Shula greep Mei Lin bij de hand en trok haar mee. 'Een moment, Ju Long-tse. Ik wil ervoor zorgen dat deze dame veilig is voor ik vertrek. Ik zou niet willen dat haar iets... overkomt.' Hij stapte naar buiten, terwijl hij een blik over zijn schouder wierp naar Ju Long. 'Ik ben dadelijk...'

In een flits draaide hij zijn hoofd terug, liet Mei Lins hand los, greep zijn zwaard en ontblootte het staal. Toen klonk er een doffe klap en zakte Shula in elkaar.

Geschrokken deinsde Mei Lin achteruit, recht in de armen van de spion Ju Long, die haar vastgreep en een hand voor haar mond sloeg. Twee mannen, volledig in het zwart gekleed en met maskers op die alleen hun ogen vrijlieten, kwamen de tent in en sleepten Shula's lichaam naar binnen.

'Stil, Yuan-sa,' fluisterde Ju Long. Met grote ogen probeerde Mei Lin zich naar hem om te draaien. Hij glimlachte, trok de hand van haar mond en legde een vinger tegen zijn lippen.

'Je weet wie ik ben,' fluisterde ze ademloos.

'U bent de reden van mijn komst,' zei Ju Long. 'We komen u redden.'

'Dan ben je een dubbelspion.'

Hij knikte. 'Mijn tante Xi Wei heeft u jarenlang gediend, Yuan-sa. Na uw moord – uw vermeende moord moet ik zeggen – werd ze ter dood gebracht, als vergelding voor de schande van uw dood. Maar uw lijfwacht... uw lijfwacht bleef in leven en werd plotseling aangesteld als

generaal. Vreemd, nietwaar? Ik heb nooit het nut van deze oorlog ingezien, Yuan-sa, maar wie was ik om tegen mijn orders in te gaan? Tot
ik er tijdens mijn spionage bij de Yamata achter kwam dat u nog leefde
en een verdrag met keizer Akechi had gesloten...' Hij zweeg en keek
naar een van de mannen in het zwart, die zich over Shula had gebogen.
De andere stond in de tentopening en hield de wacht. 'Er zijn nog
Yuan die u trouw zijn, Yuan-sa. Ik probeer de mensen te vertellen dat
u leeft. Maar het is lastig, zoals u zult begrijpen. Niet iedereen is te vertrouwen. En als de verkeerde mensen erachter komen dat ik nu voor
de Yamata spioneer, dat ik de Yuan alleen nog vertel wat de Akechi's
willen laten uitlekken...'

Mei Lin knikte.

'Na deze actie zal het helemaal lastig worden. Ik vrees dat ik niet
meer zo vaak naar het kamp van de Yamata zal kunnen komen als ik
zou willen.'

'Dat geeft niet,' zei Mei Lin. 'Je hebt gedaan wat je kon.' Ze pakte
zijn hand en glimlachte. 'Ken je een van de officieren, de man die vroeger kapitein van de stadswacht was in Yuanjing? Hij kwam vanavond
naar de tent van mijn broer met een boodschap van de achterhoede.'

'Kapitein Thian? Hoezo?'

'Spreek met hem. Ik denk dat hij je zal geloven.'

Ju Long boog zijn hoofd.

Een van de mannen in het zwart kwam naar hen toe. 'We moeten
gaan,' fluisterde hij in het Yamatanees. Mei Lin keek hem enigszins
overweldigd aan. Dit was een kraai uit de verhalen, besefte ze, iemand
die van jongs af aan was opgeleid om als spion en sluipmoordenaar te
werk te gaan en dus zelfs een ervaren lijfwacht te slim af kon zijn.

Voor het eerst wierp ze een blik op Shula's bewegingloze lichaam.
'Is hij dood?' vroeg ze. Haar tong struikelde bijna over de woorden.

De kraai schudde zijn hoofd. 'Bewusteloos. Kom, er is weinig tijd.'

Ju Long ging op zijn knieën zitten en keek toen op naar de Yamatanees. 'Doe het snel,' zei hij. 'En zorg ervoor dat je minstens een kneu-
zing achterlaat. Het moet er wel echt uitzien.'

De kraai knikte. 'Vergeving, vriend,' mompelde hij. Toen liet hij een
stok uit de mouw van zijn kimono glijden en haalde hard uit. Met een
gesmoorde kreun viel Ju Long voorover.

De man die al die tijd in de tentopening had gestaan, draaide zich
om. 'We gaan,' zei hij. 'Geen woord meer, nu.'

48

Sadayasu

De kraai greep Mei Lins hand en trok haar de tent uit, het duister in. Ze slopen voorbij de laatste rij tenten, laag bij de grond en zenuwslopend traag. Ze kon de stemmen van de Yuan in hun tenten horen. Zij was niet in staat geruisloos te bewegen, zoals de kraaien. Zelfs haar ademhaling klonk te luid. Ieder moment verwachtte Mei Lin een groep Yuansoldaten te zien opdoemen die de twee lichamen in de tent hadden ontdekt, maar ze bereikten het bos zonder dat er alarm werd geslagen. Eenmaal tussen de bomen versnelden de kraaien het tempo.

Ze volgden niet de weg die Shula had genomen, om de wachtposten heen, maar liepen recht vooruit, weg van het kamp. Mei Lin wilde hen waarschuwen; er moesten wachters in die struiken zitten. Maar toen doken er plotseling mannen te paard op, vier, vijf stuks, in het zwart gekleed – het zwart van Yuan – en was het te laat. Ze kon niet meer ontsnappen. Een van de mannen gleed uit het zadel en greep haar armen. Een gil welde op in haar keel.

En toen hoorde ze een stem; ze keek op en zag Akechi Sadayasu's donkere ogen boven het zwarte masker. 'Akechi-tse!' snikte ze en ze dook weg in zijn armen.

'Mei Lin-sa,' zuchtte hij. 'Ben je in orde?'

Ze knikte, half huilend. 'De wachtposten!' snikte ze. 'Waren er geen wachtposten?'

'Wilde dieren,' grinnikte de man die haar uit de tent had gered. 'Yamatanese kraaien, zo u wilt.'

Mei Lin keek op. 'Hoe wist u dat ik hier was?' vroeg ze Akechi.

'De jongen, Yasuo,' zei hij zacht. 'Hij had je gesprek met de geheimzinnige boodschapper afgeluisterd en vertrouwde het niet. Hij kwam me waarschuwen.'

Mei Lin zuchtte. 'Cang Lu!'

'Heer?' zei een van de mannen te paard.

Akechi schraapte zijn keel. Hij liet haar los, alsof hij plotseling besefte hoe dicht ze bij elkaar stonden, en stapte achteruit. Mei Lin staarde naar de grond. 'We kunnen beter naar het kamp terugkeren,' zei hij. Zijn stem klonk weer afstandelijk en zakelijk.

Een van de mannen in het zwart reikte haar de teugels van haar zwarte merrie aan. Ze wilde opstijgen, maar Akechi greep opnieuw haar arm. Met een ruk draaide ze zich om.

'Ik, eh...' zei hij. 'Je hebt het toch niet koud, hè?'

Ze schudde haar hoofd.

'Hier. Pak toch maar aan.' Hij trok de mantel van zijn schouders en gaf hem aan haar.

Ze staarde hem aan.

'Kom!' zei hij. 'We moeten terug naar het kamp. Het is hier niet veilig. Later praten we verder.'

Ze reden zwijgend, zwarte schaduwen in de nacht. Binnen de omheining van het Yamatanese kamp lieten de kraaien hen alleen. Staljongens ontfermden zich over de paarden. Akechi bracht Mei Lin naar haar tent, waar Yuki op haar zat te wachten.

'Yuan-sa!' riep ze. 'De goden zij dank, u bent in orde!'

Het was alsof alle kracht die Mei Lin in zich had plotseling wegviel en alleen Akechi's arm om haar schouder hield haar overeind. Hij wierp een korte blik op haar gezicht en wenkte de dienares. 'Haal rijstwijn!'

Yuki bracht een porseleinen beker, maar toen Mei Lin probeerde te drinken, viel de beker trillend uit haar handen en spatte op de grond uiteen.

'Een nieuwe beker,' beval Akechi kalm.

Mei Lin probeerde het beven te stoppen, maar haar handen begonnen alleen maar erger te trillen. 'Ze wilden niet dat iemand me zag,' mompelde ze, half in zichzelf. 'Ze zijn bang voor een opstand. Er zijn mensen trouw aan mijn vader. Als ze weten dat ik leef...' Plotseling keek ze op. 'Een vaandel! Er moet een vaandel met de Witte Lelie worden gemaakt en dat moet boven op de toren worden geplaatst. De Yuan moeten zien dat ik er ben... We moeten...'

Akechi legde een hand op haar arm. 'Alles op zijn tijd.' Yuki keerde terug en reikte hem een nieuwe beker aan.

'Nee!' zei Mei Lin. 'We hebben geen tijd te verliezen! Mijn broer...'

'Drink,' zei hij en hij hield haar de beker voor.

Ze leegde hem in één teug. Zonder vragen vulde Akechi de beker opnieuw. Yuki stuurde hij weg.

'Het was je lijfwacht, nietwaar?' vroeg hij, terwijl hij haar onderzoekend aankeek. 'De boodschapper?'

Ze dronk, vooral om geen antwoord te hoeven geven. Langzaam voelde ze zich weer zichzelf worden. Maar toen was de beker leeg en Akechi wachtte nog steeds. 'Shula was er vanaf het begin bij betrokken,' zei Mei Lin met bittere tranen in haar stem. 'En ik vertrouwde hem!'

'Heeft hij je pijn gedaan?'

Fel keek ze op. 'Hij heeft niets anders dan mijn trots gekwetst, Akechi-tse, als u dat bedoelt!'

'Dat vroeg ik toch helemaal niet!' Akechi keek van haar weg. 'Goden!'

Ze bestudeerde zijn gezicht en fronste haar wenkbrauwen. 'Ik begrijp het niet,' zei ze. 'Ik begrijp het gewoon niet. Hij heeft me geholpen u te redden! Toen mijn eerste brief om u te waarschuwen voor mijn broers complot zoekraakte – toen Teishi mijn brief onderschepte en aan Wen De gaf – heb ik Shula alles verteld. Hij beloofde me naar u toe te gaan in Yuchuan om u te waarschuwen. En dat heeft hij gedaan, anders zat u hier niet. Maar waarom, als hij u al die tijd om het leven wilde brengen? Waarom zou hij mij helpen zijn eigen plannen te dwarsbomen? Ik begrijp het niet!'

Akechi staarde haar aan.

'Wat?' vroeg ze.

'Hij heeft je niet geholpen,' zei hij. 'Hij is nooit in Yuchuan geweest.'

'Hoe wist u dan dat hij mijn lijfwacht was? Als u hem niet eerder hebt gezien...'

Akechi onderbrak haar: 'Maar ik heb hem toch gezien? In de paleistuin, samen met jou.'

Mei Lin sloot haar mond. 'Ik wist niet dat u hem had herkend. Het was die avond zo donker... Waarom hebt u niets gezegd? U wist dus dat ik loog toen u hoorde dat ik mijn lijfwacht Li Jin als dader had aangewezen.'

Akechi glimlachte. 'Je zult denken dat ik gek ben, maar ik had medelijden met je. Het feit dat je zo'n leugen durfde te vertellen tegen de Yuan-tse, betekende dat je werkelijk om Shula gaf. Ik kon jouw liefde niet goedkeuren, maar ik kon het ook niet over mijn hart verkrijgen om de waarheid te vertellen en jou pijn te doen. Later besloot ik dat de veroordeling van Li Jin – dezelfde man die blijkbaar een aanslag op mijn leven voorbereidde – voor mij misschien ook gunstiger was.'

Mei Lin beet op haar lip. Ze duwde haar handen in haar haren en staarde voor zich uit. 'Eén ding begrijp ik niet,' zei ze. 'Hoe wist u van de aanslag als Shula u niet heeft gewaarschuwd?'

Akechi haalde uit de band van zijn gewaad iets tevoorschijn: een strookje papier, dat hij in haar handen drukte. Ze vouwde het open. In haastige pennenstreken was er een boodschap op geschreven: 'Akechi-tse, vraag niet hoe of waarom, maar u bent in groot gevaar. Een man genaamd Li Jin zit in een complot om u te doden. Hij zal toeslaan op onze huwelijksdag. Wees stil en gewaarschuwd. Uw verloofde, Yuan Mei Lin'.

Verbouwereerd staarde Mei Lin Akechi aan. 'Dat is mijn brief!' zei ze. 'Hoe hebt u die ontvangen?'

'Draai hem om,' zei Akechi.

Ze gehoorzaamde. Er was iets op de achterkant geschreven, in een ander handschrift dan het hare. Ze probeerde de karakters te lezen en faalde, tot ze besefte dat het Yamatanese karakters waren. 'Ik verstuur deze brief uit dank voor uw discretie, Sadako.'

'Sadako is de Yamatanese vorm van de naam Teishi,' zei Akechi.

Mei Lin fronste haar wenkbrauwen. 'Uw discretie?'

'Ik zag haar hand tijdens de Langste Nacht,' legde hij uit. 'Als Yamatanees begreep ik natuurlijk wat haar tatoeages betekenden.'

'Maar u zei niets. En uit dank heeft Teishi deze brief alsnog aan u verzonden toen ze hem in Cang Lu's zakken had gevonden... Ze heeft Wen De nooit iets verteld!'

Akechi knikte. 'Dat zal je lijfwacht wel hebben gedaan.'

Sprakeloos staarde ze hem aan. Ze knipperde met haar ogen, maar de tranen die in haar opwelden lieten zich niet tegenhouden. 'Ik heb hem alles verteld!' snikte ze. 'Ik heb mezelf verraden, en u en Cang Lu! En vandaag... Als Cang Lu ons niet had afgeluisterd... Als u me niet was komen redden... Shula zou me hebben gedood! Alles zou voor niets zijn geweest! Ik heb ons allemaal verraden! Goden, vergeef me!'

Akechi greep haar hand. 'Er valt niets te vergeven, Mei Lin-sa! Ik begrijp waarom je met hem meeging. Je vertrouwde hem. Natuurlijk vertrouwde je hem! Niemand had je voor hem gewaarschuwd. Wat er gebeurd is, is net zo goed mijn schuld als de jouwe! Als ik je deze brief eerder had laten zien, was je misschien op je hoede geweest. Maar ik schaamde me dat ik hem had bewaard en ik had geen idee dat je een tweede boodschap via je lijfwacht had gestuurd. Ik wist niet dat het zo belangrijk was. Vergeef me! En nu heeft die verrader je hart gebroken en ik... Ik wilde dat ik je deze pijn had kunnen besparen.'

Zwijgend schudde Mei Lin haar hoofd. Akechi had gelijk. Haar hart zou gebroken moeten zijn door Shula's verraad, maar... 'Ik voel niets,' zei ze. 'Niets dan schaamte en spijt dat ik zo blind heb kunnen zijn.' Ze keek opzij. 'Shula zei dat hij een manier wist om iedereen te redden. Dáárom ben ik met hem meegegaan. Ik durfde er niet op te vertrouwen dat ons eigen plan zou slagen. Ik was zo bang dat Wen De niet zou zwichten en dat zijn generaals hem niet zouden afvallen. Ik wilde voorkomen dat er gevochten werd, begrijpt u?' Ze beet op haar lip en kneep haar ogen dicht. 'Iedere nacht weer droom ik over de oorlog. Honderdduizenden doden op het slagveld.'

Akechi kneep in haar hand. 'Mei Lin-sa...'

Ze lachte door haar tranen heen. 'En weet u wat zo vreemd is, Akechi-tse? Als ik ga kijken, draagt elke gesneuvelde uw gezicht. Tot de laatste man.' Ze keek naar hem op. 'Ik kon die nachtmerrie niet langer verdragen. Ik ging met Shula mee in de hoop u daarvan te kunnen redden.'

Akechi wierp haar een vreemde blik toe. 'Je bent dronken,' zei hij. 'Ik heb je te veel rijstwijn gegeven.'

'Nee!' riep ze. Ze was juist nog nooit zo helder geweest, alsof ze plotseling dwars door alle schaduwen kon kijken. 'Wist u dat Shula mijn broer diende?' vroeg ze.

Akechi knipperde verbaasd met zijn ogen. 'Ik... ik had een vermoeden. Er werd gesproken over een generaal Sun. Maar ik wist niet zeker of hij het was.'

Mei Lins mond viel open. Met een ruk trok ze haar hand uit de zijne. 'Waarom hebt u me dat niet verteld?'

'Het was een vermoeden, niets meer!'

'Zelfs een vermoeden had u met me moeten delen! Als ik had geweten dat Shula mogelijk onder Wen De diende, was ik nooit met hem meegegaan!'

'O, werkelijk?' Spottend keek Akechi haar aan. 'Zou je me dan hebben geloofd, Mei Lin-sa?'

Ze opende haar mond en sloot hem weer, met stomheid geslagen. In werkelijkheid kon ze niet zeggen wat ze zou hebben geloofd; of ze niet juist naar Wen De's kamp zou zijn gegaan om Akechi's ongelijk te bewijzen. 'U had het me duidelijk moeten maken,' zei ze koppig.

Akechi wreef met zijn handen over zijn knieën. 'Ik heb je gezegd binnen de omheining te blijven! Was dat niet genoeg? Je gaf me je woord, Mei Lin-sa! Had ik je niet moeten vertrouwen?'

Woedend sloeg Mei Lin haar armen over elkaar. 'Als u alleen maar bent gebleven om me de les te lezen, kunt u net zo goed weggaan!'

Hij sprong op. 'De les lezen? Lees ik jóú de les?'

Mei Lin lachte schamper. 'U weet alles zo goed! U allemaal! Shula en mijn broer, u en keizer Akechi! U verwacht allemaal van me dat ik gehoorzaam mijn plicht vervul en u bekritiseert me als ik faal, maar niemand vertelt me ooit hoe de zaken werkelijk in elkaar steken! Hoe moet ik de juiste keuzes maken als niemand op deze godenvergeten wereld me ooit iets vertelt?'

'Mei Lin-sa...'

'Nee!' riep ze. 'Ik ben het zat! Ik kan het halve land doorkruisen om een oorlog te voorkomen, ik kan onderhandelen met keizers en generaals, maar niemand neemt me werkelijk serieus! Mogen de goden jullie allemaal vervloeken!'

Akechi wierp zijn handen wanhopig in de lucht. 'Wat had ik dan moeten doen?' riep hij. 'Wat had je gewild dat ik deed, Mei Lin-sa? Wát?'

'Ik weet het niet!' schreeuwde ze terug. 'Ik weet het niet! Góden!'

Akechi's handen vielen krachteloos langs zijn lichaam. Hij kneep zijn ogen samen, opende zijn mond, maar schudde toen slechts zijn hoofd. 'Ik kan dit niet meer, Mei Lin-sa,' sprak hij. Het was alsof zijn gezicht van steen was geworden. 'Je hebt gelijk. Ik had niet moeten blijven.' Hij draaide zich om, liep naar de uitgang van haar tent en sloeg de flappen open. Mei Lin voelde kippenvel over haar hele lichaam, maar het had niets te maken met de koele nachtlucht die de tent binnenstroomde. 'Ik zal Yuki sturen om je bed klaar te maken,' mompelde Akechi tegen het tentdoek.

Het was alsof er iets in haar binnenste versplinterde, alsof haar hart, dat Shula niet had kunnen breken, nu in duizenden scherven uit haar borst werd getrokken. Uit alle macht probeerde Mei Lin de pijn weg te slikken. 'Wacht!' bracht ze uit. 'Alstublieft, wacht.'

Akechi draaide zich om, zijn blik was strak. 'Wat?'

'Ga niet weg. Alstublieft...' Ze hief haar handen in een hulpeloos gebaar.

Akechi schudde opnieuw het hoofd. 'Mei Lin-sa,' fluisterde hij. Het was bijna een bede, zoals hij haar naam uitsprak; zo voorzichtig, zo breekbaar. 'Wat wil je toch van mij, Mei Lin-sa?'

Mei Lin staarde hem aan. Was er een antwoord op die vraag? Ze zei het eerste wat in haar opkwam: 'Blijf.'

Dat trok zijn aandacht. Hij deed twee stappen in haar richting en bleef toen staan, alsof hij bang was haar af te schrikken. Hij had geen idee.

Mei Lin dwong zichzelf hem aan te kijken. 'Alstublieft,' zei ze.

In zijn ogen vlamde iets op wat ze niet herkende, iets wat haar greep en haar voor een paar tellen de adem afsneed. 'Nee,' zei hij langzaam, de verwarring duidelijk in zijn stem. 'Je bent geschokt en onder invloed! Ik weet dat je dit niet echt wilt.'

Mei Lin begreep niet wat zijn ogen met haar deden, maar zijn twijfel maakte haar plotseling heel zeker van haar zaak. 'Jawel,' zei ze. 'Kom.'

Hij schudde zijn hoofd. 'Nee, ik kan niet... Ik heb je beloofd dat ik niet... Ik bedoel, ik zou je nooit...'

'Sadayasu-tse,' zei ze zacht. Het was de eerste keer dat ze zijn voornaam gebruikte en hij zweeg getroffen. 'Ik weet dat je nooit misbruik van me zou maken. Wil je nu eindelijk hier komen?'

Ze had gedacht dat hij opnieuw zou protesteren, maar hij keek haar aan – en in dat ene ogenblik nam het vuur in zijn ogen alles over.

Hij kwam.

Zijn kus was licht, een belofte die nauwelijks haar lippen raakte. Toen veranderde hij als een vuurbloem die tussen hen explodeerde, alsof hun lippen vlam hadden gevat en ze het vuur slechts konden doven door zich eraan over te geven.

Shula's kus had haar wereld versplinterd; Sadayasu raakte haar in de kern van haar wezen, zodat ze niet meer wist wie of wat ze was en zichzelf slechts kon terugvinden aan de hand van de scherven die hij haar aanreikte. Ze zou nooit meer zijn wie ze geweest was.

Waarom had ze het niet eerder gezien? Zijn spottende blikken, haar provocaties... Geen moment had ze beseft dat het wanhopige pogingen waren om te ontsnappen uit de kooi waarin het protocol hen gevangenhield. Waarom, waarom had ze dat niet eerder begrepen? Zelfs Shula – juist Shula – had haar in zijn liefde opgesloten willen houden. Maar Akechi Sadayasu had haar verlangen om uit te breken herkend. Hij had geprobeerd tot haar door te dringen. En zij had onbewust geprobeerd hem uit te dagen, zodat ze hém kon vinden, los van het protocol en alle formaliteiten. Was die kooi dan zo stevig? Zat ze al zo lang gevangen dat ze doof en blind was geworden voor die ontsnappingsmogelijkheden? Ze had zichzelf zo lang voorgehouden dat ze Akechi haatte, dat ze de gevoelens die onder die vermeende haat groeiden niet had opgemerkt. Ze hadden elkaar eerst tot wanhoop moeten drijven voor ze de sleutel vonden die al die tijd voorhanden was geweest.

'Waarom?' fluisterde ze tegen zijn lippen. 'Waarom zijn we zo?'

'Ik weet het niet,' zei hij zonder haar los te laten. 'Ik zou het niet kunnen uitleggen. Misschien bestaan er zelfs geen woorden voor.'

Maar toen hij haar trillend terugduwde op de slaapmat en haar lichaam met het zijne omgaf, warm van het vuur dat tussen hen was aangewakkerd, wist Mei Lin dat het niets uitmaakte. Om elkaar te begrijpen hadden ze geen woorden meer nodig.

49

De Yuan-sa

Wakker worden naast Akechi Sadayasu was het vreemdste wat Mei Lin ooit was overkomen. Vreemd en opmerkelijk genoeg was het ook heel vertrouwd, alsof het nooit anders was geweest. Met een vinger volgde ze de lijnen van zijn gezicht. Met zijn ogen gesloten leek hij kwetsbaar, zo anders dan de man met de pretlichtjes die steeds had geprobeerd haar belachelijk te maken.

Die nacht had ze geen enkele droom over dood en bloed gehad.

Sadayasu bewoog in zijn slaap. Zijn arm krulde om haar heen en hij greep haar hand. Toen opende hij zijn ogen. 'Goedemorgen, Yuan-sa,' glimlachte hij. Hij richtte zich op en fronste zijn wenkbrauwen. 'Is het al morgen?'

'Net,' zei Mei Lin. 'Het is nog vroeg.'

'Ah...'

Sadayasu ging weer liggen en trok haar naar zich toe om haar te kussen. Zijn vingers vonden hun weg in haar haren en op de een of andere manier eindigde ze op haar rug met haar benen verstrikt in de deken en Sadayasu boven op haar. Hij keek met zo veel liefde en bewondering op haar neer, dat haar hart leek te struikelen. Hoe had ze ooit kunnen denken dat hij haar belachelijk wilde maken? Waarom had ze hem gehaat, hem keer op keer willen kwetsen? Ze wendde haar blik af, omdat ze bang was dat hij de schaamte in haar ogen zou lezen.

Sadayasu bemerkte de verandering in haar houding. Hij bleef even stilliggen en ging toen zitten. 'Natuurlijk,' zei hij langzaam. 'Goden, ik kan niet geloven dat ik zo stom was om te denken dat je het werkelijk meende...'

'Nee!' Mei Lin worstelde zich los van de deken. 'Nee, dat is het niet!

Sadayasu-tse, ik wilde alleen...' Ze zuchtte en greep zijn hand. 'Ik heb je vreselijk behandeld. Ik heb je verraden, ik heb je ervan beschuldigd de spot met me te drijven! Jij hebt steeds zo je best gedaan en ik... Ik was inderdaad dom en blind. Het spijt me. Het spijt me heel erg. Ik...'

Sadayasu legde een vinger op haar lippen. 'Niet doen,' fluisterde hij. 'Je hoeft je niet te verontschuldigen.'

'Maar ik...'

Hij glimlachte. De lichtjes in zijn ogen twinkelden. 'Geloof me, ik zou je niet half zo leuk hebben gevonden als je me niet steeds met zo veel minachting had behandeld.'

'Nu drijf je echt de spot met me.'

Hij grijnsde en drukte een kus op haar voorhoofd. 'Ja,' zei hij. Toen ging hij naast haar op de slaapmat liggen.

'Je had het mis, weet je,' fluisterde ze even later tegen zijn hals, toen ze dicht tegen hem aan onder de deken lag, 'toen je zei dat ik bang was om mensen toe te laten omdat het niet veilig was. Ik heb me nog nooit zo veilig gevoeld als nu.'

Hij keek opzij en glimlachte op een vreemde manier, die Mei Lins hart in haar keel deed kloppen. 'Ah, Mei Lin-sa,' zuchtte hij. 'Je wordt nog eens mijn ondergang!'

Verlegen en een beetje plagerig keek Mei Lin naar hem op. 'Wees maar voorzichtig, Akechi-tse! Het geeft geen pas als u, prins van Yamatan, uw hart verliest aan een Yuanprinses. Dat is erg mooi voor sprookjes voor het gewone volk, maar natuurlijk niet voor ons.'

Hij lachte en kuste haar lippen. 'Te laat. Ik ben al verliefd op je sinds de eerste keer dat ik je zag. En je vergeet dat ik geen keuze had. Ik moest je wel leuk vinden, om de vrede voor mijn land veilig te kunnen stellen.'

'Dat is heel nobel van je,' zei Mei Lin. Ze hield haar hoofd een beetje scheef en fronste haar voorhoofd.

'Wat is er?'

Ze probeerde overeind te komen. 'Ze slaan de gong voor het Uur van het Konijn. Misschien moeten we...'

Sadayasu greep haar vast en trok haar weer omlaag. 'Het Uur van het Konijn! Waar wilde je zo vroeg naartoe?'

'Mijn broer...'

'Je broer is hier niet. Zijn troepen zijn gisteren pas aangekomen; hij moet zijn kamp versterken, voorraden aanleggen... De wilde beesten zoeken die in de bossen twee wachtposten hebben uitgemoord... Hij zal nog niet aanvallen.'

'En uw troepen dan!' riep Mei Lin uit. 'U inspecteert ze iedere morgen!'

Sadayasu grijnsde. 'Een taak die ik met een gerust hart aan mijn officieren kan overlaten, zoals je me al eens vertelde. Maak je geen zorgen.' Hij kuste haar en met een zucht gaf ze haar verzet op. 'Kom, Yuan-sa,' fluisterde hij. 'Het is nog vroeg. Blijf nog even.'

'Dit is míjn tent,' mompelde Mei Lin. 'Als er iemand weg moet gaan, ben jij het.'

Sadayasu lachte.

Toen ze haar tent uiteindelijk verlieten, stond Cang Lu hen op te wachten, zijn armen nors over elkaar geslagen.

De hemel hing grijs boven de tenten. Soldaten in uniform liepen over het pad dat naar de toren leidde. In de verte klonk het lawaai van de smidsen, het gehamer van timmerlieden, het geluid van krijgers die hun zwaardslagen oefenden.

Mei Lin zuchtte terwijl ze naar Cang Lu keek. 'Ik zal even met hem praten,' mompelde ze. 'Ik moet hem nog bedanken voor gisteravond.'

Sadayasu keek haar onderzoekend aan. 'Je klinkt alsof je ertegen opziet. Ga je me ooit vertellen wie hij precies is en waarom hij met je mee is gekomen?'

'Waarschijnlijk niet.' Mei Lin glimlachte. 'Hij heeft me enkele diensten bewezen op weg naar Jitsuma waardoor ik altijd bij hem in het krijt zal blijven staan. Dat is alles.'

'Alles?' herhaalde Sadayasu, maar hij vroeg niet verder. 'Ik ga mijn officieren opzoeken, zien of alles in orde is.' Hij tikte haar plagerig op de hand. 'Tot straks, Mei Lin-sa.'

Cang Lu keek hem met een duistere blik na.

Mei Lin haalde diep adem en stapte op hem af. 'Cang Lu-tse! Ik wil je bedanken.'

Cang Lu haalde zijn schouders op. 'Ik heb niets gedaan.'

'Je hebt mijn leven gered! Als je Akechi niet had gewaarschuwd...'

Hij trok zijn wenkbrauwen op. 'Dus dat heeft hij je wel verteld? Ik was even bang dat hij van plan was alle eer naar zich toe te trekken.'

Mei Lin fronste haar wenkbrauwen. 'Wat is er?'

Cang Lu wierp een blik op de poort waardoor Sadayasu zojuist was verdwenen. Mei Lin vroeg zich af of het mogelijk was iemand dwars door een muur dood te staren, want Cang Lu leek een serieuze poging te wagen. 'Zelfs als hij je heeft gered, mag hij niets van je eisen,' zei hij. 'Je bent zijn eigendom niet!'

Mei Lins wenkbrauwen schoten omhoog. 'Eigendom?'

Cang Lu keek naar haar op. De woede gleed van zijn gezicht alsof een regen van angst hem overspoelde. 'Hij heeft je pijn gedaan, hè?'

Mei Lin stotterde van verbazing. 'Cang Lu-tse, hoe... hoe kom je daarbij? Natuurlijk niet!'

Hij schoof met zijn voeten door het zand. Zijn blik kreeg iets afwezigs. 'Het doet altijd pijn,' zei hij.

Mei Lin staarde hem sprakeloos aan. Ze wist dat ze iets moest zeggen, iets wat het leed in zijn ogen zou verzachten, maar ze wist niet wat. Ze keerde zich om naar het kamp, dat luid en levendig was rond de bevroren luchtbel waarin zij zich leken te bevinden. Boven hun hoofden pakten donkere wolken zich samen.

'Nee,' zei ze ten slotte. 'Sadayasu heeft me geen pijn gedaan.'

'Maar je huilde! Ik weet het altijd als je huilt.'

Mei Lin schudde haar hoofd. 'Je bent nog maar een kind, Cang Lu-tse. Je begrijpt niet waarover je praat.'

Verontwaardigd keek hij op. 'Een kind...!' Maar toen zweeg hij en fronste zijn voorhoofd. 'Goden,' zei hij, 'je houdt van hem.'

Mei Lin gaf geen antwoord. Wat moest ze zeggen?

'Je zei dat dit huwelijk slechts een formaliteit was!'

'Dat dacht ik ook.' Ze slikte en probeerde weg te kijken, maar zijn gouden ogen hielden haar blik vast. 'Je kunt niet bepalen op wie je verliefd wordt, Cang Lu-tse. Dat gebeurt gewoon.'

Zijn mond viel open en woedend balde hij zijn handen tot vuisten. 'Je had het me beloofd, Mei Lin-sa!'

Waarom juist die woorden haar raakten, wist Mei Lin niet, maar ze waren als messteken in haar hart. Waarom viel hij haar aan? Alsof ze zich schuldig behoorde te voelen over haar gevoelens voor Sadayasu! Alsof ze Cang Lu daarmee opzettelijk had willen kwetsen! Ze had toch geprobeerd om hem te beschermen? Hoe kon zij het helpen dat ze had gefaald? Wat in haar macht lag, had ze voor hem gedaan. Wat wilde hij nog meer? Waarom bleef hij aan haar trekken, alsof hij recht op haar had? Waarom kon hij haar niet met rust laten?

Ze wist wel dat haar gedachten onterecht waren. Ze had zijn verlangende blikken gezien en ze wist dat hij alleen maar gekwetst en bang was en niet meende wat hij zei. Maar het was alsof zijn pijn hen beiden probeerde te verscheuren. Ze kon zijn verdriet niet wegnemen. En de gebeurtenis waarover ze zich werkelijk schuldig voelde, zou ze nooit ongedaan kunnen maken. Telkens als ze Cang Lu zag, voelde ze de last van die tekortkoming op haar schouders drukken. Die pijn was ondraaglijk. En dus kon ze de woorden niet stoppen die als een salvo pijlen op de jongen af schoten: 'Ben je vergeten wie ik ben, Cang Lu-tse? Welk recht heb jij om mij de les te lezen? Ik heb je nooit iets beloofd! Ik heb je juist veel privileges gegund door je toe te staan vrijuit te spreken. Maar misschien was dat een vergissing, als je daarvan misbruik denkt te kunnen maken. Ik ben de Yuan-sa! Vergeet dat niet!'

Cang Lu staarde haar aan. Zijn mond bewoog zonder dat er geluid uit kwam. Zoals hij daar stond, zijn gouden ogen groot en verbijsterd, zijn blauwe haar nauwelijks lang genoeg om zijn schedel te verbergen, leek hij meer dan ooit op de vogel waarvan hij de naam droeg.

Een vreemde bezorgdheid nestelde zich in Mei Lins onderbuik. 'Cang Lu-tse!' zei ze. En op dat moment voelde ze dat er iets brak. In hem. In haar. In wat zij beiden waren.

'Vergeef me, Yuan-sa,' zei hij met een stijve buiging. Toen draaide hij zich om en rende weg.

Cang Lu wist niet hoe snel hij zich uit de voeten moest maken. Hij rende en rende, zonder te kijken waar hij naartoe ging. Pas toen hij de sporten van de ladder onder zijn voeten voelde en vervolgens de wind over zijn korte haar voelde strijken, besefte hij dat hij de buitenste palissade had opgezocht. Er stond een andere man op wacht dit keer, niet Riku. Hij knikte Cang Lu toe en keerde zich toen weer om naar de palissade, zonder een begroeting te mompelen. Cang Lu was hem dankbaar voor zijn stilte. Met een zucht liet hij zich tegen het houten raamwerk zakken.

Tranen prikten in zijn ogen.

Hoe kon Mei Lin hem ervan beschuldigen dat hij haar status was vergeten? Hij dacht aan niets anders! Vanaf het moment dat ze Jitsuma hadden bereikt en zij haar plan duidelijk had gemaakt, had hij zichzelf een taak opgelegd. Iedere avond voor hij zijn slaapplek opzocht, knielde hij neer als voor een gebed en herhaalde in zichzelf: 'Ze is de Yuan-sa, ze is de Yuan-sa.' Hij herhaalde het net zolang tot de woorden tot hem doordrongen. Soms kostte het hem uren. De eerste nacht in Asahino, nadat ze hem naar zijn nachtmerries had gevraagd, had hij die woorden herhaald tot het al licht begon te worden. Hij had gehoopt dat het op de een of andere manier zou helpen.

Maar het hielp niet. En telkens als hij naar haar keek, wilde hij het uitschreeuwen. Waarom had ze met Akechi moeten trouwen? Waarom was ze de Yuan-sa? Waarom niet gewoon Mei Lin, zoals op die ochtend in Nashido, toen hij haar bijna had gekust?

'Cang Lu-tse!'

Hij kneep zijn ogen dicht en drukte zijn vuisten tegen de palissade.

'Cang Lu-tse!' Het was haar stem, onder aan de palissade. 'Kom alsjeblieft naar beneden! Ik wil met je praten!'

De wachter naast hem schraapte zijn keel. 'Ik zou haar maar niet laten wachten als ik jou was,' bromde hij. 'Je weet toch dat dat de Yuanprinses is, hè?'

Cang Lu opende zijn ogen. 'Ik weet het,' zei hij toonloos. Hij drukte zichzelf overeind en klom van de ladder.

Mei Lin wachtte hem met een onzeker glimlachje op. 'Kunnen we ergens praten?' vroeg ze.

Cang Lu haalde zijn schouders op, tot hij zich haar verwijten herinnerde. 'Zoals u wilt, Yuan-sa.'

Er gleed een uitdrukking van pijn over haar gezicht, maar haar stem was kalm: 'Niet hier. Ergens waar het rustig is.' Ze greep zijn hand en trok hem mee, onder de palissade. Zijn vingers tintelden van het plotselinge contact.

Een eind van de ladder bleef ze staan. Ze liet zijn hand los en streek haar rokken glad. 'Ik... Het spijt me, Cang Lu-tse. Ik had niet zo tegen je mogen uitvallen. Ik was het vergeten.' Het ochtendlicht streek over haar oogleden als een zachte, zilveren kus.

Cang Lu schudde verdwaasd zijn hoofd. 'Vergeten?' vroeg hij. 'Wat?'

Ze keek getergd op. 'Dat je me nodig hebt. Dat jij mij net zo hard nodig hebt als ik jou. Dat ik voor je moet zorgen. Dat je nog maar een kind bent en...'

'Goden!' vloekte hij. 'Ik zweer u, Yuan-sa, als u dat nog één keer zegt... Ik... Ik...'

'Maar je bént nog maar een kind, Cang Lu-tse,' zei ze.

O, goden, waarom moest ze zo vervloekt mooi zijn als ze dergelijke dingen zei?

Ze strekte een hand naar hem uit en raakte zijn schouder aan. 'Dit is niet wat je wilt, geloof me. Je bent hier nog niet klaar voor.'

Hij deinsde achteruit alsof haar aanraking hem brandde. 'Waarvoor?' zei hij, al had hij een goed idee van wat ze bedoelde.

Ze schudde haar hoofd zonder te antwoorden. 'Wat jij nodig hebt, is iemand die als een moeder voor je kan zorgen.'

Hij lachte schamper. 'Als ik dat wilde, was ik wel bij Natsuko gebleven.'

Mei Lins blik liet hem naar adem snakken.

'Ik weet het,' zei ze zacht. Maar het waren haar volgende woorden die zijn hart braken: 'Ik had je moeten dwingen bij haar in Saitō te blijven.'

Hij sputterde, maar er kwamen geen woorden over zijn lippen.

'Vergeet het,' zei ze. 'Het kan niet! Misschien ben je inderdaad geen kind meer na alles wat je hebt meegemaakt, maar... zelfs als ik niet getrouwd was, zelfs als ik vrij was om te kiezen en ik Akechi nooit had leren kennen, zouden jij en ik nooit... Vergeet het!'

Hij staarde haar aan. Dit was dus wat hij was, dacht hij. Geen kind meer, maar nog altijd te jong voor iets anders. Hij wenste dat hij boos op haar kon worden, maar hij voelde alleen een grote leegte waar zijn hart had moeten zitten. Hij kon haar het geluk met Akechi niet misgunnen, ook al maakte de gedachte aan hen samen hem misselijk. Hij had haar samen met Akechi gezien: in het paleis, tijdens hun reis naar Asahino, hier in het kamp. Hij had haar ogen gezien. En ze was niet langer alleen geweest, op die momenten. Hij had enkel gehoopt dat het langer zou duren voor ze dat zelf doorkreeg. Hij had gehoopt – tegen beter weten in – dat ze op een dag niet langer de Yuan-sa zou zijn, maar Mei Lin, en dat hij een tweede kans zou krijgen voor die kus.

'Spelletjes die ik nooit kan winnen,' mompelde hij, als een echo van iets wat Natsuko lang geleden tegen hem had gezegd. 'En u speelt het dodelijkste spelletje van allemaal, Yuan-sa.'

Ze gaf geen antwoord, maar keek langs hem heen. 'Ik denk dat we weer naar de tweede omheining moeten gaan,' zei ze. 'Het is hier niet veilig.'

'U bedoelt dat Akechi ons hier niet moet vinden,' zei hij venijnig. 'Aangezien u hem hebt beloofd hier niet meer te komen.'

Mei Lin keek hem gekwetst aan en hij kromp ineen. Zo had hij het niet bedoeld.

Hij probeerde naar haar te glimlachen. 'Ga maar vast, Yuan-sa. Ik kom straks.'

'Goed,' zei ze, terwijl ze langs hem heen stapte. 'Blijf alsjeblieft niet te lang weg, Cang Lu-tse. O, en als je terugkomt...' Ze keek over haar schouder, een voorzichtig glimlachje om haar lippen. 'Als je terugkomt, mag je me wel weer bij mijn voornaam noemen.'

Hij keek haar na. De wind wakkerde aan, greep haar vlecht.

Zijn bloed was als ijs.

Traag, heel traag stapte hij achteruit. Zijn rug raakte de palissade. Er ging een koele troost van het hout uit, maar het was niet genoeg. Hij wist het, nog voor de leegte hem probeerde te grijpen.

Hij dook weg en viel... omhoog. De lucht die hem naar boven trok, sneed hem de adem af. Zijn armen spreidden zich wijd uit, maar er ontbrak iets. Even staarde hij naar zijn handen, naar de bleke huid, waar geen veren aan groeiden. Hij wist niet meer hoe hij moest vliegen.

Een net strekte zich onder hem uit, als spinrag, een wijd web van witte leegte. Als hij daarin viel, was hij verloren. Wanhopig strekte hij zijn armen, reikte naar de hemel.

Toen liet de lucht hem los.

Cang Lu knipperde met zijn ogen. Hij was niet gevallen, hij had zelfs niet bewogen. De palissade bewoog tegen zijn ribben, terwijl boven zijn hoofd de wacht wisselde.

Mei Lin was nergens meer te bespeuren.

Hij stak zijn handen in zijn zakken en keerde terug naar zijn tent. Het was nog lang geen avond, maar het kon geen kwaad vast te beginnen met zijn zelf opgelegde taak. Het zou toch heel lang duren voor de woorden tot hem doordrongen.

50

De ogen van de draak

Cang Lu wist als eerste in het kamp dat er iets aan de hand was, alsof hij, geknield voor zijn slaapmat, de troepen van Yuan door de nacht voelde bewegen.

Het begon te regenen, grote druppels vielen op het doek van zijn tent. Men zei tijdens zulke buien dat de goden huilden, maar dat was onzin. Goden toonden nimmer dergelijke zwakheden; zij waren sterk en wreed.

Hij richtte zich op.

Buiten zijn tent liepen stromen modder als glinsterende lijnen in het maanlicht. Zijn laarzen zogen zich vast in het slijk. Behalve het tikken van de regen op de tenten en het bloed dat in zijn oren ruiste, hoorde hij niets. Het was nog donker, maar weldra zou de ochtendschemering aanbreken; voorbij de palissade was al een dunne streep licht zichtbaar.

Hij vond zijn weg naar Mei Lins tent. De reep stof om zijn getatoeëerde rechterhand, die hij de avond daarvoor nog had vervangen, schuurde over het zeil van de tentflappen.

Ze was niet alleen. Akechi lag naast haar, een arm om haar middel en zijn gezicht verborgen in haar haar. Cang Lu had geweten dat hij hier zou zijn, maar toch voelde hij een duistere bloem van jaloezie in zijn binnenste opbloeien.

'Mei Lin-sa,' siste hij.

In een flits kwam Akechi overeind en greep zijn zwaard, dat naast de slaapmat had gelegen. De punt trilde onder Cang Lu's kin.

Naast haar echtgenoot knipperde Mei Lin verbaasd met haar ogen. 'Cang Lu-tse!'

Akechi herkende hem nu ook en stopte zijn zwaard weer weg. 'Wat is er?' vroeg hij.

Cang Lu ontweek zijn blik en keek naar Mei Lin. 'Ze zijn hier,' zei hij. 'Rondom het kamp.'

Ze verspilde geen tijd aan nutteloze vragen. Ze kwam overeind en trok haar kleren naar zich toe.

Akechi fronste zijn wenkbrauwen. 'Hoe weet jij...' begon hij, maar een schreeuw uit het kamp onderbrak hem. De alarmgong werd geslagen. Plotseling was alles in rep en roer.

'We moeten een boodschapper naar mijn broer sturen,' zei Mei Lin, terwijl ze Akechi's arm greep. 'We moeten over vrede onderhandelen!'

'Ik ga met jullie mee.'

Sprakeloos draaide Mei Lin zich om.

Cang Lu rechtte zijn schouders. 'Als je naar Wen De gaat om met hem te onderhandelen, ga ik met je mee,' zei hij.

'O, nee!' lachte ze. 'Geen sprake van!'

Een kleine delegatie verzamelde zich bij de poort van het kamp: Mei Lin, de beide Akechi's, heer Ishida, enkele lijfwachten die voor elk van de heren een banier droegen – en Cang Lu. De dag was reeds aangebroken, met een grijze mist die voor even de regen had verdreven. Soldaten stroomden in formatie de poort uit om zich buiten de palissade op te stellen voor de veldslag. Voorbij hun hoofden en speren, aan de andere kant van het dal, zag Cang Lu nog net de vlaggen van de vijand, groen en geel in de mist.

Mei Lin herschikte voor de zoveelste maal de kap van haar mantel. 'Kunnen we gaan?' vroeg ze. Haar gezicht was bleek en ze beet op haar lip terwijl ze over het dal uitkeek. Cang Lu wenste dat hij haar gerust kon stellen, maar zijn eigen hart bonkte in zijn keel.

'Geduld, Yuan-sa,' zei keizer Akechi, terwijl hij over zijn schouder keek.

Akechi Sadayasu, die dezelfde kant op keek, richtte zich op in zijn stijgbeugels. 'Daar!' riep hij. Mei Lin en Cang Lu draaiden zich tegelijk om in hun zadels. Een vierde lijfwacht kwam aanrijden, met een lange stok waaraan een scharlakenrode banier was bevestigd met in het midden een helderwitte lelie.

Met een zucht keerde Mei Lin zich naar Akechi. 'Je hebt het vaandel laten maken!'

'De krijgers van Yuan moeten weten tegen wie ze vechten,' mompelde hij, maar hij ontweek verlegen haar blik.

Keizer Akechi wuifde Mei Lins dankbetuigingen weg. 'Laten we gaan,' zei hij.

Ze reden de heuvel af.

Even leek de mist op te trekken en Cang Lu wist zeker dat hij in de Yuanlinies beroering bemerkte toen zij passeerden, de rode banier duidelijk zichtbaar. Hij wilde de soldaten toeschreeuwen. Hij wilde ze duidelijk maken wat hun strijd werkelijk inhield, maar hij bleef zwijgend achter Mei Lin rijden. De verwarring die haar banier veroorzaakte was even genoeg. De beslissing of er vandaag zou worden gestreden, was niet aan hen. Er waren anderen die overtuigd moesten worden.

Toen ze de afgesproken plaats bereikten, begon het opnieuw te regenen. De oude tempel, met een spits houten dak en ramen zonder luiken, keek treurig op hen neer. Het gebouw stond aan de voet van de heuvel, halverwege Asahino en het kamp van de Yuan. Op het plein voor de ingang zaten de vijf reigers die Mei Lin en Cang Lu eerder al hadden gezien, ineengedoken als grijze monniken in gebed, met regendruppels als parels op hun veren.

'Een passende dag voor een veldslag,' verzuchtte Ishida met een duistere blik op de hemel.

'Tienduizenden tranen,' mompelde Mei Lin, terwijl ze uit het zadel sprong. 'De goden huilen om de levens die ze zullen nemen als we mijn broer vandaag niet kunnen tegenhouden.'

Cang Lu glimlachte somber.

De tempelzaal had zo'n hoge zoldering dat er met gemak een tweede verdieping in had gepast. Pilaren met kunstig houtsnijwerk vormden twee rijen aan beide zijden van de zaal, en boven hun hoofden liep een raamwerk van steunbalken. Aan de verre zijde van de zaal stond een altaar, met een schaal voor wierookoffers. Een kleed bedekte de wand. Maar de schaal was stoffig en het kleed rafelig. Het was duidelijk dat de tempel al in geen tijden meer was gebruikt.

Het kon Cang Lu nauwelijks schelen. De zaal had met goud bedekt kunnen zijn, het zou hem niet zijn opgevallen.

Wen De.

Zijn oude meester wachtte midden in de zaal. Hij droeg zijn wapenrusting van zwarte plaatjes, met leren handschoenen en beenbeschermers en een metalen helm die zijn hoofd en hals bedekte. Hij zag eruit als een zwarte panter, klaar om zijn prooi te verschalken. Maar zijn ogen... zijn ogen waren die van een draak. Zodra Cang Lu die ogen zag, wist hij dat het een vergissing was geweest om mee te gaan; alsof een steen hem in zijn maag raakte en alle lucht uit zijn longen perste. Het was echter te laat om terug te keren.

Wen De had hem gelukkig nog niet gezien. Cang Lu dook verder weg achter Mei Lin, die nog altijd de kap van haar mantel ophad, alsof ook zij de confrontatie vreesde.

Er waren andere Yuan. Cang Lu werd hen nu pas gewaar. Mei Lins voormalige lijfwacht, een oudere generaal met een grijze baard, een dikke man met kleine, donkere oogjes. En er waren lijfwachten, zoals de Yamata die ook hadden meegenomen. Onderofficieren, misschien. Een van hen dacht Cang Lu te herkennen, maar voor hij kon bedenken waar hij de man eerder had gezien, werd zijn aandacht naar Wen De teruggeleid.

'Jullie willen praten,' begon zijn vroegere meester. Hij keek alsof hij nog nooit zo'n belachelijk voorstel had gehoord.

Keizer Akechi boog zijn hoofd. 'Inderdaad, heer,' zei hij in vlekkeloos Yuan. 'Een oorlog is in niemands belang. Trek uw troepen terug en we zullen u een veilige aftocht garanderen.'

Wen De schoot in de lach. 'Je bent een grappenmaker, Akechi! Jullie zijn verreweg in de minderheid. Mijn troepen hebben je omsingeld. En jij garandeert een veilige aftocht? Ha! Nee, ik weet het goed gemaakt. Jullie geven je over en ik zal zien of ik je manschappen kan sparen.'

Keizer Akechi kneep zijn ogen samen. 'Wees niet overmoedig, Yuan-tse. U weet net zo goed als ik dat er op dit moment uit het noorden versterkingen naar ons op weg zijn.'

'Twintigduizend man!' riep Wen De. 'En dat moet mij afschrikken? Over enkele dagen komt de rest van mijn legers hier aan. Dan heb ik zes keer de aantallen die jij nu onder je bevel hebt. We zullen je verpletteren, Akechi.'

'We hebben een vrede getekend, Yuan-tse,' zei keizer Akechi kalm. 'Bezegeld met een huwelijk tussen uw zuster en mijn broer. Wilt u op Yuans woord terugkomen?'

Wen De leek die woorden te hebben verwacht. Hij maakte een achteloos gebaar naar zijn generaals en zei: 'Een huwelijk? Je liegt, Akechi. Mijn zuster is dood.'

'Werkelijk?' lachte keizer Akechi.

Dat was het moment waarop Mei Lin naar voren stapte en de kap van haar hoofd trok. 'Dag, Wen De-tse,' zei ze. Haar broer sputterde, maar er kwam geen woord over zijn lippen. Naast hem trok Mei Lins voormalige lijfwacht wit weg. Ze draaide zich om naar zijn generaals, die haar met open mond aanstaarden. 'Ik neem aan dat mijn broer een mooi verhaal heeft opgehangen over hoe ik ben gestorven, maar zoals u kunt zien, berust dat op een leugen. Twee keer heeft hij geprobeerd me te vermoorden omdat ik mijn vaders vrede wil respecteren.' Ze keek naar haar broer. 'Wat voor leugen heb je eigenlijk rond zíjn moord gesponnen, Wen De-tse?'

Maar Wen De gaf geen antwoord. Rood van woede staarde hij naar Shula, die in een marmeren standbeeld leek te zijn veranderd. Ondanks alles voelde Cang Lu medelijden met de man. 'Je zei dat ze dood was!' siste Wen De. 'Je zei...'

'Yuan-tse!' prevelde Shula. 'Ik...'

'Uit mijn ogen!' Wen De's vinger priemde naar de uitgang van de tempel. 'Zoek je manschappen op! Als ik hier klaar ben, reken ik met jou af!'

De lijfwacht boog en haastte zich de tempel uit.

Cang Lu rilde.

'Yuan-tse?' vroeg de dikke man aarzelend.

Wen De draaide zich zo snel om dat de generaal verschrikt achteruitdeinsde. 'Wat?'

'U... ah... De Yuan-sa?' Hulpeloos gebaarde de man naar Mei Lin.

'Ze liegt!' zei Wen De. 'Ze spant samen met de Yamata, idioot! Kijk dan...' Hij keerde zich om naar zijn zuster, een vinger naar haar uitgestoken. En toen bevroor hij.

Cang Lu kon niet meer ademen. Er was geen lucht, alleen leegte, wit, om hem heen, in hem, in flarden in zijn gedachten en ijskoud in zijn ledematen, als sneeuw die viel uit de hemel, zo stil en zacht, een witte deken die zich over het land vlijde, leeg en verstikkend, een ijzige hand die zijn keel dichtkneep.

'Jij!' siste Wen De.

Er was geen afstand meer tussen hen. Wen De's hand sloot zich om Cang Lu's keel. Wanhopig probeerde de jongen zich los te rukken, maar in de leegte leek alle kracht verdwenen. Het was alsof hij viel en door een smalle koker omhoogkeek, naar Wen De's gezicht, de stoppels op zijn kin, het punt waar zijn aderen in zijn hals klopten, precies daar waar zijn helm ophield.

En toen viel hij echt, omdat Wen De hem plotseling losliet. Maar het was alsof de leegte om hem heen veranderde, alsof hij opeens zichzelf niet meer was, want hij viel omhoog, door het dak en toen door de lucht, waar de regendruppels alle angst van hem af spoelden, alsof hij vloog. Hij vlóóg.

Witte draden, spinrag, een netwerk dat zich rond hem had uitgesponnen. Maar ditmaal hoefde hij geen houvast bij die draden te zoeken. Hij wist al welk patroon ze volgden, hij had ze niet langer nodig. Hij kon vliegen en hij zou niet vallen...

Met een harde klap raakte zijn rug de grond. Duizelig krabbelde hij overeind, nog half in de veronderstelling dat wat hij zojuist had gevoeld, werkelijk was gebeurd.

Maar boven hem gromde Wen De kwaad, terwijl hij verontwaardigd over zijn hand streek. Mei Lin stond tegenover hem, een waarschuwende vinger naar hem uitgestoken. 'Blijf van hem af!' zei ze, en haar stem en haar blik waren zo koud dat ze de zaal en heel Asahino konden doen bevriezen. 'Je mag mijn broer zijn, Wen De-tse, maar ik zweer je, bij de goden van Yuan en Yamatan en al ons beider voorouders: als jij die jongen ooit nog eens aanraakt – al is het maar met een vinger – dan vermoord ik je eigenhandig!'

Wen De lachte. 'Met al deze mensen als getuigen, neem ik aan?' Zijn blik zocht die van Cang Lu. 'Wat heb je met je hand gedaan? Haal dat verband eraf!'

Mei Lins adem stokte in haar keel. 'Nee, Cang Lu-tse!'

Cang Lu wenste dat hij haar kon gehoorzamen. Maar hij had tien jaar onder Wen De gediend. Tien jaar van absolute gehoorzaamheid. Het verband viel al omlaag voor ze was uitgesproken. Hij hief zijn handpalm op.

Wen De's ogen verslonden de zwarte tekens. 'Jij...' riep hij. 'Jij...Jij...' Maar hij leek geen woord te kunnen vinden dat zijn afschuw kon uitdrukken. Ten slotte wendde hij met moeite zijn blik af en keek naar de Akechi's. 'Dus dit is waar jullie mee komen? Een leugenares en een jongenshoer?'

Cang Lu probeerde de gezichten van de Yamata te lezen, maar ze staarden uitdrukkingloos op hem neer. Er was een reden dat mensen als hij in Yamatan werden getekend. De schande van zijn aanwezigheid in zulk verheven gezelschap, wanneer zij daar niet zelf om hadden verzocht, drukte plotseling zwaar op hem. Hij boog zijn hoofd en smeekte: 'Vergeving! Vergeving!' Maar niemand reageerde.

Mei Lin greep zijn schouder en trok hem mee, achter de veilige linie van Ishida en de beide Akechi's. 'Jij bent niemand iets verschuldigd, Cang Lu-tse,' zei ze.

Wen De snoof en Cang Lu's blik werd naar hem teruggetrokken. Zijn oude meester leunde tegen het altaar, de handen in de zij. Hij was zo groot, ondanks het lengteverschil met de Yamata. De blik in zijn ogen deed Cang Lu's hart sneller kloppen, maar toen Wen De sprak, was zijn stem kalm, alsof er niets was voorgevallen: 'Ter zake! Jullie hebben twee dingen die mij toebehoren, Akechi. Geef ze terug en we kunnen over jullie overgave onderhandelen.'

'Twee dingen?' herhaalde keizer Akechi. 'De leugenares en de jongenshoer, neem ik aan?'

Wen De glimlachte minzaam.

Keizer Akechi keek opzij, naar zijn twee generaals. Ishida's gezicht was nog altijd uitdrukkingloos, maar Akechi Sadayasu trok een wenkbrauw op. De keizer knikte. Hij draaide zich om naar de lijfwacht die Mei Lins banier had gedragen. 'Breng de Yuan-sa en de jonge meester Miura terug naar het kamp,' zei hij in het Yamatanees. 'De besprekingen zijn afgelopen. Met deze man valt niet te onderhandelen.'

51

Een scharlakenrood veld

De wereld was tot een grijsblauwe schildering verstild, wachtend op wat komen ging. Op de heuvel rond de palissade leken de rijen Yamatanese soldaten op porseleinen poppetjes; het voetvolk met zijn speren, de zwaarbewapende infanterie, de boogschutters met pijlenkokers aan hun riem; ze leken allemaal zo klein en nietig. In het kamp, op de houten palissade, stonden meer schutters, met de bamboebuizen die speciaal voor het afschieten van vuurbloemen waren vervaardigd. De ruiterij van het Tweede Leger stond rechts van de poort opgesteld, onder leiding van Akechi Sadayasu.

Zíjn leiding. Sadayasu wilde in lachen uitbarsten. De regen sloeg in zijn gezicht. Het zwaard aan zijn riem leek plotseling van lood.

Er waren natuurlijk anderen. Zes generaals in een cirkel rond het kamp, zoals ze het van tevoren hadden afgesproken. Zij zouden de Yuan op afstand houden, zodat die de kans niet kregen om de palissade, waarop de Yamata hun beste wapens hadden opgesteld, in handen te krijgen. De keizer bevond zich in het noorden, geflankeerd door Maeda en Ōta, met daarnaast Kojima en Ishida, stuk voor stuk ervaren krijgers.

En in het zuiden, voor de poort, Sadayasu. 'Wat er ook gebeurt, jouw linie mag niet breken,' had zijn broer gezegd. 'Als jij faalt, valt het kamp, en daarmee Yamatan.' Hij zou niet falen, al had hij geen ervaring en was de rang van generaal hem enkel vanwege zijn afkomst toebedeeld. De schande van zo'n nederlaag zou hij niet kunnen verdragen. Bovendien was zijn echtgenote in het kamp. Hij kon niet falen.

Sadayasu keek opzij, naar de banieren die zijn vaandeldragers vasthielden: een helblauwe vlag met de Sterren van het huis Akechi, de

Wassende Maan van Yamatan en de banier met Mei Lins Witte Lelie op een scharlakenrood veld. Ze had haar lijfwacht met die vlag teruggestuurd nadat hij haar veilig naar de verdedigingstoren had gebracht; ze wilde dat de Yuan haar banier zouden zien.

Sadayasu boog opzij in het zadel, naar de man die de banier vasthield. 'Zodra de mogelijkheid zich voordoet, wil ik dat je rond het kamp rijdt. Helemaal rond, begrijp je? Alle Yuan moeten de vlag kunnen zien!'

De vaandeldrager boog het hoofd en mompelde iets bevestigends.

Sadayasu knikte en ging weer rechtop zitten.

Voorbij de lansen, onder aan de heuvel, kon hij nog net de voorste linies van de Yuan zien. Krijgers in rijen die zich eindeloos door het dal leken uit te strekken; een hongerige, zwarte draak. Hij kon de banier van hun generaal niet zien, had geen idee tegen wie van de zes hij het vandaag zou moeten opnemen. Niet tegen Wen De, dacht hij; die zou in het noorden blijven. En ook niet tegen de veteraan Zheng, want toen hij terugreed van de tempel had hij diens vlag ten oosten van het kamp gezien, waar Ōta's leger stond opgesteld. Misschien tegen de dikke man, Lai, die ook bij de bespreking was geweest. Wie het ook zou zijn, door de regen kon híj Sadayasu's vlag net zomin waarnemen; hij zou dus niet weten dat hij met een onervaren generaal van doen had. Misschien was het maar beter zo.

Sadayasu controleerde nogmaals zijn wapenrusting en de riempjes van zijn leren polsbeschermers. Alles zat op zijn plaats. Hij had het al drie keer eerder nagekeken.

Zou zijn vader zich voor een veldslag ooit zo druk hebben gemaakt? Zijn broer? Zij waren vast de kalmte zelve geweest, vastberaden en zelfverzekerd, keizerlijk. Maar Sadayasu was niet voor het leiderschap in de wieg gelegd. Plotseling wenste hij Mei Lin naast zich. Dat was belachelijk; ze was beter af in de toren, veilig en ver weg van de strijd. Bovendien had ze nog minder verstand van veldslagen dan hij. Maar zíj kon oog in oog staan met haar vijand zonder een spier te vertrekken, alsof een ijzeren kracht haar overeind hield. Het was dezelfde kracht die mensen dwong naar haar te luisteren, de kracht die Sadayasu in haar bewonderde en vreesde. Op een dag zou die kracht haar tot een groot leider maken – of haar noodlot bezegelen.

De regen zwol aan en wekte hem uit zijn overpeinzingen.

Vanuit het noorden klonk rumoer: rinkelend metaal en woeste kreten, strijdgewoel, verwrongen door de wind. Maar hier aan de voet van de heuvel wachtte de zwarte draak nog steeds bewegingloos.

Zijn eerste kapitein, Honomi Morihisa, stuurde zijn paard dichter naar hem toe. 'Heer?'

Sadayasu schudde zijn hoofd. 'Wacht...'

Daar! Twee Yuanruiters met gele vlaggen kwamen rond het kamp gereden; een uit het oosten, een uit het westen. De vijandige linies zetten zich op hun teken in beweging, als een schaar die zich om de Yamata sloot.

'Laat ze komen,' zei Sadayasu. Meer niet. Er waren generaals die vlak voor een veldslag hun troepen toespraken om hen aan te moedigen, maar hij had het gevoel dat woorden nu overbodig waren. Zijn manschappen wisten wat er op het spel stond.

De Yuan schoven op; een draak met tienduizenden zwarte schubben, duizenden blinkende ogen van speren en strijdbijlen, en daarachter het dodelijke pijlenvuur.

'Heer?' Honomi gebaarde naar hun eigen boogschutters, links voor de poort.

Sadayasu hief zijn hand op. 'Nog niet.'

Met samengeknepen ogen bestudeerde hij de Yuanruiters, de vlaggen die ze droegen en de ene banier die de generaal aanduidde. Hij was niet verbaasd. In zijn hart had hij het reeds geweten: het was de Rode Steen van generaal Sun.

Sadayasu liet zijn hand zakken. 'Nu!' riep hij. Honomi schreeuwde zijn commando's. Bogen werden gespannen en een spervuur aan pijlen schoot weg. 'Nu!' riep Sadayasu. 'Los! Los!' Nieuwe salvo's vlogen over de heuvel en troffen de eerste linies van de Yuan.

Toen kwamen ook de boogschutters van de vijand naar voren en plotseling regende het pijlen op de Yamata. De Yuaninfanterie schuifelde langzaam maar zeker voorwaarts.

'Houd stand!' brulde Sadayasu naar de frontlinie. 'Vuurschutters gereed!'

Op de palissade werden de bamboebuizen met een eerste salvo vuurbloemen gevuld. Katapulten met aardewerken flessen vol zwarte stof werden in gereedheid gebracht. Sadayasu keek opzij naar zijn eerste kapitein, die hem haast onmerkbaar toeknikte. 'Nu, heer.'

Hij gebaarde omhoog naar de palissade. 'Vúúr!'

De bloemen schoten sissend weg. Even vreesde Sadayasu dat de regen het vuur zou doven. Hij wachtte met ingehouden adem, maar het enige geluid dat hij hoorde was het bonken van zijn hart, tegelijk met het tikken van de regendruppels op zijn helm. Toen klonk er een oorverdovende knal terwijl de vuurpijlen en weggeschoten flessen in bloesems van vuur en scherven veranderden.

In de verwarring verbraken de Yuantroepen hun formatie. Er waren gaten in de grond geslagen waar de rook optrok. Sommige soldaten schreeuwden.

'Herladen!' riep Honomi naar boven. 'Een nieuw salvo!'

Er ontploften nog meer vuurbloemen te midden van het Yuanvoetvolk. Zo dichtbij waren ze nu, dat Sadayasu de rook van het vuur in de regen kon ruiken. Hij hoorde wat de mannen die uit de linies braken, gilden: 'Magische wapens! Godenvuur!' In zijn hart begon hoop te groeien.

Maar toen draafde de ruiterij van de Yuan onder leiding van generaal Sun naar voren en dreef de geschrokken infanterie bijeen. De voorste linie zette de aanval in en bereikte de eerste Yamatanese verdedigers. 'Houd stand!' schreeuwde Honomi. Speren rinkelden, maar toch werden ze langzaam naar achteren gedreven, tegen de palissade. De vuurbloemen werden nog steeds afgeschoten, maar de angst van de Yuan voor hun eigen officieren leek groter dan die voor het godenvuur van Yamatan. De zwarte draak kronkelde zich rond het kamp. En Sadayasu besefte dat het een grote vergissing zou zijn om Sun Shula te onderschatten.

Toen hij nog een jongen was in Guzhou, had de strijd Thian Yu het nobelste ambacht geleken dat er bestond. Met die gedachte was hij na de ceremonie op zijn zeventiende naamdag naar Yuanjing getrokken om dienst te nemen bij de keizerlijke garde. Maar in de loop der tijd was de desillusie binnengeslopen. Het leven van een kapitein van de stadswacht, die zijn dagen sleet met het aanhouden van kruimeldieven en weggelopen paleisdienaren, was minder spannend dan het in de verhalen leek. De belegering van Nashido, tien jaar eerder, had hem niet veel meer dan een fors litteken op zijn borst opgeleverd. En als hij na al die tijd nog enige illusies mocht koesteren, dan waren die hem vandaag wel ontnomen. Er was niets nobels aan de strijd. Helemaal niets.

Voor zijn ogen stierven zijn soldaten in helse uitbarstingen van vuur en bloed, terwijl de pijlensalvo's van de Yamatanese boogschutters op hen neerdaalden. Thian wist niet wat die ontploffingen veroorzaakte.

Hij hoorde kreten over godenvuur en magische wapens, maar daar geloofde hij niet in. De werkelijkheid van een oorlog was al gruwelijk genoeg.

De regen veranderde de heuvels van Asahino in hellingen van bloedrode modder, waarin laarzen vast bleven zitten en paardenhoeven weggleden.

De voorste linies – het voetvolk en de boogschutters – deinsden terug, weg van Yamatans vliegende vuur. Thian hoefde niet opzij te kijken, naar de ruiterij en generaal Lai, om te weten wat hij moest doen. 'Voorwaarts!' brulde hij zijn zwaarbewapende infanterie-eenheden toe. Ze gehoorzaamden zonder aarzeling, trouw tot de laatste man.

De boogschutters raakten gevangen tussen zijn optrekkende zwaardvechters en de lichte infanterie vóór hen, die nog steeds terugweek. Onder Ishida's groene banier rukten de Yamatanese speren op. Een regen van pijlen zoefde op de verwarde Yuansoldaten neer, en meer van het vliegende vuur volgde. De bevelhebbers van de lichte infanterie leken alle gezag over hun troepen te hebben verloren. Als er niet snel iets gebeurde, zou het uitlopen op een slachting.

'Voorwaarts!' brulde Thian. 'Voor Yuan en de Draak! Voorwaarts!'

Goden! Was hij maar ergens anders, waar dan ook!

Hij had geweten dat deze oorlog een vergissing was vanaf het moment waarop de keizer de opdracht had gegeven om op te trekken. Geen mens trok door de pas van Guan Bai, laat staan een heel leger. De Yuan-tse was bezeten! Zo veel doden, nog voor er een gevecht was geleverd – gestorven als gevolg van ontberingen, kou en ongelukken – alleen omdat de Yuan-tse zijn bloeddorst niet kon bedwingen! En toen was er de grenspost van Onasaka geweest, met alle omliggende dorpen: uitgemoord tot de laatste man. Alsof de Yuan-tse het Yamatanese volk compleet van de aardbodem wilde wegvagen in plaats van het te onderwerpen. Thian wist dat hij het recht niet had om aan de handelingen van de keizer te twijfelen, maar o... Al die doden deden zijn bloed koken!

Toen was dat meisje plotseling in het kamp verschenen: Zhao Yulan. Hij zou haar overal hebben herkend met die wanhopige blik in haar ogen, maar hier? Hij kon moeilijk geloven dat ze inderdaad een dienares was, zoals ze had beweerd. Wie was ze? En waarom wilde de Yuan-tse haar uit de weg ruimen? Hij had geprobeerd haar te vergeten – het was niet zijn plaats om vragen te stellen – maar diezelfde avond had hij een briefje in zijn tent gevonden: 'Er is een andere uitweg. De Yuan-sa leeft nog.' En vanochtend was datzelfde meisje in het gezelschap van keizer Akechi verschenen om met de Yuan-tse over vrede te spreken. Een lijfwacht had haar banier gedragen: een scharlakenrood veld met de Witte Lelie van de Yuan-sa.

Thian had het plotseling ijskoud.

Zijn zware infanterie drong op zijn bevel naar voren en kreeg een deel van de boogschutters mee, maar het was niet genoeg om de lawine van voetvolk tegen te houden. Om hen heen barstte vliegend vuur los in fonteinen van modder en puin.

Oorlog was geen nobele zaak. Als je er eenmaal in verwikkeld was geraakt, was er geen tijd meer om bij je overtuigingen stil te staan. Later kon je berouw tonen of je bekeren. Maar nu moest hij vechten voor zijn leven.

'Voorwaarts!' riep hij opnieuw naar zijn manschappen. 'Dóór!'

Terwijl zijn troepen optrokken, keek Thian over zijn schouder naar de ruiterij. Generaal Lai was geen dwaas, voor zover je zoiets over een edelman kon zeggen. De dikke man zag het gevaar ook. Hij brulde naar de ruiters om hem heen en de paarden stoven naar voren, als een vuist die het leger naar voren stuwde. 'Vooruit!' schreeuwde hij. 'Geen genade voor Yamatan! Geen vrees! Voor de eer van Yuan!'

'De eer van Yuan!' riepen de andere ruiters.

Thian voelde de balans verschuiven. De Yamata werden naar achteren gedrongen. De pijlenregen van hun boogschutters stopte en de ruiters van Yuan konden verder oprukken.

Een katapult op de palissade van het Yamatanese kamp zoefde omhoog. Vanaf zijn plaats in de achterhoede kon Thian de flessen met vliegend vuur door de lucht zien vallen; langzaam, alsof de tijd zelf vertraagde. Hij kon niets doen, zelfs niet bewegen. Een van de officieren slaakte nog een verwonderde kreet. Generaal Lai zelf, op zijn donkere hengst, zag de flessen nooit aankomen.

Een knal die Thian voor enkele tellen blind maakte. Toen niets.

De tijd begon weer te stromen, eerst langzaam, maar daarna steeds sneller. Thian zag zijn troepen langs zich heen stromen, weg van het geweld. Het hele leger kwam in beweging. En hij wist – zoals hij dat had geweten toen hij die ochtend bij de stadspoort van Yuanjing in de ogen van Zhao Yulan had gekeken – dat zijn hele leven waardeloos zou blijken als hij nu niet ingreep. Als hij zijn manschappen liet wegglippen van hun dode generaal, zouden de Yamata hen afslachten of gevangennemen. Daarmee diende hij niemand.

Later kon hij over de waanzin van deze oorlog nadenken. Nu moest hij leven.

Hij greep de teugels van het eerste paard dat bij hem in de buurt kwam en slingerde zich in het zadel. Het dier trilde van angst, maar Thian dwong het in beweging. Hij dreef het midden tussen de stromen soldaten en keerde zich toen naar de Yamata.

'Volg mij!' brulde hij. 'Voor Yuanjing en Yuans eer! Voor generaal Lai! Volg mij!'

Als door een wonder luisterden ze. Steeds meer manschappen volgden hem terug in het strijdgewoel; er ontstond weer iets wat op een slagorde leek, terwijl ze de Yamatanese infanterie naar de top van de heuvel terugdrongen.

Naast de groene banier van heer Ishida zag Thian nu ook de rode vlag van de Yuan-sa. De Witte Lelie hing als een blinkende ster boven het slagveld.

Kort sloot hij zijn ogen. 'Voor Yuan!' riep hij, terwijl hij zijn troepen opnieuw aanvuurde.

Als jongen in Guzhou had hij ervan gedroomd een generaal te zijn...

52

Met het zwaard op de keel

Sadayasu wist niet op welk moment de strijd in zijn nadeel was omgeslagen. Zijn troepen hadden niet slecht gevochten; de schutters op de palissade bestookten de vijand met eindeloze salvo's vuurbloemen, de infanterie vocht onbevreesd, boogschutters bleven pijlen afschieten, zelfs met de rug tegen de muur. Maar er waren zo véél Yuan. Telkens als er een gat in hun formatie dreigde te vallen, kwamen er nieuwe troepen aandraven. Hun ruiterij was overal, met snelle zwaarden, onontkoombaar. Generaal Sun leek een zwarte schim die opdook en weer verdween, de dood in eigen persoon.

En het deed er niet toe dat Sadayasu zelf om zich heen sloeg, dat de vijanden onder zijn zwaard vielen, het bloed rood op de kling. Hij alleen kon het tij niet keren. Honomi Morihisa was reeds lang van zijn zijde verdwenen, zodat hij zelf zijn bevelen moest schreeuwen. Maar wie hoorde hem nog? Er was geen leger meer, alleen een bloederige massa mensen die elkaar op leven en dood bestreden.

Hij had kunnen weten dat de Yuan fel zouden vechten. Sun Shula had zijn keizer over Mei Lins dood voorgelogen. De enige manier waarop hij zijn eer misschien nog kon redden, was door vandaag een sublieme overwinning te behalen. Als hij faalde of zijn leger terugtrok, was hij zeker ten dode opgeschreven. Hij had hier niets te verliezen.

Maar het Tweede Leger van de Wassende Maan mocht niet verslagen worden. De poort van het kamp mocht niet vallen. Mei Lin wachtte daarachter, in de toren. Sadayasu had juist alles te verliezen. En daarom vocht hij door, zonder oog voor het gevaar, zonder oog voor zijn verwondingen, zonder oog voor alle verliezen. Als hij de laatste Yamatanees voor de poort was, zou hij de Yuan eigenhandig tegenhouden.

De regen stopte, alsof de goden zijn verbetenheid proefden en hun angstige tranen droogden.

Ergens op het slagveld, in het westen, hoorde hij de drum die signalen doorgaf, maar hij gunde zich de tijd niet om te luisteren.

De ruiterij van Yuan dook op de linkerflank van een groepje boogschutters bij de palissade af, de enige Yamata die nog in formatie streden. Sadayasu stuurde zijn hengst ernaartoe, gevolgd door een handvol Yamatanese ruiters. 'Jitsuma!' schreeuwde hij. 'Voor de Wassende Maan!'

Hij zag de vlag met de Rode Steen aan de andere kant van het groepje schutters, fier wapperend in de toenemende wind. Sun Shula zat rechtop in het zadel alsof hij helemaal geen veldslag leverde, maar het zwaard lag gereed in zijn hand. Heel even, niet meer dan een hartslag, keken ze elkaar over de hoofden van de strijdende mannen heen aan. Sadayasu was zijn eigen banier al lang kwijtgeraakt, maar dat deed er niet toe. Aan de minachting in Suns blik zag hij dat de man hem had herkend.

Sadayasu stormde naar voren zonder aandacht te besteden aan wie hij tegenkwam. Het bloed ruiste in zijn oren. Hij had slechts oog voor de man in het zwart, de man die tweemaal had geprobeerd zijn echtgenote om het leven te brengen, de man met wie het allemaal was begonnen: Sun Shula. Hij hief zijn zwaard. Staal sloeg op staal, zo hard dat de vonken ervanaf sprongen. Toen moest hij zijn paard inhouden om om te keren.

Shula schudde spottend zijn hoofd. 'Je hebt lef, Yamatanees,' sneerde hij. 'Maar je had er beter aan gedaan te verdwijnen, nadat je zo gelukkig was de aanslag in Yuchuan te overleven. Hoe heb je dat eigenlijk klaargespeeld?'

Sadayasu glimlachte, ondanks de situatie. 'Laten we zeggen dat ik meester Li vriendelijk heb verzocht van zijn plannen af te zien,' zei hij. Dat was geen leugen, al lag de waarheid iets anders. Er hadden vier gewapende Yamata naast hem gestaan en zijn zwaard had op Li's keel gelegen. Als hij gewild had, had hij de man om het leven kunnen brengen. Maar Mei Lin had geschreven dat hij stil moest zijn, dat alles geheim moest blijven. Dus had hij de man met niets meer dan een paar blauwe plekken naar Yuanjing teruggestuurd.

Shula snoof. 'Hoe dan ook... Waarom heb je die waarschuwing niet ter harte genomen? Waarom heb je je in deze strijd gemengd? Dacht je werkelijk dat de goden je een tweede keer zouden sparen?'

Sadayasu verschoof zijn handen over het gevest van zijn zwaard. 'Het lukt jou zelfs niet om een onschuldig meisje te doden, Sun-tse. Ik geloof dat ik het er wel op durf te wagen.'

Hij gaf zijn paard de sporen. Toen hij ditmaal langs Shula reed, mikte hij lager, onder diens verdediging. Maar het was alsof Shula dat verwachtte; zijn zwaard gleed omlaag, sneller dan Sadayasu voor mogelijk had gehouden, en weerde zijn aanval af. In een flits boog Shula voorover, zodat hij half naast zijn zadel hing. Zijn zwaard schoot nog verder omlaag, onder Sadayasu's been door. Sadayasu's paard galoppeerde verder, voorbij dat van Shula, en hij probeerde het in te houden.

Toen... verschoof er iets. Het volgende ogenblik viel hij met zadel en al op de grond, terwijl zijn paard er briesend vandoor ging; Shula had de singel van zijn zadel doorgesneden.

De klap perste alle lucht uit zijn longen. Happend naar adem kwam hij overeind. Zijn zwaard lag een stukje verderop in de modder. Terwijl hij zich vooroverboog om het te grijpen, hield Shula's rijdier naast hem halt.

Sadayasu kruiste zijn wapen voor zijn lichaam.

Shula, hoog boven hem in het zadel, zuchtte. 'Waarom geef je het niet gewoon op, Yamatanees?' Hij maakte een weids gebaar rond de palissade, alsof hij wilde benadrukken hoe hachelijk de situatie voor de Yamata was.

Maar Sadayasu keek niet opzij. Zolang hij nog overeind stond, zou hij de poort beschermen, al moest hij de Yuan een voor een bevechten. Om te beginnen met Shula. 'Als je werkelijk zo onverslaanbaar bent als je doet voorkomen, waarom kom je dan niet uit het zadel om het mij te tonen?' zei hij. Op de een of andere manier wist hij dat die woorden Shula zouden provoceren.

De man kneep zijn ogen tot spleetjes. Bijna op zijn gemak klom hij uit het zadel. 'Je hebt gelijk,' zei hij. 'Overgave is in jouw geval niet voldoende. Het idee dat een eerloze hond als jij met de Yuan-sa heeft durven trouwen! Nee, voor de schande die jij over Yuan hebt gebracht, zul je moeten bloeden.'

En bloeden deed hij. Zelfs als zijn ledematen na zijn val nog geen pijn hadden gedaan en hij door alle strijd van deze lange, lange dag nog niet vermoeid was geweest, was Sadayasu niet snel genoeg geweest om Shula's aanvallen te ontwijken. Het zwaard van de Yuan was als een zilveren flits, die toesloeg voor Sadayasu het in de gaten had. Sadayasu had jarenlang les gehad van de beste zwaardvechters in Jitsuma, tot hij hun kunde bijna evenaarde. En hij was snel. Twee of drie keer wist hij zeker dat hij door Shula's verdediging kon stoten. Maar iedere keer was hij toch net te traag, waardoor de man zijn aanval kon pareren. Alsof hij wíst waar Sadayasu's zwaard zou toeslaan. Shula was een geboren zwaardvechter. En Sadayasu wist dat hij nooit, nooit van deze man zou winnen.

Maar achter hem was de poort, het kamp en Mei Lin.

In een wanhopige poging Shula van zijn stuk te brengen, wierp Sadayasu zich naar voren, zodat zijn zwaard onder dat van zijn tegenstander door gleed. Shula bewoog als een wervelwind. Zijn zwaard kwam naar beneden en tikte hard op Sadayasu's pols, zodat die de grip op zijn wapen verloor. Sadayasu wankelde naar voren, maar toen stapte Shula opzij.

Sadayasu viel. De strijd gleed als in een droombeeld aan hem voorbij. De boogschutters voor de palissade, door Yuanruiters neergeslagen. De infanterie, verdeeld over de heuvel in kleine groepjes, door zwartgeklede krijgers omsingeld.

Toen zijn blik weer helder werd, lag hij op zijn rug in de modder met Shula's zwaard op zijn keel. Shula zelf was een schim, die donker boven hem uittorende. 'Wat ben jij een zwakkeling!' zei de Yuan honend.

Sadayasu voelde bloed langs zijn hals sijpelen. Woede borrelde in hem op, een allesverstikkende razernij dat deze man hem nog bespotte terwijl er werkelijk niets meer te zeggen viel.

'Een zwakkeling!' herhaalde de Yuan. 'Zwaardvechten kun je niet... En als ik Mei Lin mag geloven, ben je zelfs je eigen echtgenote niet de baas!'

Een verbaasde grom welde op in Sadayasu's keel.

Shula verwarde die reactie blijkbaar met verontwaardiging. 'O ja,' zei hij vermaakt. 'Mei Lin heeft ons er alles over verteld. "Hij heeft me met geen vinger aangeraakt", zei ze. Ze is alleen maar met je getrouwd, omdat ze geloofde dat dat het beste voor Yuan was. Maar ze zal haar eer nooit door jou laten bezoedelen! Ik heb haar te goed opgevoed. Ze is en blijft de Yuan-sa, met welke eerloze hond ze ook getrouwd mag zijn! Ze weet wat eer en een goede naam inhouden. En na vandaag zul jij die niet meer beschamen.'

Verbijsterd staarde Sadayasu naar hem op. Het besef scheen plotseling zo helder in zijn geest als een eenzame ster in de avondschemering. Shula had helemaal niets gewonnen. Hun werkelijke gevecht was al gestreden, in de nacht na Mei Lins ontvoering. En met het zwaard op de keel en nog maar enkele tellen te leven, barstte Akechi Sadayasu in lachen uit.

Na uren in de toren wist Mei Lin zeker dat ze zou sterven van onzekerheid. Mocht ze ooit nog eens in een oorlog verzeild raken, dan zou ze vóór de troepen het slagveld op rijden, zodat ze tenminste kon zien wat er gebeurde. Haar laarzen sleten sporen in de houten vloer van de torenkamer. De bovenste verdieping had aan alle zijden opengewerkte ramen, voor boogschutters, in uiterste nood. Ze had verwacht dat ze vanaf hier een goed overzicht over de strijdende troepen zou hebben, maar de regen en mist vormden een grijs gordijn over de heuvel, zodat ze al moeite had de buitenste palissade te onderscheiden. Wat daarachter gebeurde, was een raadsel.

Over het plein kon ze vuurschutters zien rennen, die naar de toren kwamen om nieuwe voorraden zwarte stof en aardewerken flessen te halen. Hier en daar stonden zwaardvechters, die de opdracht hadden het plein te verdedigen, mocht de vijand onverhoopt door de buitenste verdediging dringen. Maar Mei Lin wist dat het kamp verloren was als de vijand daar kwam.

Ze hoorde de ontploffingen van de vuurbloemen boven het geweld van de strijd uit. Hoeveel van haar landgenoten waren al door die magische wapens gesneuveld? Te veel, vast en zeker – maar niet genoeg, nooit genoeg om Wen De tegen te houden. De Yuan en de Yamata zouden elkaar tot de rand van de afgrond bestrijden, tot beide landen verzwakt en machteloos waren. En geen van beiden zou de ander op de knieën dwingen. Het was de impasse waarvoor haar vader hen had willen behoeden. Mei Lin had geprobeerd zijn wens te eerbiedigen, maar ze had gefaald. Wen De's waanzin was te sterk gebleken. En nu kon ze slechts hopen dat de strijd op zou houden. Dat Yuan zijn troepen terug zou trekken voor er al te veel doden vielen. Dat de goden haar genadig zouden zijn.

Had ze maar een idee wat er buiten het kamp gebeurde! Het nietweten sloeg nagels in haar hart. De lucht in de toren was te zwaar om in te ademen. Ze wist zeker dat ze zou sterven van onzekerheid.

Als vanzelf leidden haar benen haar naar beneden, waar de vuur-schutters af en aan naar de voorraadkamers liepen. Ze wist niet eens wat ze er zocht, tot een van de schutters haar aansprak: 'Yuan-sa!'

Verbaasd knipperde ze met haar ogen. Toen herkende ze de man onder de laag roet. 'Riku!' zei ze.

Hij boog zijn hoofd. 'Vergeving, vrouwe, maar u kunt beter naar bo-ven gaan. Het is hier zo druk, straks loopt iemand tegen u aan. We moeten weer snel terug naar de palissade, begrijpt u?'

Mei Lins mond bewoog geluidloos. 'De palissade!' zei ze ten slotte. 'Jij bent daar geweest. Jij hebt het slagveld gezien! Vertel me hoe het gaat!'

De man ontweek haar blik. Hij maakte een hulpeloos gebaar naar de voorraadkamers. 'Yuan-sa, ik moet...'

Ze greep zijn handen. 'Vertel het me, Riku! Alsjeblieft!'

Hij zuchtte. Toen knikte hij en nam haar mee naar de trap, zodat ze uit de loop stonden. 'De strijd is nog in volle gang,' begon hij. 'Keizer Akechi is gewond geraakt, hoorde ik, maar hij leeft.'

Mei Lin sloeg een hand voor haar mond. 'Mijn broer?'

Riku schudde zijn hoofd. 'De Yuan-tse is nog ongedeerd, voor zover ik weet. Een van zijn jongere generaals – Lai – is door een vuurbloem gedood, maar de rest vecht door.'

Mei Lin slikte. 'Kunnen we winnen, Riku?'

De man staarde naar zijn zwarte handen. 'Ik durf het niet te zeggen, vrouwe. Heer Maeda trekt goed op. Maar in het zuiden, voor de poort, wordt nog heftig gevochten.'

'Daar is mijn echtgenoot!' riep Mei Lin. 'Is hij in orde?'

Riku ontweek haar blik. 'Ik weet het niet, vrouwe.'

Mei Lin voelde hoe al het bloed uit haar gezicht wegtrok. 'Hoe be-doel je?'

Riku's gezicht was bleek onder de roetlaag. 'Een van de Yamatanese generaals is gesneuveld.'

Mei Lin voelde haar hart struikelen. 'Wie?' zei ze. O, goden! Niet hij!

'Ik weet het niet, vrouwe.'

Niet hij!

'Ik hoorde het op de palissade. Het is aan de andere kant gebeurd, zeiden ze. In het zuiden of in het oosten, ik weet het niet.'

Het was alsof Mei Lins lichaam in stukken brak. Ze kneep haar ogen dicht, maar de pijn wilde niet verdwijnen. Het moest iemand anders zijn. Wie dan ook.

Dat was een zelfzuchtige gedachte. Elke generaal had een echtgenote in Jitsuma, die angstig op zijn terugkeer wachtte. Goden, ze waren stuk voor stuk aan het huis Akechi verbonden en dus in feite ook haar familieleden! Maar ze kon de woorden niet tegenhouden, als een wanhopige bede aan wie ook maar wilde luisteren: 'Niet hij!'

Riku pakte haar hand vast. 'Yuan-sa?'

Ze sloeg haar ogen op. De nagels van onzekerheid sloegen dwars door haar lichaam. 'Geef me iets te doen,' zei ze. 'Eender wat. Geef me alsjeblieft iets te doen, of ik word gek.'

Hij knikte en trok haar mee naar de voorraadkamers.

In heel zijn leven had Akechi Sadayasu nog nooit zo hard gelachen. Tranen rolden over zijn wangen.

Shula siste verontwaardigd. 'Wat is er zo grappig?'

Dat maakte Sadayasu alleen maar meer aan het lachen.

Shula duwde zijn zwaard met meer kracht tegen Sadayasu's keel en herhaalde zijn vraag.

'O, jij, natuurlijk!' hikte Sadayasu. '"Met geen vinger"! Typisch iets voor Mei Lin! Ze weet hoe jij over schaamte en eer denkt. Maar jij kent haar helemaal niet.'

De verwarring was duidelijk van Shula's gezicht te lezen. 'Hoe bedoel je?' siste hij. Hij boog een stukje naar voren. De hand om het gevest trilde van woede.

Heel even verminderde de druk op Sadayasu's keel.

Dat was het moment waarop hij had gewacht, al drong dat feit pas later tot hem door. In een flits bracht hij zijn linkerarm omhoog en sloeg het zwaard weg van zijn keel. Het staal sneed dwars door zijn polsbeschermer, maar hij had geen tijd om de pijn te voelen. Hij rolde opzij en trapte Shula omver, zodat de man verbaasd over hem heen viel en naast hem in de modder belandde.

Het was een kwestie van enkele tellen. Sadayasu kwam als eerste overeind. Shula's zwaard lag te ver weg, maar hij had het niet nodig. Met al zijn gewicht wierp hij zich op de andere man en pinde hem tegen de grond, Shula's armen gevangen onder zijn knieën, zodat de man nergens naartoe kon.

'Leren ze jullie niet worstelen in Yuan?' hijgde hij. 'Ik dacht dat je daar in Nan Men nog wel je geld mee kon verdienen?'

Over Shula's gezicht gleed een vreemde trek, maar die maakte direct plaats voor woede. 'Vuile hond!' spoog hij.

Sadayasu schudde zijn hoofd. 'Noem me toch niet steeds zo. Van de man die zegt de Yuan-sa te hebben opgevoed, verwacht ik betere manieren.' Hij glimlachte. 'Weet je, Shula-tse, na die kus dacht ik dat je haar minnaar was. Maar inmiddels weet ik wel beter. Het was niets meer dan dat: een kus. Mei Lin zou haar goede naam nooit op zo'n manier te grabbel gooien. Want daarin heb je gelijk: ze is en blijft de Yuan-sa. Haar éér is alleen voor haar echtgenoot. En ik kan je wel vertellen dat als ze me toestaat haar aan te raken – met een vinger of een hele hand – daarin geen schande ligt, alleen liefde. Maar ik verwacht niet dat jij dat begrijpt. Jij hebt haar nooit anders gezien dan als een instrument om jezelf te zuiveren.'

Shula sputterde tegen, maar zijn woorden gingen verloren in plotseling hoefgetrappel.

'Ik dacht dat je misschien hulp nodig had, Sadayasu, maar ik zie dat je het hier al onder controle hebt,' klonk een stem.

Sadayasu wierp een blik over zijn schouder. Ishida Takamasa keek hem vanaf zijn donkere hengst aan. Hij was in het gezelschap van het grootste deel van zijn ruiterij. De blauwe banier van Yamatan wierp een schaduw over zijn gezicht.

'Wat doe jij hier?' vroeg Sadayasu verdwaasd.

'Hoe bedoel je? De slag is voorbij.'

Verbijsterd keek Sadayasu om zich heen. Zijn manschappen waren zich rond de palissade aan het hergroeperen. Eenheden uit de andere legers stroomden langzaam het kamp binnen. De enige Yuan die hij nog zag waren dood, of zaten geknield op de grond onder toezicht van enkele Yamata.

'Hebben we gewonnen?' vroeg hij.

Takamasa schoot in de lach. 'Zo zou je het kunnen noemen. De Yuan herstelden zich goed na hun eerste schok over onze vuurwapens, maar uiteindelijk zijn de meesten op de vlucht geslagen. Deze oorlog is nog niet voorbij, maar we hebben ze een zware slag toegebracht. Alleen hier, bij de poort, hielden hun troepen nog lang stand.' De oudere man knikte naar Shula. 'Wil je dat we met hem afrekenen?'

Sadayasu schudde zijn hoofd. Langzaam kwam hij overeind. 'Neem hem mee naar het kamp,' zei hij. 'Hij is verantwoording verschuldigd tegenover Yuan.'

Takamasa knikte begrijpend. Hij mompelde bevelen naar twee van zijn mannen, die afstegen om Shula gevangen te nemen. 'Dat ziet eruit als een diepe wond,' zei hij, terwijl hij naar Sadayasu's arm knikte. 'Die moet worden verzorgd.'

'Later,' mompelde Sadayasu. 'Waar is mijn zwaard?'

Hij vond zijn wapen een eind verderop in de modder. Hij veegde het af aan zijn mantel, die toch al onder de vuiligheid zat, en stak het weg. Daarna pakte hij ook Shula's zwaard op en nam het mee.

Een van Takamasa's ruiters steeg af en bood hem zijn paard aan.

'Waar zijn de anderen?' vroeg Sadayasu, nadat hij het paard had bestegen. Terwijl hij de banieren bij de poort bestudeerde bekroop hem een onbehaaglijk gevoel. Het waren er te weinig. Natuurlijk konden sommigen net als hij in de strijd hun banieren zijn kwijtgeraakt, maar...

'Mijn broer? Waar is mijn broer?'

'De keizer heeft een flinke schouderwond opgelopen, maar hij is buiten levensgevaar,' antwoordde Takamasa. 'Ze hebben hem al naar binnen gebracht. Kojima is bij hem. Maeda regelt het plaatsen van wachtposten aan de noordelijke zijde van het kamp.'

'En Ōta?' Op de een of andere manier kende Sadayasu het antwoord, nog voor Takamasa zijn hoofd schudde.

'Hij stond tegenover generaal Zheng. Ze zeggen dat hij een moedige dood is gestorven.'

Getergd sloot Sadayasu zijn ogen. 'Ah, Yasuna! Ik moet een boodschapper naar haar toe sturen. Ik wil niet dat ze het van een ander hoort.'

Takamasa boog zich naar hem toe en legde een hand op Sadayasu's gezonde arm. 'Later,' zei hij. 'Ga mee naar binnen, dan laten we je arm verzorgen. Er is niets wat je hier nog kunt doen.'

Sadayasu keek op en knikte. Terwijl hij naar het kamp reed zag hij dat de ruiter met Mei Lins rode banier tijdens zijn ronde om het kamp als door een wonder gespaard was gebleven. De Witte Lelie wapperde trots voor de doorgang in de palissade. En ondanks zijn vermoeidheid en verwondingen besefte hij vaag dat hijzelf net zomin had gefaald. De poort was niet gevallen.

53

Eer en schande

'U hebt geluk gehad, heer.' De dokter die voor keizer Akechi op de grond geknield zat, knikte ernstig. Door de opengeslagen tentflappen vielen de laatste zonnestralen naar binnen. Ze vormden een lichtkrans om zijn kale hoofd.

'Gelúk?' De keizer was bleek en bezweet, maar niet minder gezaghebbend, ondanks het bloed dat over zijn zijden onderkleed stroomde. 'Ik weet niet of het je is opgevallen,' riep hij, 'maar er zit een pijl in mijn schouder, man!'

Mei Lin kromp ineen terwijl hij met zijn goede hand haar vingers tot moes kneep. Toen hij op een provisorische draagbaar het kamp binnen werd gebracht, had het haar vanzelfsprekend geleken om hem bij te staan terwijl de dokter hem verzorgde. Vooral omdat Kojima, de enige bekende die hem vergezelde, niet van plan leek een woord van troost tot de gewonde te spreken. Maar nu vroeg ze zich af of het wel zo'n goed idee was geweest. Keizer Akechi was duidelijk zichzelf niet.

Misschien had ze beter bij Riku kunnen blijven, na hun laatste ronde van de opslagkamers naar de palissade. Misschien had ze vanaf de omloop Sadayasu kunnen ontwaren. Het zou net iets voor hem zijn om op het slagveld te blijven tot de laatste man was teruggekeerd, zonder rekening te houden met het feit dat zij zich zorgen maakte.

'U had wel dood kunnen zijn,' zei ze zacht tegen keizer Akechi.

'De pijl had een ader kunnen raken, of uw longen,' beaamde de dokter.

'Het zal maanden duren voor ik mijn arm weer kan gebruiken!' spuwde Akechi. 'Hoe moet ik nu mijn troepen aanvoeren?'

Bij de ingang van de tent schudde Kojima zwijgend zijn hoofd. Hij had Mei Lin met zijn zachte stem verteld dat heer Ōta om het leven was gekomen. Mei Lin voelde een steek van medelijden voor zijn weduwe, de aandoenlijke Yasuna. Toch was haar allereerste reactie opluchting geweest. Als Ōta was gesneuveld, dan betekende dat toch zeker dat Sadayasu nog leefde?

De keizer sputterde. 'Wie had gedacht dat de Yuan-tse zo stom zou zijn om zijn boogschutters te laten vuren, terwijl zijn infanterie ons al had bereikt? Ze moeten net zo veel van hun eigen manschappen hebben afgeschoten als van de onze!'

'Stil nu, Hoogheid, alstublieft,' gebood de dokter. Hij duwde Mei Lin een fles rijstwijn in haar handen. 'Laat hem drinken!'

Mei Lin staarde de man aan, maar besloot dat dit waarschijnlijk niet het moment was om over beleefdheidsvormen te beginnen. Ze ging tegenover Akechi zitten en hield hem de fles voor. Hij dronk. Daarna greep hij opnieuw haar rechterhand vast, zonder haar aan te kijken.

'Misschien komt er geen nieuwe veldslag meer,' zei ze. De woorden klonken zelfs haar hol in de oren.

De dokter boog naar voren en bestudeerde de wond. Het onderkleed van de keizer leek om de pijl heen gedraaid te zijn en mee naar binnen te zijn geschoten. Voorzichtig begon de dokter eraan te trekken, terwijl hij met een mesje de pijlpunt uit de wond begon te snijden.

'Goden!' siste Akechi en Mei Lin was er vrij zeker van dat ze zelf ook vloekte, omdat hij in zijn krampachtige greep minstens drie van haar vingers leek te hebben gebroken.

Ze wendde haar blik af van de wond, keek op naar de keizer, die zijn ogen stijf dicht had geknepen. 'Alles komt in orde,' bezwoer ze hem.

Waar was Sadayasu? Waarom was hij niet hier, bij zijn broer?

'Zo!' De dokter slaakte een zucht. Mei Lin keek opzij en zag dat hij de pijl had verwijderd. Nu hield hij een witte doek tegen de wond om het bloeden te stelpen. 'Houd vast!' zei hij tegen Mei Lin, terwijl hij zelf opzij boog om zijn verbandmiddelen te pakken.

Keizer Akechi scheen iets gekalmeerd te zijn nu de pijl uit zijn lichaam was verwijderd, of de pijn had zijn woede eindelijk overmeesterd. 'Dank u, Yuan-sa,' zei hij. 'U had niet hoeven blijven...'

Met de doek nog tegen zijn borst gedrukt, haalde Mei Lin haar schouders op. 'Het is geen moeite, heer.'

De dokter keerde zich weer naar hen toe en begon een stinkende zalf in de wond te smeren. Vervolgens haalde hij windsels tevoorschijn, waarmee hij Akechi's arm en borst omwikkelde. 'We zullen de verbanden regelmatig verschonen, heer,' zei hij. 'De zalf helpt tegen koorts, maar voor verder herstel zullen we tot de goden moeten bidden.'

Akechi fronste alsof hij opnieuw zou ontploffen, zodat Mei Lin hem de wijnfles voorhield. 'Drink nog wat, heer,' zei ze.

Achter haar mompelde Kojima zachtjes een begroeting tegen iemand die de tent binnenkwam. Ze hoorde een lach en toen een bekende, diepe stem: 'Ichirō! Ik hoor dat je hebt geprobeerd het geestenrijk op te zoeken. Wilden ze je niet binnenlaten?'

Met een zucht sloot Mei Lin haar ogen. Hij leefde.

Keizer Akechi duwde de wijnfles weg. 'Het was mijn tijd blijkbaar nog niet,' zei hij. 'En jij dan, Jirō?'

Sadayasu grinnikte. Zelfs met haar rug naar hem toe wist Mei Lin dat er pretlichtjes in zijn ogen schitterden. 'Je weet toch dat ze me direct weg zouden trappen als ik het waagde me op zo'n verheven plaats te vertonen?'

De keizer had haar niet langer nodig. Mei Lin richtte zich op en draaide zich om.

Sadayasu stond naast Kojima in de opening van de tent. Er zat bloed en modder in zijn haar, op zijn kleding, in zijn gezicht. Zijn ogen waren helder, maar hij zag bleek, erg bleek. Hij probeerde onbezorgd te klinken, maar hij was het niet. Ze liep naar hem toe, half wankelend. Ze kon nauwelijks geloven dat hij, na al haar angsten, daadwerkelijk voor haar stond.

'Waar ben jij geweest?' vroeg hij lachend, terwijl hij met een vinger langs haar wang streek. 'Hebben ze de toren opgeblazen, of zo? Je zit onder het stof!'

Mei Lin schudde haar hoofd. Ze greep zijn linkerhand en riep: 'Sadayasu-tse! Je arm!'

Een diepe wond liep over zijn onderarm, dwars door zijn polsbeschermer, alsof hij had geprobeerd een zwaard af te weren. Zwijgend begon ze de riempjes van zijn polsbeschermer los te maken. Sadayasu bleef doorpraten, maar ze wist niet zeker waarover. Op een gegeven moment meende ze dat hij zei dat hij iets, of iemand, voor haar had meegenomen, maar Mei Lin had enkel oog voor zijn verwonding.

De wond ging niet tot het bot, maar het scheelde niet veel.

'Dat moet worden gehecht,' zei ze, terwijl ze de dokter wenkte. 'Wat heb je in vredesnaam gedaan?'

Sadayasu haalde zijn schouders op. Hij keek langs haar heen, alsof hij een excuus zocht om van onderwerp te veranderen. 'Waar is Yasuo?' vroeg hij plotseling.

Mei Lin was zo verbaasd dat ze bijna begon te stotteren. 'Wat?'

'Ik had verwacht dat hij bij jou zou zijn. Jullie zijn altijd zo onafscheidelijk.'

Mei Lin knipperde met haar ogen. 'Ik weet niet... Ik heb hem niet meer gezien nadat we van de tempel terugkwamen. Hij wilde alleen zijn.'

Sadayasu fronste zijn voorhoofd. 'Je had me best over hem kunnen vertellen, Mei Lin-sa,' fluisterde hij in het Yuan. 'Als ik had geweten...'

Verbijsterd staarde Mei Lin hem aan. 'Wat had ik dan moeten zeggen? Na de manier waarop je Teishi aansprak toen je haar tatoeages ontdekte...'

Sadayasu schudde zijn hoofd. 'Ik was verbaasd. Maar ik heb haar nooit verraden. En als je me in vertrouwen had genomen over Yasuo...'

'Sadayasu-tse!' Mei Lin beet op haar lip. Hoe was hun gesprek plotseling op ruzie uitgedraaid? Over Cang Lu nog wel!

Haar echtgenoot glimlachte, terwijl de dokter naderbij kwam om zijn arm te bekijken. 'Ga hem zoeken,' zei hij. 'Ik ben hier nog wel even zoet.'

Sprakeloos bewoog Mei Lin haar lippen. Wat gaf híj om Cang Lu? Maar misschien had hij gelijk. Ze kon hier niets meer doen: de keizer lag op bed, half bewusteloos van de pijn en de rijstwijn die ze hem had gevoerd, met Kojima als een stille waker aan zijn zijde, en de dokter bekommerde zich om Sadayasu. Ze vroeg zich af waarom ze niet eerder naar de jongen op zoek was gegaan. Cang Lu had niet bepaald zichzelf geleken toen ze terugkeerden. Ze had gedacht dat het goed voor hem was om alleen te zijn, om bij te komen van zijn ontmoeting met Wen De. Maar hij was wel erg lang weggebleven. Sadayasu had gelijk. Ze moest hem zoeken.

Zonder nog een woord te zeggen liep ze de tent uit. Buiten was het een drukte van belang, met soldaten die heen en weer liepen in de invallende schemering, op weg naar de toren, op weg naar de palissade, op weg naar wat dan ook. Maar Cang Lu was nergens te bekennen.

Haar voeten vonden onwillekeurig hun weg naar zijn tent.

'Cang Lu-tse?' riep ze.

Er kwam geen antwoord.

Nogmaals: 'Cang Lu-tse?'

Het bleef stil.

Ze stapte zijn tent binnen.

Cang Lu zat geknield op de grond. Zijn gezicht was zo bleek dat het uit wit marmer gehouwen leek. Nietsziend staarde hij voor zich uit. Om hem heen lagen plukken van zijn haar, her en der over de aangestampte aarde verspreid; hij had geprobeerd het af te scheren.

Ze snakte naar adem. 'Cang Lu-tse!'

Zijn rechterhand trilde, gebald tot een vuist die de zwarte tekens moest verbergen. Bloed stroomde tussen zijn vingers door.

Ze schoot op hem af. Hij zakte ineen en ze ving hem op, een arm om zijn schouder. Met haar linkerhand dwong ze zijn vuist open. Een scheermes viel uit zijn krampachtige greep.

Waar had hij dat vandaan?

Nee, dat was niet van belang!

Ze sloot haar hand om de zijne om het bloeden te stelpen, en begon om hulp te schreeuwen.

Een eeuwigheid verstreek.

Een soldaat in blauwe wapenrusting keek de tent binnen. 'Vrouwe?'

'Een dokter!' riep Mei Lin. 'Haal een dokter!'

De man verbleekte bij het zien van Cang Lu. 'Alle dokters zijn op het slagveld, vrouwe, om de gewonden te verzorgen.'

Mei Lin schudde haar hoofd, met tranen in haar ogen. 'Nee! Er is een dokter in de tent van de keizer! Ga hem halen! En als hij niet kan, dan iemand anders! Voor mijn part vind je een naaister die kan hechten, maar haal hulp!'

De man knikte en rende weg.

Mei Lin boog zich weer over Cang Lu. Ze merkte nu dat hij niet bewusteloos was, zoals ze eerder had gedacht, maar blind voor zich uit staarde, rillend alsof zijn lichaam van ijs was. Hoe lang had hij zo gezeten?

Ze snikte het uit, terwijl ze hem dichter tegen zich aan trok, haar mantel om hem heen geslagen om zijn koude lichaam op te warmen. 'Cang Lu-tse! Alsjeblieft!'

Zijn bloed was als ijswater in haar hand, zijn huid leek bijna doorzichtig. Zijn ogen waren grote gouden spiegels waarin de wereld veranderde, vertraagde, stil leek te staan. 'Laat het ophouden,' fluisterde hij geluidloos.

'Nee!' snikte Mei Lin. 'Nee, Cang Lu-tse, alsjeblieft!'

'Laat het ophouden,' zei hij nogmaals. 'Nu.'

Ze keek neer in zijn ogen. De gouden wereld gleed weg, alsof die werd ondergedompeld in sneeuw. Ze kon maar één manier verzinnen om hem terug te halen. Ze boog zich voorover en kuste hem. Hij voelde als ijs, tintelend tegen haar warme lippen. Ze hoorde hem naar adem snakken.

Toen begon hij te bewegen. 'Nee!' riep hij. 'Nee! Nee!' Hij probeerde om zich heen te slaan, maar ze hield zijn handen vast. Uiteindelijk slaagde hij erin haar gezicht een stukje weg te duwen, zodat ze elkaar van dichtbij aankeken.

Mei Lin hield haar adem in. O, hij was terug. Maar er lag iets in zijn blik wat ze nooit eerder had gezien. Een ijzige scherpte, die dwars door haar heen sneed.

'Cang Lu-tse!' zei ze geschrokken.

'Nee!' Hij trok zijn handen los. 'Raak me niet aan.'

Zijn bloed maakte een spoor van donkere, glinsterende druppels over de grond.

Mei Lin tastte naar zijn gezicht. 'Alsjeblieft,' probeerde ze, 'ik ben het toch?'

Maar hij leek haar hand niet eens te voelen. Hij keek langs haar heen alsof hij haar woorden, haar aanwezigheid wilde uitbannen. 'Waarom ben ik zo?' mompelde hij. 'Waarom ben ik zo?'

'Cang Lu-tse...'

Plotseling keek hij haar aan, met ogen als messen. 'Teishi zei altijd dat ik een speling van de natuur was. Maar dat ben ik niet, toch?'

Mei Lin spreidde haar handen in een verontschuldigend gebaar. 'De goden scheppen ons naar hun wil,' zei ze voorzichtig. 'Ze moeten een plan met je hebben.'

Hij zuchtte en zijn blik gleed weer weg. 'Ik weet het. Soms kan ik het bijna voelen, alsof ze me naar zich toe willen trekken. Maar waarom? Waarom ik?'

Mei Lin trok hem naar zich toe. 'O, Cang Lu-tse! Wat heeft het voor zin dergelijke vragen te stellen?'

Hij kneep zijn ogen dicht. 'Ik wil het niet meer!' zei hij. 'Ik weiger nog langer een speeltje van de goden te zijn!'

Ze keek hem aan zonder te weten wat ze moest zeggen.

'Scheer de rest van mijn haar af,' zei hij.

Verbijsterd bewoog ze haar mond. 'N-nee...'

Er stonden tranen in zijn ogen. 'Scheer het af, zeg ik je! Ik ben niemands speeltje, niemands eigendom! Ik kan doen en laten wat ik wil! En ik wil het niet meer! Ik wil het niet meer!'

Even was Mei Lin ervan overtuigd dat hij zelf het scheermes zou oppakken, maar toen werden de tentflappen opzijgetrokken en kwamen de soldaat, de dokter en Sadayasu binnen.

'Wie is er gewond?' vroeg de dokter. Zonder op antwoord te wachten trok hij Cang Lu's hand naar zich toe. Hij siste tussen zijn tanden. 'Een snijwond! En hiervoor haal je me weg bij de keizer?'

Mei Lin fronste haar voorhoofd. Ze was niet verbaasd. Zodra Cang Lu bij zijn positieven was gekomen, had ze geweten dat zijn bewustzijnsverlies niets met het bloed te maken had gehad. Maar de dokter kon tenminste enige bezorgdheid tonen! 'Moet het gehecht?' vroeg ze. 'Ik wil dat u hem zo goed mogelijk behandelt!'

De dokter mopperde nog wat, maar haalde toen zalf en verband tevoorschijn en begon Cang Lu's hand te verzorgen.

'Is alles verder in orde?' Sadayasu knielde bij Mei Lin neer. Hij had een verband om zijn linkerarm en het ergste vuil was van zijn gezicht gewassen. De kleur was op zijn wangen teruggekeerd.

Mei Lin keerde zich naar hem toe en pakte zijn rechterhand vast.

Ze voelde Cang Lu's blik in haar zij steken. Zodra de dokter met hem klaar was, zou ze de rest van zijn haar afscheren. Hij had gelijk: hij mocht doen wat hij wilde.

'Je zei dat je iets voor me had meegebracht?' zei ze tegen Sadayasu.

Hij glimlachte vermoeid en kneep in haar hand. 'Ik vertel het je morgen wel. Vandaag hebben we genoeg meegemaakt, denk ik zo.'

Dat kon Mei Lin alleen maar beamen. Ze boog haar hoofd en legde het op zijn schouder.

Cang Lu keek beleefd weg.

Sadayasu vertelde het haar de volgende ochtend, terwijl ze zich gereedmaakten om naar het plein voor de toren te gaan, waar alle krijgsgevangenen aan de keizer zouden worden gepresenteerd. Hij toonde haar het zwaard dat hij uit de strijd had meegenomen. Zeventien jaar lang had dat haar beschermd, ze herkende het direct.

'Als je het niet wilt...' begon hij, maar ze schudde haar hoofd.

'Shula is mijn verantwoordelijkheid,' zei ze. 'Zullen de andere gevangenen bij zijn berechting aanwezig zijn?'

Sadayasu knikte.

'Goed.'

Shula was de belangrijkste gevangene en de laatste die naar voren werd geleid. Hij was de enige die aan Mei Lin werd gepresenteerd in plaats van aan de keizer. Hij keek alsof ze in haar vertrekken in Yuanjing waren en hij nog altijd haar lijfwacht was, en niet een gevangene met vier wachters aan zijn zijde. Ooit was Mei Lin onder de indruk geweest van die kalme blik. Nu keek ze hem onbewogen aan.

'Sun Shula-tse,' sprak ze in haar moedertaal, zodat alle aanwezige Yuan haar konden verstaan. 'Wilt u uitleggen waarom u hier voor mij bent geleid?'

Hij kneep zijn ogen samen. Misschien had hij niet verwacht dat ze hem terecht zou stellen. Misschien had hij niet verwacht dat de Yamata haar daarvoor toestemming zouden geven. Hij wierp een blik op keizer Akechi op zijn kampstoel, wiens arm en borstkas volledig met witte windsels waren verbonden. Toen gleed zijn blik weer terug naar haar. 'Ik ben hier om Yuan te dienen,' zei hij. Hij knielde neer en Mei Lin zag enkele krijgsgevangenen hetzelfde doen. 'Ik ben hier om u te dienen, Yuan-sa.'

Ze lachte schamper. 'Om mij te dienen! Diende u mij door te proberen me te doden, Sun-tse? Diende u Yuan door de keizer, mijn vader, om het leven te brengen?'

Ze hoorde hoe de verzamelde Yuan hun adem inhielden.

Shula keek haar onbewogen aan.

'U hebt aan mij bekend dat u samen met mijn broer de oude Yuantse, mijn vader, om het leven hebt gebracht, zodat Wen De keizer kon worden. U hebt samen geprobeerd een aanslag te plegen op het leven van Akechi no Jirō Sadayasu, prins van Yamatan, om een oorlog uit te lokken. Toen dat mislukte, bent u alsnog – ondanks de reeds getekende vrede – Yamatan binnengevallen. Bovendien hebt u tweemaal geprobeerd om mij te vermoorden. Mij, wier leven u met de hoogste eed hebt gezworen te zullen beschermen. Wilt u deze bekentenissen terugnemen?'

Shula zweeg.

'Wilt u ontkennen dat u deze plannen hebt beraamd en uitgevoerd?' vroeg Mei Lin.

Shula boog zijn hoofd en draaide zijn handen om, de palmen omhoog, alsof hij om een gastgeschenk vroeg. 'Ik leef om u te dienen, Yuan-sa,' zei hij.

Er ging een zucht door de menigte. Mei Lin voelde zich licht in het hoofd, ook al had ze geweten dat hij niet zou liegen. Sadayasu, die aan de rechterhand van de keizer had gestaan, kwam naar haar toe, maar ze gebaarde hem weg te blijven. Dit was haar beslissing.

'Sun Shula-tse,' zei ze, met een stem die de hare niet was, 'Yuan hoort uw bekentenissen en beslist aldus: u bent schuldig aan samenzwering tegen de troon en aan hoogverraad; u bent medeplichtig aan de poging tot moord op Akechi no Jirō Sadayasu, prins van Yamatan; u bent schuldig aan de moord op de Yuan-tse en de moord op Wang Xiao Ning, dienares van de Yuan-sa; maar bovenal bent u schuldig aan het verzaken van uw allerhoogste eed, namelijk het beschermen van de Yuan-sa, want tot tweemaal toe hebt u geprobeerd haar om het leven te brengen. Voor al deze vergrijpen zult u ter dood worden gebracht met het zwaard. Vanwege het laatste vergrijp zal uw naam uit alle officiële geschriften worden verwijderd. De naam Sun Shula zal nimmermeer aan het hof weerklinken.' Ze zweeg en knikte naar een van de Yamata naast Shula. 'Het vonnis zal terstond worden voltrokken. Hebt u nog iets te zeggen?'

Shula zei niets. Hij draaide zijn handen weer om, de palmen naar beneden. Maar toen de Yamatanees zijn wapen greep, keek hij op met pure wanhoop in zijn ogen. 'Mei Lin-sa!' riep hij. 'Laat een ander het doen. Niet een van de Yamata.' Zonder dat hij het hoefde uit te spreken, begreep ze wat hij wilde zeggen: behoed me voor die schande.

Een withete woede stroomde door haar heen. Hoe waagde hij het, hoe wáágde hij het zelfs nu nog te spreken over eer en schande? Begreep hij dan niet dat hun strijd al lang niet meer om dat soort onnozele zaken draaide? Zag hij nog steeds niet in dat de Yamata duizendmaal beter wisten wat eer inhield dan hij, met zijn misplaatste trots en vooroordelen? O, maar als hij erop stond dit soort spelletjes met haar te spelen, dan kon ze die naar haar hand zetten!

'Je hebt gelijk, Shula-tse,' zei ze, terwijl ze zich omdraaide naar Sadayasu en haar hand naar haar echtgenoot uitstrekte. 'Breng me zijn zwaard, alsjeblieft!'

'Yuan-sa!' riep iemand achter haar, misschien de oudere Akechi. 'U hoeft niet zelf...'

Ze negeerde het. Dit was háár beslissing.

Sadayasu legde Shula's wapen in haar handen. Het was zwaar. 'Mei Lin-sa...' zei hij bezorgd.

Ze draaide zich om en wuifde de soldaten rond Shula weg. Haar gezicht werd weerkaatst in de kling van het zwaard, een spiegel zonder genade. 'Laten we Yamatanese wapens niet met jouw bloed bezoedelen, Shula-tse,' sprak ze tot haar lijfwacht. 'Een eervolle dood. Dat is toch wat je wilt?'

Een uitdrukking van onrust en wantrouwen trok over zijn gezicht, maar hij knikte.

'Dan zul je die krijgen.'

Met die woorden wierp ze het zwaard voor zijn knieën in het zand.

Ze voelde de aanwezigen verstijven. Ze draaide zich half om, zodat ze de Yamata kon aankijken. Sadayasu stond weer naast zijn broer. Hij was de enige die niet gereed leek om direct op haar af te schieten, mocht Shula naar het wapen grijpen om haar aan te vallen. Toch wist ze dat hij als eerste bij haar zou zijn als er iets gebeurde. Zoals ze ook wist dat dat niet nodig was. Shula zou haar niet aanvallen. Niet meer.

'Wist u dat hij een halfbloed is, heer Akechi?' vroeg ze luchtig. Ze knoopte een van de witte rouwlinten los die ze ter nagedachtenis aan heer Ōta en de andere gevallen krijgers in haar haren droeg. Ze hield het lint tussen duim en wijsvinger en zei: 'Zijn vader was Yamatanees.'

De ogen van de twee Akechi's waren te donker om er iets in te kunnen lezen, want beiden waren in een neutrale blik geschoold. Maar op Shula's gezicht zag ze het afgrijzen, terwijl het langzaam tot hem doordrong wat ze van plan was.

Ze hield hem het witte lint voor. 'We zullen je je eer laten, Shula-tse. Je mag een Yamatanese genadedood sterven.'

Hij bleef haar aankijken, tegelijkertijd haar Shula en een man die ze absoluut niet kende. Uiteindelijk pakte hij het lint uit haar hand. Hij boog zijn hoofd, alsof ze weer in haar vertrekken waren en hij een discussie had verloren. 'Yuan-sa,' zei hij. Hij bond het lint voor zijn ogen. Zijn handen zochten naar het zwaard.

Hij gehoorzaamde zonder aarzeling.

Mei Lin dwong zichzelf toe te kijken. Zelfs toen het bloed als een donkere rivier om haar voeten stroomde, bleef ze staan, onbewogen als een standbeeld. Het duurde niet lang en toch... te lang. Ze begreep niet waarom de Yamata dit een genade noemden.

Pas toen Shula's lichaam volkomen stil lag, draaide ze zich om en begon te lopen, weg van het plein.

Sadayasu verscheen aan haar zijde. Hij greep haar elleboog, alsof hij meende dat ze steun nodig had. 'Dat heb je goed gedaan,' zei hij.

'Nee,' zei ze, maar ze duwde zijn hand niet weg. 'Ik was wreed. Ik wist niet dat ik zo wreed kon zijn.'

Hij liep zwijgend naast haar voort. Ze keek naar hem op en tot haar verbazing lag er tederheid in zijn blik. Verdriet en afschuw, ja, dat ook. Maar tederheid?

'Het is de oorlog,' zei hij. Meer niet.

Ze wist wat hij niet zei: dat zij allen in staat waren tot onnoemelijke daden en dat slechts hun keuzes bepaalden wie ze waren. En misschien bestond onschuld alleen in situaties waarin je dit soort keuzes niet hoefde te maken.

Zij kon wreed zijn, bewust wreed, met de bedoeling een ander te pijnigen. Haar vader had altijd zijn wil doorgedrukt, blind voor de gevolgen voor zijn familie. Sadayasu was mild. Hij zou nooit opstaan tegen ongerechtigheid, tenzij een ander hem daartoe dwong. Nee, liever sloot hij zijn ogen en liet hij anderen hun wandaden begaan, al was hij daarmee net zo schuldig als degenen die de misdrijven pleegden. En Cang Lu...

Cang Lu.

Wie kon zeggen wat de tijd van hem zou maken, met zijn jaloerse neigingen, zijn lak aan regels en zijn vermogen om door maskers en muren te kijken? Wie wist waartoe hij in staat zou blijken als hij eenmaal volwassen was? Wat had Wen De gedurende al die jaren in hem kapotgemaakt?

Haar maag keerde zich om.

De Yuan-sa gaf niet over in het openbaar. Dat was beschamend, een bezoedeling van haar eer en verhevenheid.

Ze deed het toch. Terwijl ze voorovergebogen op de resten van haar ontbijt neerkeek en Sadayasu, een arm om haar heen geslagen, schreeuwde dat iemand water en een koude doek moest gaan halen, besefte ze dat het haar helemaal niets kon schelen. Het draaide al lang niet meer om eer en schande.

'Het zal niet lang meer duren,' troostte Sadayasu haar. 'Op de een of andere manier zullen we deze strijd ten einde brengen. Ik beloof het je, Mei Lin-sa.'

Goden, ze hoopte dat hij gelijk had.

54

Voor Yuan

Thian Yu probeerde niet te grimassen terwijl hij zijn beker onopvallend terugzette op de houten tafel in het midden van de tent. Die tafel was een belachelijk zwaar geval dat de keizer uit een Yamatanese tempel op weg naar Asahino had geroofd. Zes paarden waren er nodig geweest om het ding te verslepen, het pronkstuk van een overwinning die nog moest worden bevochten. Geen van de aanwezigen leek Thians gebaar op te merken. Maar hij zag dan ook niemand anders drinken. De geroofde Yamatanese wijn smaakte naar as en er was geen vreugde in te vinden.

Er waren veel nieuwe gezichten in deze krijgsraad. Lai was niet de enige generaal die was vervangen. Sun was gevangengenomen door de Yamatanese prins en het gerucht ging dat de Yuan-sa hem wegens hoogverraad ter dood had veroordeeld. Hij was vervangen door een jonge knaap die nauwelijks om zich heen durfde te kijken. Ongeschikt, volgens Thian, maar er was niet veel keus na de slachting die de Yamata onder de Yuan hadden aangericht. De helft van de troepenmacht was dood en een aanzienlijk aantal soldaten was op de vlucht geslagen voor dat vliegende vuur. Zelfs met de versterkingen die vandaag waren aangekomen, was Yuans overmacht niet erg groot; niet tegenover de Yamatanese vuurwapens die dood en verderf konden zaaien.

Thian schudde zijn hoofd om die gedachte van zich af te zetten. Ze waren hier om de beste tactiek te bespreken, niet om stil te staan bij dat onheil. Maar steeds bleven zijn gedachten terugkeren naar dat ene ogenblik waarop de flessen naar beneden kwamen vallen, en het gezicht van generaal Lai. Zo zouden ze allemaal eindigen, als ze geen uitweg uit deze oorlog vonden.

Hij keek de kring rond. Stuk voor stuk ernstige gezichten, de ogen neergeslagen. Niemand leek de aandacht op zich te willen vestigen. De Yuan-tse keek als enige recht voor zich uit, maar ook zijn wenkbrauwen waren gefronst, alsof hij iets hoorde wat hem allerminst aanstond.

Thian richtte zijn blik op de spreker. Hij kende sommige generaals nog uit Yuanjing. De man die nu het woord had, was ooit de lijfwacht van keizerin Dai Yu geweest, de tweede echtgenote van de vorige keizer. Zijn haren waren inmiddels spierwit, maar de man stond nog steeds bekend als een van de beste krijgers van Yuan. Een litteken liep over de zijkant van zijn gezicht, van zijn wenkbrauw tot aan zijn mondhoek. Hij had ook heel vreemde ogen: lichtblauw, als water. Zijn naam was Tang.

'Natuurlijk kunnen we de Yamata omsingelen,' sprak hij, terwijl hij met zijn vinger een cirkel tekende op het tafelblad. 'We hebben voldoende manschappen, als we de versterkingen meerekenen. Maar is een belegering genoeg, Yuan-tse? De Yamata zullen ons opnieuw bestoken met die vuurwapens waarover iedereen spreekt. En ditmaal hoeven ze niet eens zo veel slachtoffers te maken... De angst onder onze troepen is zo groot dat een deel al op de vlucht zal slaan voor het zelfs maar binnen het bereik van Yamatans vliegende vuur komt. Yuans eer zal hen niet in het gareel houden. Vergeef me, Yuan-tse, maar gelooft u zelf dat wij generaals hen tegen kunnen houden als ze beginnen te rennen?'

De Yuan-tse kneep zijn ogen samen.

Thian kromp ineen. Generaal Tang had gelijk. Iedere dag waren er meer deserteurs, en dat niet alleen onder de legers die in de eerste slag hadden gevochten; het nieuws van een dodelijk magisch wapen verspreidde zich snel onder de nieuwe versterkingen. Als ze eenzelfde tactiek bleven volgen, was hun kans op overwinning marginaal. Maar om dat openlijk te verkondigen!

'De legers van Yuan zijn onoverwinnelijk, Tang-tse,' sprak de Yuan-tse. 'Wilde jij iets anders beweren?'

De oude man boog zijn hoofd. 'Zoals u zegt, Yuan-tse,' mompelde hij. 'Maar wellicht is ditmaal een andere methode te verkiezen boven de openlijke strijd?'

De Yuan-tse lachte, een geluid dat Thian tot op het bot verkilde. Om de een of andere reden deed het hem denken aan de beschuldigingen van de vrouw die beweerde de Yuan-sa te zijn, tijdens de vredesonderhandelingen in de tempel. Kon het werkelijk waar zijn wat ze had beweerd? Had de keizer zijn eigen vader omgebracht?

Tang legde zijn handen op tafel. Ze waren mager en pezig. Het verbaasde Thian dat de man nog een zwaard kon optillen. 'Wellicht kunnen we de Yamata uit hun omheining lokken en in een hinderlaag laten lopen. Als we kunnen voorkomen dat ze hun vuurwapens gebruiken...'

'Moeten de Yuan Yamatanese kraaien worden die als dieven door de nacht sluipen?' smaalde de keizer. 'Waarom zouden we ons verbergen?'

'Vergeef me, heer,' mompelde Zheng aan de andere kant van de tafel. 'Keizer Akechi zal nooit in zo'n valstrik trappen. Een dergelijk plan is gedoemd te mislukken.'

'Dan hebt u maar één mogelijkheid.'

De Yuan-tse keerde zich met een ruk om naar Tang. 'En welke mogelijkheid is dat dan?'

De blauwe ogen van de generaal leken op de peilloze diepten van Si Tjin. 'U moet onderhandelen met de Yamata, heer,' sprak hij. 'Een nieuwe veldslag zal onze troepen verzwakken, misschien wel breken. Zelfs als u de Yamata weet te overmeesteren, zal de prijs te hoog zijn. Onderhandel met keizer Akechi over vrede, zoals uw vader dat wilde. Dat is het beste voor Yuan.'

Thian hapte naar adem. Om hem heen keken ook de andere generaals verschrikt op. O, hij wist zeker dat die gedachte bij ieder van hen door het hoofd had gespookt, maar je kon die niet uitspreken. Niet tegen deze keizer.

Een donkere schaduw viel over het gezicht van de Yuan-tse. Hij hield zijn hoofd een beetje schuin en sloeg generaal Tang gade, als een draak die zijn prooi bestudeert. Plotseling vond Thian het helemaal niet meer zo moeilijk om te geloven dat hij de oude keizer inderdaad had laten vermoorden om de macht te kunnen grijpen. In Zhao Yulans ogen had hij de leugens gelezen toen ze beweerde een ontslagen dienares te zijn. Maar toen ze tijdens de onderhandelingen met de Yamata was verschenen, had er geen enkele leugen op haar gezicht gelegen. Ze wás de Yuan-sa. En wat ze over haar broer had beweerd...

'Het beste voor Yuan,' herhaalde de Yuan-tse langzaam. Een minzaam glimlachje speelde om zijn lippen. 'Ik weet dat je een favoriet van mijn vader was, Tang-tse, omdat je de moordenaars van mijn moeder wist op te sporen. Hij liet je zelfs voor oppas spelen voor zijn nieuwe echtgenote. Maar dat is lang geleden. Misschien ben je te oud geworden voor dit vak...'

Tang boog zijn hoofd. Thian besefte dat dat een vergissing was nog voor de Yuan-tse bewoog, maar toen was het al te laat. Het zwaard van de keizer suisde door de lucht en Tangs hoofd rolde over de tafel. Het bleef voor Thians beker liggen. De ogen staarden hem aan, waterblauw.

'Had iemand anders nog iets op te merken?' vroeg de keizer, terwijl hij zijn zwaard in de schede terugduwde. 'Nee? Goed. Morgen bij het eerste licht trekken we op. Li-tse, jij vervangt de oude Tang.'

Thian luisterde nauwelijks. Hij had zojuist beseft wat hij moest doen. Het was geen desertie, niet echt. Toch zou hij heel voorzichtig te werk moeten gaan. Als iemand in de gaten kreeg wat hij van plan was, zou hij ter dood worden gebracht en een deel van zijn troepen ook. Maar als hij slaagde... Hij zou het doen voor Yuan. Misschien kon hij het tij nog keren.

De brandstapels rookten nog na. Vanaf de bovenste verdieping van de toren kon Mei Lin de donkere wolken omhoog zien kringelen in de paarse avondschemering. Ze had de soldaten opgedragen de dode Yuan samen met de Yamata te verbranden. Het waren haar landgenoten. Moesten ze nog meer boeten voor Wen De's bloeddorst? Ze had nooit verwacht dat het er zo veel zouden zijn. Er was nauwelijks genoeg hout voorhanden geweest. Zo veel doden...

Ze wendde zich af van de ramen.

Cang Lu zat in kleermakerszit op de grond, als haar tweede schaduw. Hij had haar niet meer alleen gelaten sinds ze hem in zijn tent had gevonden, en eigenlijk vond ze dat wel best. Zo wist ze tenminste zeker dat hij in orde was. 's Nachts sliep hij, opgerold als een klein kind, naast haar bed. Overdag volgde hij haar waar ze maar ging, zwijgend, zodat ze soms bijna vergat dat hij er was.

Ze had verwacht dat Sadayasu er iets van zou zeggen, maar die hield zich stil. Hij had andere dingen aan zijn hoofd. Nu zijn broer gewond was, vielen veel taken aan hem toe. Togashi was gearriveerd met zijn leger van twintigduizend man, dat in de nacht voorbij de Yuan was gekomen. De Yuan hadden echter ook versterkingen gekregen: nog eens zes legers, waarmee hun aantallen nu groter waren dan voor de eerste slag. Het was slechts een kwestie van tijd voor er een volgende veldslag zou plaatsvinden. En hoeveel hout zou er dan nodig zijn voor de brandstapels?

'Yuan-sa!' Ze keerde zich naar de trap. Het luik was opengeklapt en

Maeda's hoofd stak door de opening. 'Heer Akechi vraagt naar u.'

Mei Lin knikte. 'Ik kom.'

Ze volgde hem naar het vertrek aan de westkant van de toren, waar ze die eerste dag waren verwelkomd. De keizer zat met een bleek gezicht op zijn kampstoel, zijn ogen troebel. De zalf van de dokter had zijn werk gedaan, er was geen infectie opgetreden. Maar het bloedverlies en de pijn hadden hun tol geëist. Ishida, Kojima en Togashi waren eveneens aanwezig, net als een lange man die ze eerder had gezien, maar wiens naam ze zich niet meer kon herinneren.

En Sadayasu. Hij pakte haar hand en nam haar mee naar de verhoging, waar ze naast de keizer gingen zitten. 'Je kent Bo Ju Long nog wel, Mei Lin?' zei hij.

Verbaasd keek Mei Lin naar de lange man. Ze had hem in het volle licht niet herkend. 'De dubbelspion,' zei ze.

Hij boog zijn hoofd. 'Yuan-sa.'

'Is er nieuws?'

Sadayasu gebaarde naar Ju Long. 'De Yuan zijn van plan morgen opnieuw aan te vallen.'

Mei Lins ogen werden groot. 'Morgen al?'

'Onze kansen op een overwinning zijn minimaal,' sprak keizer Akechi. 'We hebben de Yuan een flinke slag toegebracht, ja, maar ditmaal verwachten ze onze vuurbloemen. We zullen niet zo veel vijanden kunnen uitschakelen als tijdens de eerste slag.'

'Vergeving, heer,' mompelde Ju Long. 'De Yuan vrezen uw wapens. Velen zijn al op de vlucht geslagen. Mocht u die angst kunnen uitbuiten, dan bestaat er een kans...'

'Zelfs als we de aanval kunnen afslaan, zullen we grote verliezen lijden,' zei Ishida bedachtzaam. 'De Yuan zijn in de meerderheid. De strijd zal ons zeer verzwakken.'

Stilletjes keek Mei Lin van de een naar de ander. 'Wat stelt u voor?' vroeg ze.

Togashi schraapte zijn keel. 'Het zou het beste zijn als we de Yuan tot een vrede konden bewegen...'

'Maar we hebben al geprobeerd met mijn broer te praten! Waarom zou hij nu wel luisteren?'

'Zijn generaals zien de waanzin van deze strijd in,' zei Ju Long tegen de keizer. 'Ze hebben de banier van de Yuan-sa gezien en weten dat zij nog in leven is. Ik denk dat een paar generaals vermoeden wie in werkelijkheid achter de aanslag op de oude Yuan-tse zit. Ze zullen bereid zijn met u te spreken, heer, dat weet ik zeker.'

'Een paar generaals! Dat is niet genoeg!' riep Mei Lin uit. 'Ze zullen hem allemaal moeten afvallen als we een kans willen krijgen om mijn broer af te zetten.'

Ju Long boog zijn hoofd. 'Daarin heeft de Yuan-sa gelijk, vrees ik.' Er viel een stilte.

Cang Lu stond op. Mei Lin had niet eens gemerkt dat hij haar was gevolgd. 'De Yuan-tse moet sterven,' zei hij. 'Als we onvoldoende overwicht hebben bij zijn generaals, is dat de enige oplossing. Wen De moet dood.'

Ju Long spreidde zijn handen voor zich uit, alsof hij zo de aandacht op zichzelf wilde vestigen. 'Ik ben vanavond weer in het kamp van de Yuan, heer,' zei hij tegen keizer Akechi. 'Als u het bevel geeft, kan ik de tent van de Yuan-tse binnensluipen en hem doden. Ik weet wanneer hij zijn wachtposten naar buiten stuurt. Iedere nacht, voor het eerste dubbeluur. Dan is er alleen een jochie binnen om hem te bedienen. Als u het bevel geeft...'

'Nee!' Mei Lin schudde haar hoofd.

Sadayasu greep haar hand. 'Mei Lin! Je begrijpt toch de noodzaak? Als je broer eenmaal uit de weg is geruimd, kunnen we met zijn generaals spreken. Het is de enige manier om deze oorlog te stoppen! Wil je je liefde voor je broer in de weg laten staan van het lot van je volk? Als deze man zegt dat hij Wen De's tent binnen kan komen en hem kan doden, dan moet hij dat proberen. Voor het lot van ons beider landen!'

'Nee!' zei Mei Lin nogmaals. 'Niet op deze manier. We hebben juist de geruchten over moordende kraaien weten te ontkrachten! Wat denk je dat er gebeurt als mijn broer alsnog door een van hen wordt vermoord, ook al is het een dubbelspion uit Yuan? Niemand zal zich meer achter ons scharen! Zelfs de generaals die nu bereid zijn om te luisteren, zullen dan om wraak schreeuwen! Er zal een bloedbad volgen dat heel Yamatan rood kleurt, erger dan wat Wen De's eigen bloeddorst ooit kan uitrichten! Zover mogen we het niet laten komen. Wen De moet een eerlijke dood sterven. Dan kan ik in zijn plaats treden en kunnen we met zijn generaals onderhandelen.'

'Een eerlijke dood!' riep Sadayasu. Hij liet haar hand los, maar kwam niet op het voorstel van Ju Long terug. Niemand deed dat.

De avond viel en de spion nam afscheid. De heren en Mei Lin maakten zich op om een maaltijd te gebruiken, toen een wachter het vertrek binnenkwam. 'Vergeving, heer,' sprak hij tot de keizer. 'Er is hier een man die de Yuan-sa wil spreken. Ik geloof dat hij een generaal van de Yuan is.'

In de stilte die volgde, klonk Mei Lins stem onnatuurlijk hard: 'Breng hem hier.'

De wachter verdween en keerde even later terug met een man van middelbare leeftijd, gekleed in een zwarte mantel. Op de borst droeg hij een baan van lichter gekleurde zijde, waarop in zwarte inkt een grove bloem was geschilderd: een lelie. Mei Lin herkende de man direct: het was de kapitein van de wacht uit Yuanjing.

'Thian-tse!' zei ze verbijsterd.

De man knielde voor haar neer, het hoofd gebogen, maar Mei Lin hoorde de glimlach in zijn stem: 'De Yuan-sa kent mijn naam!'

Maeda stapte naar voren. Hij trok zijn zwaard en duwde het onder Thians kin, zodat de man naar hem op moest kijken. 'Wat komt een generaal van de Yuan hier doen?' vroeg hij in het Yamatanees.

Thian knipperde met zijn ogen. 'Ik... De heerser van Yuan wil... aanvallen... morgen,' hakkelde hij in de vreemde taal. 'Ik kom... hulp...' Hij fronste en keek op naar Mei Lin. 'Yuan-sa,' smeekte hij, 'alstublieft.'

'Laat hem, heer Maeda.' Mei Lin gebaarde naar Thian dat hij verder kon spreken.

'Vergeef me, vrouwe,' zei hij. 'Ik heb het recht niet om de handelingen der machtigen in twijfel te trekken...'

'Waarom ben je hier?' vroeg ze.

Tranen sprongen in Thians ogen. 'De Yuan-tse is buiten zinnen, vrouwe. Hij wil de Yamata koste wat het kost verpletteren, ook al raden wij, zijn generaals, hem aan een andere weg in te slaan. Ik vrees dat hij ons land in het verderf zal storten. Als u ons niet helpt...'

'Ik moet jullie helpen?' Mei Lin lachte.

'Ik heb bijna veertigduizend man onder me, Yuan-sa, sinds ik tot generaal ben benoemd. Terwijl ik hier met u spreek, worden zij allen in het geheim met uw insigne uitgerust.' Hij raakte even de zijden lap aan. 'Morgen staat mijn hele troepenmacht tot uw beschikking als ik uw woord heb dat u alles zult doen wat in uw macht ligt om uw broer tegen te houden.'

Mei Lins mond viel open. 'Veertigduizend man?'

'Misschien kan ik andere generaals overhalen om zich ook bij u aan te sluiten, Yuan-sa. Ik heb er tot nu toe met niemand over durven spreken. Als de Yuan-tse ontdekt wat ik van plan ben...'

'Veertigduizend man!' herhaalde ze. Het maakte hun aantallen niet gelijk, bij lange na niet. Maar ze zouden een kans hebben. Wellicht zou het feit dat hij plotseling een heel leger kwijt was, Wen De zelfs overhalen om toch te onderhandelen. 'Ik geef je mijn woord, Thian-tse,' zei ze. 'We zullen een manier vinden.'

Later, toen ze in de ochtendschemering vanaf de verdedigingstoren de legers van Yuan rond de heuvel van Asahino verzameld zag, begon ze te twijfelen. De troepen van Thian waren volgens afspraak opgetrokken tot de palissade, de lelies duidelijk zichtbaar op hun zwarte pantsers, en hadden zich daar tussen de Yamata opgesteld. Maar Wen De had nog zo veel meer krijgers onder zijn bevel.

'Goden,' zuchtte ze, terwijl ze zich van het uitzicht afwendde. 'Het zal een bloedbad worden.'

Sadayasu, die naast haar stond, knikte zwijgend.

'We zouden ons moeten overgeven,' fluisterde ze.

Fel draaide hij zich naar haar om. 'Nee! Niet doen, Mei Lin-sa!' Hij greep haar schouder vast en trok haar naar zich toe. 'Je mag de moed niet opgeven, hoor je? Geloof je werkelijk dat we ons nu nog kunnen overgeven?'

Mei Lin ontweek zijn blik. Ze keek naar Cang Lu, bleek en klein naast het trapluik. 'Nee,' zei ze. 'Maar misschien was het beter geweest als ik dat wel kon. Als ik gewoon mijn trots opzij kon zetten...'

'Trots?' lachte Sadayasu. 'Denk je dat we strijden uit trots?' Hij schudde zijn hoofd en liet haar schouder los. Hij keerde zich weer om naar het uitzicht. 'En als Yamatan zich heeft overgegeven, Mei Lin-sa... Naar welke landen zal je broer dan optrekken? Hoeveel doden zullen er nog in volgende oorlogen vallen, nadat hij ons heeft overwonnen? Wanneer is zijn bloeddorst gelest, Mei Lin-sa? Wanneer is het genoeg?'

Ze sloot haar ogen.

'Ah, mijn Yuan-sa!' Sadayasu trok haar naar zich toe. 'Ik had erop moeten staan dat je in Jitsuma bleef.'

'En denk je dat ik daar ook maar een haar veiliger was geweest? Als Wen De door onze verdediging breekt, zal heel Yamatan vallen. Ik sterf liever hier, waar de Yuan het zullen weten. Misschien dat mijn dood zo nog iets kan betekenen.' Kalm keek ze naar hem op. 'Ik ben niet bang voor de dood, Sadayasu-tse, ik vrees alleen voor het lot van de mensen die ik achterlaat.'

Haar echtgenoot keek haar verwonderd aan. 'Je meende het,' zei hij toen. 'Je zei tegen mijn broer dat je je eigen leven zou nemen als hij niet bereid was je te helpen. Dat was helemaal geen bluf.'

Mei Lin trok een wenkbrauw op. 'Heb ik ooit beweerd van wel?'

Achter haar schraapte Cang Lu zijn keel.

Ze draaide zich naar hem om. Zijn ogen hadden weer die ijzige scherpte, alsof hij dwars door haar heen wilde kijken; alsof zij door hém heen kon kijken. En plotseling zag ze de laatste mogelijkheid om Yuan te redden van haar broers waanzin.

'We gebruiken zijn waanzin tegen hem,' mompelde ze.

Cang Lu fronste zijn voorhoofd.

Sadayasu reikte naar haar hand. 'Wat?'

'Stuur een boodschapper naar mijn broer,' zei ze. 'Zeg hem dat we bereid zijn om te onderhandelen.'

'Dat hebben we toch al besproken?' zuchtte haar echtgenoot. 'Wen De zal niet komen.'

Mei Lin lachte. 'O, hij komt wel. Zeg dat je me hebt omgepraat... Zeg dat we bereid zijn hem zijn dienaar terug te geven.'

55

Reigers vlucht

Cang Lu moest toegeven dat Mei Lins plan in al zijn eenvoud uitstekend was: een boodschapper zou aan Wen De doorgeven dat de Yamata bereid waren Cang Lu aan hem terug te geven, als hij op het afgesproken tijdstip met al zijn generaals in de tempel verscheen. Daar zouden Mei Lin en de Yamata proberen hem alsnog tot onderhandelingen te bewegen.

'Zijn generaals zien het nut van een wapenstilstand in,' zei Mei Lin. 'Als ik hun onze bedoelingen duidelijk kan maken, zullen er misschien meer zijn als Thian, die zich achter ons willen scharen. In ieder geval zullen ze mét ons druk op mijn broer kunnen uitoefenen. Samen kunnen we hem overtuigen!'

Cang Lu zelf zou er natuurlijk nooit aan te pas komen. Hij zou in het kamp wachten tot alles achter de rug was.

'Wen De zal weten dat het een lokmiddel is,' zei Akechi.

Mei Lin haalde haar schouders op. 'Dat maakt niet uit. Hij zal toch komen. Zolang er een kans bestaat dat we Cang Lu aan hem willen uitleveren...'

Cang Lu wist dat ze gelijk had. Het was een uitstekend plan. Toch wist hij dat ze er niet in zou slagen om Wen De te overtuigen.

Hij keek langs haar heen door de opengewerkte ramen van de toren. Voorbij de palissade stonden de banieren van de Yamata strak in de strenge oostenwind.

Er hing iets in de lucht; een voorgevoel dat zo zwaar was dat hij het bijna kon aanraken. Nooit eerder had hij de draden van het lot die zich rond hem uitsponnen zo duidelijk kunnen zien, alsof de mist voor zijn ogen eindelijk was opgetrokken. Maar ergens had hij altijd geweten dat dit moment zou komen.

'Laten we de boodschapper nu sturen,' zei Mei Lin. Ze keerde zich naar hem toe, koel en doelbewust. 'Cang Lu-tse, wacht in je tent. Ik kom je opzoeken zodra we klaar zijn in de tempel.'

Haar hand lag nog steeds in die van Akechi. Cang Lu was verbaasd daarover een steek van jaloezie te voelen. Hij had gedacht dat dat inmiddels achter hem lag; hij had wel belangrijker zaken aan zijn hoofd.

Het maakte niet uit. Hij raakte al los van haar. Het was begonnen met Akechi en toen ze hem eindelijk had gekust, liefdevol als een zuster, had hij geweten dat er geen weg terug meer was.

Het moest zo zijn.

Misschien had hij het altijd al geweten, vanaf de allereerste keer dat hij voorbij de leegte in Wen De's handen was gevallen. Mei Lin had nooit een rol in deze geschiedenis gespeeld. Zíj was in Cang Lu's machtsstrijd met haar broer verwikkeld geraakt, niet andersom.

Hij knikte omdat hij zijn stem niet vertrouwde. Een laatste blik op haar gezicht, in haar ogen, die hem alles konden geven wat hij wenste. Toen draaide hij zich om.

De draden van het lot sponnen zich om hem heen en trokken hem voort. Hij ging voorbij zijn tent, voorbij de palissade, voorbij de legers in formatie met hun wapperende banieren. Niemand hield hem tegen. Misschien zagen ze hem niet eens.

De reigers op het dak van de tempel zaten doodstil, alsof ook zij de dreiging van het lot voelden. Het waren er meer dan de vorige keer, schitterende zilverblauwe schimmen tegen het donkere hout. Cang Lu wenste dat hij buiten kon blijven staan om naar hen te kijken, maar zelfs daarin had hij geen keus.

Hij ging de stille tempel binnen.

Hij was niet bang. Misschien had hij dat wel moeten zijn. Maar de leegte omgaf hem al, stil en wit; niet als een mist, maar als een web waardoor hij beter kon zien, alsof het spinrag de lijnen van de wereld vormde. Hij was beschermd in dat lege, stille web.

De houten steunbalk voelde warm tegen zijn koude huid. De versieringen waren als nissen voor zijn handen en voeten, ondiep, maar diep genoeg voor een jongen van zijn grootte. Hij klom naar boven en bereikte het raamwerk van dwarsbalken boven in de tempel lang voordat er iemand binnenkwam. Zwijgend zocht hij een plek onder de nok van het dak.

Wen De zou komen. Hij wist het, vóélde het, als de draden van het lot die zich om hem heen sponnen. En hij was niet bang.

In de leegte wachtte hij.

Mei Lin probeerde kalm te blijven. Het plafond van de tempel was hoog boven haar, maar ze had het gevoel dat het langzaam naar beneden kwam, dat de muren op haar afkwamen, dat de lucht in glas was veranderd dat ieder moment kon breken. Sadayasu, naast haar, keek strak voor zich uit. Ongetwijfeld vroeg hij zich net als zij af waar haar broer bleef.

Wat een grap als hij niet kwam opdagen! Zijn legers konden Asahino aanvallen terwijl alle Yamatanese generaals hier wachtten, afgesneden van hun troepen. Een wanhopige lach welde op in haar keel.

Sadayasu keek vragend naar haar om en ze schudde haar hoofd. Hij had zo veel voor haar gedaan. Hij was zelfs in plaats van keizer Akechi – die het kamp met zijn verwonding onmogelijk kon verlaten – naar de tempel gereden om een plan uit te voeren waarin hij zelf niet geloofde. Hoe moest ze hem nog onder ogen komen als Wen De inderdaad wegbleef?

Togashi slaakte een zucht. Hij en Maeda leunden tegen twee van de balken die het dak van de tempel ondersteunden, terwijl Kojima zich als een stille wachter bij de muur ophield. Ishida stond naast Sadayasu, beheerst als altijd.

Maeda schraapte zijn keel. 'Als de Yuan van plan waren om te komen, zouden ze er inmiddels...'

De deuren van de tempel schoven open. Wen De stapte naar binnen, gevolgd door de tien generaals die hem trouw waren gebleven: Zheng, Fan, Xu, Jia, Ping... Andere generaals die ze niet kende. De mannen vormden een halve cirkel rond hun keizer, hun blikken op haar gericht. Twee keizerlijke lijfwachten in lange, zwarte gewaden stelden zich aan weerszijden van Wen De op.

Haar broer keek de zaal rond zonder zelfs maar zijn helm af te zetten, een hand op het gevest van zijn zwaard. 'Waar is mijn dienaar?' sprak hij.

Mei Lin slaakte een zucht en hij keek haar aan. 'Cang Lu is hier niet,' zei ze. Ze stapte naar voren. 'We willen met je praten, Wen Detse. Ik wil met je praten.'

Hij schudde zijn hoofd en draaide zich om. 'Nee. Wij hebben genoeg gepraat. Jij bent dood.'

Uit de kring van generaals stapte één man naar voren, een stevige kerel met een lange snor. 'Vergeef me, Yuan-tse, maar misschien is het verstandig te horen wat de Yuan-sa... Ah, wat de vrouwe te zeggen heeft. Wellicht hebben de Yamata een goed aanbod?'

Wen De keek de man aan alsof hij erover dacht zijn zwaard te grijpen. Maar toen de andere generaals ook knikten, keerde Wen De zich weer om naar Mei Lin. 'Zijn jullie bereid je over te geven?' vroeg hij.

Mei Lin moest moeite doen om hem niet af te snauwen. Ze liet het woord aan Sadayasu. Hij sprak immers in naam van de keizer. 'De Yamata willen geen oorlog met Yuan,' zei hij. Mei Lin was verbaasd over de ijzeren klank in zijn stem. Zo dwingend had ze hem nooit eerder horen spreken. 'Deze strijd zal veel goede mannen het leven kosten. Onze legers zullen verzwakken, onze rijkdommen verdwijnen als sneeuw voor de zon. We zullen kwetsbaar zijn voor aanvallen van buitenaf. Is dat in Yuans belang? Het is zeker niet in Yamatans belang! Laten we vrede sluiten, heer, zoals uw vader wenste. Samen zijn we onverslaanbaar.'

Wen De kneep zijn ogen samen. Voor hij echter antwoord kon geven, stapte een van zijn generaals naar voren. 'Vergeef me, Yuan-tse,' zei hij. 'Wat stelt de prins voor?'

'De keizer van Yamatan biedt u een vrije aftocht via Nashido, als u onze dorpen en steden ongemoeid laat. Een delegatie zal in Jitsuma worden onthaald om over nieuwe handelsverdragen te spreken.' Sadayasu zweeg even. Hij keek naar Mei Lin, die hem zwijgend toeknikte. 'In ruil voor een ondertekend vredesverdrag en vrije handel zal Yamatan uw wetenschappers de geheimen van onze vuurbloemen onthullen.'

Mei Lin zag de glans van verlangen in haar broers ogen.

Zijn generaals bewogen onrustig. De man met de snor schraapte zijn keel en zei: 'Vergeef me, Yuan-tse. Wellicht kunnen we over dit voorstel nadenken? De keizer wil allicht niet meer doden laten vallen dan strikt noodzakelijk is.'

'De Yuan-tse is een wijs man,' sprak generaal Zheng bedachtzaam. 'Hij weet dat Yuan en Yamatan altijd verbonden zijn geweest. Moet hij de Yamata overmeesteren om oppermachtig te zijn? Er valt veel te winnen bij vrije handel en vrede...'

'Als ik zo vrij mag zijn...' Een derde man stapte naar voren. Mei Lin had hem eerder gezien, in Yuanjing, maar ze kende zijn naam niet. 'Het gerucht dat de Yuan-sa nog leeft en een verdrag met de Yamata heeft gesloten, is bekend onder de troepen. Het zal mee worden gevoerd naar Yuan en zich onder het volk verspreiden. Sommigen zullen zich misschien afvragen waarom zij dit heeft gedaan. Het zou tot onrust in het rijk kunnen leiden. Zou de keizer niet willen overwegen om zich met zijn zuster te verzoenen, ten gunste van Yuan?'

De andere generaals knikten, sommige aarzelend, andere dringend. Mei Lin had geweten dat ze haar zouden bijvallen, maar toch voelde ze een warme gloed door hun woorden.

Een gloed die verdween zodra haar blik op Wen De viel. 'Jullie zijn lafaards!' siste hij. 'Lafaards en verraders! Maar ik val niet voor jullie mooie praatjes! Yamatan behoort mij toe! We zullen ons niet overgeven!'

Wanhopig strekte Mei Lin haar hand naar hem uit. 'Broer, alsjeblieft!'

Hij keerde zich verbaasd naar haar toe. 'Je noemt mij nog steeds je broer?'

Mei Lin slikte. 'Hebben we beiden niet het welzijn van Yuan voor ogen?'

Tot haar verbazing begon hij te lachen. 'Het welzijn van Yuan! Hoe durf jij daarover te spreken? Je hebt jezelf aan de Yamata verkocht! Je hebt een van mijn generaals ingepalmd en een ander ter dood gebracht! Hoe moet dat aan het welzijn van Yuan bijdragen?'

Mei Lin balde haar handen tot vuisten. 'Heer Sun heeft een eerlijk proces gehad,' zei ze. 'Hij is onder het toeziend oog van meerdere Yuan veroordeeld voor samenzwering, hoogverraad en moord, en heeft zijn vonnis geaccepteerd. Als je enig eergevoel bezat, Wen De-tse, volgde je zijn voorbeeld!'

De woorden verlieten haar mond voor ze goed en wel besefte wat ze zei. Om haar heen hielden de generaals, zowel de Yuan als de Yamata, hun adem in; maar Wen De zei niets. Hij sloeg haar met halfgeloken ogen gade, alsof hij niet wist wat hij met haar aan moest.

Ze beet op haar lip en schudde langzaam haar hoofd. 'Ik vraag je niet om je over te geven,' zei ze. 'Ik vraag je niet om te bekennen wat je hebt gedaan of een straf te ondergaan. Het verleden zal daardoor niet veranderen. Onze vader, Teishi en Dian Wu, Ōta Hidenori, al die duizenden doden in de kloof en op het slagveld... Het zal ze niet tot leven wekken. Cang Lu zal de wonden van jouw mishandelingen als blauwe plekken op zijn ziel blijven dragen. Maar ik vraag je – ik sméék je – Wen De-tse, om meer bloedvergieten te voorkomen. Een veldslag zal ons allen noodlottig worden. Dat weet ik. De Yamata weten het, jouw generaals weten het – en zelfs jij weet, diep in je hart, dat niemand deze oorlog zal winnen.' Ze zweeg even en keek naar hem op. Zijn zwarte ogen waren onpeilbaar achter het vizier van zijn helm. 'Gun vader zijn vrede,' zei ze. 'Gun Yuan rust.'

Hij keek van haar weg, omhoog, alsof daar de oplossing voor deze kwestie verscholen lag. Een gehandschoende hand gleed van het gevest van zijn zwaard, over zijn hals, daar waar zijn wapenrusting en helm net niet op elkaar aansloten.

Op dat moment wist Mei Lin al wat zijn antwoord zou zijn.

En ze zag ook wat ze moest doen, alsof een schimmige versie van haarzelf uit haar lichaam trad en naar voren snelde, het zwaard uit zijn schede trok en hem de keel doorsneed. Wen De's lijfwachten zouden háár vervolgens neersteken, daartoe waren ze geïnstrueerd. Sadayasu zou haar dood willen wreken, maar Ishida was wijs en sterk genoeg om hem tegen te houden. Op de een of andere manier zouden de generaals er samen wel uit komen; de vrede zou worden getekend. Er was dan geen troonopvolger voor Yuan en waarschijnlijk zou er enige strijd uitbreken alvorens iemand de macht greep, maar dat zou maar van korte duur zijn en daarna was er vrede. Alles zou voorbij zijn.

Wen De's blik keerde terug naar haar gezicht, zijn hand gleed weer naar het gevest. Haar kans was verkeken. 'Yuan buigt voor niemand,' zei hij. 'De Yamata zullen zich moeten overgeven of sterven.' Hij gebaarde naar zijn generaals en ze bewogen zich met verontschuldigende blikken naar de deur.

Nog eenmaal keek haar broer op naar de zoldering van de tempel. Er gleed een vreemde uitdrukking over zijn gezicht en zijn hand kwam even los van zijn zwaard.

Mei Lin wenste dat ze op dat moment had bewogen.

Maar het was te laat. Wen De had hun lot met zijn antwoord bezegeld en er was geen weg terug. Ze had hem moeten neersteken voor hij sprak. Hun strijd zou zijn beslist.

Boven op de dwarsbalken luisterde Cang Lu naar de onderhandelingen. Het was als die avond van de Langste Nacht, toen hij met Natsuko op het balkon van de feestzaal had gestaan en naar de gebeurtenissen beneden had gekeken: hij maakte er geen deel van uit. Hij was los van de wereld.

Beneden hoorde hij Mei Lins stem; een gouden melodie, als de flikkering van een kaars in het duister. Maar zijn blik was vastgeklonken aan haar broer, Wen De. Zijn meester. Hij droeg zijn zwarte pantser, waarin hij een schaduw was, als de schaduwen op Cang Lu's muur die in de nacht naderbij kropen. En Cang Lu wist dat die schaduw zou winnen, zoals hij het iedere nacht geweten had als de vlam van zijn kaars doofde voor het ochtend werd. Tien jaar had hij Wen De bediend. Tien jaar, waarin hij had geleerd zijn meesters kleinste gebaar te lezen.

O, hij wenste dat Wen De naar Mei Lin zou luisteren. Maar in het witte spinrag van de draden van het lot om hem heen las hij de waarheid.

De melodie van haar stem daalde, daalde, tot ze zachtjes wegstierf. Een dovende kaars.

In de duisternis gleed Wen De's blik omhoog. Hij streek met een hand over zijn nek, de plek waar de ader in zijn hals klopte. Gedurende een misselijk moment dacht Cang Lu dat zijn meester hem had ontdekt. Angst en verlangen overspoelden hem en zijn rechterhand met de zwarte tekens van Nakiyo ging naar de zak van zijn tuniek, sloot zich om het voorwerp dat hij daarin had bewaard: het scheermes waarmee Mei Lin zijn haren had afgeschoren.

Toen keek Wen De weer weg. 'Yuan buigt voor niemand,' zei hij tegen Mei Lin. 'De Yamata zullen zich moeten overgeven of sterven.' Hij gebaarde naar zijn generaals. Zwijgend schuifelden ze naar de uitgang.

Wen De bleef staan. Zijn blik gleed opnieuw omhoog, alsof hij in gedachten was verzonken.

Ditmaal was er geen twijfel mogelijk. Er voer een schok door Cang Lu's lichaam op het moment dat hun blikken elkaar kruisten. Hij kon niet langer ademen; het spinrag verstrikte hem, probeerde ín hem te komen. Hij worstelde, tevergeefs.

Wen De's hand verkrampte in een verlangend gebaar. Iedere aanraking die hij ooit had moeten verduren kroop over Cang Lu's huid. Kreunend boog hij zich voorover op de dwarsbalk, maar het was te veel, te veel.

Hij liet het witte web in zijn geest toe, en alles wat hij was werd uitgewist.

Hij was in de leegte en de leegte was in hem, groots en helder, een netwerk dat zich uitstrekte om de hele wereld te omspannen. Plotseling kon hij weer horen, zien en voelen, en de wereld vulde zich met kleur. Hij kon iedere draad van het lot lezen, het patroon verankerde zich in zijn geest. Hij was klein en groot tegelijk, een blauw licht voorbij de schaduwen. Het scheermes was een blinkend blad in zijn hand. Onder hem, een peilloze diepte. En hij was niet bang.

Als een vogel voor zijn eerste vlucht, zo liet hij zich vallen. Zijn armen strekten zich uit, zoals ze talloze keren hadden willen doen toen hij nog de jongen Cang Lu was geweest. Zijn vingers verkrampten, verbogen. Zilveren veren schoten tevoorschijn; vleugels, die zich vastgrepen aan de stromen in de lucht. Hij wás de vogel.

In een duikvlucht stortte hij zich naar beneden.

Wen De keek naar hem op, zijn mond geopend in een stille schreeuw. Messcherp sloegen de vleugels langs zijn hals. De man gorgelde, stapte vooruit en viel, in een fontein van bloed.

Twee zwarte lijfwachten stormden naar voren, het zwaard getrokken. Te laat.

De reiger volgde de stromen in de lucht, weg van de schaduwen. Hoger en hoger ging hij en niets hield hem meer tegen.

Hij vloog.

Mei Lin zag de jongen vallen. Zijn gouden ogen waren opengesperd, zijn rechterhand omklemde iets wat glinsterde in het licht van de toortsen.

Hoe was hij daarboven gekomen?

Ze staarde verstijfd, niet tot nadenken in staat.

De jongen viel en viel en viel.

Wen De's mond zakte open in een geluidloze schreeuw. Zijn lijfwachten leken bevroren aan zijn zijde. Toen kwam de jongen op hem neer en vielen ze beiden op de grond. Cang Lu's hand haalde uit.

Bloed. Heel veel bloed.

Een scheermes – hét scheermes – viel rinkelend uit zijn greep.

O, goden!

Haar broer gorgelde, sidderde, lag toen stil.

De jongen richtte zich een beetje verdwaasd op.

En dat was het moment waarop Wen De's lijfwachten uit hun schok ontwaakten. Hun zwaarden flitsten, bloedrood.

Mei Lin wierp zich naar voren. 'Néé!'

Handen grepen haar vast. Ze sloeg om zich heen en de wereld kwam omhoog.

'Nee! Néé! Cang Lu-tse!' Haar stem sloeg over. 'Yasuo!'

Ze zat op de grond. Hoe was ze daar...

Dat deed er niet toe. Cang Lu. Alleen Cang Lu.

Ze kwam omhoog. De handen lieten los.

Goed.

Nu lopen.

Ver weg een stem die haar probeerde tegen te houden: 'Mei Lin-sa!'

Niet belangrijk.

Andere stemmen: 'Yuan-sa, alstublieft!' Konden ze dan niet zien dat het al te laat was?

Haar voeten worstelden om vooruit te komen.

Cang Lu.

Goden! Cang Lu.

Waarom had ze ermee ingestemd om zijn hoofd kaal te scheren? Hij was zo mooi met zijn blauwe haren.

Zo blauw. En zijn gouden ogen die door alles heen keken.

Hij had haar gezien. Ze had geprobeerd hem weg te sturen. Ze had zijn blik willen mijden. Maar hij had nooit naar iemand anders willen kijken. En nu was alles wat ze zag Cang Lu.

Cang Lu, enkel Cang Lu. Haar kleine reiger.

Een hand gleed om haar schouder, trok haar weg. Sadayasu. Zijn geur omgaf haar, nam haar mee naar beneden, tot ze de vloerplanken tegen knieën voelde. Hij legde haar hoofd op zijn borst, haar wang tegen de harde plaatjes van zijn wapenrusting. Zijn hart bonkte in haar oor, dwars door de vele lagen kleding.

'Moet,' fluisterde ze. 'Moet naar hem toe.'

'Sst,' zei hij. Alleen dat: 'Sst.'

Hoog boven haar brak de lucht.

Op het tempeldak krijsten de reigers.

56

Verdrinken

Mei Lin wist niet wanneer het opnieuw was gaan regenen. Ze hoopte dat de tranen uit de hemel haar zouden verdrinken, dat de regen simpelweg eeuwig door zou vallen en de wereld weg zou spoelen. Ze kon haar ogen sluiten, ze zou ze niet meer hoeven openen. Ze kon liggen in de stromen water en vergeten wat was geweest.

Maar de regen verdronk haar niet.

Ze bleef ademen en het werd droog. En toen kwam het moment waarop ze haar ogen weer moest openen en de wereld ongedeerd bleek. De plassen water op het plein voor de toren schitterden in het aarzelende zonlicht.

Mei Lin bedacht dat ze de wereld zelf misschien in haar tranen zou kunnen oplossen. Misschien kon ze gewoon ophouden te bestaan. Haar bloed zou niet meer stromen. Haar hart zou stil blijven staan.

In de lucht speelden de wolken krijgertje met de wind.

Het eerste wat tot haar doordrong, was een stem. Ooit had ze die gekend, maar nu niet meer. Onafgebroken fluisteringen spoelden om haar heen en ze dreef, zonder lichaam, op hun diepe klanken. Er was vrede in dat drijven en niets wat haar nu nog raakte.

Maar de klanken vormden woorden die zich een weg naar binnen vochten in haar geest en haar zwaar maakten. Mei Lin probeerde weg te zwemmen, omhoog, maar de stem kende geen genade.

Ze verdronk.

Ze kwam bij uit haar verdriet, langzaam, als een kind dat voor het eerst de ogen opent en nog niet weet wat het ziet. Ze knipperde en zocht om zich heen. De enige naam die haar in de diepste pijn was bijgebleven sprong van haar lippen.

Een hand greep de hare. 'Hij is dood, Mei Lin-sa. Het spijt me.' Er klonk oprecht leed door in die woorden.

Verbaasd keek ze op.

'Sadayasu-tse,' fluisterde ze, alsof ze niet zeker was van de naam.

Hij glimlachte en raakte haar wang aan. Hij was bleker dan ze zich herinnerde en hij had wallen onder zijn ogen.

Een plotselinge onrust overviel haar. 'Mijn broer! De oorlog!'

'Wen De is dood,' zei Sadayasu. 'De oorlog is voorbij. Zijn generaals hebben onze voorwaarden geaccepteerd, precies zoals jij met mijn broer had afgesproken. Ik denk dat het onder de generaals inmiddels redelijk bekend was wat Wen De uitspookte met de jongetjes die hem bedienden. Ze zien Yasuo's actie slechts als wraak voor zijn mishandelingen, niet als een moordaanslag door Yamatan.'

Een beeld flitste door Mei Lins hoofd: Cang Lu, het scheermes, zijn rechterhand met de tekens uit Nakiyo. Gepijnigd sloot ze haar ogen. 'Ik had hem tegen moeten houden,' zei ze. 'Ik had hem moeten redden.'

'Hij heeft óns gered,' zei Sadayasu.

'En toch...' De woorden bleven in haar keel steken. Hoe kon ze Sadayasu uitleggen wat ze bedoelde? Hij was er niet bij geweest, die avond in dat geitenschuurtje in het Ziougebergte, toen ze met een paar woorden alles wat Cang Lu haar had verteld, opzij had geveegd. Misschien had ze hem kunnen redden als ze toen had geluisterd.

Ze voelde Sadayasu's vingers over haar wang strijken en keek hem aan. Zijn blik was troebel, alsof hij in gedachten was verzonken. 'Herinner je je de legende van Yamata en Mirushi nog?' vroeg hij.

Ze fronste haar voorhoofd. 'Je bedoelt het verhaal dat de priester vertelde, "Idonu's golf"?'

Hij knikte. 'Ik heb het onder een andere titel leren kennen. Mijn vader was degene die het me vertelde. Hij zei dat op het moment dat Yamata in zee sprong om zijn geliefde en zijn land te redden, Ashira, godin van alle leven, medelijden met hem kreeg. Vlak voor hij het water raakte, veranderde ze hem in een reiger, met vleugels van blauwe zijde en ogen als gouden manen, die van de golven opvloog.

Ze zeggen dat Ashira zelf in de golven sprong en met Idonu vocht. De Heer van de Wateren kon haar kracht niet weerstaan en moest zijn aanval opgeven. Maar toen de resten van zijn golf tegen de klippen van Yamatan sloegen, werd Ashira erdoor geveld; haar lichaam werd kapotgeslagen tegen de rotsen. En men zegt dat de resten van Ashira's lichaam de vissen vormden waarmee de Yamatanese vissers zich nu voeden. En dat dit de reden is dat reigers bij water gevonden kunnen worden, want ze zijn op zoek naar Ashira, godin van alle leven, om haar te danken voor hun vleugels.'

Mei Lin staarde haar echtgenoot aan.

'Deze versie van de legende noemt men "Reigersvlucht",' zei hij. 'En zij die dit verhaal vertellen, beweren dat de reiger in tijden van nood door de goden naar Yamatan wordt gezonden om al wat hij liefheeft te redden van de ondergang.'

Een lach welde op in Mei Lins keel. Ze duwde zijn hand weg van haar gezicht. 'Cang Lu zou zeggen dat je onzin praat,' zei ze. 'De goden sturen geen reigerkinderen om hun wil uit te voeren.'

Sadayasu keek haar strak aan. 'O nee?'

Mei Lin keek als eerste weg. 'Ik moet opstaan,' zei ze, terwijl ze zichzelf overeind duwde. 'Het zou onbeleefd zijn als de Yuan hoorden dat ik weer bij kennis was, maar niet de moeite wilde nemen om in het openbaar te verschijnen. De generaals zullen me persoonlijk willen zien.'

'Dat denk ik ook,' zei Sadayasu. Hij stond op en liep naar de uitgang van haar tent. 'Ik zal Yuki naar je toe sturen. En dan zal ik een boodschapper naar de generaals van Yuan zenden om te melden dat je in aantocht bent.'

'Sadayasu-tse!'

Hij draaide zich om.

Ze glimlachte. 'Dank je wel,' zei ze. 'Voor...'

Hij schudde zijn hoofd. 'Mei Lin-sa!' zei hij. Toen verdween hij naar buiten.

Het was nog niet zo simpel om het kamp van de Yuan te bereiken. De Yamata wilden haar eerst zien en keizer Akechi stond erop dat een flink escorte haar zou vergezellen, onder de rode banier die hij voor haar had laten maken. Het duurde uren voor ze kon vertrekken.

Sadayasu bleef aan haar zijde. Hij droeg niet langer zijn zware wapenrusting, maar wel zijn zwaard. In stilte was Mei Lin daar dankbaar voor. Het maakte niet uit wat hij haar vertelde, ze bleef bezorgd over haar ontvangst door de generaals. De wijze waarop ze de laatste keer het kamp van de Yuan binnen was gebracht, was ze nog niet vergeten. Ditmaal was er geen oudere broer die haar dood wilde, noch een lijfwacht die popelde om haar te verraden. Maar ze was nog steeds de vrouw die naar Jitsuma was gereisd om Yamatan te waarschuwen voor Yuans leger; de vrouw die met Akechi Sadayasu was gehuwd en tegen Yuan ten strijde was getrokken.

Een gezelschap van tien man, onder leiding van generaal Thian, kwam haar even buiten het kamp tegemoet. Ze droegen Yuans banier met de Rijzende Zon. Alle groene vlaggen waren verwijderd.

De generaal boog zijn hoofd en de andere officieren knielden. 'Yuan-sa, ik voel me vereerd! Heb ik uw toestemming om u naar het kamp te begeleiden?'

Mei Lin slikte. Ze voelde Sadayasu's blik, zijn donkere ogen die haar wilden steunen. Maar ze kon niet naar hem omkijken, het protocol liet dat niet toe. Met een strak gezicht knikte ze. 'Je hebt mijn toestemming, Thian-tse.'

Er was een pad tussen de tenten en vuurplaatsen vrijgemaakt, met soldaten die in nette rijen aan weerszijden stonden opgesteld. Thian leidde haar tussen hen door, terwijl de negen officieren en Sadayasu met haar Yamatanese escorte op gepaste afstand volgden. De soldaten hielden hun hoofd gebogen, hun handen formeel samengevouwen.

Na een lange tijd bereikten ze het midden van het kamp, waar de overige generaals haar komst met ernstige gezichten afwachtten.

'Yuan-sa,' zei Thian, 'met uw toestemming?'

Ze keek hem vragend aan.

Hij schreeuwde een bevel. De generaals bogen het hoofd. Om hen heen, in het hele kamp, knielden de soldaten, het hoofd naar de grond gebogen, tot alleen Sadayasu en de Yamata nog overeind stonden.

Met een frons keek Mei Lin naar Thian. 'Wat...' begon ze.

Vanuit haar ooghoek zag ze Sadayasu naar zijn volgelingen gebaren en zijn mannen knielden ook.

Toen klapte Thian in zijn handen. Zes keer.

De andere generaals en officieren volgden zijn voorbeeld.

Er liep een rilling over Mei Lins rug.

Thian verhief zijn stem: 'Kom in ons midden, Yuan-sa, en vereer ons met uw aanwezigheid!'

De officieren antwoordden: 'Eer aan de Yuan-sa!'

Thians stem galmde door het kamp: 'Kom in ons midden, Yuan-sa, en laat ons eer brengen aan uw naam!'

'Eer aan de Yuan-sa!' riepen de officieren, en ditmaal werden ze, tegen het protocol in, bijgevallen door alle soldaten in het kamp. 'Eer aan de Vrouwe van Yuan, de Gebiedster van het Middenland! Eer aan de keizerin!'

Over alle hoofden heen zocht Mei Lin, verbijsterd, eindelijk Sadayasu's blik. Maar hij zag haar niet. Ook hij had zijn hoofd gebogen voor de nieuwe heerser van Yuan.

Het meer Si Tjin lag stil en donker te slapen in de vallei, het water zo vlak als een spiegel. In de verte, aan de overkant, verrezen de torens van Yuanjing, de Trap naar de Hemel, met het keizerlijk paleis als een witte parel in zijn midden. Vanaf hier leek het een droomstad.

Met gesloten ogen tastte Mei Lin in het zakje aan haar riem. Haar vingers gleden door de as, zacht en fijn als rivierzand. Keizer Akechi had haar dat zakje gegeven vlak voor ze haar lange reis naar het noorden had aangevangen. 'Ik denk dat dit u meer toebehoort dan iemand anders,' had hij gezegd. Ze had willen zeggen dat het niemand toebehoorde, maar de woorden waren niet gekomen en uiteindelijk had ze hem alleen maar bedankt.

'Yuan-sa?' Een van haar lijfwachten stapte op haar af.

Plotseling vastbesloten opende ze haar ogen. Ze trok haar hand terug en liet de as door haar vingers glijden. Als een witte mist vloog het stof over het water.

De lucht was scherp met de geur van lotus en watermunt. In de spiegel van Si Tjin trilde haar evenbeeld. Ze kon nog steeds verdrinken als ze zich ver genoeg in dat water vooroverboog, maar de roep van haar verdriet was minder luid geworden. En er waren verplichtingen die op haar wachtten.

'Yuan-sa?' zei de lijfwacht opnieuw.

Mei Lin draaide zich om en keek voorbij de man naar Sadayasu, die een eindje verderop op de oever stond en haar paard bij de teugel hield.

Ze rechtte haar schouders. 'Ik kom.'

Ze zou nog vaak naar die plek terugkeren, aan de oever van het meer Si Tjin, en in het eindeloze water staren en wachten.

Maar de reiger zag ze niet weer.